C0-ARS-410

SUR LA GENÈSE

SOURCES CHRÉTIENNES

Fondateurs : H. de Lubac, S. J. et † J. Daniélou, S. J.
Directeur : C. Mondésert, S. J.

N° 233

DIDYME L'AVEUGLE

SUR LA GENÈSE

TEXTE INÉDIT
D'APRÈS UN PAPYRUS DE TOURA

INTRODUCTION, ÉDITION, TRADUCTION ET NOTES
PAR

Pierre NAUTIN
Directeur d'Études à l'École Pratique des Hautes Études

AVEC LA COLLABORATION DE
Louis DOUTRELEAU, s.j.

Tome I

Ouvrage publié avec le concours du
Centre National de la Recherche Scientifique

LES ÉDITIONS DU CERF, 29, Bd de la Tour-Maubourg, PARIS
1976

ISBN : 2-204-01103-7

A OCTAVE GUÉRAUD

P.N.

AVANT-PROPOS

Ce commentaire des premiers chapitres de la *Genèse* a été trouvé en 1941, avec d'autres ouvrages de Didyme et d'Origène, sur des feuillets de papyrus dans la falaise de Toura, au sud du Caire. Jusqu'alors on ne connaissait comme œuvre authentique de Didyme qu'un traité sur le Saint-Esprit traduit en latin par Jérôme et quelques fragments dans les chaînes exégétiques. Mais on savait que Didyme avait été condamné cent cinquante ans après sa mort par le IIe concile œcuménique de Constantinople (553) en même temps qu'Origène et Évagre le Pontique. Il y avait bien là de quoi exciter la curiosité sur les œuvres qu'on venait de découvrir. Le Centre National de la Recherche Scientifique m'envoya donc en 1951 au Caire pour prendre copie du commentaire *Sur la Genèse*. Mais tous ses feuillets n'étaient pas au Musée et ce n'est qu'à une date toute récente que j'ai pu avoir accès aux autres pages, ce qui explique le retard de la publication.

Bien des personnes m'ont aidé dans ce long et fastidieux travail. Je veux nommer en premier lieu M. Jean Scherer et M. Octave Guéraud, qui avaient mis les feuillets du Musée en état de lecture et m'ont accueilli au Caire avec beaucoup de cordialité. Jean Scherer fut aussi un guide sûr et toujours disponible pour ce premier déchiffrement d'un papyrus en mauvais état. Si Didyme se révéla bien décevant par lui-même, du moins aura-t-il été pour moi l'occasion de lier cette double amitié qui aujourd'hui encore a tant de prix à mes yeux.

Toutes facilités m'ont été accordées pour travailler au Musée Égyptien. J'en remercie spécialement M. Henri Riad, aujourd'hui Directeur Général des Antiquités, et le Docteur Selim Abdel Kader, Directeur du Musée.

J'exprime d'autre part toute ma reconnaissance aux collectionneurs privés qui possèdent une partie du commentaire et ont bien voulu la mettre à ma disposition.

Le R. P. Louis Doutreleau fut mon intermédiaire auprès d'eux et ma dette est grande à son endroit. Il m'obtint dès 1953 une photographie de ces feuillets. Je pus ainsi employer plusieurs mois des années suivantes à déchiffrer aussi cette partie du texte, à combler le plus grand nombre des lacunes pour l'ensemble du papyrus et compléter par conjectures un bon nombre de passages illisibles. Il était indispensable après cela de voir ou revoir le papyrus lui-même pour vérifier si les passages restitués s'accordaient avec les traces subsistant sur les bords des lacunes ou dans les endroits abîmés et pour tenter aussi d'arracher encore quelques lettres avec l'aide d'une lampe ultra-violette portative qui avait été commercialisée dans l'intervalle. Le P. Doutreleau, à qui les généreux collectionneurs acceptèrent, en 1973, de prêter leurs feuillets, voulut bien m'assister dans ce travail de révision. Nous l'avons fait aussi sur les feuillets du Musée du Caire et mis ensemble le texte au point, tel qu'on le trouvera dans l'édition. Il a bien voulu se charger aussi du travail ingrat, mais combien utile, de l'index des citations bibliques et des mots grecs.

Je remercie enfin ma femme qui m'a aidé avec tant de dévouement à rédiger la traduction, les notes, l'introduction, et qui a fait l'index analytique.

Pierre Nautin.

INTRODUCTION

Chapitre I

LA TRANSMISSION DU TEXTE

Le *Commentaire sur la Genèse* de Didyme d'Alexandrie nous a donc été rendu par un papyrus découvert à Toura en 1941. Nous décrirons d'abord ce témoin principal, puis nous dirons quelques mots de la tradition indirecte représentée par Procope de Gaza et les chaînes.

1. Le papyrus de Toura

a. *Les feuillets découverts à Toura et leur état de conservation*

Les feuillets découverts à Toura sont répartis aujourd'hui entre le Musée égyptien du Caire et des collections privées :

— au Musée du Caire, sous la cote SR 3728, se trouvent 9 fragments du premier cahier, puis les pages 17-32; 35-46; 49-52; 61-64; 81-164; 173-186.

— des collectionneurs particuliers qui ont accepté de nous donner accès aux feuillets qu'ils possèdent nous ont permis de lire 5 fragments du premier cahier, puis les pages 33-34; 47-48; 53-60; 65-76; 165-172; 187-198; 209-252.

Mais il nous a été impossible de retrouver les pages 77-80 et 199-208.

Si certains feuillets sont en bon état de conservation, le plus grand nombre a souffert. Du premier cahier (p. 1-16), il ne reste que des fragments. Le début du deuxième cahier (p. 17 et 18) et les derniers feuillets du manuscrit (p. 247-252) sont eux-mêmes très abîmés. Parmi les autres feuillets, beaucoup ont une lacune verticale qui entame toutes les lignes dans leur milieu. En d'autres passages le texte a presque disparu sous des souillures collées au papyrus ou par l'usure de la matière due à des frottements; dans quelques pages aussi l'encre est délavée comme après un séjour dans l'eau. Ces accidents ont rendu souvent la lecture du papyrus très difficile et nécessité un travail important de restitution.

b. *Le codex primitif*

Tous ces feuillets appartenaient à un même codex composé de 16 cahiers qui comportent, sauf le dernier, 16 pages. Les cahiers étaient numérotés en haut et à gauche de leur première page par un chiffre placé entre deux traits horizontaux : $\overline{\underline{\alpha}}$, $\overline{\underline{\beta}}$, etc. Les numéros sont encore visibles dans les cahiers VIII, IX, XII, XIV, XV. Les cahiers ont été trouvés séparés, mais auparavant ils étaient reliés. On trouve en effet au milieu des cahiers XI (p. 168-169), XV (p. 232-233), XVI (p. 250-251) la ficelle de la reliure, avec une petite languette de cuir passée sous la ficelle et collée au papyrus pour consolider celui-ci. Des traces de colle et de cuir subsistent aussi au milieu des cahiers IV (p. 56-57), V (p. 72-73), XIV (p. 216-217). Tous les cahiers, à part le dernier, ont la constitution normale des quaternions : fibres horizontales contre fibres horizontales, fibres verticales contre fibres verticales, la première feuille de chaque cahier étant une page aux fibres horizontales. Le dernier cahier a une constitution anormale, qui peut être représentée par le schéma suivant :

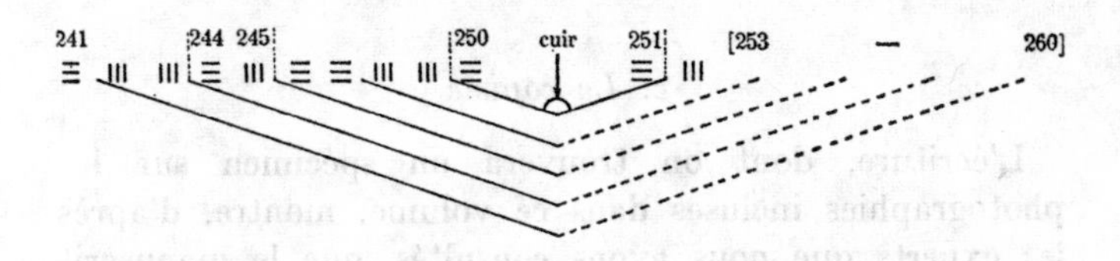

Comme on le voit par ce schéma, ce cahier comporte un feuillet (ou un demi-feuillet) supplémentaire. En effet le cuir de protection se trouve au milieu du cinquième feuillet (p. 250-251), d'autre part les fibres des pages 244 et 245 ne sont pas dans le même sens alors qu'elles devraient l'être. L'addition de ce feuillet peut être un indice que ce cahier était prévu pour être le dernier du codex. Cependant l'état de délabrement des dernières pages qui nous sont parvenues ne permet pas de savoir si la deuxième partie du cahier comprenait, comme la première, 10 pages au lieu de 8.

Les pages mesurent environ 26×23 cm. La partie écrite a de 17,3 à 18 cm de haut, et de 13,7 à 15,7 cm de large. Elles comportent entre 24 et 32 lignes[1].

Il est à noter que le codex n'avait pas de titre. Nous possédons en effet le sommet de la page 1 avec la marge supérieure et aucun titre n'y figure avant le texte du premier verset de la *Genèse*. Le manuscrit avait-il un colophon ? Nous ne pouvons le savoir à cause du mauvais état des dernières pages du cahier XVI. Comme ce manuscrit a été confectionné après la condamnation de Didyme au Concile de Constantinople de 553, il est possible que le copiste ait évité de mentionner son nom. L'appartenance de ce texte à Didyme n'a pu être reconnue que par les nombreuses citations faites sous son nom dans les chaînes.

1. Exceptionnellement la page 182 n'a que 21 lignes sans qu'il y ait de hiatus dans le texte entre cette page et la suivante. Cette anomalie peut s'expliquer par un arrêt dans le travail du copiste : lorsqu'il s'est remis à la tâche, il a commencé une autre page.

c. *Le copiste*

L'écriture, dont on trouvera un spécimen sur les photographies incluses dans ce volume, montre, d'après les experts que nous avons consultés, que le manuscrit a été écrit à la fin du VIe ou au VIIe siècle.

Le copiste a utilisé un papyrus de mauvaise qualité. En quelques endroits la fibre était si sombre ou altérée qu'il a évité d'écrire dessus (par ex. p. 227, 8 s.; 230, 12 s.); ailleurs il manquait une lamelle de papyrus tout au long d'une page (p. 218). Le papyrus avait aussi quelques trous d'insecte qui ont obligé plusieurs fois le copiste à couper le mot qu'il écrivait (par ex., p. 59, 15; 65, 16-18; 75, 6-8; 191, 2). Peut-être certaines feuilles avaient-elles été déjà écrites, puis lavées, comme peuvent le faire penser des traces illisibles mais qui semblent être celle d'une ligne plus ancienne (p. 54, 2).

Le copiste utilise généralement les abréviations usuelles des mots ἄνθρωπος (ανος, ανου...), Δαυίδ (δαδ), θεός (θς, θε...), Ἰησοῦς (ις, ιυ, ιν), κύριος (κς, κε...), οὐρανός (ουνος, ουνε...), πάτηρ (πηρ, περ, πρς...), πνεῦμα (πνα, πνς, πνι), πνευματικός (πνικος, πνικη...), πνευματικῶς (πνικως), σωτήρ (σηρ, σρς...), Χριστός (χς, χυ...). Mais il lui arrive accidentellement d'écrire ces mots en entier. Il abrège rarement υἱός (υς, υυ, υν, une fois ϋϊ, p. 197, 30). On trouve une fois ιελμ pour Ἰερουσαλήμ (p. 246, 14), et une fois μρς pour μητρός (p. 61, 3 πρς η μρς). Le diorthote abrège souvent καὶ en κ,.

Le ν en fin de ligne est remplacé par un trait horizontal relié à la lettre précédente.

L'esprit rude est quelquefois marqué : par ex. p. 28, 13 ἑν; 28, 23 ἁυτη; 126, 7 ἁυτου; 85, 12 ὁ αριθμος καθ ὁν; 92, 22 προς ἁ. Nous avons relevé deux accents circonflexes : p. 60, 13 δρᾶ; 192, 15 ορῶν.

Papyrus de l'*In Genesim.* — Page 74. Exemple de lacune.

PLANCHE II

Papyrus de l'*In Genesim.* — Page 153. Seconde main dans la marge du bas.

Le ι et le υ au début d'un mot ont ordinairement le tréma.

On trouve aussi des apostrophes (citons seulement p. 56, 10 αλλ' ουχ' απλως), en particulier après deux noms hébreux (p. 143, 12 σηθ'; p. 156, 28 γολιαδ').

La ponctuation est marquée par le point en haut, suivi parfois d'un espace blanc de la largeur de deux ou trois lettres, mais la fin d'un lemme et la fin d'un commentaire avant le lemme sont marqués par les deux points (:) ou rarement par un point en bas (par ex. p. 219, 24).

Le texte est ainsi disposé : pour écrire un lemme le copiste va normalement à la ligne et mord sur la marge pour les deux ou trois premières lettres du lemme; à la fin du lemme il met les deux points et laisse la fin de la ligne en blanc. Toutes les lignes du lemme sont signalées dans la marge par des guillemets doubles; en outre le lemme est séparé du commentaire précédent et du commentaire suivant par une paragraphos (—) ou une coronis (⸎) placées dans l'interligne. Le commentaire qui suit le lemme a lui aussi ses deux ou trois premières lettres écrites dans la marge; les autres passages de l'Écriture cités au cours du commentaire sont marqués par un demi-guillemet dans la marge. Telle est la disposition de principe. Elle était sans doute respectée rigoureusement dans l'archétype, mais dans notre papyrus elle comporte de très nombreuses exceptions; il arrive même qu'un lemme soit écrit à la suite du commentaire précédent sans rien qui les distingue.

Le plus souvent le copiste ne fait pas l'assimilation (p. 20, 2 συνκλυσθηναι; 21, 25 συνπαρημην, etc.). Il la fait cependant quelquefois (par ex. p. 65, 18 συμβιωσιν; p. 220, 21 συγγενεια), même dans des cas où elle n'est pas habituelle (p. 65, 16 α[γ]γιστριοις pour α[γ]χιστριοις).

Il lui arrive de pratiquer des coupes curieuses en fin de ligne, signalons : p. 103, 16-17 ε|ξ; 113, 11-12 α|φ; 129, 14-15 εξουσι|α.

L'orthographe laisse à désirer : on trouve les différentes fautes d'itacisme (échange de ι, η, ει, οι), la confusion de ε et αι, de ο et ω. A cette époque l'esprit rude devait être moins senti, d'où l'incertitude que révèlent des formes comme ουκ ουτοι (p. 219, 10) mais ουχ ανηρ (p. 221, 7) ; κατ ομοιωσιν et τουτ ουτως (p. 58, 23) ; ειτ εξης (p. 107, 10) contre ειθ εξης (p. 191, 10), etc.

d. *Les corrections postérieures*

Un diorthote intervient souvent avec une encre plus pâle pour effectuer des corrections. Il disposait d'un modèle, car il a pu redresser des erreurs qu'il n'aurait pas pu normalement corriger seul, notamment des déplacements de phrases comme ceux des pages 152-153. Son modèle était celui-là même dont s'était servi le premier copiste, car le texte du premier copiste comporte des passages laissés en blanc correspondant à des omissions et le diorthote n'a pas été en mesure de les combler parce que ces omissions figuraient déjà dans le modèle qui a servi aux deux scribes. Pour la même raison (par ex., p. 241, 5, 6), il laisse quelques fautes sans les corriger. Puisque le diorthote a disposé d'un modèle, nous adoptons généralement ses lectures.

D'autres corrections ont été effectuées par des lecteurs différents du diorthote. On le voit en particulier p. 168, 14, où l'on trouve deux corrections effectuées par deux mains différentes : le copiste avait écrit τυφλος, une première main a corrigé en τυφλον et une seconde main en τυφλους.

Cependant il est quelquefois difficile de distinguer quelle est la main qui a corrigé, en particulier quand il s'agit de suppressions. Celles-ci sont faites de plusieurs manières : grattages, biffages, exponctuations au-dessus ou au-dessous de la ligne, parenthèses d'exclusion (par ex. p. 57, 15 ʽαγνοειν' et p. 192, 26-27 : ⸬σημαινομαινου⸬).

e. *Les omissions*

Une particularité de ce manuscrit, je viens de le dire, est de laisser de nombreux passages en blanc, dont l'étendue va d'une partie d'une ligne à plus d'une page. Ces omissions ne sont pas dues au copiste du manuscrit, mais elles se trouvaient déjà dans son modèle puisque le diorthote n'a pas pu les combler. Il est possible que certaines omissions correspondent à des passages exprimant la doctrine de la préexistence des âmes pour laquelle Didyme a été condamné, mais ce n'est pas toujours le cas. En les examinant on voit en effet que d'autres motifs sont entrés en jeu.

On discerne d'abord deux grands groupes :

1) *Omissions dans les citations.* Il arrive très souvent que le copiste n'écrive que quelques mots d'une citation scripturaire en laissant en blanc le reste (par ex. p. 102, 22; 103, 21; 104, 3; 116, 8-9; 193, 1; 214, 21, etc.). De telles omissions semblent remonter au tachygraphe, car dans un cas où Procope cite le passage, il omet les mots laissés en blanc dans le papyrus (p. 102). Prenant sous la dictée, le tachygraphe n'a enregistré que les quelques mots qui lui étaient nécessaires pour retrouver ensuite le passage cité, puis, quand lui-même ou un autre a transcrit la tachygraphie pour faire le manuscrit original, la mémoire lui a fait défaut et il a laissé un blanc en comptant peut-être le combler par la suite, ce qui n'a pas toujours été fait[1].

2) *Omissions consécutives à un accident.* A la p. 173, ligne 14, le texte s'arrête aux deux tiers de la ligne et la phrase n'est pas achevée; la fin de la ligne et deux autres lignes sont laissées en blanc. Le texte manquant nous a été conservé dans les chaînes et l'on constate que rien

1. Il faut compter avec le fait que Didyme était aveugle et ne pouvait pas vérifier lui-même comment étaient copiées ses œuvres.

dans son contenu n'était matière à justifier une omission. Celle-ci est due simplement à ce que la fin de la phrase était devenue illisible dans le modèle de notre papyrus ou dans l'un de ses ancêtres. Plusieurs autres omissions, qui se réduisent à quelques mots, doivent avoir la même cause, par ex. p. 134, 10; 173, 24; 178, 4; 179, 3; 184, 21; 211, 3; 237, 8. Dans deux autres cas, la lacune provient de la perte de plusieurs feuillets dans l'un des ancêtres. La page 228 s'interrompt en effet au milieu d'une ligne et d'une phrase; la fin de la page est laissée en blanc, la page 229 aussi, et la page 230 recommence au milieu d'une phrase commentant *Gen.* 15, 12, alors que la page 228 commentait *Gen.* 12, 14-16. Il nous manque ainsi le commentaire de trois chapitres du texte biblique. Il est évident que ce commentaire occupait plus d'une page et demie. L'omission correspond ici à la perte de plusieurs feuillets, probablement d'un cahier entier, dans un manuscrit antérieur; le copiste qui a utilisé ce modèle a eu conscience de la lacune mais n'a pas pu en mesurer exactement l'étendue. De même, la fin de la page 76, commentant *Gen.* 2, 3, est laissée en blanc; nous ignorons le contenu des pages 77-80 que nous n'avons plus, puis, au début de la p. 81, nous sommes au milieu d'une phrase commentant *Gen.* 3, 6. Cette omission nous a privés du commentaire sur la seconde création de l'homme, le paradis d'Éden, la création de la femme et le début de la tentation. Si l'on en juge par la manière dont Didyme procède avant et après cette lacune, son explication des versets manquants devait occuper beaucoup plus que quatre pages. La partie laissée en blanc à la fin de la page 76 et qui se prolongeait peut-être par un blanc dans les pages suivantes signifie, comme dans le cas précédent, qu'un copiste a utilisé un modèle où il manquait plusieurs feuillets.

Il est quelques autres omissions dont l'origine n'est pas aussi claire, mais qui ne supposent pas nécessairement que

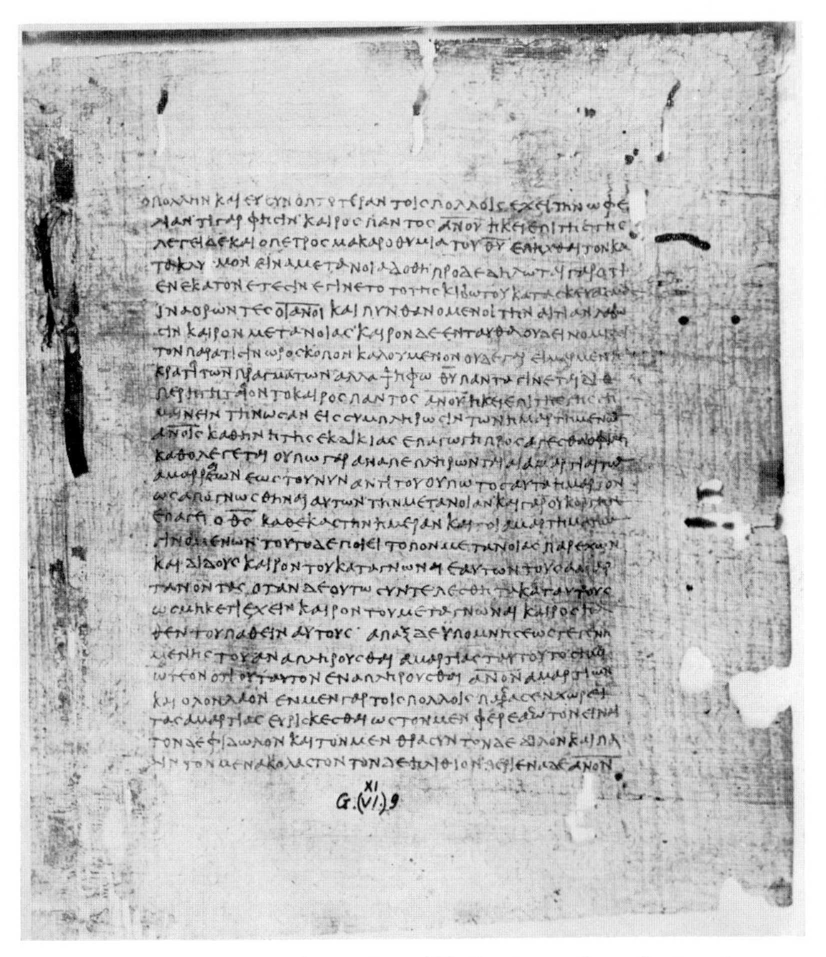

Papyrus de l'*In Genesim*. — Page 169. Sur la gauche, noter le cuir de protection au pli de la feuille.

PLANCHE IV

Papyrus de l'*In Genesim*. — Page 223. Effacement et évanescence de l'écriture.

le passage était doctrinalement suspect. Par exemple, p. 147, 13, où le manuscrit nous transmet le début de deux membres de phrase sans ce qui suivait, la faute peut remonter soit au tachygraphe qui n'a pas eu le temps de tout prendre sous la dictée et qui pensait compléter ensuite, soit à un copiste placé devant un modèle illisible. P. 133, 4, on lit simplement Τὰ δὲ πρὸς ἀναγωγήν ↑, et la fin de la ligne est laissée en blanc. Que signifie le signe ↑ qui suit ἀναγωγήν? Est-ce une abréviation du tachygraphe pour dire « nous en avons traité plus haut », ou un signe du copiste qui se dispense de reproduire un passage dans lequel Didyme répétait ce qu'il avait déjà dit. Nous ne savons, mais la forme du signe ne suggère en tout cas pas une omission doctrinale.

Dans d'autres endroits enfin, l'omission n'est peut-être qu'apparente. Ainsi, p. 194, 8, la ligne laissée en blanc avant un lemme peut être une simple séparation entre le lemme et le commentaire précédent et remplacer une paragraphos ou une coronis.

2. La tradition indirecte

En plus du papyrus de Toura, nous disposons de deux témoins secondaires : les chaînes et Procope de Gaza, qui donnent des extraits du texte d'une manière qui n'est pas toujours littérale, mais qui permet néanmoins dans plusieurs cas de retrouver un mot illisible dans le papyrus ou la substance d'un passage laissé en blanc. Nous avons jugé utile d'indiquer au bas de chaque page du texte grec les parties qui en sont citées par ces deux autres témoins.

Chapitre II

LE COMMENTAIRE DE DIDYME ET SES SOURCES

Ce n'est pas le lieu de faire une étude de la méthode exégétique de Didyme, de sa doctrine et du texte biblique qu'il utilise. Il vaut mieux laisser ce travail à d'autres chercheurs qui le feront sur l'ensemble de l'œuvre. Je me bornerai à consigner quelques observations sur l'ouvrage ici édité et ses sources les plus manifestes.

1. L'ouvrage de Didyme

Il est impossible dans l'état actuel du texte et de la recherche de dater exactement le *Commentaire sur la Genèse* et même de le situer dans l'ensemble de l'œuvre de Didyme, car il ne contient aucune allusion à un fait historique qui pourrait nous servir de point de repère, ni aucune référence à un ouvrage antérieur. Nous pouvons seulement rappeler que Didyme est mort vers 398 à l'âge de plus de quatre-vingts ans et que son œuvre littéraire se place par conséquent dans la seconde moitié du ɪᴠᵉ siècle.

Nous avons signalé plus haut (p. 13) un indice qui peut laisser penser que le codex retrouvé à Toura s'arrêtait à la fin du cahier XVI commentant *Genèse* 17. Didyme avait-il poussé plus loin son commentaire ? Ce n'est pas certain, car les chaînes, qui nous ont conservé une trentaine de fragments de ce commentaire jusqu'au chapitre 17 de la *Genèse*, n'en présentent ensuite que deux autres, dont il faudrait être assuré qu'ils sont bien de Didyme et concernent bien les chapitres suivants de la Genèse[1]. On peut remarquer en outre que le commentaire de Didyme se fait de plus en plus rapide lorsqu'il approche de la fin du codex.

Didyme considérait en tout cas le texte que nous publions ici comme formant deux traités : le premier concernant l'œuvre des six jours, l'autre commentant ce qui a suivi. C'est ce que nous apprend cette remarque qu'il fait après avoir expliqué le sixième jour (p. 73, 8 s.) : « Étant ainsi parvenus à la fin de tout ce qui a été fait dans les six jours que nous avons expliqués, nous achèverons notre traité en priant le Dieu de toutes choses, Démiurge du monde parfait et très plénier, de nous donner aussi pour la suite une compréhension parfaite des paroles de l'Écriture. » On sait qu'Hippolyte avait divisé pareillement son *Commentaire de la Genèse* en deux parties : un *Hexaméron* (Εἰς τὴν Ἑξαήμερον) et un *Après l'Hexaméron* (Εἰς τὰ μετὰ τὴν Ἑξαήμερον)[2].

Un autre détail du texte mérite d'être noté, car il nous permet de nous représenter la façon dont Didyme travaillait. Étant aveugle, Didyme ne pouvait lire lui-même le texte de l'Écriture qu'il avait à commenter; il se le faisait lire par quelqu'un d'autre et dictait le commentaire que lui inspirait le texte tel qu'il l'avait compris à l'audition. Ainsi, entendant lire *Gen.* 16, 5 : Ἀδικοῦμαι ἐκ σοῦ · ἐγὼ ἔδωκα τὴν παιδίσκην μου..., il se demande si le phonème *exou* qu'il a entendu signifie ἐκ σοῦ ou ἐξ οὗ, et il envisage l'une et l'autre interprétation : « *exou* peut

1. Cf. R. Devreesse, *Les anciens commentateurs de l'Octateuque et des Rois. Fragments tirés des chaînes.* (*Studi e Testi*, 201), Vatican 1959, p. 172. Le second de ces deux fragments, sur *Gen.* 32, 1-3, est donné avec le lemme Διδύμου dans le *Barberinianus 569,* mais anonyme dans le *Basileensis, bibl. univ. A.N. III, 13.*

2. Eusèbe, *Histoire ecclésiastique,* VI, xxii.

se comprendre de deux façons, ou ' de ta part ', ou ' à partir du moment où '. L'interprétation ' de ta part ' donne le sens suivant... ; l'interprétation ' à partir du moment où ' peut donner le même sens... » (p. 240, 4-9). La cécité de Didyme explique encore une autre anomalie : il lui arrive deux fois (p. 159, 13 et p. 216, 8) de commenter un mot qui n'est pas dans le lemme du papyrus ni dans les autres témoins du verset biblique, parce qu'après avoir commenté les premiers mots du lemme, il ne se souvient plus exactement de ce qu'on lui a lu.

Mais, avant de dicter, il s'était préparé en se faisant lire ou relire les grands commentaires alors classiques de la Genèse, comme il apparaît quand on examine ses sources.

2. **Les sources de Didyme**

a. *Origène*

Origène avait composé trois sortes d'ouvrages sur la Genèse : 1° un *commentaire* qui allait jusqu'à *Genèse* 5, 1, et dont nous n'avons plus que quelques extraits; 2° des *scolies* qui complétaient le commentaire en expliquant plus brièvement la suite du texte biblique; 3° des *homélies*, dont seize nous sont parvenues dans une traduction de Rufin[1].

Le lecteur sera frappé en lisant le commentaire de Didyme de l'abondance des souvenirs origéniens, que ce soit pour la doctrine ou pour l'exégèse. Origène est évidemment la source principale de notre auteur.

On peut préciser que Didyme utilise surtout le commentaire. Nous avons en effet un long fragment de cet ouvrage sur *Gen.* 1, 14 : « Dieu dit : Qu'il y ait des luminaires au firmament du ciel... qu'ils servent de signes pour les saisons, les jours et les années... ». Origène prend occasion

1. Cf. P. NAUTIN, *Origène*, Paris 1977, ch. VI.

de ce verset pour lutter longuement contre le fatalisme astral[1]. Didyme a un développement semblable et reprend plusieurs des arguments d'Origène, notamment l'impossibilité de connaître l'horoscope d'une manière exacte à cause de la précession des équinoxes, et l'exemple de la circoncision des juifs et de l'ablation de la rotule chez les Éthiopiens, blessures que subissent tous les individus d'un peuple, bien qu'ils soient nés sous des horoscopes différents. Il répète aussi dans les mêmes termes le leitmotiv d'Origène : les astres ne sont pas cause de ce qui se passe chez les hommes mais ils l'indiquent, ils ne sont pas ποιητικοὶ mais σημαντικοί (p. 74, 19 à 76, 2).

Didyme connaît aussi, semble-t-il, les scolies, car l'influence d'Origène se remarque encore après *Gen.* 5, 1, où s'arrêtait le commentaire, à moins que Didyme ne réutilise pour ces chapitres ce qu'il avait lu chez Origène pour les chapitres précédents.

Il est plus difficile de dire s'il connaît les homélies, car les doctrines ou les exégèses sur lesquelles elles se rencontrent avec le commentaire de Didyme se trouvaient probablement déjà dans celui d'Origène.

Mais Didyme sait qu'Origène est très contesté. Les attaques dont Origène avait été l'objet de son vivant de la part des deux évêques d'Alexandrie, Démétrius et Héraclas, n'avaient pas cessé après sa mort. L'évêque Pierre d'Alexandrie l'avait encore combattu au début du IVe siècle[2]. Certains monastères égyptiens restaient violemment anti-origéniens comme celui où se forma, vers 340, Épiphane, futur évêque de Salamine[3], et ceux où

1. Fragment conservé dans la *Philocalie*, XXIII, éd. Robinson, p. 187, 13 à 210, 21 ; et *SC* 226, p. 130 s.

2. Voir les deux fragments intitulés *Que l'âme ne préexiste pas et n'est pas venue dans un corps après avoir péché*, éd. Routh, *Reliquiae sacrae*², IV, p. 48-50.

3. Cf. P. Nautin, « Épiphane » dans *Dict. d'hist. et de géogr. ecclés.*, t. 15 (1963), col. 617-631.

vivaient, à la fin du siècle, les moines « anthropomorphites » contre lesquels Théophile d'Alexandrie dirigea une de ses lettres pascales[1]. Aussi Didyme use-t-il de précautions : il ne nomme nulle part Origène dans son commentaire, alors qu'il y mentionne par trois fois le Juif Philon; et nous le voyons à plusieurs reprises utiliser la formule prudente « certains disent », quand il veut mentionner des opinions d'Origène dont il sait qu'elles seront jugées suspectes[2].

b. *L'influence indirecte de Théophile d'Antioche*

Le commentaire de Didyme présente d'autre part des points de contact significatifs avec l'*Aduersus Hermogenem* de Tertullien, qui s'inspire d'un ouvrage perdu de Théophile d'Antioche contre le même personnage[3]. Hermogène était un chrétien nourri de philosophie platonicienne et qui voulait répondre à cette question : comment peut-il exister du mal dans un monde créé par Dieu ? Pour exonérer Dieu de cette responsabilité il la rejetait sur la matière : Dieu, disait-il, a créé le monde à partir d'une matière préexistante — « inengendrée » traduisent ses adversaires[4] —, il a organisé une partie de cette matière pour en faire le monde et c'est l'autre partie, laissée à ses mouvements anarchiques, qui produit les différents désordres

1. Cf. Cassien, *Collat.* 10, 2 ; Gennade, *De uir. ill.* 33.

2. Cf. par ex. p. 83, 25 ; 91, 1 ; 93, 23 ; 133, 20.

3. L'existence de cet ouvrage de Théophile est attesté par Eusèbe, *Hist. eccl.* IV, xxiv. Sur la dépendance de l'*Adu. Hermogenem* de Tertullien par rapport à celui de Théophile, voir J. H. Waszink, *Tertullian against Hermogenes* (*Ancient Christian Writers,* 24), Westminster (Maryland)-Londres 1956, p. 10-12 ; P. Nautin, « Genèse I, 1-2 de Justin à Origène », dans *In principio, Interprétations des premiers versets de la Genèse,* Paris 1973, p. 73-74.

4. Tertullien, *Adu. Hermog.* IV, 1 (éd. Waszink, Utrecht-Anvers 1956, p. 19, 17-18) ; sur l'invraisemblance qu'Hermogène ait pu employer ce terme, voir ma note dans *In principio*, p. 74, n. 44.

qui constituent le mal[1]. Hermogène devait donc établir la préexistence de la matière. Il s'appuyait notamment sur *Gen.* 1, 2 : « La terre était invisible et inorganisée », Ἡ δὲ γῆ ἦν ἀόρατος καὶ ἀκατασκεύαστος. Cette « terre », qualifiée d'« invisible » et « inorganisée » n'était pas pour eux la terre visible créée par Dieu, mais la matière préexistante[2], à laquelle Platon, dans le *Timée* (51a), donne des qualificatifs analogues (ἀόρατον et ἄμορφον). Il relevait aussi l'emploi de l'imparfait ἦν, « était », temps qui désigne une action qui dure, et il y voyait une preuve que la matière était « éternelle[3] ». Tertullien, s'inspirant de Théophile, répond que la « terre » de *Gen.* 1, 2 n'est pas différente de celle sur laquelle nous marchons : si elle est dite « invisible », c'est seulement parce qu'elle était recouverte par les eaux, et le qualificatif d'« inorganisée » signifie simplement qu'elle n'était pas encore ornée de plantes ni habitée par des animaux, tous êtres créés plus tard[4].

Nous retrouvons tout cela dans le commentaire de Didyme. Arrivé à *Genèse* 1, 2, nous le voyons combattre la thèse selon laquelle la « terre » nommée dans ce verset serait « inengendrée » (p. 3 A 6). Il explique aussi qu'elle était « invisible » parce qu'elle était recouverte par les eaux jusqu'à ce que Dieu dise : « Que l'eau se rassemble dans ses rassemblements et qu'on voie le sec » (p. 2 B 16 s.). Il nie également que l'imparfait « était » suppose une matière « inengendrée » et « éternelle » (p. 3 A 5 et 7). Plus loin, à propos de *Gen.* 6, 12, il critique la doctrine qui explique le mal par ce qui « reste de matière non qualifiée » (p. 167, 18-21). L'influence de l'ouvrage de Théophile

1. Tertullien, *ibid.* 2, 4 (éd. cit. p. 17, 5-14) ; 41, 1 (p. 60, 16-18) ; 43, 1 (p. 63, 7-10) ; 38, 3 (p. 58, 17-18) ; cf. G. Uhlhorn, « Hermogenes », dans Herzog-Hauck, *Realencyklopädie*, 3e éd., 1899, t. VII, p. 757 ; Waszink, trad. p. 95, n. 39.

2. Tertullien, *ibid.* 25, 1-3 (p. 42, 9 ss).

3. Tertullien, *ibid.* 27, 1 (p. 45, 1-3).

4. Tertullien, *ibid.* 29, 2 (p. 46, 19-23).

est donc certaine. Mais elle n'est qu'indirecte, car Didyme présente les deux fois cette doctrine comme étant celle de Mani[1]. Cela suppose qu'il n'a pas lu l'ouvrage même de Théophile ni celui de Tertullien, car il y aurait appris le nom exact de l'hérétique, mais qu'il a trouvé l'exposé et la réfutation de cette doctrine dans un autre ouvrage qui ne nommait pas Hermogène. Cet autre ouvrage ne peut être que le Commentaire d'Origène *Sur la Genèse.* J'ai montré en effet ailleurs qu'Origène connaissait l'ouvrage de Théophile *Contre Hermogène*[2]. Il réfute, dans un extrait conservé de son *Commentaire sur les Psaumes*, une doctrine singulière que Clément d'Alexandrie et Josipe attribuent expressément à Hermogène[3]. Mais Origène ne le nomme pas; il dit seulement « certains » (τινές). Nous savons d'autre part que dans son commentaire *Sur la Genèse* il combattait la thèse de la matière inengendrée, car Eusèbe nous a conservé une partie de son argumentation; or c'est précisément la thèse d'Hermogène; mais ici encore Origène ne le désigne pas par son nom[4]. Origène devait critiquer pareillement la doctrine d'Hermogène dans le même commentaire à propos de *Gen.* 1, 2 et 6, 12 en se servant de l'ouvrage de Théophile d'Antioche, mais sans nommer davantage l'hérétique, et ainsi s'explique que Didyme ait pu croire qu'il s'agissait de Mani.

c. *Philon*

Origène avait beaucoup utilisé Philon. Une influence philonienne s'est donc exercée sur Didyme par cette voie.

1. Cf. p. 3 A 6 (texte conservé par Procope et cité dans notre apparat) ; p. 167, 19.
2. Dans *In principio,* p. 90, n. 85.
3. Origène, *In Ps.* XVIII, 6 (*PG* 12, 1242 D - 1243 A) ; cf. Clément d'Alexandrie, *Ecl. proph.* 56, 2, et Josipe, *Elenchos,* X, 28, 3.
4. Eusèbe, *Praep. euang.* VII, 20.

Mais Didyme a eu en outre une connaissance directe de l'œuvre de Philon. Il le nomme trois fois (p. 118, 25; 139, 12; 147, 16-17). Deux de ces références soulèvent toutefois un problème, car on ne voit pas à quelles œuvres connues de Philon elles se rapportent. Didyme avait-il d'autres traités de l'exégète juif que ceux qui nous sont parvenus, ou a-t-il été victime d'une erreur de mémoire ? Je ne sais, mais il ne paraît pas douteux, à lire son commentaire, qu'il avait une bonne connaissance de l'œuvre de Philon, même s'il néglige tout l'aspect philosophique qui en fait le principal intérêt.

d. *La « Traduction des noms hébreux »*

Philon et Origène fondent souvent leur interprétation allégorique sur le sens des noms propres qui figurent dans le texte de la Bible. Ils utilisaient à cet effet un petit lexique grec intitulé « Traduction des noms hébreux » (Ἑρμηνεία ἑβραϊκῶν ὀνομάτων), qui donnait, à côté de la transcription grecque des noms propres contenus dans l'Écriture, leur signification[1]. Didyme pratique lui aussi l'exégèse allégorique des noms propres. Beaucoup des étymologies qu'il cite se retrouvent chez Philon et dans les œuvres connues d'Origène. On peut supposer que la plupart des autres viennent également des parties perdues du commentaire d'Origène, mais il est probable néanmoins qu'il a consulté à son tour le précieux lexique.

1. Ce qui subsiste de l'ouvrage a été rassemblé par P. de Lagarde, *Onomastica sacra*, Göttingen 1870, et par Fr. Wutz, *Onomastica sacra* (*Texte u. Unters.*, 41), Leipzig 1914.

e. *Le Livre du Testament*

Didyme cite cinq fois «le Livre du Testament», ἡ βίβλος τῆς διαθήκης, où on lisait, dit-il :

1) de combien de temps l'enfantement de Caïn précéda celui d'Abel (p. 119, 1)[1];

2) qu'un feu descendit du ciel pour prendre les offrandes faites par Abel, mais non celles de Caïn (p. 121, 23)[2];

3) que Caïn a tué Abel avec un bâton (p. 126, 26)[3];

4) que Lamech a tué involontairement Caïn en renversant un mur qu'il était en train de bâtir et derrière lequel se trouvait Caïn (p. 143, 1)[4];

5) qu'Énoch a été ravi au paradis (p. 149, 5)[5].

Les points 1, 4 et 5 se lisent dans l'apocryphe juif connu sous le nom de *Livre des Jubilés* et qui se trouve en effet cité une autre fois, dans la chaîne de Nicéphore, comme « Testament » (διαθήκη)[6].

1. Cf. *Jubilés* 4, 1 : Abel est né une « semaine » (7 ans) après Caïn. — Je dois à MM. A. Caquot et M. Philonenko la documentation consignée dans cette note et dans les suivantes. Je suis plus particulièrement redevable au second des références au *Combat d'Adam et Ève* et à l'ouvrage de Rönsch citant la chaîne de Nicéphore. Qu'ils veuillent bien trouver ici l'expression de ma reconnaissance.

2. Cf. *Combat d'Adam et Ève* (éd. A. Dillmann, *Das christliche Adambuch*, Göttingen 1853, p. 71 ; Migne, *Dictionnaire des Apocryphes*, I, Paris 1856, col. 337). La crémation des offrandes d'Abel, suggérée par celle des offrandes d'Élie (*III Rois* 18, 38), est encore présente dans la leçon de Théodotion οὐκ ἐνεπύρισεν sur *Gen.* 4, 5.

3. Cf. *Combat d'Adam et Ève* (éd. Dillmann, p. 72 ; Migne, col. 338) Même tradition dans le midrash *Bereshit Rabbah* 22, 8. Elle repose sur une étymologie du nom de Caïn tirée du mot hébreu désignant un roseau.

4. Cf. *Jubilés* 4, 31.

5. Cf. *Jubilés* 4, 23.

6. Cf. H. Rönsch, *Das Buch der Jubiläen*, Leipzig 1874, p. 275, citant la chaîne de Nicéphore, I, col. 175, où une scolie tirée du *Livre des Jubilés* a pour lemme : Ἡ διαθήκη.

Les points 2 et 3, qui n'ont pas d'équivalent dans le *Livre des Jubilés*, figurent dans un autre apocryphe conservé en éthiopien, le *Combat d'Adam et Ève*.

Il n'est pas exclu qu'il ait existé un autre apocryphe réunissant les cinq points, mais le plus probable est que Didyme (ou Origène?) a été simplement trompé par sa mémoire : il a cru à tort, à cause de la ressemblance des sujets traités, avoir lu 2 et 3 dans le *Livre des Jubilés* qu'il appelait « Livre du Testament ».

f. *Sources profanes*

Didyme emploie en passant une formule qui remonte à Platon (p. 145, n. 1) et une autre à Aristote (p. 44, n. 1; cf. 92, n. 1). La première est si répandue chez les auteurs chrétiens qu'il aurait pu la trouver chez l'un d'eux; la seconde figurait probablement dans le commentaire d'Origène, car elle se lit dans ses homélies *Sur la Genèse*. Mais on sait aussi par ses autres ouvrages que Didyme avait reçu une certaine initiation à la philosophie et à la littérature profane. Cela peut expliquer encore quelques références aux Stoïciens et plusieurs emprunts à leur doctrine, à supposer qu'il n'ait pas trouvé les unes et les autres dans le commentaire d'Origène.

Ce commentaire serait en lui-même décevant, mais il présente l'intérêt de refléter celui d'Origène que nous pouvons, grâce à lui, découvrir un peu en filigrane.

P. N.

SIGNES ET CONVENTIONS

P^{s} — le diorthote

P^{c} — un correcteur autre que le diorthote

[ ] — lacunes (destruction du papyrus) et, quand il y a lieu, restitutions

⌜ ⌝ — texte restitué à partir de traces presque illisibles

‹ › — additions de l'éditeur

< > — *id.*

{ } — présence d'un mot aberrant

*** — passages laissés en blanc dans le papyrus

α̣ β̣ γ̣ — lettres très effacées, à peine lisibles

\`α', \`βγ' — lettres écrites au-dessus de la ligne

⟦αβγ⟧ — lettres biffées ou annulées par exponctuation sur le papyrus

..[...].. — chaque point représente une lettre dans le papyrus

.... — garniture de la ligne sans que les lettres soient comptées

Les *nomina sacra* ont toujours été développés. Les restitutions sont donc faites en tenant compte de la contraction.

Les parenthèses ( ), dans le texte français, correspondent aux lacunes du texte grec ; en cas de restitution dans le texte grec, le français donne une traduction ; en cas contraire, il essaie de rendre la suite vraisemblable des idées.

On a employé le caractère **gras** pour les lemmes, l'*italique* pour tout texte provenant de l'Écriture : allusions, réminiscences et citations expresses ; ces dernières comportent des guillemets.

Dans l'apparat, Procope = *PG* 87, Devreesse = *Les anciens commentateurs grecs de l'Octateuque et des Rois, Studi e Testi* 201, 1959.

Les pages du papyrus sont indiquées en chiffres gras (les deux chiffres mis au-dessous entre parenthèses indiquent le cahier et la page du cahier).

Les numéros des notes et apparats se rapportent aux pages du papyrus.

TEXTE ET TRADUCTION

⟨ ΕΙΣ ΤΗΝ ΓΕΝΕΣΙΝ ⟩

1 A (I, 1) **I, 1. [Ἐν ἀρχῇ ἐπο]ίησεν ὁ Θεὸς τὸν οὐρανὸν καὶ τὴν γῆν.**

[... ... ...]τοῦ Θεοῦ εἰς ὁρατὰ καὶ ἀόρατα φέρεται, τῶν μὲν ὁρατῶν
3 [τὰ σώματα, τ]ῶν δὲ ἀοράτων τὰ ἀσώματα καὶ νοητὰ δηλούντων.
[... ... ...]μάλιστα ἐν τῇ βίβλῳ [..]τη προηγουμένως τε.ης
5 [... ... ...]ως ὅτι γέγονεν εἰπεῖν [..]αξατε τὴν αἰτίαν της...
[... ... ...].ης · τὰ μέρη τοίνυν τ[ο]ῦ κόσμου καὶ αὐτὸν τὸν [κόσμον]
7 [... ... ...]τες ἦσαν Αἰγύπτιοι, ἐξ ὧν Ἑβραῖοι μαθόντες [... ... .]
[... ... ...]..αὐτοῖς ἐπὶ ὅλα τετρακόσια τριάκοντα ἔτ[η... ..].ε..
9 [... .. ἐτύγ]χανον · ἀκόλουθον ὅταν τὸν νόμ[ον ... ...]..
[... ... ...]ἀρχῆς ... ...[.............................]

B 1 [... ... ...]ου ὄντων εἰς ὃν ἀπ... ... ...[...........]
[... .. ἀναγ]καῖον οὖν ἦν διδάξαι ὅτι ... ...[.........]
3 [... ... ...] διότι καὶ ἀπὸ κοσμογονίας ... ...[......]
[δύναται ὁ] Θεὸς νοεῖσθαι καὶ φανεροῦσ[θ]αι ... ...[.......]
5 [... ... ...]ως εἴρηται ὅτι *ἐν ἀρχῇ ὁ Θεὸς ἐ[πο]ίησεν τὸν οὐρανὸν καὶ*
[τὴν γῆν · ἡ γὰρ] ὁρωμένη κτίσιν ὑπὸ τούτων περιέχε[ται, τῆς μὲν]
7 [γῆς τὰ ζῷα] καὶ φυτὰ καὶ ὕδατα περιέχουσης, το[ῦ δὲ οὐρανοῦ]
[τὸν ἀριθ]μὸν τῶν ἄστρων · προεπινοεῖται οὖν [πάντων τῶν]
9 [ζῴων καὶ] φυτῶν καὶ ὑδάτων ἡ γῆ, ἧς μὴ ὑφεστώσ[ης οὐ δύναται]
[ὕπαρξις τ]ῶν ἄλλων εἶναι, τῶν δ' ἄστρων καὶ σελή[νης ... ..]
11 [... .. ὁ οὐ]ρανός, οὗ χωρὶς τούτων τι οὐκ ἂν ὑπ[άρχοι ; εἰ]
[δέ τίς τιν]α χρόνον ἂν οἰηθείη εἶναι τὴν [*ἀρχὴν* ... ...]
13 [... .. ἐξε]τάζων εὕροι ταῦτα τοῦ χρόνου προεπιν[οεῖσθαι · καὶ]
[τὸ τῆς ἀρχ]ῆς ὄνομα οὐχ ἓν ἀλλὰ πολλὰ σημαίνει · κα[ὶ γὰρ ... .]
15 [.........]ν μηκύνω τὸν λόγον σημαίνει ποτὲ τὴν [αἰτίαν ὡς]
[ἐνταῦθα τὸ]τοιοῦτόν ἐστιν · ἐν αἰτίᾳ ὑπῆρχεν ὁ οὐρανὸς κα[ὶ ἡ γῆ, τῆς]

1, A 5 γεγον'εν' P² ‖ **B** 2 αναγ]κ⟦ε⟧'αι'ον

SUR LA GENÈSE

1 A I, 1. **Au commencement Dieu fit le ciel et la terre.**

(Que la création) de Dieu porte sur les *choses visibles et les choses invisibles*, les *visibles* désignant les corps, les *invisibles*, les incorporels et les intelligibles, (l'Écriture le montre,) surtout dans le premier livre... (lorsqu'elle) dit qu'elles ont été faites...

Les Égyptiens (adoraient) les parties du monde et le monde lui-même. Ayant appris (l'idolâtrie) à leur école, les Hébreux (les imitèrent) pendant quatre cent trente ans[1], pendant lesquels ils étaient (leurs esclaves). En conséquence, lorsque (Dieu leur donna) la Loi (par l'intermédiaire de Moïse, il leur enseigna dès) le début (que...)

B Il était donc nécessaire de leur apprendre que (Dieu a tout fait à partir du néant) parce qu'à partir de la création aussi Dieu peut être pensé et manifesté...

(C'est à bon droit) qu'il est dit qu'au commencement Dieu fit *le ciel et la terre*, car la création visible est contenue par eux, la terre contenant les animaux, les plantes et les eaux, le ciel contenant le nombre des astres. La terre est donc présupposée par les plantes, les animaux et les eaux, car sans elle comme substrat leur existence est impossible, et le ciel est présupposé par les astres et la lune, lui sans qui ils n'existeraient pas.

Si quelqu'un pense que le *commencement* est un temps, il peut trouver en examinant davantage (l'Écriture) que le mot *commencement* n'a pas qu'un seul sens, mais plusieurs. Et, en effet, (sans vouloir) allonger mon discours, il signifie parfois la cause, (en sorte qu'ici le sens) est à peu près : le ciel et la terre existaient ‘ dans la cause ’,

1, 1. Le chiffre est emprunté à *Gal.* 3, 17.

2
(I, 2)
A 1 σοφίας αἰτίας τῆς ὑπάρξεως καὶ αὐτῶν καταστάσ[ης · οὐ γὰρ ἀγεν]-
νήτως ἢ αὐτομάτως ὑπῆ[ρ]ξεν ὁ κόσμος · πάντα γὰρ [διὰ τοῦ λόγου ἐγέ]-
3 νετο καὶ ἐν Χριστῷ Ἰησοῦ *ἐκτίσθη τὰ ἐπὶ γῆς καὶ τὰ ἐν τοῖς* [*οὐρανοῖς τὰ ὁρατὰ*]
καὶ τὰ ἀόρατα · ἐν γὰρ τῷ υἱῷ *τὰ πάντα συνέστηκε* [καὶ εἰς αὐτόν, ὅς]
5 *ἐσ*[*τι*] *πρὸ πάντων* · ἄνευ γὰρ τοῦ λόγου τοῦ Θεοῦ, ὅς οὔ[τε προφορικὸς]
οὔτε ἐνδιάθετός ἐστιν ἀλλὰ αὐτὸ τοῦτο, Θεοῦ οὐσ[ιώδης ... .. τῷ]
7 ὄντι, ο[ὐδ]ὲν ὑποστῆναι δύναται · ὡς γὰρ ἀρχιτέκ[των ... ...]
[... ... ...] γραφὴν ἧς μέλλοι οἰκοδομῆσαι πό[λεως ... .]
[.................................] τερον.[... ... ...]

2 A 3.4.5 Col. 1, 16-17

2, A 1. Même idée dans le *commentaire* d'Origène *sur la Genèse*, cf. Chalcidius, *Commentarius in Timaeum*, cclxxvi (éd. Waszink, p. 280, 13 s.) ; Origène, *In Ioh.*, I, 19(22), § 111-114. Le développement qui s'amorce ici est dirigé contre les partisans d'une matière préexistant à la création et s'inspire du commentaire d'Origène, qui s'inspirait lui-même du traité de Théophile d'Antioche *Contre Hermogène.* Sur le débat entre Hermogène et Théophile et sur ses échos chez Tertullien et Origène, je me permets de renvoyer à mon étude « Genèse I, 1-2 de Justin à Origène » dans *In principio* (déjà cité *supra*, p. 24, n. 3) ; je ne ferai ici que rappeler quelques références.

2, A 2. Théophile d'Antioche, *Ad Autolycum*, II, 10 et 22, s'était servi de ces deux termes empruntés aux Stoïciens pour expliquer

2 A la / Sagesse étant établie comme cause de leur existence à eux aussi[1]. Car le monde n'a pas existé de manière inengendrée ou automatique. *Toutes choses*, en effet, *ont été faites par l'intermédiaire du Verbe*, et *dans le Christ Jésus ont été créées les choses qui sont sur la terre et celles qui sont dans le ciel, les visibles et les invisibles*, car *toutes choses ont reçu leur consistance dans le Fils et pour lui*, qui *est avant toutes*. Sans le Verbe de Dieu, qui n'est ni 'intérieur' ni 'proféré'[2] mais un Verbe en soi, [Verbe] substantiel[3] de Dieu, en vérité, rien ne peut exister. Comme un architecte (a en lui-même le) dessin de la ville qu'il doit bâtir, (ainsi toutes choses étaient dans le Verbe)[4]...

que le Verbe, tout en étant engendré par le Père, lui restait intérieur, puis ils avaient été proscrits du vocabulaire chrétien parce que les gnostiques se servaient d'un terme voisin (προβολή) pour désigner la génération de leurs éons ; ces mots avaient aussi le tort aux yeux d'Origène de paraître ramener le Verbe à n'être qu'un langage du Père ; cf. *In Ioh.* I, 24 (23), § 151-152.

2, A 3. A la place de « Verbe » on pourrait conjecturer aussi bien « Sagesse », cf. l. 11 ci-après. « Substantiel », qui a une existence propre, distincte de celle du Père, à la différence du verbe humain par rapport à l'homme ; cf. ORIGÈNE, *In epist. ad Titum* (*PG* 14, 1304 CD), qui range parmi les hérétiques ceux qui disent du Verbe : « *substantialiter* (οὐσιωδῶς) et proprie (ἰδίως) non exstiterit » ; *De oratione* 15, 1 : ἕτερος κατ' οὐσίαν καὶ ὑποκείμενον ὁ υἱός ἐστι τοῦ πατρός, et, pour l'adjectif οὐσιώδης, *In Ioh.* VI, 6(3), § 38 et 40.

2, A 4. L'image de l'architecte vient de PHILON, *De opif.* 20-22 ; cf. ORIGÈNE, *In Ioh.* I, 19(22), § 114.

2 B 1 [........................] ἐν ἑαυτῇ περιέχουσα. [Σημαίνει]
[δὲ ποτε τὸ τῆς *ἀρχῆς* ὄ]νο[μα τὴν βα]σιλείαν, ἵν' ᾖ καὶ ἐνταῦθα [ὅτι βα]-
3 [σιλεὺς ὢν καὶ ἐξιου]σιάστης πεποίηκεν τόδε τὸ πᾶν · οὐδὲ τ.[... ..]
[... ... ...]έβαλεν αὐ[τ]ῷ ὕλην πρὸς τὴν τοῦ παντὸς ο[ὐσίαν]
5 [... ... ...] Εἰ δέ τις καὶ τὴν ὑποκειμένην αὐτοῖς οὐσίαν [... ..]
[... ... . ὑπό]θεσις γὰρ καὶ θεμέλιος τῶν ὅλων ὑπάρχων υ[... ..]
7 [... ... ...] Θεοῦ λόγος, ὅστις ᾗ μὲν πρὸς τὸν Πατέρα ἐν ε[... ..]
[... ... . ὁμο]ούσιος αὐτῷ τυγχάνων, ἁπλῆ οὐσία ὑπάρχει [... ..]
9 [... ... ...]η πρὸς τὰ δημιουργούμενα ἔχει τὴν σχέσιν [... ..]
[... ... ...]ουσα τὰ πάντα πρὸς τὸ ἑαυτῆς βούλημα [... ..]
11 [... ... ...]η σοφία ἀλλὰ αὐτὸ τοῦτο οὐσιώδης.[... ..]
[... ... ...]σοφῷ[.] μετόχως.

I, 2. Ἡ δὲ γῆ ἦν ἀόρατος [καὶ ἀ]-
13 **[κατασκεύαστος καὶ σ]κότος ἐπάνω τῆς ἀβύσσου · καὶ πνεῦμα Θεοῦ ἐπε[φέρε]-**
[το ἐπάνω τοῦ ὕδατο]ς.

15 [Ἡ τῆς λέξεως κατα]νόησις ὑποβάλλει ὡς ἡ γῆ ὑποστάση ὑπὸ τῷ [ὕδατι]
[... ... ...]ώφθη τοῦ Θεοῦ εἴποντος · « *Συναχθήτω τὸ ὕδωρ* [τὸ ὑποκάτω]

2, B 15 ou bien ἡ κατὰ τὸ ῥητὸν ‖ 16 συνα⟦γ⟧χθητω

---

2 B 16 Gen. 1, 9

---

2 B 1-3 Proc. (*PG* 87) 37 A 15 - B 2

2 B ... (la Sagesse) contenant en elle-même (les Idées modèles de tout)[1].

(Le mot ἀρχὴ signifie aussi parfois la) royauté, en sorte qu'il y a ici encore que (Dieu) a fait cet univers (à la manière d'un roi) doué de puissance[2] : il n'a pas... (préalablement) posé une matière pour servir de substance à l'univers.

Étant base et fondement de toutes choses... le Verbe de Dieu (peut être dit leur substrat). Vis-à-vis du Père, étant en (unité avec lui et) consubstantiel à lui, il est une substance simple..., mais vis-à-vis des créatures il a des rapports (multiples et variés)...

La Sagesse a tout (arrangé) selon sa volonté... (elle n'est pas) une sagesse (qui ne serait qu'une faculté de Dieu), mais la Sagesse en soi, substantielle...

I, 2. **La terre était invisible et inorganisée ; les ténèbres étaient au-dessus de l'abîme et l'esprit de Dieu était porté au-dessus de l'eau.**

(L'examen de la lettre) suggère que la terre, ayant été placée sous (l'eau, était invisible et qu'ensuite) elle fut vue[3] quand Dieu dit : « *Que l'eau qui est en-dessous du ciel*

2, B 1. Cf. Origène, *ibid.* § 111 ; 114-119.

2, B 2. Cf. Théophile d'Antioche, *Ad Aut.* I, 10 ; Tertullien, *Adu. Hermog.* 19, 5 ; Philon, *De opif.* 17.

2, B 3. Cf. Tertullien, *Adu. Hermog.* 29. 2 ; et ma contribution à *In principio*, p. 68-69, 74.

3
(I, 3)

A 1 [*τοῦ ο*]*ὐρανοῦ εἰς συναγωγὴν μίαν καὶ ὀφθήτω ἡ ξηρά* »· ου... ... ...
[.... .]τος τοῦ ὕδατος διέμεινεν ἡ γῆ τοσοῦτον ἔχουσα.... . προ[ ]
3 [.... .]σην ἔμελλεν εἶναι χρειῶδες καὶ πρὸς τὰ ζῷα.ε... ... ...
[.... .]τως εἶχεν μεῖναι οὐκ ἠδύνατο οὐδὲ ... ... μα
5 [....].τὸ « *ἦν* » τὸ ἀγένητον δηλοῦν ... ... ται ... . *ἐποί-*
[*ησεν*] *ὁ Θεὸς τὸν οὐρανὸν καὶ τὴν γῆν* », ὅθεν οὐκ ἀγένητος [ἡ γ]ῆ. Οὐδὲ γὰρ
7 [ἀεὶ τὸ] « *ἦν* » τὸ ἀΐδιον δηλοῖ, ἀλλὰ πολλάκις ...[... ... ...]
[... ..]τω συνῆπται ὡς τὸ « *καὶ ἦν ἀνὴ*[*ρ ἐκεῖνος εὐγένης* ....]
9 [... .]τερον δηλ[οῖ

B 1 [... ... .]α.. ων. ει[...].. ...[...........................]
[... ...].... βανεται ... .. [...........................]
3 [....] εκ.... εν τε το ην η..... [...........................]
[....]*ἀόρατος* ου ... .. διὰ τὴν τ[...........................]
5 [*κατα*]*σκεύαστος*, ἐπεὶ τὰ δυνάμεν[α...........................]
[....] ἐπὶ τοῦτο ἐλήλυθε. Ταῦτα μὲν [...........................]
7 [....] λέξεως ὑποβάλλει νοεῖν..η, [...........................]
[....]βοιμεν τὴν *ἀόρατον καὶ ἀκατα*[*σκεύαστον* ....]
9 [....].τῷ μὲν ἰδίῳ λόγῳ ἄποιος καὶ ἄ[μορφος ....]
[....] μάτων καὶ μορφωμάτων αυτ[.................... κατα]
11 [σκευ]άζεται τοῦτο ἐξ ὅλων [...........................]
[....] μετὰ τῆς ὕλης αὐτῆς καὶ [...........................]
13 [....] ἐν τῇ Σοφίᾳ λέγει · « *Οὐ γὰρ* [*ἠπόρει ἡ παντοδύναμός σου χεὶρ καὶ κτί-*]
[*σασα τ*]*ὸν κ*[*ό*]*σμον ἐξ ἀμόρφου ὕλ*[*ης* ....]
15 [....]ηματισ..ν μόνῳ λόγ[ῳ π]ροεπινοουμε[...........................]

I, 2. [Καὶ σκότος] ἐπάνω τῆς ἀβύσσου, κα[ὶ] πνεῦμα Θεοῦ ἐπεφέρετο ἐπάνω τοῦ ὕδατος.

17 [*Σκότο*]ς μὲν οὖν τὸ αἰσθητὸν ε[ἴ τ]ις τοῦτο ἐκλάβοι, δυν[...........]
[... ..] φωτὸς γεγενημένου σκότος ἦν οὐκ ουσ[...................]

3, B 11 ολων ⟦των⟧ ‖ 12 μετα⟦υ⟧ της \`τ'υλης ‖ 17 ⟦ε⟧ \`αι'σθητον

3 A *se rassemble en un seul rassemblement et qu'on voie le sec.* »...

(L'ennemi de Dieu Mani dit que le mot) « *était* » montre que (la matière) est inengendrée[1]. Cependant, il y a plus haut : « *Dieu fit le ciel et la terre* », d'où il ressort que la matière n'est pas inengendrée. En effet, *était* n'indique pas toujours l'éternité; souvent, au contraire, il est mis en liaison avec (ce qui est nascible et mortel), comme la parole : « *Et cet homme était de famille noble* », le montre à l'évidence.

B 5 ... *inorganisée*, puisque les choses qui (pouvaient orner le substrat n'étaient pas encore) venues sur lui.

Voilà ce que l'examen de la lettre suggère de comprendre. (Mais si) on interprète la (terre) *invisible* et *inorganisée* (comme étant la matière qui est), par définition, dépourvue de qualités et informe[2]...

13 Et (quand Salomon) dit dans la Sagesse : « *Car ta main n'était pas embarrassée pour agir, elle qui a créé le monde à partir d'une matière informe* », (il faut comprendre que la matière) n'a qu'une antériorité logique.

I, 2. **Les ténèbres étaient au-dessus de l'abîme, et l'esprit de Dieu était porté au-dessus de l'eau.**

Si on interprète ces ténèbres comme étant les ténèbres sensibles, (on peut comprendre que), la lumière n'ayant (pas encore) été faite, c'étaient les ténèbres, (car les ténèbres ne sont pas) une substance, mais ils existent quand la lumière (est absente).

3 A 5 Gen. 1, 1 || 8 Job 1, 1 || **B** 13 Sag. 11, 17

---

3 A 4-8 Proc. 41 C 4-7 : Ὁ δὲ θεομάχος Μάνης τὸ ἦν φησι δηλοῦν τὸ τῆς ὕλης ἀγένητον *κτέ.*

3, 1. Objection d'Hermogène, cf. TERTULLIEN, *Adu. Hermog.* 27, 1.
3, 2. Cf. TERTULLIEN, *Adu. Hermog.* 29, 1.

4
(I, 4)

A 1 φωτὸς ὑφιστάμενον, ὅπερ *ἐπάνω τῆς ἀβύσσου* ὑπῆρχεν. [Ἡ ἄβυσσος]
δέ ἐστιν ὕδωρ βάθυ, οὗ οὐκ ἔστιν μέτρον λαβεῖν, τοῦ βάθου[ς τῷ μήκει]
3 τε καὶ πλατείᾳ δηλονότι ἑπομένου. Τῷ ὕδατι ἐπιφέρεσ[θαι τὸ πνεῦμά]
φησιν · καὶ εἴη μὲν κατὰ τὴν ἁπλουστέραν διάνοιαν πν[... ... ..]
5 μέρος τῷ ἀμέτρῳ τοῦ ὕδατος ἐπικείμενον καὶ μάλιστ[α ... .]
φανει α · ἐπειδὴ δὲ τὸ πνεῦμα ταῖς αἰσθηταῖς διήγεσιν[... ... ..]
7 ..σπείρειν ε[..]θεν καὶ πνευματικὰ πολλάκις, ὁ καὶ νῦν ποι[εῖ... ...]
μεν τὴν κινητοῦ [... ... .]ιαν. Διήρηται τοίνυν ἡ τῶ[ν ... .]
9 [... ...] ... . ε ... [..............].. γὰρ τα [... ... ..]

B 1 [..................................]των ε[.................]
[..............................]ν προς η... [..............]
3 [..................................]φυσιν αλλ[.............]
[..............................ὑ]δάτων οὐκ ἐποίησεν . .[....]
5 [............................Ἡ]ἄβυσσος οὖν εἴη ἂν ἡ τῆς [...]
[............................].ην τὴν ἄγνοιαν σκότῳ καὶ [...]
7 [............................]. ἅγιον ἐπιφέρεται ἐπάνω [...]
[....................]. π[ν]εῦμα *ἀρχαὶ ἐξουσίαι θρόνοι κ[υρι]-*
9 *[ότητες* ... ...]. τ[.] « *Εἴδοσάν σε ὕδατα ὁ Θεὸς* [, *εἶδο]-*
[σαν σε καὶ ἐφοβήθησαν » · δῆλ]ον δὲ ὡς οὐ περὶ αἰσθητῶν [ὑδά]-
11 [των ... ... ὅτι οὐδὲ φοβεῖ]ται οὐδὲ ὁρᾷ, ἄψυχα γάρ · ὁρᾶ[ται]
[γὰρ ὁ Θεὸς ... ... ἀλλ]ὰ νοήσει ἀσυγχύτῳ καὶ καθ[αρᾷ]
13 [... ... ...]νοις κακίας ὑπάρχει [..]τε[.......]
[... ... ..] τοις γενν[..].[..] κατὰ φύσιν, ἀλλὰ ἐκ γνω[..........]
15 [... ... ..]. μενης κακίαν καὶ ἀρετὴν ἀνὰ μέρος ὑπο.[..........]
[... ... ..]ς

I, 3. [Καὶ εἶπεν ὁ Θεός · γε]νηθήτω φῶς καὶ ἐγένετο φῶς[

4, A 4 απλουστ'ε'ραν ‖ 8 κεινητου ‖ **B** 17 'ε'γενετο

4 B 8 Cf. Col. 1, 16 ‖ 9 Ps. 76, 17

4, 1. Expression courante d'Origène pour désigner le sens littéral.
4, 2. Cf. ORIGÈNE, *Hom. in Gen.* I, 2.
4, 3. Cette exégèse des eaux désignant des anges et appuyée sur

4 Ils étaient « *au-dessus de l'abîme* ». L'abîme est une eau profonde qu'on ne peut mesurer, car sa profondeur est évidente en rapport avec sa longueur et sa largeur.

Le texte dit que *l'esprit était porté sur les eaux*. Ce peut être, selon le sens simple...[1]

Didyme donnait ici en deux lignes (A 4-5) le sens littéral : les *eaux* étaient sans doute des eaux physiques qui recouvraient la terre, et l'*esprit* un vent qui soufflait sur elles.

Puis, pour passer au sens spirituel, il remarquait, aux lignes A 6-8, que l'Esprit-Saint se sert « souvent des descriptions sensibles » pour signifier « des choses spirituelles, et c'est ce qu'il fait ici ».

Le fragment B indiquait alors la signification allégorique des divers éléments nommés dans le verset. Les *ténèbres* étaient ceux de « l'ignorance » (B 6), et l'*abîme* qu'ils recouvraient désignait probablement le Diable et les esprits mauvais[2]. A l'étage supérieur, l'*Esprit* était l'Esprit-Saint (B 7), et les *eaux* sur lesquelles il était porté symbolisaient les puissances angéliques d'en haut[3] (B 8). Pour prouver que les *eaux* peuvent désigner des puissances spirituelles, Didyme cite et commente *Ps.* 76, 17 :

« *Les eaux t'ont vu, Seigneur*, (*les eaux t'ont vu et elles ont eu peur* ». Il est évident) que ce n'est pas à propos des eaux sensibles (que cette parole est dite, parce que ni elles n'ont peur) ni elles ne voient, car elles n'ont pas d'âme. (Dieu, en effet, est vu non avec des yeux sensibles mais) par un acte d'intelligence sans mélange et pur...

I, 3. Et Dieu dit : Que la lumière soit, et la lumière fut.

Ce verset soulevait une difficulté du fait qu'il place la création de la lumière le premier jour, alors que les astres n'existeront qu'à partir

---

Ps. 76, 17 vient sans doute du commentaire d'Origène, car nous savons par Épiphane qu'il interprétait ainsi les eaux mentionnées aux versets 6 et 7 ; ÉPIPHANE, *Ep. ad Iohannem Hierosolym.* (= JÉRÔME, *Ep.* LI), 5 : « dicente Origene de aquis, quae super firmamentum sunt, non esse aquas sed fortitudines quasdam angelicae potestatis ».

5
(I, 5)

A 1 τι φῶ[ς μ]ετὰ τῶν φωστήρων ὡς ἐν τῷ « *Αἰνεῖτε αὐτὸ[ν ἥλιος]*
καὶ σελ[ήν]η, αἰνεῖτε αὐτὸν πάντα τὰ ἄστρα καὶ τὸ φῶ[ς », ἕτερον]
3 ἐκ τού[του] φῶς παρὰ τὸν ἥλιον καὶ τὰ λοιπὰ ἄστρα ὑπ[άρχειν]
νομί[ζον]τες · τάχα δὲ οὐ πάνυ ἀναντίρρητόν ἐστιν[..............]
5 ...σ[...]δε τὴν ὑπόνοιαν ἔχοντες ὅτι πρὸ ἡλί[ου ....]
τις αὐ[γή,] ἥπερ ἕτερον φῶς εἶναι νομίζουσιν · [.....................]
7 ....[..]... ... . φασὶν γὰρ ὅτι μήπω ελ[........................]
....[..]τον καθ' ἡμᾶς ὁρίζοντα ἀλλὰ παρ..τ.[........................]
9 ....[..]νοντο · προπηδᾷ αὐγή τις εξ... ...[.........................]
....[..] ἑτέρα τοῦ ἡλίου ἡ ἔξωθεν αὐγὴ... ...[.......................]
11 ....[..].ιο τῶν αἰσθητῶν εἰδέας ... .[...........................]

B 1 [..........]..ας .[... ...]..[... ...]... φ[.......................]
[..........].ι φωτὸς [αὐ]γαὶ ὡς καὶ τοῦ οὐρανοῦ · κ..[..........]
3 [.............]μας ηλ[...]..ν ἀποτελεῖσθαι · ον. [..........]
[.............].ενοις [...].νων τοῦτο δεικνυμεν[.............]
5 [.................... Ὥ]σπερ δὲ ἐπὶ τῆς γῆς ε..[..........]
[.........................]α φυτὰ ὕστερον αὐτὰ κ.ιν[..........]
7 [.........................]αι φῶς τι προυποκείμε[νον..........]
[..................... παρά]σχον τὴν γένεσιν ταυτ[............]
9 [................ πρὸς τ]ὴν ἀλληγορίαν πολλα[..................]
[.........................].ος θύρα ποιμὴν ὁδὸς[..................]
11 [....................... σ]χέσει καὶ φιλανθρωπί[α..........]
[.......................ο]ὕτως καὶ παρὰ τοῦ Πατρὸς [λέγετ]αι πρὸς [αὐτὸν ·]
13 [« *Δέδωκά σε εἰς φ]ῶς ἐθνῶν τοῦ εἶναί σ[ε εἰς σ]ωτηρίαν ἕ[ως ἐ]-*
[σχάτου τῆς γῆς. »] Τοῦτο δὲ διδάσκει οὐχ ὅτι ἐκ τοῦ μὴ ὄντος [τὸν υἱὸν]

5, A 1 αινειται ‖ 2 αινειται

---

5 A 1 Ps. 148, 3 ‖ **B** 13 Act. 13, 47 (Is. 49, 6)

5 du quatrième[1]. Quelle était donc cette lumière antérieure aux astres? Didyme consacrait à cette question la plus grande partie de la page 5 du papyrus. Il exposait au début la solution de certains auteurs (Origène?) qui envisageaient l'existence d'une autre lumière que celle des astres en s'appuyant sur *Ps.* 148, 3, où la lumière est mentionnée à part des astres :

... comme dans le verset : « *Louez-le, soleil et lune; louez-le, tous les astres et la lumière* », et ils pensent d'après ce texte qu'il existe une lumière autre que le soleil et les autres astres. Mais (ce) n'est peut-être pas absolument incontestable...

Il est question ensuite d'« un rayon antérieur au soleil », tel le rayon de l'aurore, et dont certains auteurs — probablement les mêmes que précédemment — « croient qu'il est une lumière autre que le soleil » (A 5-6). Une lacune nous empêche de savoir d'où « jaillit » ce rayon (A 9). Venait-il du Verbe lui-même comme dans la solution donnée par Théophile d'Antioche à la même difficulté?

A partir de la ligne B 9, on entre dans l'explication « allégorique », qui rapporte ce verset au Fils de Dieu, car, de même qu'il est « Porte, Berger, Route » (B 10), il est Lumière ; et Didyme rappelle que ces titres différents correspondent à des « relations » différentes que le Christ a avec les hommes, aux formes variées que prend sa condescendance (σχέσει καὶ φιλανθρωπίᾳ, B 11)[2]. Puis, pour établir que le Christ est lumière, il cite et commente *Is.* 49, 6 :

« *Je t'ai établi Lumière des peuples pour être un salut jusqu'au bout de la terre.* » Cette parole nous enseigne,

---

5, 1. Objection à laquelle répondait déjà THÉOPHILE D'ANTIOCHE en disant que cette lumière provenait du Verbe : *Ad Autol.* II, 13 : « Le commandement de Dieu, c'est-à-dire sa Parole, paraissant comme une lampe dans une maison fermée, a illuminé la matière qui était sous le ciel » ; cf. *In principio*, p. 78.

5, 2. On reconnaît la doctrine d'Origène sur les titres du Verbe, cf. plus loin p. 221, n. 1.

6
(I, 6)

A 1 [ἐγέννησ]εν, ἀλλ' ὅτι φῶς ὑπάρχοντα κατ' οὐσίαν κ[...].δεν
[... ....]εσθαι φῶς ἔθετο τοῖς τὸν παρ' αὐτοῦ .[...].ν θε
3 [... ....]..μένοις. Οὐ γὰρ ὅτε τέθειται φῶς τọ[ῦ νο]ητοῦ
[κόσμου, γ]έγονεν, <ἀ>ϊδίως ὑπάρχων φῶς · « *Ἦν* » γὰρ « τὸ [φῶ]ς τọ̀
5 [*ἀληθινό*]*ν, ὃ φωτίζει πάντα ἄνθρωπον ἐρχόμενο*[*ν εἰς*] *τὸν κό-*
[*σμον* ». Οὕτ]ω καὶ σοφία ὢν ὁ Υἱὸς ἀϊδίως, γίνεται τῷ [σοφ]ισθῆ-
7 [ναι καὶ πᾶ]σιν σοφία ὡς τοῖς ποθοῦσι μαθεῖν διδ[άσκα]λος,
[τότε μὴ ἀ]ρχὴν τοῦ εἶναι σοφία δεχόμενος, ἀλ[λ' ὢν ἀϊ]δίως,
9 [ἡμῶν δὲ] σοφιζομένων · αὐτὴ γὰρ περὶ ἑαυτῆς φ[ησιν ·] « *Ἡνίκα*
[*ἡτοίμαζ*]*εν τὸν οὐρανόν, συμπαρήμην αὐτῷ* », τῷ πατ[ρὶ δηλ]ονότι,
11 [« *σοφία τε*] *δικαιοσύνη καὶ ἁγιασμὸς καὶ ἀπολύτρ*[*ωσις* » ἐγέ]νετ[ο]
[ἡμῖν... ...]..διάνοιαν κατὰ [π]άντα[.......................]

B 1 [.....................]... ... ...μ... ..υ[.................]
[.....................]... ..διδάσκει ψαλ[..].ωτε
3 [.....................]..κατὰ φύσιν Θεὸς καὶ [....]..κ.[...........]
[.....................]...ος · ἑαυτὸν θει...[....].[...............]
5 [.....................]...δημιουργια ἔτι κ.[......................]
[.....................].οὕτω θεός ἐστιν γεν[νητός ....]
7 [.....................]...κατ' ἀλληγορίαν νο[......................]
[.....................]...ικα ἀκολούθω[ς]. [.......................]
9 [.....................]...το το φῶς ἁρμοζον[....................]
[.....................]....ν ὅτι στερομενω[......................]
11 [....] δεξα [... ...]...ἅμα τῇ γενέσει κα[......................]
[.....]..ως [... ...]...ντων προεπινοουμ[.......................]

6, A 3 τ⟦αι⟧`ε´θειται ‖ 4 ϊδιως ‖ 10 συνπαρημην ‖ **B** 10 οτ`ι´

---

6 A 4 Jn 1, 9 ‖ 9 Prov. 8, 27 ‖ 11 I Cor. 1, 30

6 non pas que Dieu a créé (le Fils) à partir du néant, mais que le Fils, qui était lumière par essence [ ] fut *établi Lumière* pour ceux qui reçoivent de lui l'(illumination divine). En effet, ce n'est pas lorsqu'il fut *établi Lumière* du monde intelligible qu'il le devint, car il était éternellement Lumière : « *Il était la Lumière véritable qui éclaire tout homme venant en ce monde.* » De même, tout en étant éternellement Sagesse, le Fils devient Sagesse pour tous par le fait qu'ils ont été rendus sages, comme un maître devient maître pour ceux qui désirent apprendre. Il ne commence pas d'être Sagesse à ce moment-là, mais il l'est éternellement et c'est nous qui devenons sages. La Sagesse le dit elle-même en parlant d'elle-même : « *Lorsqu'il préparait le ciel, j'étais auprès de lui* », c'est-à-dire auprès du Père, puis il est devenu pour nous « *Sagesse, Justice, Sanctification et Rédemption* »...

7
(I, 7)

A 1 [....]..ι τῆς οὐσίας αὐτῶν, ἥτις ὑπὸ Θεοῦ ἐφωτίσ[θη... ...]
[....]... καὶ φῶς διατηρεῖν ἀθόλωτον καὶ α..[... ... ..]
3 [....].νη Θεοῦ· «*Καὶ εἶδεν*» γάρ φησιν «*ὁ Θεὸ στὸ φῶς* [*ὅτι καλόν*»,]
[τουτ]έστιν τὰ πεφυκότα φωτί[σ]ματα λαβεῖν [..................]

5 **I, 4. Κ[α]ὶ [εἶδε]ν ὁ Θεὸς ⟨τὸ φῶς⟩ ὅτι καλόν.**

Τ[ὸ] ἰδ[εῖ]ν τὸν Θεὸν τὸ φῶς θεοπρεπῶς ἀκούειν δεῖ ο[... ... ..]
7 [....]..περὶ Θεοῦ ἀνθρωποπαθῶς ἢ ἀνθρωπολογῶ[ς ... .]
[....]..εται· ὡς γὰρ .. «*αὐτὸς εἶπεν καὶ ἐγεννήθ*[*ησαν* ...]
9 [...τ]ῷ κατὰ πρόνοιαν λόγῳ εἶπεν, ἵνα ὑπολ.[... ... ..]
[....]αὐτοῦ ἀντὶ τοῦ εἰπεῖν δεχόμεθα..... [... ... ..]
11 [....]. βούλεται .... καὶ περὶ τοῦ ... . [... ... ..]

B 1 [...................]... ... ... [..................]
[...................]στερ ... ... [..................]
3 ....κ]αθὰ προείρηται ... ... [.................]
[...................]του νομίζειν ... . [.................]
5 [..............].....α....κ.πε ... . [.................]
[..............].ι οὐκ ἴσον τῷ ἐμοι... .... [.................]
7 [..............].ν.λα..ν καὶ αὐτω ... . [.................]
[..............].λαλε. ἄνθρωποι γοῦν ... . [..............]
9 [..............].. Θεὸς δὲ τὴν διάνοιαν .... [.................]
[..............].[.ο]ὕτω λαλ[εῖ] ουδ ... . [..............]
11 [..............]φωνὴν Θεοῦ ἐπεὶ ου ... . [...............]
[..............]ἀλλ' ἐμβατεύων καθ ... . [...............]
13 [..............] καὶ ὁ ἀκούων αὐτοῦ α ... . [..............]
[..............]τοι Θεὸς ταῦτα ταῖς διανοίαις. [...............]
14 [..............]λέγομεν τὸ εἰπεῖν τὸν Θεὸν.... [..............]

7, A 3 ιδεν ‖ **B** 6 ουχ ‖ 12 ενδατευων

---

7 A 3 Gen. 1, 4 ‖ 8 Ps. 32, 9

7 ... sur leur substance qui fut illuminée par Dieu, ...

... et garder une lumière limpide et ...

... *Et Dieu*, dit en effet le texte, *vit que la lumière était belle*, c'est-à-dire les êtres qui sont naturellement faits pour recevoir l'illumination.

I, 4. **Et Dieu vit que c'était beau.**

L'affirmation que Dieu *vit* la lumière doit être comprise d'une manière digne de Dieu.

La suite traitait des anthropomorphismes qui se rencontrent souvent dans la Bible et exposait à cette occasion comment il faut entendre les expressions : « Dieu dit » (A 8) et « la voix de Dieu » (B11).

8
(I, 8)

A 1 [... ... ..] καὶ μεγέθει τῷ γεγενημένῳ φωτὶ προσβαλὼ[ν......]
[... ... ..]ελως ἂν ἴδοι Θεὸς πᾶσαν τὴν ἀναλογίαν καὶ αἰτ[.......]
3 [... ... ..].τε καὶ οἵαν ἁρμονίαν ἔχει πρὸς τὰ ἄλλα με[..........]
[... ... ..]. καὶ τὸν ζωγράφον λέγομεν ἑτέρως ὁρᾶν τ[.]ν..[....]
5 [... ... ..]τεχνη, καίτοι καὶ αὐτοῦ αἰσθητικῇ προσβολῇ[..]τη.[..]
[... ... ..].λαμβανομένου · ὁ γὰρ τεχνιτεύσας τὴν ἀν[αλ]ογίαν
7 [ὁρῶν τοῦ]δε τοῦ μέλους πρὸς τόδε καὶ τοῦδε πρὸς τό[δε] τὸ κάλ-
[λος αὐ]τοῦ θεωρεῖ, τοῦ ἀτεχνοῦς ταυτῆς μὴ ἐφικνου[μέν]ου τῆς
9 [ὄψεως ἥ]τις λογισμῷ καὶ νοήσει τεχνικῇ γίνεται. Εἰ̣τ̣[..] του
[....] ....Σωτὴρ εἶναι εἴρηται, κατ' ἀλληγορίαν ἡμέ[ρα ἔ]σται
11 [ὡς εἴ]ρηται · « *Ἡ νὺξ προέκοψεν, ἡ δὲ ἡμέρα ἤγγικε[ν* ». Αὐτὸς]
[γὰρ ἡ]μέρα καὶ φῶς ὑπάρχει, φῶς μὲν κατὰ τὴν οὐ[σίαν ....]

B 1 [....]... ... ...]..[.........]..[...........................]
[....................]σκότους ἀλλὰ ὑπ[.........................]
3 [....................]διάνοιαν φωτίζει η[.........................[
[... ... « *Ἀνατε]λεῖ* » γὰρ « *ὑμῖν τοῖς φοβουμ[ένοις τὸ ὄνομά μου ἥλιος*
5 [*δικαιοσύνης* » · οὐδ]ὲ γὰρ περὶ αἰσθητοῦ φωτός. [.................]
[................]τ̣ο τ̣οῖς φοβουμένοις προσενε. [.................]
7 [................]*ἀνατέλλει τὸν ἑαυτοῦ ἥλιον* [.................]
[................].ηλων.

I, 5. Καὶ ἐκάλεσεν ὁ Θεὸς τ[ὸ φῶς ἡμέραν καὶ
9 **τὸ σκότος ἐκάλεσ]εν νύκτα.** Κατὰ πάσας τὰς [.................]
[................]δεῖ λαβεῖν. [Ο]ἱ μὲν γὰρ ποι[.................]
11 [................]ται . δεῖ δὲ λογίζεσθαι ὅτι κα[.................]
[................]σ̣ιας γίνεται, ὅπερ *νύκτα* κ[.................]
13 [.............. δη]μ̣ιουργός · *ἡμ̣έρα* οὖν νόμῳ ἀ[λληγορίας ....]
[................]ἐλλάμπουσα καὶ φωτισμὸν καί. [...............]
15 [................].[.].α̣ · ἡ δ' ἄγνοια *σκότος* · τὸ « *ἐκ[άλεσεν* »..]
[................].ἀντὶ τοῦ ἀπέδειξεν ἐκδεκτέο[ν ....]

8, A 7 μελ⟦λ⟧ους ‖ 8 θεωρ`ε΄ι ‖ 11 νυ⟦κει⟧ `ξ΄ ‖

---

8 A 11 Rom. 13, 12 ‖ **B** 4 Mal. 4, 2 ‖ 7 Cf. Matth. 5, 45

8 Revenant à *Gen.* 1, 4, Didyme explique, pour éviter tout anthropomorphisme, que Dieu n'admire pas la lumière comme un homme qui voit par les sens son éclat et son intensité (l. 1), mais comme celui qui l'a faite et qui en connaît les lois par la pensée :

... Dieu voit toutes les proportions et les causes ...
... quelle harmonie a chaque (partie)[1] avec les autres ...
... de même que nous disons que le peintre voit autrement le (tableau qu'un autre homme) grâce à son métier, bien que celui-ci aussi (en) saisisse (l'aspect) par une application des sens, car celui qui a fait une œuvre d'art, (voyant) la proportion de ce membre par rapport à celui-là et de celui-là par rapport à un autre, contemple sa *beauté*, tandis que l'homme qui n'est pas du métier n'atteint pas à cette (vue) que l'artiste obtient par le calcul et la pensée...

Passant ici au sens « allégorique » (A 10), Didyme explique que le Sauveur est non seulement « Lumière » mais « Jour » (A 12), selon cette parole : « *La nuit est avancée, le Jour est proche* » (A 11). Il est « Lumière par essence » (A 12) et Jour en tant qu'il « éclaire la pensée » des croyants (B 3). C'est à son propos que Dieu dit : « *Sur ceux qui craignent mon nom se lèvera un Soleil de justice* » (B 4), car (cette parole) ne concerne pas une lumière sensible » (B 5), puisque le Soleil dont elle parle est « offert » exclusivement « à ceux qui craignent » (B 6), à la différence du soleil sensible dont il est dit que Dieu « *fait lever son soleil sur les méchants et sur les bons* » (B 7).

I, 5. **Et Dieu appela la lumière jour, et il appela les ténèbres nuit.**

Il faut prendre (cette parole) selon tous les (sens[2] qu'elle comporte)...

Le *Jour* donc, selon la loi de l'allégorie, (est le Sauveur); il a illuminé (le monde ?) et (maintenant encore il donne) l'illumination (aux croyants); et les *ténèbres* sont l'ignorance.

Le verbe « *appela* » est à prendre pour ' montra '...

8, 1. Malgré la présence de μέλους à la l. 7, il semble préférable de lire ici μέρη, « les parties du monde ».

8, 2. Peut-être νοήσεις.

9
(I, 9)

A 1 τοῦτο γὰρ συνεχῶς τὸ σημαινόμενον ἐν ταῖς [... ... .]
τα[ῖς γρα]φαῖς. Σημαίνει γάρ ποτε καὶ τὸ « *ἐποίησεν* » ἀντ[ὶ τοῦ 'ἀπέδει]-
3 ξεν' · τῷ γὰρ Σωτῆρι οἱ Ἰουδαῖοί φασιν ὅτι « *σὺ ἄνθρωπος ὢν* [*ποιεῖς σεαυτὸν*]
θεόν » ἀ[ν]τὶ τοῦ ' ἀποδεικνύεις ' τὸ *ποιεῖς* λέγοντες [... ... ...]
5 μι οὐδείς · καὶ πάλιν εἴρηται ὅτι « *διὰ* [*τοῦ*]*το ἐζ*[*ήτουν ἀποκτεῖναι*]
Ἰησοῦν, ο[*ὐ*] *μόνον ὅτι ἔλυεν τὸ σάββατον, ἀλλ' ὅτι καὶ πατέρα* [*ἴδιον ἔλεγεν*]
7 *τὸν* [*Θ*]*εόν, ἴσον ἑαυτὸν ποιῶν τῷ Θεῷ* », ὅπερ ἴσον τῷ ἀ[γεννήτῳ Θεῷ ση]-
μαίνε[ι] · καὶ ὁ Ἰωάννης δὲ ἐν τῇ κατ' αὐτὸν ἐπιστολ[ῇ γράφει · « *Ἐὰν*]
9 *εἴπ*[*ωμε*]*ν ὅτι οὐχ ἡμαρτήκαμεν, ψεύστην ποιοῦμεν* [*αὐτὸν* », δηλον]-
ότι τὸν Θεόν], ἐνταῦθα τοῦ « *ποιοῦμεν* » τὸ ' ἀποδείκνυμεν ' [σημαίνοντος ·]
11 ἀλλὰ καὶ] περὶ τοῦ ἱερέως λέγεται τοῦ λαβόντος δια[... ... .]
[... ....]ας ὅτι « *μιανεῖ αὐτὸν ὁ ἱερεύς* », δηλονότι τ[οῦ « *μιανεῖ*
13 [*αὐτὸν* » δη]λοῦντος τὸ ἀποδεῖξαι μεμιασμένον, οὐκ αὐτὸν [... ... .]
[.........................] του οὐκ αυ[...................]

9, 1 τουτο γ[α]ρ τουτο γαρ ‖ σημενομ⟦ε⟧`αι´νον ‖ 2 σημ⟦ε⟧`αι´νει ‖ 7-8 ση]μ⟦ε⟧`αι´νε[ι] ‖ 12 μιαινει⟦ν⟧

9 3 Jn 10, 33 ‖ 5 Jn 5, 18 ‖ 8 1 Jn 1, 10 ‖ 12 Lév. 13, 8.11.44

9 C'est en effet continuellement le sens dans [ ] les Écritures[1]. Le verbe « *fit* » s'emploie lui aussi parfois pour ' déclara '; ainsi les Juifs disent au Sauveur : « *parce que, tout en étant un homme, tu te fais Dieu* », en disant *tu te fais* au lieu de ' tu te déclares ' [ ]. Il est dit encore qu'« *à cause de cela ils cherchaient à tuer* Jésus, *parce que, non seulement il violait le sabbat, mais encore il prétendait que Dieu était son propre père, se faisant ainsi égal à Dieu* », ce qui signifie : égal au Dieu inengendré. Jean (écrit) d'autre part dans sa lettre : « *Si nous disons que nous n'avons pas péché, nous le faisons menteur* », à savoir Dieu; « *nous faisons* » signifie ici ' nous déclarons '. Enfin, à propos du prêtre qui rencontre (la lèpre chez un homme), il est dit que « *le prêtre le rend impur* », l'expression « *le rend impur* » indiquant évidemment qu'il le 'déclare' impur...

9, 1. Cf. p. 4 B 6.

10
(I, 10)
A 1 [... ... ἐξ] ἀρχῆς ὁ Θεὸς ἔννοιαν, καθ' ἣν διακρίνειν οἱόν τε τ[ὸ] ἀγαθὸν
[καὶ κ]ακόν, ὅπερ ὑπάρ[χ]ει τοῖς ἀδιαστροφ... ... ...ου
3 [σιν · οἱ δ' ἄλλ]οι διεστραμμένοι καὶ ἐναλλὰξ τοῖς πράγμα[σιν] χρώ-
[μενοι... ...] ὅτι τὸ ἀγαθὸν αἱρετόν ἐστιν τῷ.α.δι.[...]..α
5 [... ... ...]..ι α.[..] κακὸν ὄν · ὡς ἐπὶ τὸ πλεῖστον γ[..]..ω
[... ... ...]επεται · τοὺς ταῖς διεστραμμέναις ταύταις ..[..]τισιν
7 [... ... ...]. ταλανίζων ὁ λόγος φησίν · « *Οὐαὶ οἱ λέγοντ*[ε]*ς τὸ πο-
νηρὸν καλὸ*]*ν καὶ τὸ καλὸν πονηρόν, οἱ τιθέντες τὸ σκότος φ*[*ῶς καὶ τὸ* |
9 *φῶς σκότο*]*ς* », ὅπερ ἐπὶ τῆς ἱστορίας μὲν οὐ ποιοῦσιν — οὐ γ[ὰρ τὸ
[σκότος φῶ]ς εἶναι νομίζουσιν — τῷ δὲ περὶ τοὺς τρόπους .[...
10 [... ... ..]ει τὸν ταλανισμὸν αὐτοῖς ἐπάγει το τ[....
[... ... ..].ουνται τὴν φιλοκαλίαν καὶ τὴν γνῶσιν [....
11 [... ... ..]..ν περιττὸν πρᾶγμα ... ... [..................]

10, 1 διακρ⟦ε⟧ιν`ε´ιν ‖ τε : ται P ‖ 5 πλιστον ‖ 6 διεστραμμενα`ι´ς ταυτα`ι´ς ‖ 8 ο`ι´ ‖ 9 ειστοριας

---

10 7 Is. 5, 20

10 Ce verset sur la distinction entre lumière et ténèbres évoque naturellement pour Didyme la parole d'Isaïe condamnant ceux qui font « des ténèbres la lumière et de la lumière les ténèbres » :

Dieu (a mis dans l'homme) au début une idée d'après laquelle il est possible de distinguer le bien et le mal. Cela n'existe que pour ceux qui (gardent cette idée) sans déviation. Les autres, au contraire, qui ont l'esprit dévoyé et qui font un usage contraire à la réalité (de l'idée) que le bien est à choisir [ ].

Ceux qui (se servent) de ces pensées dévoyées, le Verbe les maudit en ces termes : « *Malheur à ceux qui appellent le mal bien et le bien mal, qui font des ténèbres la lumière et de la lumière les ténèbres.* » A s'en tenir à la réalité historique, ils ne font certes pas cela, car ils ne croient pas que les ténèbres soient la lumière, mais c'est en (considérant) leurs mœurs [ ] qu'il porte contre eux cette malédiction.

I, 5. <**Et il y eut un soir et il y eut un matin : ce fut le jour Un**[1].>

10, 1. Il manque la moitié inférieure de la p. 10 et les p. 11 et 12. C'est dans cette lacune que venait le lemme *Gen.* 1, 5^{b} auquel se rapporte la p. 13.

13
(I, 13)

A 1 [.............] ἐν τοῖς πρὸ τούτων εἴρηται [.......................]
[.............] ὁρωμένης κτίσεως π[.......................]
3 [.............] πολλάκις ἐν τῇ διηγήσ[ει ....]
[.............] ὑπεραναβεβηκότα σω[.......................]
5 [.............]σις δίττη ἐστὶν διαν[.......................]
[.............]οἱ φωστῆρες γενομεν [.......................]
7 [.............]ὅστις ἕτερός ἐστιν π[.......................]
[.............]πρὸ πάσης ἡμέρας καὶ [.......................]
9 [.............] δεύτερον γεγενημένου [.......................]
[.............]ἡμέρα γεγενημένον τω...[.......................]
11 [.............].σθα[.......................]
[................]ι γαρ [.......................]

B 1 [.............]ν οὐρανὸν ὅπου.[.......................]
« *Ἰδοὺ Κυρίου*] *τοῦ Θεοῦ σου ὁ οὐρανὸς* [*καὶ ὁ οὐρανὸς τῶν οὐρανῶν*
3 [............ἕ]τερός ἐστιν ὁ οὐρανος [.......................]
[............λ]έγουσιν ἑπτὰ οὐραν[οὺς ....]
5 [.............]ον ἀναβατικόν. [.......................]
[..........εἶ]ναι οὐρανοὺς ἓξ ἄν[ευ ....]
7 [.............]ομεν τῶν οὐρανῶν ε[.......................]
[.............]ον ὁ μὲν γὰρ Παῦλος [.......................]
9 [...........τ]ιθεις τρεῖς οὐρανοὺς ου[.......................]
[.............]η ἕ[τε]ρον τούτων .[.......................]
11 [..........πα]ρὰ τοὺς τρεῖς υπ[.......................]
[.............] *οὐρανοὶ τῶν οὐρανῶν* [.......................]
13 [.............] ἐλέγετο · η δύο γ[.......................]
[.............] *οὐρανοὶ τῶν οὐρανῶν* [.......................]
15 [.............] εἴωθεν γὰρ ἡ γρα]φὴ [.......................]

13, B 11 τρις

---

13 B 2 Deut. 10, 14 || 8 Cf. II Cor. 12, 2 || 12 Ps. 12, 2

14
(I, 14)

A 1 [..................................ο]ὐκ ἔστιν ἀναντίρρητον
[..................................τ]οῦτο δὲ οὕτως εἴρη-
3 [ται...............................]συπαρχουσιν οὐρανοὶ
[..................................]ετα τῆς γῆς ἕτερος
5 [..................................].ρον εἴρηται ὁ κυρίως
[..................................ο]ὐρανὸς ὠνομάσθη εκα-
7 [...............................οὐραν]ọ̀ν τὸ δὲ ἐν ἀρχῇ γε-
[..................................]α προẹπ̣ινοούμενον
9 [..................................]ν οὐρανọ́ν ἐστιν ạ̓πο
[..................................π]ερὶ κ̣[...............]

B 1 [..]ουτ̣ο[...........]
[..................................]ẹἷς ἦν καὶ ὁ αὐτὸ[ς...]
3 [..................................] ... θεις τὸ του [....]
[.................................το]ῦ Σωτῆρος τοῦτο π.[...]
5 [..................................]. *τοῦ κόσμου τού̣[του]*
[..................................] τούτου · ει το.[...]
7 [..................................]ẹιμενος ἔχει ọ[...]
[..................................]ἄλλοι εἰσὶν παρ[ὰ..]
9 [..................................] καὶ γῆς ἑκαστε[...]
[..................................]υσεως οὔτ[ε] γὰ[ρ...]
11 [..................................]τα ἐν κόσμῳ α[...]
[..................................]ς λόγος αἰώνια λ[...]
13 [..................................]μενα καὶ πρόσκαιρα[...]
[............................... « *Πίστ]ει νοοῦμεν κατηρτ̣[ίσθαι]*

14, B 13 προσκ⟦ε⟧ʽαι΄ρα

14 B 5 Jn 8, 23 || 14 Hébr. 11, 3

15
(I, 15)

A 1 *τοὺς αἰῶνας ῥήμασι Θεοῦ εἰς τὸ μὴ ἐκ φ[αινομένου τὸ βλεπόμε]-*
νον γεγονέναι » μιμήματα ... ... [... ... ...]
3 νομενα καὶ θαυμαστὸν οὐδὲ ... .. τε ... [... ... .. κατασκευ]-
άζει Μωσῆς καθ' ὑφήγησιν ... ... [... ... ...]
5 κατεσκευάζετο · « *Ὅρα* » γάρ φησιν « *ποιήσε[ις πάντα κατὰ τὸν]*
τύπον τὸν δειχθέντα σοι ἐν τῷ ὄρει » .. [... ... ...]
7 καὶ ὁ σοφώτατος Παῦλος ἐν τῇ πρὸς Ἑβραί[ους ἐπιστολῇ]
διὰ τῆς τελειοτέρας καὶ ἁγίας ... ... [.....................]
9 ... ... ὥστε ἐκείνη... ... ... [...................]
και ε.ερ.. πνεῦμα μεῖζον ε.τ... .... [.........................]
11 [.............................] ... ... [....................]

B 1 [......................]μηπω [.........................]
[......................]μενου [.........................]
3 [.....................]αλογιας [.........................]
[.....................]τοῦ Θεοῦ [.......................]
5 [....................]ται θεωρ[.........................]
[....................]ενον ουκ[.........................]
7 [...................ἐθ]εώρουν το[.......................]
[....................]ῦ οὐρανοὺς [.......................]
9 [....................]θεισασθαι [.......................]
[....................]εφη τὸ οψο[.......................]
11 [....................]μον οὖν ουραν[....................]
[....................]α η ἑνὸς αν[.......................]
13 [...................] Θεοῦ ποίησιν δ[...................]
[....................]της τάξεως υ[......................]

15, A 7 εβρε[ους ‖ 8 τελιοτερας

---

15 A 5 Hébr. 8, 5 ; cf. Ex. 25, 40

16
I, 16)

A 1 [........................]... ... ..ν˙ ὡς γὰρ εὖ θεμελιωθεῖσα οἰ-
[..........................[. τ̣εχνίτου δείκνυσιν καὶ ἅρμα τεταγμέ-
3 [νον.....................].... χου καὶ ναῦς τὴν κυβερνήτου, οὕτως
[..................]ον φησιν ἐκ μεγέθους καὶ καλλονῆς τῶν κτισ-
5 [μάτων............]. ὁ γενεσιουργὸς αὐτῶν θεωρεῖται˙ ἐκ γὰρ τοῦ
[...........................].υς τῶν γενομένων τὸ ὑπερβάλλον τοῦ
7 [.........................]κ̣αταπλαγήσεται˙ τῆς γὰρ μεγάλως υ-
[...........................].ιν πέρας˙ οὐ μόνον αἰσθήσει ἀλλὰ καὶ
9 [.............................]ον οἱ δὲ οὗτοι οἱ οὐρανοὶ τὴν δόξαν
[.............].κα.οι οὗτ̣ο̣ι[.................................]

B 1 [.........................]γ̣ὰ̣ρ̣ ὁ̣ Θεοῦ [.........................]
[.........................]ν διηγ̣η̣[............................]
3 [.........................λο]γ̣ι̣κ̣αὶ φύ[σεις ....]
[.........................] **στερέω[μα** ....]
5 [.........................]ν κινουμ[............................]
[.........................]. τολαστε [..........................]
7 [.........................]κειμενον τ[..........................]
[.........................]ς̣ οὐσίας καὶ [........................]
9 [.........................]γνωσθη Θε[..........................]
[.........................]ς οὐ θεοι μ[..........................]
11 [.........................]ν̣τος καὶ περι[.......................]
[.........................]ου πνεύματος εἴρητ̣α̣[ι ....]
13 [.........................]. τινὲς μὲν οὖ[ν ....]
[.........................]α̣ρα τιθεμένοις̣ [.......................]
15 [.........................]εται ὡς ετερ[..........................]

16, A 2 δ'ε'ικνυσι ‖ 5 θεορ'ε'ιται ‖ **B** 5 κεινουμ[

---

16 B 4 Gen. 1, 6

17
(II, 1)

1 ο... ... . τοῖς προειρημένοις ἐκληπτέον · οὐ γὰρ
προφορικῷ χρώμενος λόγῳ λέγει · ἕπεται γὰρ τῷ χρωμένῳ προ-
3 φορικῷ τὸ καὶ ἐνδιάθετον ἔχειν, τοῦ δὲ συνθέτου ἐστὶν εκτε..
ος ... ... τὸν ἐνδιάθετον λόγον [..].εσω ... ακολου
5 [...]....[..]....ναι ο δε [....]αρ ..... [....]. πλους καὶ τὰ παν
[... ... ..].διο ου χρησ[... ...].... [... ....].ε.. [...]....
7 [... ... ..]... επιβαλλ.... [.].... [... ....]ασκ.[....]...[.]
[... ... ..].... [..] εκ... ολ[..]. [............................]
9 [... ... ..].... [......] βουλ[...]. [.............................]
[... ... ..].... [......] .... [.....................................]
11 [..]... ..ο[....] .. [....] ... [..]
[..].ε.... [....] .. [....] ... [...]
13 ... . [....] ... [....] επι [...............................]νη
... . [....] ... [....] ... [................................]ε.ε
15 ... . [....] ... [....] ... [...............................]....
εγενετο.. [....] ... [....] .. [..............................].στερε
17 ... ... θελ[....] ... ... [...........................]υεμμε
σω των υδατω[...] .. [...] ... [...........................].τερον
19 ... ... [...] .. [...] .... [.........................] την
..ροτεραν [....]. [....] .... [..........................]υμενον
21 ... ...ου [....] ... ... [.........................]...ε.ι.ε
... .με. [....] ... . [..................................]ετων
23 δια...ν ... ... [..] .... [...................................]ηλογι
κε .... ω.ο.α... [..] ...η.. [..............................]λλα προς
25 .... και οι κατ .... ο [.] .... [.............................]... της
χρειας τουτο απρ[.] ... τα [...........................]ις επει τοι

18
(I, 2)

1 νυν ουχ .... υδωρ υδασ.. λ... ... ... ως
ρεουσων .... σκ .. τω .... τυπου επυδ ... ... η κατω ...
3 ρ ... ... α ... εμμεσω του ... ατος ...
ν ... ... .ε ... τουτ' αυτα .... σεν ...
5 ρ ... . [...] ... . ε[....]λεγεται ε ... [..] λο ... ..
β ... ... [......] ... ... [... ..]υ των υπαυτω[...]διε [...]
7 .[.............................π]ροειρημενοις ο μη. [... ... ...]
...[..........................]ιωσο. ν[...] μαι .. [... ... ...]
9 .[............................]ετ [... ...]ους. [... ... ...]
.[............................]του [... ...]αυπ.. [... ... ...]
11 .[............................]... [... ...]υτα.. [... ... ...]
ο[............................]υδωρ [....]μους [... ..]εροι...
13 γα[............................]..ε ....].υε [... ..] κχιειτ..
χρ[............................]θ.. [...] ... [... ..]..δυ....
15 νο..[..........................]... [....] ... [... ..]ταγαρα...
χειτ[..........................]ο αποστ ... [... ...]υδ[ω]ρει...
17 λειας [........................] και υγ[... ....]ρανων τον...
μωδ[..........................]αυτον[..]..[...]υν ουνων κατ...
19 υδωρ.. [......................θ]ν τ..[.]ν .[... ..]νων παρα....
προβα..[.........................]ε του .... [...] κχτα τον ου...
21 δωρ υ.[........................]τιθη[.]ο ... ..τον αινουν...
θν δ.. [..........................]θυ και[..] ... .. βωμενω και...
23 θιστη. [........................]εχει[.]ο υδωρ αισθητον ουκ ε
στιν το. [........................].ντα εχειν .... δυνατχ ειναι

N.B. Il n'a pas été possible de suivre toutes les déchirures du papyrus. Nous avons voulu seulement donner ici une idée du délabrement dans lequel il se trouve.

19
(II, 3)

1 διαδ.... τος · ἑτέρως τὸ ἀληθὲς τῶν ειρ ... ...
δεχ.....ολου τῶν θείων γραφῶν περὶ υ... ... ...
3 πνεύματι..δ..ληται ὡς ἐν τῷ εὐαγγελίῳ · « *Ὁ πιστεύων εἰς ἐμέ,*
καθῶς εἶπεν ἡ γραφή, *ποταμοὶ ἐκ τῆς κοιλία[ς αὐτοῦ] ῥεύσου-*
5 *σιν ὕδατος ζῶντος* », ὅπερ αἰσθητῶς μὲν....[... ...].ε....
... ...ι ....ναειγ .ρ....λιας ... ...[... ....]. της κα-
7 ... ... ἄνθρωπον ὑποβαλλο[μ]ένης περι... [... ... ..]... ..
... ... λαβομεν και ... .[... ... ..]... ..
9 ..[...]... ... ... ητη..ιειλ... ....[... ... ..]... ..
... ...α τὸν ἔσω ἄνθρωπον..ν.[... ... ...]
11 ... . [..]. εσω [...]ιλιας. [... ... ...]
εναρ.... [..] .. [....]. νε. [... ... ...]
13 ειπο.... [...] .. [....] ... [... ... ...]
λογι... [..] ... [.].[.]ολας. της [... ... ...]
15 ... ... [.] ..αρτις..ας...ερ... [... ...] ... ...[ὕ]-
δωρ το.[..] ... . [..]οὐρανῶν ... κι.. ειε... [....]. καὶ προσ-
17 ήκει αιν[..] ... . εισθαι κ..ορ ... ... ον Θεόν ·
ἔστιν δὲ κ.[.]... ..[...].λαου..υτ ... ...περὶ
19 ὧν λέγεται · « *Ὕδωρ πολὺ οὐ δυνήσεται σβέσαι τὴν ἀγάπην* » δου-
λόμενον μ... ... ... δυνατ..δε ... ...
21 η.εν.νου ... . ἐφάπαξ τῆς ἀντικειμένης δυνάμεως πε-
ρὶ ἧς ... ...τ.ν ὁ ἅγιος βοᾷ · « *Ῥῦσαί με ἐξ ὑδάτων πολ-*
23 *λῶν* », ἅπερ ε ... ...ἐπάγει · « *ἐκ χειρὸς υἱῶν ἀλλοτρίων* », ὕδωρ
λέγων τοὺς ἀλλοτρίους υἱούς. Καὶ πάλιν · « *Ἐὰν διέλθῃς διὰ πυρός,*
25 *φλὸξ οὐ κατακαύσει σε, ἐὰν δι' ὕδατος, ποταμοὶ οὐ συγκλύσου-*

19, 2 δεχ'θ'... ‖ 5 εσθητως

---

19 3 Jn 7, 38 ‖ 19 Cant. 8, 7 ‖ 22-23 Ps. 143, 7 ‖ 24 Is. 43, 2

19 I, 6. **<Et Dieu dit : Qu'il y ait un firmament au milieu de l'eau, et qu'il sépare l'eau de l'eau par le milieu.>**

Suivant son habitude, Didyme a dû expliquer d'abord le sens littéral du verset. Il en expose maintenant le sens spirituel, en citant d'autres passages où l'eau ne doit pas s'entendre dans un sens « corporel » :

... comme dans l'Évangile : « *Si quelqu'un croit en moi*, comme dit l'Écriture, *de son sein couleront des fleuves d'eau vive* » ...

... dont il est dit : « *Beaucoup d'eau ne pourra éteindre la charité* » ...

... le saint s'écrie : « *Délivre-moi des eaux nombreuses* » [ ] et il ajoute : « *de la main des fils étrangers* », désignant ainsi par l'eau les *fils étrangers*. Et encore : « *Si tu passes à travers le feu, la flamme ne te brûlera pas, et si c'est à*

20 (II, 4) |[1] *σίν σε* », ἅπερ ἆθλα τῷ δικαίῳ δίδοται. Καὶ εἰ ἐπὶ τὰ τῶν αἰσθη|τῶν ποταμῶν τις αὐτὰ ἐκλάβοι, οὐ μέγα τὸ μὴ συγκλυσθῆ|[3]ναι ὑπὸ [πο]ταμῶν αἰσθητῶν, πολλῶν [κ]αὶ ἄλλων φαύλων τοῦ|το προπε[π]ονθότων, μέγα δὲ τὸ μὴ 5 ὑπενεχθῆναι τοῖς ῥεύμα|[5]σιν τῶν ἀντικειμένων ἐνεργειῶν μηδὲ τῇ τούτων ἀμέτρῳ κα|κίᾳ, ἅπερ μισθὸς ὁ πρέπων τοῦ δικαίου τυγχάνει καὶ τέλος οἰκεῖ|[7]ον.

Τῶ[ν λο]γικῶν τοίνυν ζῴων διὰ τοῦ ὕδατος παρισταμένων, | δηλοῦ[ται ὅ]τι παρ' ἰδίαν ὁρμ[ὴ]ν καὶ θέλησιν τὰ μὲν ἐν κακίᾳ, |[9] τὰ δὲ ἐ[ν ἀρ]ετῇ γέγονεν. Πάντα μὲν γὰρ 10 γέγονεν ἵνα ἀρετὴν | ἔχῃ, ἀλλά [τιν]ες παρ' ἰδίαν ῥοπὴν τὸ δοθὲν οὐκ ἐφύλαξα[ν]. Ἐπεὶ |[11] καὶ τὸν ἄν[θρωπον] ὁ Θεὸς [ε]ὔθη πεποίηκε[ν], αὐτοὶ δὲ τῆς εὔθητος | ἀπέστη[σαν ... .].[.]ν διαφοραι[.].[...]. ὕδωρ [ο]ὐκ οὐσιώδης |[13] αλ.[... ... ...].κακαι[... ..]ται ε[..]· ουσιαι κα|...[... ... ...]. ουκα[... ..]. τιν[..] 15 Οὕτω γὰρ ἂν |[15] πα.[... ... ...] ματη ...[.] της [σωτ]ηρίου οἰκονο|μίας σ[... ..], ἀλλ' οὐ μάτην γέγονε[ν]· διόρθω[σ]ις γὰρ ὑπῆρξεν |[17] τοῖς ασ[...] ...ἰδίᾳ ἄρα ὁρμῇ τὰ μὲν [ἀ]γαθά, τὰ δὲ κακά συν|ζώντω[ν λο]γικῶν ὑπάρχει.

Τὸ γεγο[ν]ὸς οὖν *στ[ερ]έωμα ἐμ*|[19]*μέσῳ τοῦ ὕδατός* 20 ἐστιν λόγος διαφορὰν ὑπάρξ[ου]σαν κατὰ γνώ|μην φανερὰν καθιστῶν, ὅστις ἐγκείμ[ε]νος τῷ ἡγεμονικῷ πα|[21]ρὰ Θεοῦ χωρίζει τὰ φαῦλα τῶν ἀγαθῶν, [ἵ]ν' οὕτω καὶ ἕληται. Τὸν | δὲ χωρισμὸν οὕτως ἂν οὐ σωματικῶς ἐκλάβοις, θεωρήσας πῶς |[23] εἴρηται ὑπὸ τοῦ Ἀβραὰμ πρὸς τὸν πλούσιον αἰτήσαντα ἀποστα|λῆναι πρὸς αὐτὸν τὸν Λάζαρον· 25 « *Χάσμα μεταξὺ μέγα ἐστήρι*|[25]*κται* », δηλοῦντος ὅτι ἡ ἀρετὴ τῆς κακίας διέστηκεν οὐ τόπῳ ἀλλὰ | διαφορᾶς ἐξαλλαγῇ καὶ ἐναντιότητι. Ἐπεὶ γὰρ ἀσυνύπαρκτός ἐστιν

20, 2-3 συνκλυσθηναι ‖ 3 απο ‖ 5 ενεργ\`ε´ιων ‖ 6-7 οικ\`ε´ιον ‖ 10 επ\`ε´ι ‖ 17 κακια ‖ 20 ενκ\`ε´ιμ[ε]νος ‖ 23 αβρα⟦α⟧αμ ‖

---

20 18 Cf. Gen. 1, 6 ‖ 24 Lc 16, 26

20 *travers l'eau, les fleuves ne t'engloutiront pas* », / ce qui est la récompense donnée au juste. Si tu appliques cette parole aux fleuves sensibles, c'est peu de ne pas être englouti par des fleuves sensibles quand beaucoup d'autres hommes, même des méchants, en ont déjà réchappé. Mais c'est beaucoup de ne pas être emporté par les flots des Puissances adverses ni par leur malice sans bornes : tel est le salaire qui convient au juste et la fin qui lui est propre.

Les animaux raisonnables étant donc indiqués par l'eau, on voit que c'est de leur propre initiative et volonté que les uns sont dans le mal et les autres dans la vertu. Car tous ont été faits pour avoir la vertu, mais certains, suivant leur propre inclination, n'ont pas conservé le don qui leur avait été fait. Dieu avait créé l'homme droit, mais ils ont abandonné cette droiture...

... C'est donc de leur propre initiative que, parmi les êtres raisonnables vivant ensemble, les uns sont bons et les autres mauvais.

Le *firmament* créé *au milieu de l'eau* est donc la raison qui fait apparaître la diversité qui existe quant au jugement moral[1]. Reçue de Dieu dans la partie hégémonique de l'âme, elle sépare les mauvaises choses des bonnes pour qu'ensuite on choisisse. C'est dans ce sens et non au sens corporel que tu prendras la séparation, si tu observes la réponse faite par Abraham au juste qui lui demandait qu'on lui envoie Lazare : « *Un grand abîme a été fermement établi entre nous*[2]. » Il indiquait par là que la vertu est séparée du mal, non dans l'espace, mais par une différence qui est altérité et opposition. En effet, puisque la justice

20, 1. Après avoir assimilé les eaux supérieures et inférieures aux bons et aux mauvais, Didyme interprète le firmament qui les sépare comme désignant la raison qui distingue entre le bien et le mal.

20, 2. Cette citation de *Luc* 16, 26 semble avoir été provoquée par la ressemblance entre le verbe ἐστήρικται, « a été établi *fermement* », et le substantif στερέωμα, « firmament ».

[20] |[27] ἡ δικαιοσύνη τῇ ἀδικίᾳ, οὐ δύναται ἐν τῷ αὐτῷ εἶναι
21 ὁ δίκαιος |[1] καὶ ὁ ἄδικος, ἐν ταὐτῷ δὲ οὐ τόπῳ λέγω ἀλλ' ἕξει
(II, 6) καὶ διαθέσει.

| Ὥσπερ οὖν ἐκεῖ διαφορὰ τῆς ἀρετῆς καὶ τῆς κακίας *χάσμα* εἴρηται |[3] διαιροῦν τὸ κακὸν ἀπ[ὸ] τοῦ ἀγαθοῦ, οὕτω καὶ νῦν *στ[ερέ]ωμα* πεποί|ηκεν ὁ Θεὸς *ἐμμέσῳ τοῦ*
5 *ὕδατος*, τοῦτ' ἔστιν ἡγεμο[νι]κῷ, ἵνα τοῦ ἀγα|[5]θοῦ καὶ κακοῦ διάκρισις γένηται. Καὶ ἐπεὶ τῇ φύσει τὸ ἀ[γα]θὸν ἀνώφο|ρόν ἐστιν, τὸ δὲ κακὸν κάτω ἕλκον τὸν αὐτῷ ἑκου[σί]ως χρώμε|[7]νον — « *τῆς γὰρ ἀφροσύνης οἱ πόδες κατάγουσιν τοὺς [χ]ρωμένους* | *αὐτῇ μετὰ θανάτου εἰς τὸν ᾅδην* » —, κάτω μέν ἐστι τὰ χείρονα |[9] τὰ δὲ τῇ ἀρετῇ
10 χρώμενα οἰκεῖα τοῖς ἄνω τυγχά[νει] — « *ἀναλαμβά|νων* » γὰρ « *πραεῖς ὁ Κύριος* » —, χρησίμως τοῦ στερεώματος, ὅ ἐστι λό|[11]γος πίστεως καὶ ἀρετῆς, διείργοντος τὸ χεῖρον τῶν σπουδαί|ων, ἵνα μήτε συν[..].ι.η μητε κατα[... ... ..] ...ολο... .. |[13] θηση εξ.[...]ς · ε[... ..] επτειν..ν.α [... ... .]... ... ...| τὸ στερέω[μα] δὲ π[ρὸς τ]ὴν
15 φύσι[ν... ... ... οὐ]|[15]κ ἔστιν ἑτερ[..].ως [στ]ερεὸν σῶμα.[... ... .].ρις · δ[..] | στασις ἔχον ὑπάρχει, ἀλλὰ καὶ οὕτω λ[..]ητο[... ..]ν καὶ πᾶσαν |[17] ὑπερβάλ[λ]ων σώματ[ος] οὐσίαν.

Εἶπεν ο[ὖν ὁ] Θεὸς [στερέ]ωμα γενέ|σθαι *ἐμμ[έσ]ῳ τοῦ ὕδατος* · ἓν γάρ ἐστιν τὸ ὕδ[ωρ ἐκλ]ημφθὲν νόμῳ |[19] ἀλληγορίας, μιᾶς οὔσης τῆς λογικῆς οὐσίας [κα]τὰ τὸ ὑποκείμενον,
20 | καὶ ἡ διάφορος γν[ώ]μη τὸν χωρισμὸν ἐνε[ποί]ησεν.

I, 6. Καὶ ἐγένε|[21]το οὕτως.

| Ἔδει γὰρ τὸ βούλημα τοῦ τῶν ὅλων Θεοῦ γε[ν]έ[σθ]αι, τοῦ ἔργου θᾶττον |[23] δειχθέντος καὶ ἅμα τῷ λόγῳ καὶ τῷ θελήματι [ὑ]ποστάντος. Θέ|λημα δὲ αὐτοῦ ὁ Υἱὸς ὑπάρχει,
25 δι' οὗ τὰ ὅλα συνέστη, Σοφία ὢν τοῦ |[25] γεννήσαντος λέγουσα · « *Ἡνίκα ἡτοίμαζεν τὸν οὐρανόν, συμπαρή|μην*

21, 5 επ'ε'ι ‖ 10 χρησιμω'ς' ‖ 19 υποκ'ε'ιμενον ‖ 20 καὶ$_1$: ⟦η⟧και ‖ 23 δ'ε'ιχθεντος ‖ 25-26 συνπαρημην

ne peut coexister avec l'injustice, le juste et l'injuste ne
21 peuvent être ensemble, / je ne dis pas ensemble dans l'espace mais par leur manière d'être et leurs dispositions.

Donc, comme la différence de la vertu et du vice est un *abîme* qui sépare le bien du mal, ainsi Dieu a fait un *firmament au milieu de l'eau*, à savoir dans la partie hégémonique de l'âme, pour qu'on fasse le discernement du bien et du mal. Et puisque par nature le bien porte vers le haut et le mal tire vers le bas celui qui s'y adonne volontairement, — « *car les pas de la folie conduisent ceux qui s'y adonnent à la mort et à l'enfer* » —, il s'ensuit que ceux qui sont dans le mal sont en bas et que ceux qui s'adonnent à la vertu sont apparentés aux choses d'en haut — car « le Seigneur élève les doux » —, le firmament, c'est-à-dire la raison inspiratrice de la foi et de la vertu, séparant utilement le pire du meilleur...

Dieu a donc dit qu'il y ait un firmament « *au milieu de l'eau* ». Selon la loi de l'allégorie, l'eau en effet est une. Car l'essence raisonnable est une dans sa substance et c'est la différence dans le jugement moral qui a introduit la séparation.

I, 6. **Et ainsi fut fait.**

Il fallait en effet que la volonté du Dieu de toutes choses soit faite; l'œuvre s'est vite manifestée : en même temps qu'elle a été conçue et voulue, elle a été faite[1]. La volonté de Dieu, c'est le Fils[2], par qui tout a été établi; il est la Sagesse de Celui qui l'a engendré, Sagesse qui déclare : « *Lorsqu'il préparait le ciel, j'étais auprès de lui.* »

21 3 Cf. Gen. 1, 6 || 7 Prov. 5, 5 || 9 Ps 146, 6 || 25 Prov. 8, 27

21, 1. L'idée était suggérée par Philon, *De opif.* 13 : ἅμα γὰρ πάντα δρᾶν εἰκὸς θεόν, οὐ προστάττοντα μόνον ἀλλὰ καὶ διανοούμενον.

21, 2. Cf. HIPPOLYTE, *Contre les hérésies*, 13 (mon éd. p. 255, 24) : τὸ θέλημα τοῦ πατρός ἐστιν Ἰησοῦς Χριστός.

[21] *αὐτῷ.* » Διόπ[ερ] ἐὰν ἀ[κ]ούωμεν *εἶπεν ὁ Θεὸς καὶ τὸ ἐγένετο οὗ*|[27]*τως*, τὸν Υἱὸν νοοῦντες τὸν ἀκούοντα καὶ
22 πληροῦντα τὸ βούλημα |[1] [... ... ...]ωπινως
(II, 6) διαλαμβάνομεν ου....ν.ει. |... ... ... ους .ινα καὶ ακου.[..] ποιησι....α... |[3] ... ... εν ἀλλ' ἵνα ἡμεῖς Πατρὸς καὶ Υἱοῦ ἕνωσιν ἔχον|τες [διὰ τ]ούτων τῶν λέξεων
5 δημιουργὸν τῶν ὅλων τὸν |[5] [Πατέρα] κ[αὶ τὸν] Υἱὸν πιστεύωμεν, οὐχ ἕτερα τοῦ Πατρὸς καὶ ἕτερα | [τοῦ Υἱοῦ αὐτοῦ ἐρ]γαζομένου · εἴρηται γὰρ ὑπ' αὐτοῦ τοῦ Υἱοῦ · « *Ἃ γὰρ* |[7] *[ἂν ἐκεῖνος ποι]ῇ, ταῦτα καὶ ὁ Υἱὸς ὁμοίως ποιεῖ.* »

| **I, 7. [Καὶ] ἐπ[οίησεν ὁ] Θεὸς τὸ στερέωμα καὶ διεχώρισεν ὁ Θεὸς ἀνὰ μέ|[9]σο[ν τοῦ ὕ]δατος ὃ ἦν ὑποκάτω τοῦ στερεώ-**
10 **ματο[ς] καὶ ἀνὰ | [μέσον τοῦ] ὕδατος τοῦ ἐπάνω το[ῦ στ]ερεώματος.**

|[11] Δ....[... ....]τοῦ ὕδατος, ὥ[σπερ πρ]οτερ[ον] εἴρηται, ...| ....[.].[... ....] δὲ ὑπὸ τὸ στ[ερέωμ]α ε.[..] ἔτυχε ... |[13] ..[.].[.].[....].[.]...παντα τ.[....].οπ. [...].ιτὰ ἑξῆς δε | ... ..[... ...]υτο ἔργοντα ὅτι επα-
15 να[.]... εστι το |[15] ... ..[....].ν τῶν φθασά[ν]τω[ν].

I, 8. Καὶ ἐκάλεσεν ὁ Θεὸς | τὸ σ[τερέωμα οὐ]ρανὸν καὶ εἶδεν ὁ Θεὸς ὅτι καλόν.

.[...]ησαι μὲν |[17] .α... .. *[εἶδεν] ὁ Θεὸς ὅτι καλόν*, τοσοῦτον δὲ ἔπαινον ῥητέον | ὅτι ο....[...]νομενον εὐθὺς τὸ *εἶδ[ε]ν* ὑποφαίνει κάλλος |[19] αλλ... ...[..]....ενον ἔχει
20 τὴν ἀποδοχὴν ..ερον πα. | των ... ...[..]...τιας καὶ τ[ῆς] ἀναλογίας ἐπαινεῖ ὁρῶν ὅ|[21]τι καλ... ... ... ομεν ... ... οντι ἡ ἀρετὴ κρίσις τῶν | ... ...ε. τῷ δοκιμάζειν τὰς χρείας καὶ τὰς αἰτίας καὶ |[23] τὰς..α... ...ην . επει... ...ο φιλ[ό]τιμος κατασκευ.. | ασθε.... γὰρ
23 σφόδρα περικαλλ.... καὶ τινα μέρη ἐξ ὕλης · ἄ|[1]τιμον γὰρ
(II, 7) τὸ κατασκευάζεσθαι, — ἔστιν ἰδεῖν μέρη ἕτερα ἄτιμα | οἷον τρίχες καὶ τὰ ὅμοια, καὶ οὐδήπου ὁ πόλεως κρίνειν ἀναλο-|[3]γίαν ἐπιστάμενος μέμψαιτο τὸν κατασκευάσαντα ὅτι με|τὰ
5 τῶν τετιμημένων καὶ κεκαλλωπισμένων ἐν τῇ πόλει |[5] τόπων

C'est pourquoi, lorsque nous entendons : « *Dieu a dit* », et « *ainsi fut fait* », en pensant au Fils qui entend et **22** accomplit le vouloir / (du Père)[1], nous ne comprenons pas ces choses d'une manière anthropomorphique...

Mais c'est pour que, nous qui professons l'unité du Père et du Fils, nous croyions par ces paroles que le créateur de toutes choses c'est le Père et le Fils, et non pas que le Père a fait certaines choses et son Fils les autres. Il est dit en effet par le Fils lui-même : « *Tout ce qu'il fait, le Fils le fait pareillement.* »

I, 7. **Et Dieu fit le firmament, et Dieu sépara l'eau qui était au-dessous du firmament et l'eau qui était au-dessus du firmament.**

I, 8. **Et Dieu appela le firmament ciel, et Dieu vit que c'était beau.**

23 ... On peut voir d'autres parties peu honorables comme les poils et autres choses semblables, mais personne sachant apprécier l'ordonnance d'une ville n'ira reprocher à son constructeur d'y avoir ménagé, à côté d'endroits

22, 1 ⌜τοῦ πατρὸς οὐκ ἀνθρ⌝ωπίνως ? ‖ 12 l'ε après στερεωμα semble biffé ‖ 16 ιδεν ‖ 17 ρηταιον ‖ 18 ιδ[.]ν ‖ **23** 3 το'ν' P[a]

---

22 6 Jn 5, 19

22, 1. Cf. HIPPOLYTE, *ibid.* 13 (p. 257, 3) : « Le Père commande, le Verbe exécute », et ORIGÈNE, *C. Celse,* VI, 60.

[23] καὶ εἱρκτὴν καὶ ἄλλα ᾠκοδόμησεν · ἕκαστον γὰρ καθ' ἑ|αυτὸ λαμβανόμενον οὐχ οὕτως ἐστὶ θαυμαστὸν ὡς ὅταν ἀ|[7]θρόως ἁπάντων ὡς ἐν πόλεως σχήματι δοκιμάσῃ τὴν | χρείαν, οὕτω καὶ ἐπὶ τῆς δημιουργίας, καὶ π[ο]λλῷ [θ]αυμαστό-|[9]τερον · οὐ γὰρ ἔστιν εἰπεῖν εἰς τί τοῦτο ἢ εἰς τί τοῦτο,
10 πάντα | γὰρ εἰς χρείαν αὐτῶν ἔκτισται.

|[11] **I, 8. Κ[αὶ] ἐγένετο ἑ[σ]πέρ[α κ]αὶ ἐγένετο πρωΐ, ἡμέρα δευτέρα.**

| Ἐπίστασο [ὥ]ς τινε[ς πε]ιρώμενοι τῶν ἐκτὸς τῆς θεοσεβεία<ς> |[13] φασίν · Τί δή[πο]τε, κα[τὰ] ὑμᾶς μήπω τοῦ ἡλίου συστάντος, ἡ|μέραι εἶναι προείρηνται ; Ἔστιν
15 μὲν οὖν εἰπεῖ[ν] πρὸς αὐτο[ὺς] |[15] ὅτι ταῦτα πάντα κατὰ ἀναγωγὴν θεωρεῖτ̣α̣ι · οὐ γὰρ κεκώλυ|ται παρ' α[ὐ]τοῖς ἡ διὰ συμβόλων διδασκαλίᾳ̣ · ἐπειδὴ δὲ ἀκό|[17]λουθον πρὸς αὐτοὺς κινοῦντα καὶ τῷ ῥητῷ σ̣υστῆναι, φέρε | ὀλίγα περὶ τούτου διαλάβωμεν. Ἡ ἡμέρα διχῶς νοεῖται |[19] κατά τε
20 τὸ χρονικὸν διάστημα καὶ κατὰ τὸ̣ν φωτισμὸν τοῦ | περὶ ἡμᾶς ἀέρος. Ὅταν γὰρ λέγηται · « *Καὶ τῇ ἡμέρᾳ τῇ τρίτῃ* », |[21] τὸ πόσον τῆς ἡμέρας δηλοῦται, οὐχὶ ἡ φαιδρὰ ἢ ζοφε|ρὰ ἡμέρα · ὅταν δέ τις λέγῃ ὅτι ζοφώδης ἐστὶν ἡ σήμερον ἡ|[23]μέρα, οὐκ εἰς τὸ πόσον αὐτῆς βλέπων τοῦτ' ἐρεῖ. Ἐὰν οὖν | ὁ θεῖος λόγος λέγῃ πρώτην καὶ δευτέραν καὶ τρίτην

23, 9 ειπ`ε'ιν $P^2$ ‖ τουτο⟦υ⟧$_1$ ‖ 12 θεοσεβ`ε'ια P^2 ‖ 13-14 ημαιραι ‖ 14 προειρη`ν'ται $P^2$ ‖ 16 διδασκαλειᾳ̣ ‖ επειδη (η refait sur αι) ‖ `δε' P^2 ‖ 17 κεινουντα ‖ 20 τρ`ε'ιτη ‖ 21 ουχ⟦ε⟧ι

---

23 11 Gen. 1, 8 ‖ 20 Jn 2, 1

---

23 18-23 Proc. 53 C 4-10

23, 1. La même objection était faite par Celse ; cf. ORIGÈNE, *C. Celse,* VI, 60, 5-7 ; cf. VI, 50, 15-17. Origène en avait traité dans son *Commentaire sur la Genèse* comme il ressort de *C. Celse* VI, 51, 5-9, mais il n'est pas sûr qu'à l'époque où il commentait la *Genèse*

tenus en honneur et embellis, une prison et autres lieux de cette sorte. Chaque chose prise en elle-même n'est pas aussi admirable que la vue d'ensemble qui considère, comme dans le plan d'une ville, l'utilité de toutes. Il en va de même pour la création, et d'une manière plus admirable encore, car on n'a pas à se demander pourquoi ceci ou pourquoi cela, étant donné que toutes choses ont été créées pour leur utilité.

I, 8. **Et il y eut un soir et il y eut un matin : deuxième jour.**

Sache que des gens étrangers à la religion disent, pour nous mettre à l'épreuve : Pourquoi donc, alors que, selon vous, le soleil n'existait pas encore, a-t-il été dit plus haut qu'il y avait des jours[1] ? On peut certes leur répondre que tout cela est considéré selon le sens anagogique, car l'enseignement par symboles n'est pas interdit chez eux[2]. Mais puisqu'il est normal, quand on discute avec eux, de s'attacher aussi au sens littéral, eh bien! donnons quelques explications à ce sujet. Le mot « jour » a deux sens : selon la durée temporelle ou selon la lumière de l'air qui nous entoure. Lorsque l'Écriture dit : « *Et le troisième jour...* », elle indique le quantième et non pas si c'est un jour lumineux ou obscur ; mais si l'on dit : « Aujourd'hui le jour est obscur », ce n'est pas en considérant le quantième qu'on peut ainsi parler. Si donc la Parole divine affirme qu'un premier, un deuxième et un troisième jours ont

il ait déjà connu l'ouvrage de Celse. Celui-ci n'a certainement pas été le premier à faire une objection qui est celle du bon sens. Nous avons vu que Théophile d'Antioche en connaissait déjà une semblable. Cf. *supra*, p. 5, n. 1.

23, 2. Cette remarque vient probablement d'Origène ; il explique dans le *C. Celse* IV, 51, que l'exégèse allégorique a été pratiquée par des philosophes ; il cite l'exemple de Numénius qui avait même interprété de cette manière des paroles de Moïse et des prophètes (cf. *In principio*, p. 91).

24 (II, 8) ἡμέραν |[1] πρὸ γẹνέσεως ἡλίου καὶ τῶν ἄλλων φωστήρων ὑφεστά|ναι, εἰς τὸ πόσον τοῦ χρονικοῦ διαστήματος δεῖ σκοπεῖν, |[3] καὶ λεκτέον τῷ ἐπαποροῦντι τῇ θεί[ạ] γραφῇ ὅτι ἑβδομή|κοντα καὶ δύο ὡσανεὶ ὧραι γεγένη<ν>ται μετὰ
5 τὴν κτίσιν τοῦ |[5] στερεώματος οὔπω τῶν φωστήρων γεγενημένων, καὶ | οὐδὲν θ̣ạụμαστόν · οὐδὲ γὰρ ποιητικὸς ὁ ἥλιος τῆς ἡμέρας |[7] ἀλλὰ σ̣ημ̣αντικὸς ὑπάρχει, ἐπεὶ μηδὲ τὰ κατασκευαζόμε|να μηχανικῶς μέτρα τῶν ὡρῶν ποιητικά τις αὐτῶν ἀλλὰ |[9] σημαντικὰ ἐρεῖ. Σημαίνουσιν οὖν τοὺς
10 χρόνους ὁ ἥλιος καὶ ἡ | σελήνη καὶ οὐ ποιοῦσιν. Ἕτερον δὲ τὸ σημαίνειν παρὰ τὸ ποιεῖν, |[11] ὥστε οὐδὲν ἄτοπον διάστημα τοσοῦτον προϋφεστάναι | τῆς τοῦ ἡλίου καὶ τῶν ἄλλων φωστήρω[ν] δημι[ο]υργίας, ὅ, εἰ ὑ|[13]πῆρχέν τι̣ σ̣ημαῖνον, τριῶν ἡμερῶ[ν] ἐ[γ]ένετ[ο] διάστημα.

I, 9. [Καὶ ε]ἶπεν ὁ Θεός · Συναχθήτω τὸ ὕδωρ τὸ ὑπ[ο]κάτω
15 **τ[οῦ] οὐρανοῦ εἰς συν|[15]αγωγὴν μίαν καὶ ὀφθήτω ἡ ξηρά.**

| Τὸ εἰπεῖν τὸν Θεὸν ὁμοίως ἐκλαμβάνομεν τοῖς φθάσασιν, ὅτε |[17] ἐλέγετο « *καὶ εἶπεν ὁ Θεός · Γενηθήτω φῶ[ς]* » καὶ « *γενη[θ]ήτω στερέ|ωμα* ». Εἴη δὲ καὶ τοῦ ἐκκειμένου κεφαλαίου ἡ ῥ[η]τὴ διήγησις |[19] ἥδε · οὐ πᾶν ὕδωρ ἀλλὰ τὸ
20 *ὑποκάτω τ̣ο̣ῦ οὐρανοῦ* προστάττει Θεὸς | εἰς μίαν συναχθῆναι συναγωγήν · εἴρηται γὰρ ὅτι τὸ στερέωμα |[21] γέγονεν *ἐμμέσ̣ῳ τῶν ὑδάτων*, ὡς τὸ μὲν τοῦ ὕδατος ἄνω | ἀπομεῖναι, τ̣ὸ̣ δὲ κάτω. Τὸ χρησιμὸν δὲ τῆς προστάξεως δη|[23]λοῖ διὰ τοῦ φάναι « *καὶ ὀφθήτω ἡ ξηρά* » · ἐπικειμένων γὰρ τῶν | ὑδά-
25 των αὐτὴ κέκρυπται, οὕτω δὲ ἔχουσα ἀνεπιτηδείως |[25] εἶχεν πρὸς γένεσιν φυτῶν καὶ ζῴων.

24, 9 σημ⟦ε⟧`αι΄νουσιν P² ‖ 13 σημ⟦ε⟧`αι΄νον ‖ 22 απομιναι ‖ 24 ανεπιτηδ`ε΄ιως P²

---

24 17 Gen. 1, 3 ; 1, 6 ‖ 21 Cf. Gen. 1, 6 ‖ 25 Gen. 1, 9

---

24 1-2 Proc. 53 C 11-12 ‖ 6-8 Proc. 53 C 12-14 ‖ 11-13 Proc. 53 C 14-15 ‖ 22-25 Proc. 76 D 13 - 77 A 2

24 existé / avant la création du soleil et des autres luminaires, c'est au quantième de la durée temporelle qu'on doit penser. Il faut répondre à celui qui cherche des contradictions dans l'Écriture qu'il y eut d'une certaine manière soixante-douze heures entre la création du firmament et celle des luminaires et qu'il n'y a rien d'étonnant à cela. Car le soleil n'a pas la faculté de faire le jour mais celle de l'indiquer, puisqu'on ne dira pas non plus des horloges qu'elles font les heures mais qu'elles les indiquent. Le soleil et la lune indiquent donc les temps et ne les font pas[1]. Autre chose est indiquer, autre chose faire. Aussi n'est-il nullement absurde qu'une si longue durée ait préexisté à la création du soleil et des autres luminaires, qui, s'il y avait eu quelque chose pour l'indiquer, aurait été de trois jours.

I, 9. **Et Dieu dit : Que l'eau qui est au-dessous du ciel se réunisse en un seul rassemblement, et qu'on voie le sec.**

Nous prenons les mots « *Dieu dit* » comme précédemment à propos des passages : « *Et Dieu dit: Que la lumière soit* » et « *Qu'il y ait un firmament* ». L'explication littérale du présent verset est, semble-t-il, celle-ci. Ce n'est pas à toute eau, mais à celle qui est *au-dessous du ciel*, que Dieu ordonne de *se réunir en un seul rassemblement*, car il était écrit plus haut que le firmament a été créé *au milieu des eaux*, en sorte qu'une partie des eaux restait au-dessus et l'autre au-dessous. L'utilité de cet ordre apparaît dans les mots : « *Que le sec apparaisse* ». Lorsque les eaux le recouvraient, celui-ci était en effet caché et, dans cet état, il ne pouvait servir à la création des plantes et des animaux.

24, 1. L'idée et les termes sont d'Origène ; ils se retrouvent dans son commentaire de *Gen.* 1, 14, qui nous a été conservé par EUSÈBE, *Praep. euang.* VI, 11, 30 et 54 (*GCS* 43, 1, p. 350, 17 et 355, 1-2) et par la *Philocalie* (éd. Robinson, p. 202, 1-2) : τοὺς ἀστέρας μηδαμῶς εἶναι ποιητικοὺς τῶν ἐν ἀνθρώποις, σημαντικοῖς δὲ μόνον. Origène les empruntait lui-même à quelque traité philosophique, car on les trouve également chez PLOTIN, *Ennéades* II, 3, 1 et 7 ; III, 1, 6.

[24] Εἶτά φησιν· « **Συνήχθη τὸ** | **ὕδωρ εἰς τὰς συναγωγὰς**
25 **αὐτῶν.** » Καὶ ἄλλο μέν, ὡς ἂν εἴποι τις, |[1] ἐστὶν τὸ ἐν τῇ
(II, 9) προστάξει, ἕτερον δὲ τὸ ἐν τῇ τελεσιουργίᾳ· *εἰς* γὰρ *μίαν*
συναγωγὴν διείρηται τὸ πᾶν συναχθῆναι ὕδωρ, |[3] ἡ δὲ ἀνταπόδοσίς φησιν *εἰς τὰς συναγωγὰς αὐτῶν* [σ]υνῆχθαι | τὸ ὕδωρ καὶ οὕτως ὦφθαι τὴν ξηράν. Ἀποκατασταθή[σε]ται δὲ
5 |[5] τὸ ὡσανεὶ διάφωνον ὑπ̣ὸ τοῦ προισταμένου τῆς ἱ[σ]τορίας | οὕτως. Μία θάλασσά ἐστιν ὁ ὠκεανὸς περιέχουσα τὴν οἰκου|[7]μένην ὅλην· οὕτω γάρ φασιν οἱ τὰ περὶ τόπων φυσιολογήσαν|τες ὅτι ὃν ἔχει λόγον παρ᾽ ἡμῖν νῆσος πρὸς τὸ ὅλον πέλαγος |[9] — περιέχεται γὰρ καὶ πάντοθεν περιρ-
10 ραίνεται —, τοῦτόν φησιν ὅλη | ἡ γῆ καὶ ὅλη ἡ οἰκουμένη τὸν λόγον ἔχει πρὸς τὸν ὠκεανόν. |[11] Εἰσὶν δέ τινες τοῦ ὠκεανοῦ ὡσπερεὶ διεκβολαὶ χωροῦσαι | εἰς τόπους βαθεῖς, καὶ οὕτως συνέστη τὰ ἄλλα πέλαγη. Ἐὰν |[13] οὖν λέγῃ « *εἰς συναγωγὴν μίαν* », εἰς τὴν οἰκουμενικὴν λέγε[ι] | συναγωγήν,
15 ἣν καλεῖν εἰώθασιν ὠκεανόν, τοῦτο δὲ τὸ εἰ[ς] |[15] μίαν συναχθὲν καὶ εἰς τὰς ἄλλας, ὡς εἴπ̣ο̣μεν, συνήχθη, | εἰς τὰς κατὰ μέρος.

« **Καὶ** » οὕτω « **ὤφθη ἡ ξηρά** », καὶ θεώρει ὅ|[17]τι οὐκ εἶπεν πᾶσα ἡ ξηρά. Καὶ ὑπὸ τὰ ὕδατα γάρ ἐστιν γῆ· ἀ|δύνατον γάρ ἐστιν ὑφεστάναι ὕδωρ μὴ ἔχον γῆν ἢ σῶμα |[19] ἀντίτυπ̣ο̣ν ὑποκειμένην.

20 Πρόσσχες δὲ εἰ διαφέρει *ξηρὰν* | εἰπεῖν καὶ *γῆν* ἐκ τοῦ ἐν τῷ προφήτῃ εἰρημένου· « *Ἔτι* |[21] *ἅπαξ ἐγὼ* <*σ*>*είσω τὸν οὐρανὸν καὶ τὴν γῆν, τὴν θάλασσαν* | *καὶ τὴν ξηράν.* » Ἕτερος δὲ ἐρεῖ τὴν αὐτὴν δηλοῦσθαι· κα|[23]θ᾽ ἑτέραν μέντοι ἐπίνοιαν *ξηρὰ* καὶ *γῆ* ὀνομάζεται, ὡς | πρὸς μὲν τὸ
25 ὑποκεῖσθαι τῷ οὐρανῷ *γῆ*, ὡς δὲ πρὸς τὴν ὑγρὰν |[25] οὐσίαν *ξηρὰ* προσαγορευομένη. Εἴρηται γὰρ ὅτι « *αὕτη ἐστὶν*

25, 1 τελεσ`ι´ουργια ‖ 3 ανταποδο`σ´⟦ε⟧ις ‖ 5 προ⟦ε⟧ι⟦ε⟧σταμενου ‖ 8 νη⟦σ⟧σος ‖ 9 περιραι`ν´εται ‖ 10 ωκαιανον ‖ 11 ωκαιανου ‖ 14 ωκαιανον ‖ 18 υφεσταν⟦ε⟧`αι´ ‖ 19 προσχες ‖ ει P² : η P ‖ 23 επ⟦ε⟧ινοιαν ‖ 25 αυτου

---

25 16 Gen. 1, 9 ‖ 20 Aggée 2, 6 ‖ 25 Ps. 94, 5

---

25 11-12 Proc. 76 B 5-6 ‖ 20-25 Proc. 76 D 1-6

Le texte dit plus loin : « *L'eau se rassemble dans leurs* **25** *rassemblements.* » Le commandement, dira-t-on, / n'a pas le même contenu que l'exécution : il était question, là, que l'eau se rassemble *en un seul rassemblement*, puis la phrase correspondante déclare que l'eau s'est rassemblée *dans leurs rassemblements* et qu'ainsi le sec apparut. Ce semblant de désaccord sera résolu de la manière suivante par qui connaît l'histoire naturelle. L'Océan ne forme qu'une seule mer qui entoure tout le continent. Comme disent les géographes, ce qu'une île est chez nous par rapport à toute une mer — elle en est entourée et baignée de tous côtés —, la terre entière et le continent entier le sont par rapport à l'Océan. Mais il y a comme des avancées de l'Océan dans la profondeur des terres et c'est ce qui fait les autres mers[1]. Si donc l'Écriture dit : « *en un seul rassemblement* », elle veut dire : dans le rassemblement général qu'on a coutume d'appeler Océan; et c'est l'eau réunie dans ce rassemblement général qui fut aussi réunie dans les autres rassemblements dont nous venons de parler, les rassemblements partiels.

« *Et* » ainsi « *le sec apparut* ». Observe qu'il n'est pas dit : tout le sec, car il y a aussi de la terre sous les eaux; il est impossible en effet qu'il se trouve de l'eau s'il n'y a pas de la terre ou un corps solide sous elle.

Examine ensuite s'il y a une différence entre les mots *sec* et *terre* d'après la parole du prophète : « *Une fois encore, je secouerai le ciel et la terre, la mer et le sec.* » Un autre dira qu'ils désignent la même chose. C'est bien sous deux aspects différents qu'elle est nommée *sec* ou *terre* : d'après sa position au-dessous du ciel, on l'appelle *terre*, et, par rapport à l'élément humide, *sec*. Il est écrit en effet :

25, 1. Même objection dans BASILE, *Hom. in Hexam.* III, 4 (*SC* 26, p. 258-262), qui fait la même réponse en invoquant aussi les géographes : toutes les mers particulières sont des golfes communiquant entre elles et débouchant dans l'océan. C'était sans doute l'explication d'Origène.

26 |[1] *Θεοῦ θάλασσα καὶ αὐτὸς ἐποίησεν αὐτήν, καὶ τὴν ξηρὰν*
(II, 10) *αἱ χεῖ|[ρ]ες αὐτοῦ ἔπλασαν* », καὶ περὶ τοῦ Ἰωνᾶ δὲ καταποθέντος |[3] [ἐ]ν τῇ [κο]ιλίᾳ τοῦ κήτους ὅτι « *προσετάγη τὸ κῆτος καὶ ἐξέ|ζαλ[εν[τὸν Ἰωνᾶν εἰς τὴν ξηρὰν* » ἐκ τῆς ὑγρᾶς οὐσίας.

5 Καὶ |[5] ταῦ[τα] μὲν πρὸς τὸ ῥητόν, πρὸς δὲ τὴν διάνοιαν τὴν τοῖς | φθά[σ]ασιν ἀκόλουθον λέγομεν ὅτι τὰ ἀπομείναντα ἐπά|[7]νω τοῦ στερεώματος ὕδατα οὐκ αἰσθητά εἰσιν οὐδὲ | μέρη τῶν ὑδάτων τούτων τῶν αἰσθητῶν · οὐδὲ γὰρ φυτὰ |[9] οὔτε ζῷα ταύτῃ τῇ χρείᾳ τοῦ ὕδατος ὑπαγόμενα ἐκεῖ
10 | τυγχάνει, καὶ ὅσα ἐν τοῖς πρὸ τούτων εἴρηται δεικτικὰ τοῦ |[11] μηδὲν εἶναι ὕδωρ ἐκεῖ αἰσθητὸν αὐτάρκως διείρηται. Λέγο|μεν [οὖ]ν ὅτι τὰ ἀπομείναντα ἐν χείρονι καταστάσει λογικὰ |[13] κατὰ κακίαν ἰδίαν ταῦτ' εἶναι τὰ ὑπὸ τὸ στερέωμα διαφόροις | *[συ]να[γω]γαῖς* καὶ ποικίλαις ἐνεχόμενα ὕδατα.
15 Ἀδύνατον γὰρ |[15] ἐστιν τοὺς ἐν κακίᾳ ὁμοφρονῆσαί ποτε · συγχυτικὸν γὰρ | αὐτὴ καὶ ἑνώσεως ἀλλότριον. Ἡ μὲν γὰρ ἀρετὴ ἑνοποῖ|[17]ον ἅτε ἀντακολουθίαν ἔχουσα. Καὶ γὰρ ὁ σώφρων ἀνδρεῖ|ος καὶ φρόνιμος καὶ δίκαιος, καὶ ὁ μίαν ἔχων καὶ τὰς λοι|[19]πὰς ἔχει, ὥσπερ καὶ ἐπὶ τῶν ἐν τῷ
20 εὐαγγελίῳ μακαρι|σμῶν · ὁ γὰρ τὸ ποιητικὸν ἑνὸς ἔχων μακαρισμοῦ καὶ τὰ |[21] τῶν ἄλλων ἔχει. Γίγνεται δὲ πολλάκις ῥοπή τις ἐπὶ τὴν | αὐτὴν ἀρετήν, ὡς τὸν μὲν ἀπὸ τοῦ πλεονάζοντος ἐ|[23]λεήμον καλεῖσθαι, τὸν δὲ δίκαιον καὶ ἄλλον σώφρο|να, καὶ οὕτως ἐπὶ τῶν ἄλλων δύνανται ἀρετῶν.
25 Ὁ τε<λεί>ως |[25] μίαν ἔχων καὶ τὰς ἄλλας ἔχει, τελείως δὲ λέγω διὰ τὸ πολλά|κις ἐν εἰσαγωγῇ καὶ προκοπῇ εἶναι.

26, 1 ⟦ε⟧ʹαιʹ ‖ 6 απομιναντα ‖ 7 ⟦ε⟧ʹαιʹσθητα ‖ 9 ου⟦δ⟧ʹτʹε ‖ 16 αλλοτρ⟦ε⟧ιον ‖ 17-18 ανδριος ‖ 18 δικ⟦ε⟧ʹαιʹος P² ‖ 19-20 μακαριʹσʹ|⟦σ⟧μον ‖ 21 αλλης ‖ γιγνετ⟦ε⟧ʹαιʹ P² ‖ 22 μεν τον ∾ ‖ 25 τελιως

---

26 3 Jonas 2, 11

26 « *Voici* / *la mer de Dieu, c'est lui qui l'a faite et ses mains ont façonné le sec* », et, à propos de Jonas englouti dans le ventre du monstre : « *Ordre fut donné au monstre et il rejeta Jonas sur le sec* », hors de l'élément humide.

Voilà pour la lettre. Quant à l'idée, en conformité avec les versets précédents, nous disons que les eaux séjournant au-dessus du firmament ne sont pas des eaux sensibles ni une partie des eaux sensibles d'ici-bas. Car il n'y a là-haut ni plantes ni animaux soumis à notre besoin d'eau. Tout ce qu'on a dit précédemment[1] pour montrer qu'il n'y a pas d'eaux sensibles là-haut est suffisamment explicite. Nous disons donc que ce sont les êtres raisonnables séjournant dans un état inférieur à cause de leur propre malice qui constituent les eaux contenues sous le firmament dans des *rassemblements* différents et variés. Il est impossible que ceux qui sont plongés dans le mal soient jamais d'accord. Le mal est générateur de confusion et incompatible avec l'unité. La vertu, au contraire, unifie, car elle comporte un enchaînement[2] : l'homme tempéré est courageux et prudent et juste. Qui a une vertu a aussi les autres, et il en va de même pour les béatitudes de l'Évangile : quand on possède ce qui donne une seule béatitude, on possède aussi ce qui donne les autres. Mais il arrive souvent qu'on ait un penchant pour une même vertu : c'est ce qui fait que l'un peut être appelé, par la vertu où il excelle, miséricordieux, un autre, juste, un autre, sobre, et ainsi de suite pour les autres vertus. Celui qui possède une seule vertu d'une manière parfaite possède aussi les autres : je dis d'une manière parfaite parce que, souvent, on n'est qu'un débutant ou un progressant.

26, 1. A propos de *Gen.* 1, 2 ; voir plus haut p. 4 (avec la note 1 attestant l'influence d'Origène).

26, 2. Idée stoïcienne (cf. Von Arnim, *Stoic. vet. Frag.* index, s.v. ἀρετή, p. 26, 2ᵉ col., milieu), souvent reprise par Didyme.

27 (II, 11) Ὅτι δὲ ἀντακολουθοῦ|¹σιν αἱ ἀρεταί, ἐντεῦθεν ἔσται φανερόν. Τὸ λο[γ]ικὸν ζῷον | προτεθειμένον κατὰ ἀρετὴν ζῆν φρονήσεω[ς χρῆ]ται ἵνα |³ κρίνῃ τὸ πρακτέον καὶ μὴ πρακτέον καὶ τὸ αἱ[ρετὸ]ν καὶ φευ|κτὸν καὶ τὸ ψόγον φέρον καὶ ἔπαινον, χρεία[ς ἡμῖν πα]ντελῶς |⁵ οὔσης ἐπιστήμης διακριτικῆς ἀγαθοῦ καὶ κα[κοῦ], ἵ̣ν̣α τὸ | μὲν ἑλώμεθα, τὸ δὲ φύγωμεν. Ὁ οὕτως ἔχων φρόνησιν καὶ |⁷ διελὼν τὸ κακὸν ἀπὸ τοῦ ἀγαθοῦ, πάντως εἰδ̣[ὼς ὅ]τ̣ι̣ τ̣ὸ ἀγα|θὸν αἱρετόν ἐστιν καὶ πρακτόν, αἱρεῖται αὐτ[ό · καὶ φεύγε]ι τὸ ἐναν|⁹τίον εἰδὼς ὅτι καὶ φευκτὸν καὶ βλαβερὸν καὶ [....].μ̣ον καὶ
10 | ἐπιζήμιόν ἐστιν. Καὶ δικαιοσύνης οὖν τῷ τοι[ούτῳ] χρεία, ὅπως |¹¹ ἑκάστῳ ἀπονέμῃ τὸ κατάλληλον, τῷ μὲν ἀγ[αθ]ῷ τὸ αἱρετόν, | τῷ δὲ κακῷ τὸ φευκτόν. Ἐγνωκὼς οὖν ποῖα ψε[κτ]ὰ καὶ [πο]ῖα ἐ|¹³παινετὰ ἀνδρείας χρήζει, ἵνα καταφρονητικὸς γένηται̣ τ̣ῶν̣ | δόλων μὴ ὑπαγόμενος τοῖς
15 αἱρετίζουσιν. Διὸ καὶ σώφρων ὁ |¹⁵ τοιοῦτος · κατάλληλον γὰρ τῷ λογικῷ ζῴῳ σωφροσύνη. Καὶ ὁρᾷ[ς] | ὅτι ὁ μίαν ἔχων πάσας ἔχει, καὶ ἕν τούτων τέλος ὡς [ἐπὶ] τῶν |¹⁷ μακαρισμῶν, κἂν ὦσιν διάφοροι. Ὡς γάρ, ἐν πόλει τινὶ δ̣ιαφόρων | τῶν εἰσόδων ὑπαρχουσῶν, ὁ διὰ μιᾶς εἰσιὼ̣ν̣ ἀλλ' ἐ̣ν̣ τ̣ῇ̣ π̣όλει |¹⁹ ἐστίν, οὕτω καὶ ἐπὶ τῶν ἀρετῶν. Ἑνοποιὸν οὖν
20 ἡ ἀ̣ρ̣ετὴ κα|θὰ καὶ Παῦλος πρὸς τοὺς οὕτω διάγοντας λέγει · « *Ἵνα ἦ̣τ̣ε κατηρ|²¹τισμένοι τῷ αὐτῷ νοΐ καὶ τῇ αὐτῇ γνώμῃ.* » Ἡ δὲ κακία̣ οὐχ οὕ|τως · αἱ γὰρ ὑπερβολαὶ ταῖς ἐλλείψεσιν οὐ δύνανται συμ̣φω|²³νεῖν. Οὐ γὰρ ὁ ἔχων θρασύτητα καὶ δειλίαν ἔχει. Πάλιν μέση | κεῖται εὐσέβεια
25 ἀσεβείας καὶ δεισιδαιμονίας, εὐσέβεια δέ |²⁵ ἐστιν ἡ ἀποδεχομένη καὶ σέβουσα ἃ δεῖ, δεισιδαιμονία δὲ τὸ | πάντα σέβειν καὶ μὴ σεβάσμια, ἀσέβεια δὲ τὸ μηδαμῶς σέβειν

27, 2 προτεθ'ε'ιμενον ‖ ⟦ε⟧ινα ‖ 3-4 ⟦τ⟧φευκτον ‖ 22 ελλεψεσιν ‖ 23 `ο'

---

27 20 I Cor. 1, 10

27, 1. Cf. STOBÉE, *Eclog.* II, 63, 6 Wachsmuth (ou Von Arnim,

27 L'enchaînement des vertus / ressort clairement des considérations suivantes. Lorsque l'animal doué de raison se propose de vivre selon la vertu, il use de prudence pour juger de ce qu'il doit faire ou ne pas faire, ce qu'il doit choisir ou éviter, ce qui est blâmable ou louable. Nous avons absolument besoin de la science qui distingue le bien et le mal pour pouvoir choisir l'un et éviter l'autre. Quand on a ainsi la prudence et qu'on a distingué le bien du mal, évidemment, puisqu'on dit que le bien est à choisir et à faire, on le choisit; et on évite le contraire parce qu'on sait qu'il doit être évité, qu'il est nuisible, [ ] et funeste. Un homme de cette sorte a donc besoin encore de justice pour attribuer à chaque chose ce qui lui revient : au bien d'être choisi, au mal d'être évité. Bien averti de ce qui est blâmable et de ce qui est louable, il a besoin de courage pour mépriser les pièges qu'on lui tend et ne pas se laisser entraîner par les tenants de telle ou telle secte. Un homme de cette sorte a donc aussi la vertu de tempérance : de fait, la tempérance est bien ce qui convient à l'animal doué de raison. Tu vois que celui qui a une seule vertu les a toutes et que, comme pour les béatitudes, elles ont la même fin[1] bien qu'elles soient différentes. Dans une ville, en effet, il y a différentes entrées, mais si l'on entre par une seule d'entre elles, on est bien dans la ville; il en va de même des vertus. La vertu est donc unifiante comme Paul le dit à ceux qui vivent de cette manière : « *Pour être bien unis dans le même esprit et la même pensée.* » Le vice n'est pas ainsi, car les excès ne peuvent s'accorder avec les déficiences. Qui a la témérité n'a pas aussi la lâcheté. La piété tient à son tour le milieu entre l'impiété et la superstition : la piété reçoit et adore ce qu'il faut, tandis que la superstition consiste à tout adorer, même ce qui ne doit pas l'être, et l'impiété à ne rien adorer du tout /

SVF III, 69, 4) : πάσας δὲ τὰς ἀρετὰς ... ἔχειν καὶ τέλος, ὡς εἴρηται, τὸ αὐτό.

28 |[1] τι μηδὲ τ[ίθε]σθαί τι σεπτόν, ὅπερ ἀθέων ἐστίν. Οὐκ
(II, 12) ἂν οὖν συν|δρά̣μοι [δεισιδαι]μονία καὶ ἀσέβεια.
'Επεὶ οὖν τὰ ὑπὸ τὸ στερέωμα |[3] λογικὰ̣ ἦσ[αν] ἐνεχόμενα
κακίᾳ καὶ ῥοπῇ τῇ πρὸς τὸ κακόν, ἄτα|κτος δέ [ἐστιν] καὶ
5 συγκεχυμένη ἡ κακία, οὐχ οἷόν τέ ἐστιν |[5] ἅπαντα [ἐν]
μιᾷ *γνώμῃ* εἶναι ἢ προαιρέσει. Ὡς γὰρ οἱ διαψηφί|ζον[τες],
ὅ̣[τε] μὲν ἀληθεύουσιν, ἐν μιᾷ ψήφῳ τὰ τῆς ἀληθείας
|[7] προφέρουσ[ιν], τῶν διασφαλλομένων ἢ ἐπὶ τὸ ἔλαττον ἢ
ἐπὶ | τὸ πλέον, [... ...]ων καὶ τούτων διαφόρως, οὕτω
καὶ ἐπὶ τῆς κα|[9]κίας ἁπᾶ[ς ὁ ἀπὸ] τ̣οῦ ἀληθοῦς ἀποσφαλεὶς
10 εἰς διάφορα εἴδη ἕλ|κεται κ[ακίας. Κ]αὶ ἐπὶ τῶν ὁδευόντων,
αἱ μὲν ἀνοδίαι παμ|[11]πληθεῖ̣[ς], μ[ία δὲ] ἡ εὐθεῖα.
'Εσκεδασμένα οὖν ἦν τὰ ὕδατα, ἅπερ | ὑπεθέμεθα εἶναι
τὰ λογικὰ γνώμαις διαφόροις καὶ ἤθεσιν |[13] ἐνεχ[όμ]ενα.
Ταῦτα οὖν βούλεται ἓν γενέσθαι ὁ ὠφελεῖν αὐ|[τ]ὰ κα[τ]α-
ξιῶν, ἐπεὶ καὶ δημιουργὸς αὐτῶν ὑπάρχει. Προείρηται
15 |[15] [γ]ὰρ ὅτ[ι] τῆς οὐσίας αὐτῶν ποιητής ἐστιν, τῆς δὲ
κατὰ τὴν| [γ]νώμ[ην] ποικιλίας ἕκαστος ἑαυτῷ. Προστάττει
οὖν αὐτὸς |[17] ὁ Θεὸς *[εἰ]ς μίαν συναγωγὴν* ταῦτα συναχθῆναι,
ἵνα γένωνται | ὕδωρ τοιοῦτο, οἷόν ἐστιν τὸ ὑπεράνω τῶν
οὐρανῶν, ἓν δὲ οὐ τῷ |[19] ἀριθμῷ ἀλλὰ τῇ συμφωνίᾳ. Αὐτίκα
20 γοῦν καὶ *μία ψυχὴ καὶ* | *καρδία* τῶν πιστευόντων πάντων
γινομένη οὐ τῷ ἀριθμῷ |[21] ἀλλὰ τῇ συμφωνίᾳ καὶ τῷ τοῦ
αὐτοῦ σκοποῦ καὶ ἑνὸς τέλους | ὀρέγεσθαι ἓν γίνεται.
Προστάττει οὖν ὁ τῶν ὅλων Θεὸς εἰς συμ|[23]φωνίαν τὰ
διηρημένα ἀχθῆναι· αὕτη γὰρ ἡ πρόθεσις τοῦ εὐ|εργέτου
25 Θεοῦ. 'Επειδὴ συγκεχυμένα ἦσαν καὶ ἀνωμάλως κα|[25]τὰ
γνώμην κινούμενα, πρότερον εἰς *συναγωγὰς* συνάγονται.

28, 4 συνκεχυμενη ‖ 5 προαιρεσ⟦ε⟧`α'ι ‖ 8 [κρινόντ]ων ? ‖ 9 `εις' ‖ 10-11 πανπληθει[.] ‖ 12 ηθεσειν ‖ 14 κα[.]αξειων ‖ επ`ε'ι P[2] ‖ 21 τον αυτον σκοπον ‖ 22 προστατт`ε'ι P[2] ‖ 24 επ`ε'ιδη P[2] ‖ συνκεχυμενα

---

28 19 Cf. Act. 4, 32

28 et à ne rien tenir pour sacré, ce qui est le propre des athées; superstition et impiété ne peuvent donc marcher ensemble.

Donc, puisque les êtres placés sous le firmament étaient des êtres raisonnables retenus dans le vice et dans l'inclination au mal, et que le mal est désordonné et plein de confusion, il n'est pas possible qu'ils soient tous unis *dans la même pensée* et la même volonté. Quand les gens qui votent sont dans le vrai, ils proclament la vérité par un vote unanime, tandis que ceux qui se trompent émettent des jugements ou insuffisants ou exagérés et cela à des degrés divers; ainsi pour le mal : quiconque s'écarte du vrai est entraîné à différentes sortes de vices. C'est aussi le cas des voyageurs : les fausses routes sont multitude, la bonne est unique.

Dispersées étaient donc les eaux qui sont, avons-nous admis, les êtres raisonnables enfermés dans des pensées et des mœurs différentes. Dieu veut leur unité parce qu'il daigne leur faire du bien, étant leur créateur. Comme nous l'avons dit plus haut[1], il est l'auteur de leur substance, mais ils sont chacun pour soi responsables de leur diversité morale. Dieu ordonne donc lui-même qu'ils se rassemblent « *dans un seul rassemblement* », afin qu'ils deviennent comme cette eau qui est au-dessus des cieux : un, non par le nombre, mais par leur accord. De fait, quand tous les croyants forment *une seule âme et un seul cœur*, leur unité n'est pas numérique, mais elle se réalise par leur entente et par la poursuite d'un même but et d'une fin unique.

Le Dieu de toutes choses ordonne donc que les êtres dispersés se rassemblent dans l'accord. Tel est en effet le projet de Dieu leur bienfaiteur. Puisqu'ils étaient dans la confusion et livrés au désordre de leurs pensées, ils se rassemblent d'abord en *rassemblements* multiples; et il n'y a pas de contradiction entre l'ordre donné et l'affirma-

28, 1. Cf. plus haut p. 20.

[28] Καὶ | οὐκ ἐναντίωμά ἐστιν τῷ προστατтομένῳ τὸ εἰπεῖν ὅτι *εἰς συν*|[27]*αγωγὰς αὐτῶν* συνήχθη, τοῦ Θεοῦ εἰπόντος· « *Συναχθήτω τὸ ὕδωρ* | *εἰς συναγωγὴν μίαν* »· τοῖς γὰρ

29 (II, 13) οὔπω ἐπὶ τὸ τέρμα τῆς ἄκρας ἀρετῆς |[1] ἐλθοῦσιν πρέπουσα ἡ πρὸ ταύτης ἐν προκοπῇ [συναγω]γή. Καὶ ὥσπερ | εἴ τις παῖδα ἑαυτο[ῦ] βουλόμενος τὰ τέλεια παι[δε]ύẹịṿ μαθήματα |[3] ἐγχειρίσοι αὐτὸν διδασκάλῳ, εἰ [ὁ... ....]αμενος | τοὺς χαρακτῆρας ταῦτα ποιῶν πρῶτον αὐτῷ ὑποθοῖτο,
5 εἶτα συλ[λαβάς, οὐκ] ἐναν|[5]τίως τῷ ἐγχειρίσαντι διαπράττοιτο· οὕτω γὰρ καὶ ἀπὸ τούτων | ἐπὶ τὰ τέλεια ἥξοι. Καὶ πάλιν εἴ τις βασιλε[ὺς τοῖς] ὑφ' ἑαυτὸν |[7] προστάττοι πόλιν οἰκοδομῆσαι, εἶθ' οὕτω[ς ἐντε]ίλας εὐτρεπί|ζοι δι' ὧν ἡ τῆς πόλεως κατασκεύη γένοιτο, [οὐχ ἕ]τερόν τι παρὰ |[9] τὸ πρόσταγμα ποιεῖ· ἐκ γὰρ τούτων καὶ διὰ τ[ούτω]ν ἡ
10 [ο]ἰκοδομὴ | πληρωθήσεται. Οὕτω καὶ τὰ λογικὰ ἐν κακίᾳ [ὄ]ντα ο[ὐ]κ ἐδύναν|[11]το εἰς τὸ τέλος τὸ ἔσχατον ὀρεκτὸν ἐλθεῖν, [ε]ἰ μὴ πρ[οκοπ]αὶ δ̣ị|άφοροι γένωνται, αἵτινες τὰ συστέματα τῶν ὑδάτ[ων εἰσί]ṿ· |[13] ἡ γὰρ μετὰ τὴν προκοπὴν τελείωσις *εἰς μίαν συναγωγ[ὴ]ν* ἐλθεῖν | αὐτὰ προστάττει.
15 Οὐ μάχεται οὖν τῇ προστάξει τ[ὸ γ]ενόμε|[15]νον, ἀλλά, ὡς ἔστịν ἐπὶ τὸ τέλειον τῆς προστάξεως ἄ[γο]υσα ἥ|δε πρόσταξις, οἰκονομία τίς ἐστιν προδιατυποῦσα τὰ λογικὰ |[17] ἐν οἷς ἐδυνήθησαν, ἵν' οὕτως καὶ τοῦ τέλους ἐφίκωνται.

I, 9. Καὶ | ἐγένετο οὕτως καὶ συνήχθη τὸ ὕδωρ εἰς τὰς συναγωγὰς αὐτῶν.

|[19] Ἡ μὲν τοῦ Θεοῦ πρόθεσις εἰς ἓν συναγαγεῖν τὰ
20 δι̣εσκορπισμέ|να — τοῦτο γάρ φησιν —,

28 27 Gen. 1, 9

29, 2 τελια ‖ 3 διδασκαλω + ταυτα ποιων ‖ 4 χαρακτηρας ⁒ (en marge, ταυτα ποιων P²) ‖ 7 πολειν ‖ 12 συστη`ε´ματα ‖ 13 τελ`ε´ιωσις ‖ 15 τελιον ‖ 16 προσταξ⟦ε⟧ις ‖ 17 ⟦ε⟧ιν ‖ 20 γαρ suivi d'un petit trait au-dessus de la ligne (tilde ?) ‖ φησιν + fin de ligne en blanc

tion qu'ils se rassemblèrent « *dans leurs rassemblements* », alors que Dieu avait dit : « *Que l'eau se rassemble en un seul rassemblement.* » Car, pour ceux qui ne sont pas **29** parvenus au terme de la vertu la plus haute, / le rassemblement qui convient est celui qui s'effectue auparavant dans le progrès. Si quelqu'un, voulant donner à son enfant des connaissances parfaites, le confie à un maître et que (celui-ci), pour ce faire, lui apprend d'abord l'alphabet puis les syllabes, ce maître n'agit pas contrairement à celui qui lui a confié l'enfant, car c'est de cette manière, à partir des éléments, qu'il arrivera aux connaissances parfaites. Ou encore, si un roi ordonne à ses sujets de construire une ville et qu'ensuite il précise les moyens par lesquels elle sera bâtie, il ne fait là rien d'étranger à son ordre premier, car c'est à partir de ces moyens et par eux que la construction se réalisera. De même, les êtres raisonnables qui sont dans le vice n'auraient pas pu parvenir à la fin dernière, au terme vers lequel il faut tendre, s'il n'y avait pas des progrès successifs, lesquels sont les amas d'eaux. C'est la perfection qui suit le progrès, qui leur commande en effet de venir à *un seul rassemblement.* Il n'y a donc pas d'opposition entre l'ordre et la réalisation, mais, de même qu'il y a l'ordre qui conduit à son accomplissement parfait, il y a une économie qui prédispose les êtres raisonnables autant qu'ils en sont capables pour qu'ils atteignent aussi la fin.

I, 9. **Et ainsi fut fait, et l'eau se rassembla dans leurs rassemblements.**

L'intention de Dieu était de rassembler dans l'unité les êtres dispersés — c'est bien ce qu'il dit lui-même[1] —,

29, 1. Dans l'ordre qu'il donne, Dieu emploie en effet le singulier ; c'est, explique ici Didyme, parce qu'il veut l'unité des eaux. Et si, lors de l'exécution de l'ordre, l'Écriture emploie le pluriel « dans leurs rassemblements », c'est en raison des progrès successifs par lesquels les hommes parviennent à la perfection de l'unité.

[29] |[21] αὐτοὶ δὲ τέως τοῦ τέλους ἀπολειπόμενοι εἰς *τὰς ἑαυτῶν* | *συναγωγὰς* συνηνέχθησαν, αἵ εἰσιν προκοπαί.

|[23] **I, 10. Καὶ ἐκάλεσεν ὁ Θεὸς τὴν ξηρὰν γῆν, καὶ τὰ συστέματα τῶν ὑδά|των ἐκάλεσεν θαλάσσας.**

25 |[25] Ὥσπερ ἐλέγομεν ὅτι ἡ ἐν ἀρχῇ μετὰ οὐρανοῦ γενομένη γῆ | αὐτὸ τοῦτο εἶχεν ὄνομα καὶ ὁ *οὐρανὸς* αὐτὸ τοῦτο, τὸ

30 δὲ μετὰ |[1] τὸν ἐν ἀ[ρχῇ οὐρανὸν] καὶ τὴν γῆν γενόμενον
(II, 14) *στερέωμα* μέν ἐστιν | κυρίως, [ἐπίκλην] δὲ *οὐρανός*, οὕτω καὶ ἡ μετὰ τοῦ ἐν ἀρχῇ γενο|[3]μένου [οὐρανοῦ *γῆ*] αὐτὸ τοῦτο καλεῖται, περὶ δὲ ἧς νῦν λέγε|ται, αὕ[τη *ξηρὰ* ὀν]όματι
5 προσαγορεύεται, ἐπίκλην δὲ *γῆ* · « *Ἐκά|*[5]*λεσ[εν ὁ Θεὸς τὴν ξ]ηρὰν γῆν* », ὡς εἴρηται · « *Ἐκάλεσεν τὸ στερέω|μα οὐρανόν.* »

Π[ρὸς δὲ τ]ὴν ἀλληγορίαν καλεῖ ὁ Θεὸς τὴν ξηρὰν γῆν |[7] οὐκ ὄνομα κ[αινὸν αὐτ]ῇ χαριζόμενος, ἀλλ' ἐπεὶ προσέταξεν | ὅπως τὰ ἐπι[κείμε]να ὕδατα, ἅπερ συγγενῆ τῇ ἀβύσσῳ ἦσαν, |[9] χωρισθῇ, καλ[εῖ αὐ]τὴν ξηράν — εἴρηται γάρ ·
10 « *Καὶ ὀφθήτω ἡ ξηρά* » —, | ἵνα ἡ αὐ[τὴ] κ[ατὰ τ]ὸ ἑαυτῆς ὑποκείμενον ἡ ψυχὴ διαμείνασα, |[11] τῶν ὑδά[τ]ων δ[..]...αντων, *γῆ* πραγματικῶς προσαγορευθῇ, | κα[ὶ ὑπὸ Θεο]ῦ ἐλευθερουμένη πρὸς παραδοχὴν σπερμάτων θεί|[13]ω[ν, καρπὸν] τελεσιουργήσῃ *ἑκατόν, ἑξήκοντα, τριάκοντα*. Καὶ ὃν | γὰρ τρό[πον] ἐπὶ τῆς γεωργουμένης γῆς ἡ μὲν ἑτοιμότερον
15 |[15] α.... ..[...]... .... καρπόν, ἡ δὲ βραδύτερον παρὰ τὴν ἐμμέλει|αν φέρει [το]ῦ γεωργοῦ ἢ τὴν εἰδέαν τῆς γῆς, οὕτω καὶ ἐπὶ ψυχῶν |[17] αἱ μὲν δεξάμεναι τὸν σπόρον ὑπὸ *μεριμνῶν* καὶ φροντίδων *ἀπέ|πνιξαν* τὸ σπέρμα, αἱ δὲ γεωργίᾳ βελτίστῃ χρησάμεναι ἐπὶ το|[19]σοῦτον ἐπαίδευσαν,
20 ὡς καὶ ἑαυτοὺς ὠφελῆσαι καὶ τοῖς ἄλλοις | ἐκκεῖσθαι

29. 23 συστεμματα ‖ **30,** 3-4 λεγε⟦ι⟧ται ‖ 10 διαμινασα ‖ 15-16 εμμελ`ε´ιαν P² ‖ 18 χρησαμενος ‖ 19 εδελευσαν

30 5 Gen. 1,8 ‖ 9 Gen. 1, 9 ‖ 13 Cf. Matth. 13, 8 ‖ 17 Cf. Matth. 13, 22

30 1-4 Proc. 76 D 8-12

mais eux, aussi longtemps qu'ils restent éloignés de la fin, se sont réunis *dans leurs propres rassemblements* qui sont les progrès.

I, 10. **Et Dieu appela terre le sec, et les amas d'eaux mers.**

Comme nous l'avons dit[2], la terre qui fut faite au commencement avec le ciel avait bien ce nom de *terre*, et le ciel ce nom de *ciel*, / mais le firmament créé après le **30** ciel et la terre du commencement fut appelé en rigueur de terme *firmament* et surnommé *ciel*. De même, la terre qui fut faite au commencement après le ciel est bien appelée *terre*, mais celle dont il est ici question est dénommée *sec* et par surnom *terre*. L'Écriture dit : « *Dieu appela la terre sec* », comme elle disait plus haut : « *Il appela le firmament ciel.* »

Selon l'allégorie, quand Dieu appelle *sec* la terre, il ne la gratifie pas d'un nom nouveau; mais comme il avait ordonné que les eaux qui la recouvraient et qui étaient parentes de l'abîme se retirent, il l'appelle sec — il est écrit en effet : « *Et que le sec apparaisse* » —; ainsi l'âme, tout en restant identique dans sa substance, est appelée judicieusement *terre* quand les eaux y demeurent, puis libérée par Dieu pour recevoir les semences divines, elle fait mûrir du fruit à *cent*, *soixante ou trente* pour un. En effet, parmi les terres cultivées, les unes (donnent) un fruit plus précoce, les autres plus tardif, selon le soin du cultivateur ou la nature de la terre; il en va de même des âmes : les unes, après avoir reçu la semence, l'ont *étouffée par les soucis* des affaires, et d'autres, employant la culture la meilleure, ont pratiqué l'éducation à un point tel que, tout à la fois, elles en ont retiré un profit pour elles-mêmes[1] et sont devenues pour les autres un

29, 2. A propos de *Gen.* 1, 6 ; voir plus haut p. 14-19.

30, 1. L'idée que le maître se fait du bien à lui-même en faisant du bien aux auditeurs se trouve déjà chez ORIGÈNE, *Hom. in Jer.* XIV, 3, 16-32.

[30] σκοπὸν ὠφελίας. Πολυειδὴς γὰρ καὶ ποικίλη ἡ τῶν |[21] Φυτῶν διαφορά, καὶ ἀνώμαλος ἡ χειρίστη, παρὰ τὸν χρώμε|νον οὖσα τοιαύτη, ἥτις ἀμείνονα ἐπιδείξει τὴν *ξηρὰν* τῆς |[23] γῆς τῆς κακῆς · | τὸ γὰρ εἶναί τι ἀπόλλυσιν ἕως τῇ κακῇ φυτείᾳ ἐνέχεται.

25 |[25] **I, 10. Καὶ εἶδεν ὁ Θεὸς ὅτι καλόν.**

| Τὸ γυμνωθῆναι τῶν ἐπικειμένων τὴν ξηράν, ἵνα γῆ
31 γένηται, |[1] καλὸν εἶδεν ὁ Θεός · ὡς πρὸς τὸ ῥητὸν πάλιν
(II, 15) τοῦ[το δῆλον. Ἡ *γῆ* οὖ]ν κε|κρυμμένη ὑπὸ τῶν ὑδάτων οὐκ ἦν *ξηρά* κα[ὶ οἷόν τε ἦν οὔ]τε |[3] ζῷα τρέφειν οὐδὲ καρποὺς φέρειν. *Καλὸν* ο[ὖν μετὰ τὴν κατά]στα|σιν κόσμου
5 καὶ τὰ ζῷα εἶναι, ἐξ ὧν αἱ διαδ[οχαί, πρὸς τού]τοις |[5] *καλὸν* τὸ εἶναι φυτὰ καὶ δένδρα καὶ καρποὺς ἐ[δωδίμους, ὧν] με|τελάμβανον τὰ ζῷα. Ἐπεὶ οὖν, ὡς καὶ πρότερ[ον εἴρηται, τ]ὴν ἀ|[7]ναλογίαν ἰδὼν ὁ Θεὸς ἀπεδέξατο καὶ ἐπῄ[νεσεν, διὰ τοῦτο] εἴ|ρηται · « *Εἶδεν ὁ Θεὸς ὅτι καλόν* », τοῦ *εἶδεν* οὕτ[ω νοουμένου ὡς] ἐν |[9] τοῖς προλαβοῦσιν ἡρμη-
10 νεύεται, ὅτι οὐχ ὁ[... ... ...]ιν. | Ὡς τὰ τεχνητὰ οἱ τεχνῖται καὶ πολλῷ μᾶ[λλ]ον [... ... .]ρι|[11]τω ὑπερ<β>ολῇ ὁ Θεὸς ὁρᾷ, οὐκ αἰσθήσει.

I, 11. Καὶ εἶπεν [ὁ] Θεός · [Βλαστησ]άτω | ἡ γῆ βοτάνην χόρτου.

Διασταλεῖσα ἡ ὑπ[ο]κειμ[ένη γῆ τ]ῇ |[13] ὑγρᾷ οὐσίᾳ ὠνομάσθη *ξηρά*, ἐπικληθεῖσα δὲ *γῆ*, κ[αὶ δύναμιν] ἔ|χει πρὸς τὸ καρποφορεῖν.

30, 22 αμ`ε΄ινονα P² || 24 φυτια || 25 ϊδεν || **31,** 1 ϊδεν || 8 ϊδεν₁ ϊδεν₂ || 9 ὁ[ρᾷ ὁ θεὸς ὄμμασ]ιν ? || 11 ορ⟦α⟧`α΄ P² (correction plus claire du premier α, lui-même refait sur une autre lettre) || `και΄ || 12 διασταλ`ε΄ισα P²

31, 14-22 Proc. 77 D 7 - 79 A 4

30, 2. ORIGÈNE donne la même explication allégorique : *Hom. in Gen.* I, 2 (*GCS* 29, p. 4, 17 à p. 5, 10) ; 3 (p. 5, 28-29).

modèle de profit. La différence entre les plantes comporte beaucoup de variétés et de nuances. Même la plus mauvaise est variable, car elle n'est mauvaise que par l'usage qu'on en fait. Elle montrera que le *sec* est meilleur que la mauvaise terre ; une semence, en effet, cesse d'être quelque chose aussi longtemps qu'elle se trouve dans un mauvais terroir[2].

I, 10. **Et Dieu vit que c'était beau.**

Dieu vit qu'il était beau que le sec soit dépouillé des **31** eaux qui la recouvraient / pour qu'il devienne terre; la lettre, ici encore, est claire. Cachée par les eaux, la *terre* n'était donc pas le *sec* et ne pouvait ni nourrir des animaux ni porter des fruits[1] : il était donc *beau* qu'après la création du monde il y ait des animaux d'où sortirait une descendance, et *beau* en outre qu'il y ait des plantes, des arbres et des fruits comestibles dont les animaux tireraient leur nourriture. Comme on l'a dit plus haut[2], c'est parce que Dieu, ayant vu le rapport des êtres entre eux, a approuvé et loué, qu'il est dit : « *Dieu vit que c'était beau* », le mot *vit* étant pris dans le sens expliqué plus haut[3], à savoir que (Dieu ne voit pas avec des yeux). Comme les artistes voient leurs œuvres et à plus forte raison, Dieu voit (par l'intelligence); il voit éminemment, mais non par le sens de la vue.

I, 11. **Et Dieu dit : Que la terre fasse pousser du gazon d'herbe.**

Une fois séparée, la terre qui était placée sous l'élément humide a été nommée *sec* et surnommée *terre* et elle a le pouvoir de porter des fruits.

31, 1. Cf. ORIGÈNE, *Hom. in Gen.* I, 3 (*GCS* 29, p. 5, 13-15) : « Aridam uero appellauit terram pro eo quod ei facultatem ferendorum fructuum largiretur. »

31, 2. Cf. p. 8, 2-9 ; p. 22, 20 à 23, 10.

31, 3. A la p. 7, 11 s., semble-t-il.

[31] 15 Παρατηρητέον ̣δὲ ὅ̣τι δι[' ὅλης τῆς κ]οσ|[15]μοποιΐας τὸ *εἶπεν ὁ Θεὸς* πρόκειται καὶ *ἐπο̣ί̣η̣σ̣ε̣[ν ὁ Θεός*, δη]λοῦν | τὸ δημιουργικόν · μάλιστα γὰρ διὰ ταύτης τῆς π̣ρ̣οσ[ηγο-ρ]ί̣α[ς τὸ] δη|[17]μιουργικὸν δηλοῦται, ἡ δὲ *Κύριος* ὀνομασία ἄρχ̣οντος κ[αὶ β]ασί[λε]ως | ἐμφαίνει σημασίαν. Καὶ « *ἐν ἀρχῇ* » οὖν « *ἐποίησεν ὁ Θεὸς* » εἴρηται, οὐ|[19]χ ὁ Βασιλεὺς

20 ἢ Κύριος, οὐχ ὅτι ἕτερός ἐστιν, ἀλλ' ὅτι ἐμφατικώτε|ρον τὸ δημιουργὸν παρίστησιν τὸ *Θεὸς* ὄνομα. Ὅτε οὖν ἐντολὴ |[21] δίδοται τῷ Ἀδάμ, λέγεται · « *Ἐνετείλατο Κύριος ὁ Θεὸς τῷ Ἀδάμ* », καὶ εἰ|κότως · κυρίου γὰρ καὶ βασιλέως ἐστὶν τὸ νόμους καὶ ἐντολὰς διδόναι.

I, 11. Καὶ |[23] εἶπεν οὖν ὁ Θεός · Βλαστησάτω ἡ γῆ βοτάνην χόρτου σπεῖρον σπέρμα | κατὰ γένος καὶ καθ' ὁμοιότητα.

25 Τῶν γὰρ ἐκ τῆς γῆς φυομένων τὰ μέν |[25] ἐστιν δένδρα, τὰ δὲ λαχανώδη φυτά. Καὶ τὰ μὲν δένδρα κ̣α̣λ̣εῖν βουλό|μενος Μωσῆς ἐν Δευτερονομίῳ τὰ οἰστικὰ ἀκροδρύων φησὶν ἁπ̣λ̣ῶ̣ς |[27] δένδρα τὰ *ξύλινα*, ξύλινα λέγων τὴν ἄμπελον, τὴν συκῆν, τὴν ἐ̣λ̣α̣ί̣α̣ν̣, | δῆλον δὲ ὡς κ[α]ὶ ὅσα βότανα τοῖς πολλοῖς

32 ἀνθρώπ̣οις οὐ πάνυ ... ... |[1] [.. ... ...]

(II, 16) ... ..τ̣ο̣ῖ̣ς περὶ τὰς τῶν σωμάτων ἰατρείας ἔχου|[σιν ... ...]....αν, καθὸ καὶ Σολομὼν δεικνὺς τὸ τούτων |[3] [ὠφέλιμον ἀπὸ Θεοῦ] τ̣ὴ̣ν̣ εἴδησιν αὐτῶν εἰληφ[έ]ναι φησὶ λέγων · | « *[Αὐτὸς γάρ μοι ἔδω]κ̣ε̣ν̣ τ̣ῶ̣ν̣ ὄντων γνῶσιν*

5 *ἀψευδῆ εἰδέναι σύστα|[5][σιν κόσμου καὶ ἐ]νέργειαν στοιχείων* » καὶ μετ' ὀλίγα « *διαφορὰς φυ|[τῶν καὶ δυνάμεις] ῥ̣ιζῶν* » κ̣α̣ὶ τὰ παραπλήσια, οὐκέτι ξυλίνων λέ|[7][... ... ...]ρ...., ἐ̣νταῦθα δὲ *βοτάνην χόρτου* λέγει πάν|[τα τὰ

31, 15 προσκειται ‖ 23 \`η' P² ‖ 24 φυ⟦ρ⟧ομενων ‖ **32,** 1 ιατριας ‖ 3 ειδησειν ‖ 5 μεθολιγα

31, 18 Gen. 1, 1 ‖ 21 Gen. 2, 16 ‖ 27 Deut. 28, 42, cf. 39.40 ‖ **32,** 4 Sag. 7, 17 ‖ 5 Sag. 7, 20

31, 4. La distinction entre « Seigneur » et « Dieu » se trouvait déjà

On remarquera que, tout au long de la création, la formule employée est « *Dieu dit* » ou « *Dieu fit* » pour marquer la qualité de créateur. Car le mot *Dieu* indique surtout la qualité de créateur, tandis que le titre de *Seigneur* met en relief le sens de chef et de roi[4]. Il est donc écrit : « *Au commencement Dieu fit* », et non : le Roi ou le Seigneur fit; non pas que Dieu soit un autre que le Seigneur, mais parce que le nom de *Dieu* rend plus manifeste sa qualité de créateur. Mais lorsqu'un ordre est donné à Adam, il est dit : « *Le Seigneur ordonne à Adam* », et à juste titre, car c'est le propre d'un seigneur et d'un roi de donner des lois et des commandements.

I, 11. **Dieu dit donc : Que la terre fasse pousser du gazon d'herbe donnant de la semence selon son genre et selon sa ressemblance.**

Car parmi les plantes qui sortent de la terre, les unes sont des arbres et les autres des légumineuses. Voulant désigner des arbres dans le Deutéronome, Moïse appelle ceux qui portent des fruits simplement arbres *ligneux*, en désignant par ce qualificatif de « ligneux » la vigne, le figuier, l'olivier, mais il est clair qu'il faut ajouter toutes les plantes que la plupart des hommes (ne connaissent) **32** pas du tout / (mais dont l'utilité est reconnue) de ceux qui s'occupent de la médecine des corps [ ], tel Salomon qui, pour montrer leur (bienfaisance), déclare qu'il a reçu (de Dieu) la connaissance des plantes : « *Il m'a donné lui-même*, dit-il, *la véritable science des êtres pour connaître la structure du monde et les propriétés des éléments* », et un peu plus loin : « *les variétés des plantes, les vertus des racines* » et autres choses semblables. [ ] Mais ici, par les mots *gazon d'herbe*, l'Écriture désigne toutes

dans Philon, *De sobr.* 55; *De plant.* 85-86, le mot « Seigneur » indiquant le maître et le mot « Dieu » le bienfaiteur. Mais dans le *De Abr.* 121, « Dieu » se rapporte à la puissance créatrice et « Seigneur » à la « Puissance royale » qui « commande et gouverne ».

[32] λαχανώδη, ἅπερ καὶ] χόρṭος ἀγροῦ λέγεται, καθὰ καὶ ἐν τῷ εὐαγγε|⁹[λίῳ ... ...]
10 | [... ... ...]... .. καθόλου φυτόν, δηλοῖ δὲ διὰ τοῦ *καθ'ὁμοι|¹¹[ότητα* τὸ εἶδος. Ὅ]τι ḍẹ̀ ḳαὶ ἡ γραφὴ οἶδεν τὸ σημαινόμενον τοῦ | *[εἴδους*, φ]ησίṿ· « *Ἀπὸ παντὸς εἴδους πονηροῦ ἀπέχεσθε* », |¹³ [τὸ *εἶ]δος* κụρ̣ί̣ω̣ς λέγων, πολλάκις δὲ καὶ ἀντὶ μορφῆς λέ|[γει· « *Κα]ὶ εἴδομεν*
15 *αὐτὸν καὶ οὐκ εἶχεν εἶδος οὐδὲ κάλλος* », καί· |¹⁵ « *[Διὰ πίστεως γὰρ] περιπατοῦμεν, οὐ διὰ εἴδους* », σημαίνων | [ὅτι ὁ μὴ δι]ạ̀ μ̣ορφῆς γ[ιγ]νώσκων διὰ πίστεως περιπατεῖ, ὁ δὲ γε|¹⁷[...].[...]ς διὰ εἴḍọụς.

Εἰπὼν οὖν περὶ τῶν χαμαιζήλων φυ|[τῶ]ṿ « *σ[πε]ῖρ̣ọṿ σπέρμα κατὰ γένος* », ἐπάγει περὶ τῶν δένδρων |¹⁹ τ̣ọ̀ « *ξύλ[ον κ[άρπιμον ποιοῦν καρπόν* »· παντὸς γὰρ φυτοῦ
20 ἐν αὐτῷ ἡ | ṭọụ̃ σπέρματọς φύσις, ὡς τὰ μὲν αὐτῶν εἶναι ἐδώδιμα, τὰ |²¹ ...α ἢ εἰς ἑṭέρạς χρείας λυσιτελοῦντα, τὰς μὲν καὶ ἀνθρώποις | γ̣ṿω̣ṣṭάς, τὰ<ς> ḍὲ μόνῳ Θεῷ.

Ταῦτα μὲν πρὸς τὸ ῥητόν, τὰ δὲ τῆς |²³ ạ̓λ̣λ̣ηγορίας τοῦτον ἔχειν τρόπον ἡγοῦμαι. Δημιουργήσας ὁ | Θẹọ̀ς τὸν ἄνθρωποṿ εὐθὴ ἐπὶ τῷ τὰς ἀρετὰς καρποφορεῖν καὶ τὴν
25 γνῶ|²⁵ṣịṿ τῆς ἀληθείας περὶ πολλοῦ ποιεῖσθαι ἐνῆκεν αὐτῷ ἐννοίας ἀ|γ̣ạθ̣ạ́ς, ἐξηνέχ̣θ̣η δὲ ἡ κατὰ τὴν ἀναγωγὴν γῆ ἀπὸ τῆς ἰδίας γνώμης |²⁷ .... ἀκάν<θας> σπειρ̣ήσαντος τοῦ ἀνθρώπου ἐκ παραβάσεως. Ὅσοι γοῦν θείαν | ḍịḍạσκαλίαν παραδεξάμενοι οὐ πρόσεσχον τῇ σπορᾷ τοῦ λόγου ἀκούουσιν·
33 |¹ « *Σπείρατε πυροὺς καὶ ἀκάνθας θερίσατε.* » Μ̣ὴ γὰρ̣ διὰ
(III, 1) τοῦτο ἐ|σπάρη ἵνα ἄκανθαι θερισθῶσιν α... ....[....]. τοῦτο μὴ |³ καλῶς αὐτοὺς γεγεωργηκέναι μηδὲ ....ụκ̣[....] ... . | θῆναι τῆς εὐλογίας ἧς ηὐλόγησεν Ἰạκ̣ώ̣β̣

32, 9 fin de la ligne en blanc ‖ 11 σημενομενον ‖ 12 απεχεσθαι ‖ 14 ἴδομεν ‖ 21 τα⟦.⟧ς ‖ 27 σπιρησαντος ‖ 28 διδασκαλ`ε´ιαν P² ‖ 28 παραδεξομενοι ‖ **33,** 1 θερισαται ‖ 3 γεγεουρκηναι ‖ 3-4 ἀξιω|θῆναι ? ‖ 4 ⟦υ⟧η`υ´λογησεν P (P²)

32, 8 Cf. Matth. 6, 30 ‖ 12 I Thess. 5, 22 ‖ 14 Is. 53, 2 ‖ 15 II Cor. 5, 7 ‖ 19 Gen. 1, 11 ‖ **33,** 1 Jér. 12, 13

(les légumineuses, qui sont encore) appelées *foin des champs* comme dans l'Évangile [ ].

(L'expression « *selon leur genre* » se rapporte) à la plante en général, et « *selon leur ressemblance* » indique l'espèce. Que l'Écriture connaisse ce qui est signifié par le mot *espèce*, elle le montre dans cette parole : « *Abstenez-vous de toute espèce de mal* », où elle prend le mot *espèce* au sens propre, mais souvent elle emploie ce mot à la place de ' forme ', par exemple : « *Nous l'avons vu : il n'avait ni εἶδος ni beauté* », ou encore : « *C'est par la foi que nous marchons, non par l'εἶδος* », pour signifier que, quand on ne connaît pas « par la forme », on marche par la foi...

Après avoir dit pour les petites plantes : « *portant semence selon leur genre* », le texte ajoute pour les arbres : « *l'arbre fruitier produisant du fruit* ». Toute plante, en effet, a en soi une nature qui vient de sa semence et qui fait que les unes sont comestibles, les autres (médicinales) ou utiles pour d'autres besoins connus des hommes ou de Dieu seul.

Voilà pour la lettre. Le sens allégorique doit être à mon avis quelque chose comme ceci. Ayant créé l'homme droit, capable de porter des fruits de vertu et d'attacher beaucoup de prix à la connaissance de la vérité, Dieu lui a infusé des idées bonnes, mais la terre prise au sens spirituel s'est laissée emporter loin du jugement moral qui lui appartient [ ] quand l'homme eut semé des épines par suite de la transgression. De fait, tous ceux qui, après avoir reçu l'enseignement divin, n'ont pas prêté attention

33 à cette semence du Verbe s'entendent dire : / « *Semez du blé et moissonnez des épines.* » Car, si l'on a semé, ce n'est pas pour moissonner des épines mais [ ] parce qu'ils n'ont pas bien cultivé ni [ ], ils n'ont pas été jugés dignes de la bénédiction que Jacob a donnée à son

[33] 5 τ[ὸν υἱὸ]ν λέγων · |[5] « *Ἰδοὺ ὀδμὴ τοῦ υἱοῦ μου ὡς ὀδμὴ ἀγροῦ πλ[ήρο]υς ὃν ηὐλό|γησεν Κύριος* » · ὁ δὲ καλῶς ἑαυτοῦ ἄγων τὴν φυτ[εί]αν ἀκούσε|[7]ται καθὰ καὶ ἡ νύμφη · « *Κῆπος κεκλεισμέν[ος ἀδελ]φή μου νύμφη.* »

| Τὸ δὲ « *καὶ ἐγένετο οὕτως* » καὶ τὰ ἑξῆς ἀνταπ[οδόσε]ως ἕνεκα εἴρηται.

|[9] **I, 12. Καὶ εἶδεν ὁ Θεὸς ὅτι καλόν.**

10 | Σημειωτέον ὅτι, δύο προσταχθέντων καὶ γεν[ο]μένων, ὡς πε|[11]ρὶ ἑνὸς λέγεται · « *Εἶδεν ὁ Θεὸς ὅτι καλόν.* » Εἰς γὰ[ρ] τὸ τέλος καὶ | τὸν σκοπὸν ἀναφορᾶς οὔσης εἴρηται « *εἶδεν ὁ Θεὸς ὅτι καλόν* » · δι<ὰ> |[13] γὰρ τοὺς ἀνθρώπους ἡ βοτάνη ἐβλάστησεν καὶ τὰ ἄλλα. Ἔφην δὲ | τὸ ἐν αἰσθητοῖς
15 ἔχον τὴν ἀναλογίαν *καλόν*, πόσῳ <μᾶλλον> τὸ ἐν ἀρε|[15]ταῖς καὶ ἁρμονίᾳ ψυχῆς εὖ βιούσης καὶ λογικοῦ τὰ αἱρετὰ αἱ|ρουμένου καὶ πρὸς τὸ τέλος τῆς ἀρετῆς σπεύδοντο[ς].

|[27] **I, 14-19. Καὶ εἶπεν ὁ Θεός · Γενηθήτωσαν φωστῆρες ἐν τῷ στερεώματι τοῦ | οὐρανοῦ εἰς φαῦσιν τῆς γῆς καὶ διαχωρίζειν ἀνὰ μέσον τῆς |[19] ἡμέρας καὶ ἀνὰ μέσον τῆς**
20 νυκτός, καὶ ἔστωσαν εἰς σημεῖα | καὶ εἰς καιροὺς καὶ ἡμέρας καὶ εἰς ἐνιαύτους, καὶ ἔστωσαν εἰς |[21] φαῦσιν ἐν τῷ στερεώματι τοῦ οὐρανοῦ ὥστε φαίνειν ἐπὶ τῆς | γῆς · καὶ ἐγένετο οὕτως, ἕως τοῦ καὶ ἐγένετο ἡμέρα τετάρτη.

|[23] Ἀρχόμενοι τοῦ βιβλίου ἐλέγομεν ὅτι δραστήριος οὐσία ὢν ὁ | Θεὸς ἅμα βούλεται καὶ ἔστιν ἃ θέλει εἶναι · οὐ γὰρ
25 οἷόν τε ἐπ' αὐτοῦ |[25] τὰς ἐνεργείας πρὸ τῆς ὑπάρξεως εἶναι, ὡς ἔχει ἐπὶ τῶν ἀνθρωπί|νων τεχνῶν . μετὰ γὰρ τὸ ἐνεργῆσαι τὸ ἔργον ἐστὶν καὶ μετὰ τὴν |[27] οἰκοδομὴν ἡ οἰκία · οὐ γὰρ

33, 4 τ[ὸν υἱὸ]ν ? ‖ 7 κεκλισμε[νος] ‖ 9 ιδεν ‖ 11 ιδεν ‖ 12 ιδεν ‖ 14 ⟦ε⟧`αι´σθητοις P (P²) ‖ 15 τὰ : το ‖ 21 ωστ⟦αι⟧`ε´ P (P²) ‖ 24 τ⟦αι⟧`ε´ P (P²) ‖ 25 ενεργ`ε´ιας ‖ `ε´χει

33, 5 Gen. 27, 27 ‖ 7 Cant. 4, 12

fils : « *Voici que l'odeur de mon fils est comme celle d'un champ plein que le Seigneur a béni* », tandis que celui qui a bien conduit la culture de lui-même s'entendra dire comme la fiancée : « *Ma sœur fiancée est un jardin clos.* »

Les mots « *et ainsi fut fait* » et la suite sont là pour répondre à l'ordre donné.

I, 12. **Et Dieu vit que c'était une belle chose.**

Alors que deux choses ont été commandées et faites, il n'est question, remarquons-le, que d'une seule : « *Dieu vit que c'était une belle chose.* » C'est en considération de la fin et du but qu'il est dit : *Dieu vit que c'était une belle chose.* C'est en effet pour les hommes que les plantes ont poussé et que tout le reste existe. Si ce qui a de la proportion dans le monde des choses sensibles est *beau*, ai-je dit[1], à combien plus forte raison le mot convient-il pour ce qui appartient au domaine des vertus, pour l'harmonie d'une âme qui vit dans le bien, pour un être doué de raison qui choisit ce qu'il faut choisir et qui se hâte vers le terme de la vertu.

I, 14-19. **Et Dieu dit : Que naissent des luminaires dans le firmament du ciel pour éclairer la terre, marquer la séparation entre le jour et la nuit ; qu'ils servent de signes pour les saisons, les jours et les années ; qu'ils servent de lumière dans le firmament du ciel de manière à être vus sur la terre. Et il en fut ainsi,** jusqu'à : **et ce fut le quatrième jour.**

Nous disions, en commençant le Livre, que Dieu, étant efficace par nature, n'a qu'à vouloir pour qu'existe aussitôt ce qu'il veut[2]. Il n'est pas possible que chez lui l'action précède l'effet, comme c'est le cas dans les métiers humains où l'œuvre n'existe qu'après qu'on l'a faite, et la maison après sa construction. La maison n'existe pas pendant qu'on

33, 1. Cf. p. 31, 6-8 avec la note 2.
33, 2. Cf. plus haut p. 21, 23 avec la note 1.

34 (III, 2) ἐν τῷ οἰκοδομεῖσθαι ἡ οἰκία οὐδὲ ἐν |[1] τῷ ναυπηγεῖσθαι ἡ ναῦς · χρόνῳ γὰρ αὗται αἱ ἐνέργειαι συμμετροῦνται. Ὁ δὲ Θεὸς ἀχ[ρ]ό[ν]ως ἐνεργεῖ ἄγων εἰς τὸ εἶναι ὃ βούλεται · οὐκ ἄρα ἑ|[3]πομένη κα̣[....].υμένη ἔσται ἐνέργεια.

Ἅμα οὖν βεβούληται εἶναι | τοὺς φωστῆ̣ρ[α]ς, καὶ εἰσίν, 5 καὶ ἅμα ἠθέλησεν τὸ ὕδωρ συναχθῆναι |[5] εἰς συναγω[γὴ]ν μίαν, πεπλήρωται τὸ πρόσταγμα, καὶ ἐν τῷ εἰπεῖν | « *Γενηθήτω στ̣ε̣ρ̣έωμα* » ὑπῆρκται τοῦτο. Διόπερ ταύτῃ τῇ ἐννοίᾳ |[7] ἑπόμενον [.... πε]ρ̣ὶ̣ τῶν ἓξ ἡμερῶν δεῖ νοεῖν ὡς οὐ χρονικῆς | ἕνεκα παρ[εκτάσε]ως παρειλημμένων, ἀλλὰ λόγου οἰκείου τῇ δη|[9]μιουργίᾳ το[ῦ Θεοῦ] καὶ τῆς τοῦ ἀριθμοῦ 10 δυνάμεως. Πρῶτος γὰρ ὁ | ἓξ τελείων ἐ[στί]ν · τελείους δὲ ἀριθμούς φασιν τοὺς ἐκ τῶν ἑαυ|[11]τῶν με[ρ]ῶν ἀ[π]αρτιζομένους, τέσσαρες δὲ μόνοι εἰσὶν ἀπὸ | μονάδος ἕως μυρίων. Πρῶτος οὖν ἐστιν ὁ ἕξ, οὗ ἥμισυ τρία, |[13] τρίτον δ[ύ]ο, ἕκτον ἕν, ὧν συντεθέντων ὁ ἓξ ἀποτελεῖται. Ὡσ|αύτως ἔχει καὶ ὁ εἴκοσι ὀκτώ · ἥμισυ γὰρ τούτου δέκα τέσσερα, 11 |[15] τέταρτον ἑπτά, ἕβδομον τέσσερα, τεσσερεσκαιδέκατον δύο, | εἰκοστοόγδοον ἕν, ἅπερ πάλιν συντεθέντα τὸν εἴκοσι ὀκτὼ |[17] ἀποτελεῖ. Καὶ ἕτεροι δὲ πρὸς τούτοις εἰσὶν δύο · ἐὰν δὲ ἑτέρους | παρὰ τοὺς τελείους συνθήσῃ, λείπουσιν ἢ ὑπερβάλλουσιν, οἷον ἐπὶ |[19] τοῦ ὀκτὼ θεωρητέον · ἥμισυ 20 τέσσερα, τέταρτον δύο, ὄγδοον | ἕν, ἅπερ πάλιν συντεθέντα ἐλάττονα ἀριθμὸν φέρει. Καὶ ὁ δώ|[21]δεκα δὲ συντεθεὶς ὑπερβάλλει · ἥμισυ αὐτοῦ ἕξ, τρίτον τέσσερα, | τέταρτον τρία, ἕκτον δύο, δωδέκατον ἕν. Καλοῦσιν οὖν οἱ περὶ |[23] ταῦτα ἔχοντες τοὺς ἐλλείποντας ὑποτελεῖς, ὑπερτελεῖς δὲ τοὺς | πλεονάζοντας, τελείους δὲ τοὺς ἐξ ἑαυτῶν ἀπαρτιζομένους. 25 |[25] Ἔδει οὖν τὸν Θεὸν τέλειον δημιούργημα ποιοῦντα ἐν τελείῳ πρώ|τῳ ἀριθμῷ εἰς ὑπόστασιν αὐτὸ ἀγαγεῖν, οὐχ ἵνα πάντως εἴπω|[27]μεν ὅτι ἑξάκις τοῦ ἡλίου κυκλεύοντος ἡμέραι

34, 1 συνμετρουνται ‖ 2 ˋεˊις ‖ 3 ˋβεˊβουληται P (P²) ‖ οικˋεˊιου P² ‖ 10 τελιων ‖ τελιους ‖ 13 αποτελˋεˊιται P² ‖ 14 τεσσ⟦α⟧ˋεˊρα ‖ 15 τεσσερα ($ε_2$ refait sur α effacé) ‖ 15 τεσσαρεσκεδεκατον ‖ 16 εκοστοογδοον ‖ 18 τελˋεˊιους ‖ λιπουσιν ‖ 23 ελλιποντας ‖ 25 τελιω

34 la bâtit ni / le bateau pendant qu'on le construit, car ces actions sont mesurées par du temps. Dieu, lui, agit en dehors du temps, amenant à l'être ce qu'il veut; c'est pourquoi le résultat n'est pas consécutif ni [différé].

En même temps, donc, qu'il a décidé que les luminaires soient, ils sont; en même temps qu'il a voulu que l'eau se rassemble en un seul rassemblement, l'ordre se trouve exécuté; et au moment même où il disait : « *Qu'il y ait un firmament* », celui-ci a existé. C'est pourquoi, si l'on suit cette idée, on doit penser que les six jours n'ont pas été pris pour désigner une durée temporelle, mais pour une raison propre à l'acte créateur de Dieu et pour la valeur du nombre. C'est, en effet, le premier des nombres parfaits[1]. On appelle nombres parfaits ceux qui résultent de l'addition de leurs parties aliquotes, et il n'y en a que quatre en allant de un à mille; le premier est donc 6, dont la moitié est 3, le tiers 2, le sixième 1 : l'addition donne 6. De même pour 28[2] : sa moitié est 14, son quart 7, son septième 4, son quatorzième 2, son vingt-huitième 1; l'addition donne à nouveau 28. Il en existe encore deux autres. Mais si l'on fait l'addition pour d'autres nombres que les nombres parfaits, il y a manque ou surplus. Examinons par exemple 8 : moitié 4, quart 2, huitième 1 : la somme est inférieure. Mais 12, additionné, dépasse : moitié 6, tiers 4, quart 3, sixième 2, douzième 1. Les spécialistes appellent donc les nombres où il y a manque « déficitaires », ceux qui ont un surplus « excédentaires », et « parfaits » ceux qui résultent exactement d'eux-mêmes. Il fallait donc que Dieu, puisqu'il faisait une œuvre parfaite, l'amène à l'existence par le premier nombre parfait. Alors ne disons pas que par suite de six révolutions

34, 6 Gen. 1, 6

34, 1. Cf. PHILON, *De opif.* 13.
34, 2. Cf. PHILON, *De opif.* 101.

[34] ἓξ διεγένοντο, — οὔ|πω γὰρ ἦν γενόμενος ἥλιος ἐν ταῖς πρώταις τρισίν, — ἀλλ' ὅτι λόγου καὶ ἁρ|[29]μονίας χάριν ὁ ἓξ ἀριθμὸς παρει̣λ̣ήμφθη.

35 Παρίστησιν δὲ τὴν ἔν|[1]νοιαν ταύτην ἀκριβῶς αὐτὸς Μωσῆς
(III, 3) τὴν ἐπανακεφαλαίωσιν ποιού|μενος τῶν γεγονότων λέγων· « *Αὕτη ἡ βίβλος γενέσεως οὐρανοῦ* |[3] *καὶ γῆς ὁ̣τε ἐγένετο ᾗ ἡμέρᾳ ἐποίησεν ὁ Θεὸς τὸν οὐρανὸν καὶ τὴν* | *γῆν.* » Ὅλως γὰρ οὔτε ἐν ἡμέρᾳ γέγονεν ὁ οὐρανὸς καὶ ἡ γῆ,
5 ἀλλ' « *ἐν ἀρ*|[5]*χῇ* », οὔτε τὰ πάντα ἐν μιᾷ ἡμέρᾳ ὑπέστησαν, ἀλλὰ δῆλον ὡς, | ἅμα τῶν πάντων γεγενημένων, τάξεως ἕνεκα κα̣ὶ ἁρμονίας |[7] ὁ ἀριθμὸς οὗτος, ὡς εἴρηται, παρείλημπται, καὶ π[ρὸ]ς [τ]ο̣[ύ]τῳ διὰ τὸ | ἡμῶν ἀσθενὲς καὶ μὴ ἑτέρας δύνασθαι νοεῖν [ἢ τρόπῳ] τινὶ ἡμῖν |[9] καταλλήλῳ.
10 Καὶ ἔστω ἀπὸ παραδείγματος σαφὲ[ς τὸ λ]εγόμε|νον. Τὸ σῶμα ἡμῶν ἅμα τῇ ὑποστάσει καὶ χρῶμ[α κ]αὶ μέγεθος |[11] ἔχει, καὶ οὐκ ἐν χρόνῳ διεστῶτι ἀλλήλων κεχωρισμένα ὑπέστη | καὶ πλὴν τῇ ἐπινοίᾳ τὸ μὲν αὐτῶν πρότερον, τὸ δὲ ὕστερόν ἐστιν. |[13] Οὕτω καὶ ὁ ἐν τάξει γενόμενος κόσμος οὐ χρόνῳ ἀλλὰ τ[ῇ] ἁρμο|νίᾳ συντετέλεσται. Οὐδὲ γὰρ μέρος
15 κόσμου τις δυνήσεται ἐννο|[15]εῖν πρὸς τὰ ἄλλα μὴ συντρέχον ἕως τὰ λοιπὰ ὑπάρχῃ.

Καὶ οἱ φω|στῆρες δὲ ἐν τετάρτῃ ἡμέρᾳ γ̣ενόμενοι ἅτε τίμιοι δεικνύουσιν |[17] ὅτι διὰ τὸν περὶ αὐτοὺς λόγον ἐν ταύτῃ εἴρηνται γεγενῆσθαι. | Ἡ γὰρ τετρὰς δυνάμει οὖσα δέκα ἐπὶ τιμίας ὑπάρχει· διὰ πάσης |[19] γὰρ γραφῆς ἡ δεκὰς
20 ὑμνεῖται. Ὅτι δὲ οὐκ, ἐὰν ἀριθμός τις ἐν τοῖς | θείοις

34, 28 τ⟦ε⟧`α´ις πρωτ⟦ε⟧`αι´ς P² || τρ⟦ε⟧ισιν || **35,** 3 ουνον sans tilde || 9 παραδ`ε´ιγματος || 12 επεινοια || `μ´εν || 13 ὁ : ⟦τ⟧ο || 16 δικνυουσιν || 17 γεγεν⟦ε⟧`η´σθαι P² || 19 ουχ

35, 2 Gen. 2, 4 || 4 Cf. Gen. 1, 1

35, 4-7 Proc. 140 C 14 - D 3 ; cf. 85 A 3-4 || 10-19 Proc. 85 A 6 - B 1.3

35, 1. Ce deuxième développement paraît inspiré d'ORIGÈNE,

du soleil, six jours se sont écoulés — car pendant les trois premiers jours le soleil n'existait pas encore —, mais que le nombre six a été pris pour une raison spéciale et à cause d'une harmonie.

35 C'est exactement la pensée exprimée par Moïse quand, faisant la récapitulation des choses créées, il écrit : « *Voici le livre de la genèse du ciel et de la terre, lorsqu'ils furent créés au jour où Dieu fit le ciel et la terre.* » Ce n'est point dans un *jour* que le ciel et la terre ont été faits, mais dans un *commencement*; ce n'est pas non plus en *un* jour que tout a été mis à l'existence, mais, toutes choses ayant été faites ensemble, le nombre un est évidemment pris, comme je l'ai dit, pour motif d'ordre et d'harmonie, et, en outre, à cause de notre faiblesse, parce que nous ne pouvons penser ces choses que d'une manière qui soit à notre portée. Prenons un exemple pour éclairer ce que je dis là. Notre corps a, en même temps que sa substance, une couleur et une grandeur; ces choses ne sont pas venues à l'existence, séparées les unes des autres par un intervalle de temps; ce n'est qu'en pensée que l'une est antérieure et l'autre postérieure. De même, l'ordre du monde n'est pas affaire de succession dans le temps mais d'harmonie. Car on ne peut pas concevoir une partie du monde qui ne serait pas coordonnée aux autres jusqu'à ce que celles-ci existent[1].

Pour ce qui est des luminaires créés le quatrième jour parce qu'ils sont dignes d'honneur, on voit qu'il y aurait en eux un motif rationnel pour qu'on les dise créés ce jour-là. Car la tétrade, étant 10 en puissance[2], s'emploie pour faire honneur; le fait est que partout dans l'Écriture elle est objet de louange. Que la mention d'un nombre dans

car il utilise des idées qui lui sont chères : la matière ne peut exister en dehors des qualités, cf. *De princ.* II, 1, 4 (*GCS* 22, p. 110, 4-6); et pour la coordination des parties du monde, *ibid.* II, 1, 2.

35, 2. Cf. PHILON, *De opif.* 47.

[35] γράμμασιν σημαίνηται, τὸ πλῆθος δηλοῖ πάντως, ἀλλὰ |[21] λόγον, ἐκ τοῦ εἰρημένου πρὸς τοῦ Θεοῦ ἔστιν νοῆσαι· « *Κατέλιπον* | *ἐμαυτῷ ἑπτακισχιλίους ἄνδρας οἵτινες οὐκ ἔκαμψαν γόνυ* |[23] *τῇ Βαάλ.* » Εἰ γὰρ τοσοῦτοι ἐτύγχανον, οὔτ' ἂν ὁ προφήτης εἶπεν· | « *Ἐγὼ ὑπολέλειμμαι μονώ-*
25 *τατος* », οὔτε πρὸς ἀλλήλους εἶχον τὸ ἀμι|[25]γές· οὐ γὰρ ἑαυτοὺς ἔφευγον. Λόγος τίμιος ὁ περὶ τὴν ἑβδόμαδα | ὤν — ἀμήτωρ γὰρ αὕτη καὶ ἀπάτωρ — ὑποβάλλει νόησιν ὅτι τῆς αὐτῆς |[27] εἰσι τῆς δυνάμεως οἱ ἅγιοι, κἂν ἐξ ὑπάρχωσιν,
36 θεῖόν τι καθεστῶτες |[1] καὶ ὑπεράνθρωπον θεωρίᾳ καὶ βίῳ.
(III, 4) Ἀλλὰ καὶ ἐν τῇ Ἀποκαλύψει ὁ Ἰωάννης | λέγων *ρμδ χιλιάδας* ἀνδρῶν ἕπεσθαι *τῷ ἀρνίῳ*, ὅ ἐστιν ὁ Σωτήρ, |[3] καὶ ταῦτα *παρθένων μετὰ γυναικῶν μὴ μολυνθέντων*, δείκνυ|σιν ὅτι λόγος τις περὶ τὸν ἀριθμὸν τοῦτον τίμιός
5 ἐστιν· οὐδὲ γὰρ |[5] οὕτω τοσοῦτο πλῆθος παρθένων ἔτι τοῦ Ἰωάννου ἐν βίῳ ὄντος | εἴποι τις ἂν ἐκ τῶν πεπιστευκότων συνῆχθαι, τάχα μηδὲ αὐ|[7]τῶν τοσ[ούτων] ὄντων. Λέγομεν οὖν ὅτι ἐν ἑξάδι ὁ κόσμος γέ|γονεν δι[ὰ τὴν π]ροειρημένην αἰτίαν, καὶ τῇ τετάρτῃ οἱ φωστῆ|[9]ρες διὰ τ[ὸ πρ]οειρημένον,
10 ὅτι ἡ τετρὰς δυνάμει δεκὰς οὖσα ἔ|χει τὸ τί[μιο]ν. Καὶ γὰρ δέκα λόγους Μωσῆς δέδωκεν καὶ δεκά|[11]ται παρέχονται· καὶ ἄλλα δὲ προνόμια τῆς δεκάδος εὕροι τις.

| « *Γενηθήτωσαν* » οὖν « *φωστῆρες ἐν τῷ στερεώματι τοῦ οὐρανοῦ.* » |[13] Καὶ τοῦτο παιδεύει πρὸς τὸ μὴ θεοὺς αὐτοὺς εἶναι, καθὰ Αἰγυπτί|οις ἠπατημένοις ἔδοξεν. Καλῶς

35, 22 επτακαιχ⟦ε⟧ιλιους ‖ 24 υπολελιμμαι ‖ 24-25 αμειγες ‖ 25 εβδο`μ´αδα ‖ **36,** 1 καὶ$_2$ : `κ(αι)´ ‖ 2 χειλιαδας ‖ 3 γυν⟦ε⟧`αι´κων ‖ 6 ει⟦λ⟧`π´οι ‖ 12 γενηθωτησαν ‖ 14 ηπατομενοι`ς´

35, 21 III Rois 19, 18 ‖ 24 III Rois 19, 10 ‖ **36** Cf. Apoc. 14, 1 ‖ 3 Cf. Apoc. 14, 4 ‖ 12 Gen. 1, 14

36, 9-10 Proc. 86 B 4-5

35, 3. Cf. PHILON, *De opif.* 99.
36, 1. Cf. DIDYME, *Commentaire sur Zacharie* III, 66 (*SC* 84,

les divines Écritures n'indique pas forcément la multiplicité mais une raison, c'est ce qu'on peut voir quand Dieu dit : « *Je me suis réservé 7 000 hommes qui n'ont pas fléchi le genou devant Baal.* » Si ces hommes avaient été réellement aussi nombreux, le prophète n'aurait pas pu dire : « *Je suis resté tout seul* »; eux et lui n'auraient pas été sans se rencontrer, n'ayant pas de motif de se fuir. Mais une raison d'honneur qui vaut pour l'hebdomade, à savoir qu'elle est sans père ni mère[3], suggère l'idée que les saints ont la même valeur qu'elle, même s'ils ne sont qu'un seul, parce qu'ils constituent quelque chose de **36** divin / et de supérieur à l'homme par leur contemplation et leur vie. Enfin, quand Jean affirme dans l'Apocalypse que *144 milliers* d'hommes suivent l'*Agneau*, c'est-à-dire le Sauveur, et qu'ils sont composés de *vierges qui ne se sont pas souillés avec des femmes*, il montre que ce nombre comporte une idée d'honneur[1], car personne n'ira prétendre qu'on avait réuni du vivant de Jean autant d'hommes vierges parmi les croyants, alors que les croyants eux-mêmes n'atteignaient peut-être pas ce nombre. Nous disons donc que le monde a été fait en une hexade pour le motif déjà indiqué, et que les luminaires ont été faits le quatrième jour pour la raison que nous avons dite, à savoir que la tétrade, étant 10 en puissance, a signification d'honneur. Dix sont en effet les commandements de Moïse, c'est la dîme qu'on offre, et l'on pourrait trouver encore d'autres prérogatives de la décade[2].

« *Que naissent* » donc « *des luminaires dans le firmament du ciel* », parole qui enseigne que les astres ne sont pas des dieux comme les Égyptiens l'ont cru dans leur égarement.

p. 650), où cette citation et les deux précédentes sont également groupées pour montrer la signification spirituelle des nombres donnés par l'Écriture.

36, 2. Ce thème avait été traité plusieurs fois par Philon, en particulier dans *Congr.* 89-121 et *Decal.* 20-31.

[36] 15 δὲ *ἐν τῷ στερεώματι* καὶ οὐχ |15 ὑπὲρ τὸ στερέωμα · τῶν γὰρ ὁρωμένων ταῦτα.

Καὶ ἔργον | δὲ αὐτῶν φησιν τό τε *ἐπὶ γῆς φαίνειν* καὶ τὸ « *διαχωρίζειν* |17 *ἀνὰ μέσον τῆς ἡμέρας καὶ ἀνὰ μέσον τῆς νυκτός* » · ἡ γὰρ ἀνατολὴ | τὴν ἡμέραν, ἡ δὲ δύσις τὴν νύκτα ποιεῖ. Ἕτερον δὲ αὐτῶν ἔργον |19 τὸ εἶναι αὐτοὺς 20 *εἰς σημεῖα* · πολλὰ γὰρ σημαίνουσιν οἱ ἀστέρες | καὶ αὐτὸς ὁ ἥλιος · σημαίνουσιν δὲ οὐχ ὡς ποιοῦντες ἀλλ' ὡς φα|21νεροῦντες. Οἱ δὲ τὴν εἱμαρμένην εἰσηγούμενοι ποιητὰς αὐτοὺς | τίθενται λέγοντες ὅτι εἰ ὅδε πρὸς τόνδε συνδράμοι τάδε ποι|23εῖ, ἀλλ' οὐχ οὕτως, ἀλλ' ἵνα σημαίνωσιν ὥρας, μῆνας, ἐνιαυτούς · | οὐ τὸ σημαῖνον δὲ ποιητικόν. « *Καὶ ἔστωσαν* » 25 γάρ φησιν « *εἰς σημεῖα* |25 *καὶ εἰς καιροὺς καὶ εἰς ἐνιαυτούς* », ἅπερ σημαίνει τὰς ἐτησίους | ὥρας, τὴν ἐαρινήν, τὴν χειμε- **37** ρινὴν καὶ τὰς ἄλλας · ἐν γὰρ τῷδε τῷ |1 κλίματι ὢν ὁ ἥλιος (III, 5) ἢ τῷδε ταῦτα ποιεῖ. Εἰ δὲ λέγοιεν οἱ περὶ τὰ μα|θήματα, συντρέχοντες τῷ *εἰς σημεῖα* αὐτὰ εἶναι, ὅτι καὶ οὕτως |3 ὁ τῆς εἱμαρμένης εἰσάγεται λόγος, οὐδ' οὕτω μὲν ἂν ἔχοι αὐτοῖς | πιθανότητα · ἄλλως δὲ οὐδὲ δυνατὸν ἀνθρωπίνῃ 5 φύσει καταλα|5βεῖν τὰ τοιαῦτα σημεῖα, τοῦ πόλου καὶ κατ' αὐτοὺς ὀξύτατα κι|νουμένου, δι' ὃν ἀμήχανον λαβεῖν τὴν ὥραν τοῦ ἀποτεχθέντος.

|7 Τὸ δὲ « *καὶ ἐγένετο οὕτως* », ἀνταποδοτικὸν ὄν, δείκνυσιν ὅτι | τοῦτ' ἐποίησεν ὁ Υἱὸς ὅπερ ὁ Πατὴρ ὑπο-

36, 15 τὸ : το⟦υ⟧ ‖ 16 τε : τ⟦αι⟧`ε' ‖ 19 σημια ‖ 22 συνδραμοι (α refait sur ο) ‖ **37,** 1 κλειματι ‖ 3 ο dépasse en marge ‖ εισαγ⟦αι⟧`ε'ται ‖ 4 πειθανοτητα ‖ `αλλ'ως P² ‖ ανθρωπεινη ‖ 5-6 κεινουμενου ‖ 6 διο`ν'

36, 16 Gen. 1, 15 ‖ Gen. 1, 14 ‖ 24 Gen. 1, 14 ‖ **37,** 7 Gen. 1,15

37, 7-11 Proc. 100 A 10-15

36, 3. Cf. p. 24, 6-10 avec la note.

37, 1. Selon le sens ancien désignant une section du ciel comprise entre deux parallèles.

37, 2. Toujours au sens ancien pour désigner les astrologues.

Il est dit à juste titre « *dans le firmament* » et non pas ' au-dessus du firmament ', car on est dans le domaine des choses qui se voient.

Leur rôle, d'après l'Écriture, est de *briller sur la terre* et de « *séparer par le milieu le jour et la nuit* » : leur lever produit le jour et leur coucher la nuit. Ils ont encore pour rôle de « *servir de signes* » : les étoiles et le soleil lui-même indiquent en effet beaucoup de choses; ils les indiquent, non pas qu'ils les produisent, mais ils les font connaître. Les gens qui font intervenir la fatalité prétendent que les astres ont une action : la conjonction de tel astre avec tel autre produit, disent-ils, tel effet. Mais c'est faux. Le but des étoiles est d'indiquer les heures, les mois, les années; or ce qui indique n'est pas ce qui produit[3]. Le texte le dit bien : « *Qu'ils soient placés comme signes pour les époques et les années* », c'est-à-dire pour les saisons : le printemps,
37 l'hiver et les autres; / c'est bien ce que fait le soleil selon qu'il est dans tel ou tel climat[1]. Et si les mathématiciens[2], qui s'accordent avec nous pour dire que les astres *servent de signes*, prétendent que c'est encore introduire la doctrine de la Fatalité, nous leur répondrons que cela ne suffit pas pour constituer un argument vraisemblable en leur faveur et que, de toute façon, il n'est pas possible à la nature humaine de comprendre les signes de cette sorte, étant donné que le pôle, d'après ce qu'ils affirment eux-mêmes, est animé d'un mouvement très rapide, en sorte qu'il est difficile de prendre l'horoscope d'un nouveau-né[3].

La parole « *et il en fut fait ainsi* », qui répond à l'ordre donné, signifie que le Fils a fait ce que le Père a voulu qui

37, 3. Tout ce développement contre l'astrologie, y compris l'argument tiré de la précession des équinoxes, est emprunté à Origène. La partie de son commentaire qui traitait de ce verset nous a été conservée par la *Philocalie*, XXIII, et par EUSÈBE, *Praep. euang.* VI, 11 ; cf. *PG* 12, 49 D - 85 A ; 88 B - 89 D.

[37] στῆ[ναι ἐ]θέλησεν. |[9] Καὶ γάρ, οὐκ εἰρημένου πόσοι γένωνται
10 φωστ[ῆρες], ἐπηνέχθη · | « *Καὶ ἐποίησεν ὁ Θεὸς τοὺς δύο φωστῆρας* » · οὕτως [ἡ αὐτ]ὴ καὶ βούλη|[11]σις καὶ ἐνέργεια Πατρὸς καὶ Υἱοῦ.

Ἀνὰ μέρος δὲ καὶ *[αἱ] ἀρχαὶ* τῶν | φωστήρων ἐγένοντο, τοῦ μὲν ἡλίου τῆς ἡμέρας, σελήνης |[13] δὲ καὶ τῶν ἄλλων ἄστρων νυκτὸς ἡγουμένων.

Οὕστινας | *ἔθετο*, οὐ δηλοῦντος τοῦ *ἔθετο* ταὐτὸν τῷ
15 *ἐποίησεν*, οὐδὲ ὅτι |[15] πρῶτον *γενόμενοι* ὕστερον *ἐτέθησαν*, ἀλλ' ὅτι ἡ ἔννοια | ὑποβάλλει λόγῳ πρώτην εἶναι τὴν γένεσιν τῆς θέσεως · τὸ |[17] μὲν γὰρ ὑποστῆσαί ἐστι, τὸ δὲ ἁρμόσαι πρὸς τὰ ἄλλα τοῦ κόσ|μου μέρη.

Καὶ τοῦτο δὲ τοῖς εἰρημένοις προσκείσθω, ὅτι δε|[19]όντως ἓξ *ἡμέρας* εἶπεν καὶ οὐκ ἓξ ὥρας ἢ μῆνας ἢ ἐνιαυτούς ·
20 | τὸ μὲν γὰρ μῆνας ἢ ἐνιαυτοὺς εἰπεῖν βραδύτητα ἐνέφαινεν, |[21] τὸ δὲ ὥρας ἀδιανόητον ἐδόκει · ὁ γὰρ μὴ ἐπιστάμενος τί ἡμέ|ρα οὐδὲ τί ὥρα οἶδεν. Τελείου οὖν ἀριθμοῦ μνημονεύων εἰκότως |[23] καὶ ἡμέρας παρείληφεν καὶ καταλλήλως. Ἅπερ πάλιν « *εἶδεν* | *ὁ Θεὸς* » ὡς καλῶς γεγένηνται, τοῦ « *εἶδεν*
25 *ὁ Θεὸς* » οὕτως ὡς |[25] ἐν τοῖς φθάσασιν νοουμένου.

Ταῦτα μὲν οὖν σαφηνίζοντες | τὸ ῥητὸν εἴπομεν, τὰ δὲ πρὸς ἀναγωγὴν ταῦτα ἂν εἴη. Ἐλέγετο |[27] πρὸ τούτων ὅτι
38 τὸ « *γενηθήτω φῶς* » εἰς τὸν Σωτῆρα ἀνάγειν δεῖ, |[1] οὐχ
(III, 6) ὡς ἐκ τοῦ μὴ ὄντος ὑποστάντα, ἀλλ' ὡς ἁρμοζόμενον | τοῖς φωτιζομένοις. Καὶ ἐπὶ τῶν φωτιζομένων, οἱ μὲν ἐ|[3]π' ἔλαττον, οἱ δὲ ἐπὶ πλεῖον τὸν φωτισμόν, δέχονται δέ · | παρὰ τούτους

37, 12 του μεν + του μεν ‖ η⟦ν⟧`λι'ου P² ‖ 17-18 κο⟦σ⟧`σ'μου ‖ 19 εν⟦ε⟧ιαυτους ‖ 20 εν⟦ε⟧ιαυτους ‖ ενεφαινεν P² : ενεφαιναι P ‖ 21 δ⟦ε⟧`'' ‖ 23-24 ϊδεν ‖ 24 ϊδεν ‖ θεος₂ (en toutes lettres) ‖ **38,** 1 ⟦ο⟧`α'ρμοζομενον

37, 10 Gen. 1, 16 ‖ 14 Gen. 1, 17 ‖ 23 Gen. 1, 18 ‖ 27 Gen. **1,** 2

37, 14-18 Proc. 100 A 15 - B 5

existât. Et, en effet, sans qu'il ait été précisé combien de luminaires seraient créés, on ajoute : « *Et Dieu fit les deux luminaires.* » Ainsi la volonté et l'opération du Père et du Fils sont les mêmes.

D'autre part, les zones de *commandement*[4] furent réparties entre les luminaires, le soleil présidant au jour, la lune et les autres astres à la nuit.

Dieu les « *a placés* ». Le mot *placés* n'est pas synonyme de *faits*, sans qu'il faille comprendre pour autant que Dieu les a d'abord *faits* et ensuite *placés*; mais notre pensée considère logiquement l'acte de faire comme antérieur à l'acte de placer : le premier consiste à établir dans l'être et le second à adapter aux autres parties du monde.

Ajoutons à ce qui a été déjà dit qu'il convenait que l'Écriture parle de six *jours* et non pas de six heures, six mois ou six ans. Parler de mois ou d'années aurait impliqué de la lenteur, et parler d'heures aurait été incompréhensible car, quand on ne sait pas ce qu'est un jour, on ne sait pas non plus ce qu'est une heure. Puisqu'elle mentionnait un nombre parfait, il est naturel que l'Écriture ait fait appel aussi à des *jours* : c'était adéquat. Et cela, de nouveau, « *Dieu vit que c'était beau* », l'expression « *Dieu vit* » étant à prendre comme dans les versets précédents.

Voilà pour éclairer la lettre. Quant au sens anagogique, il pourrait être celui-ci. Nous disions plus haut que la parole : « *Que la lumière soit* » doit être appliquée au **38** Sauveur[5], /; non pas en ce sens qu'il existerait à partir du néant, mais en ce sens qu'il s'adapte aux êtres qu'il illumine; et à propos des êtres qu'atteint sa lumière, les uns en reçoivent plus, les autres moins, mais la reçoivent tout de même; en outre, il y a ceux qui sont dans un état

37, 4. Le mot est inspiré par *Gen.* 1, 18, où il est dit que Dieu plaça les luminaires « pour commander au jour et à la nuit ».

37, 5. Cf. p. 5 B 14 à p. 6 A 3.

[38] 5 εἰσὶν οἱ ἐν νυκτερινῇ καταστάσει τυγχάνοντες. |[5] Γίνονται τοίνυν καὶ νῦν φωστῆρες ἐπίνοιαι τοῦ Υἱοῦ, | καθὰ ἀκόλουθον ἰδεῖν τὸ βούλημα τοῦ νῦν προκειμένου · |[7] ἁρμόζεται πρὸς τὸ ἑκάστου μέτρον, τοῖς μὲν ἀνηγμέ|νοις *ἥλιος δικαιοσύνης* γινόμενος, τοῖς δὲ ἐλάττοσιν |[9] συμμε[τρούμε]νος καὶ τὸν
10 σελήνῃ ἀναλογοῦντα φωτισ|μὸν Πνεύ[ματ]ος παρέχων. Εἶεν δὲ καὶ οἱ ἐν νυκτὶ φωτιζόμε|[11]νοι ὅσοι [τέ]λειοι ὄντες τῇ τοῦ σώματος χρείᾳ ἀναγκαίως | ἐνδιδόασιν · ὁ γὰρ τέλειος, εἰ καὶ οὕτως ἐστίν, ὁμῶς, |[13] ἐπειδὴ σῶμα ἔχει, καὶ τρέφεται καὶ τὰς ἄλλας χρείας τοῦ | σώματος ὑπομένει,
15 ἃς καὶ αὐτὰς μὲν ὡς τέλειος ποιεῖ, |[15] διὰ τοῦτο γὰρ καὶ φῶς ἔχει, φῶς δὲ νυκτερινὸν τὸ τοιοῦτόν | ἐστιν, ἐπεὶ ὁ τόνος ὁ τοσοῦτος παρὰ τὰς τοῦ σώματος |[17] χρείας, εἰ καὶ μὴ ἀπόλλυται, ἀλλ' ἐν ἀνέσει τυγχάνει.

| Καὶ ὥσπερ ἡ σελήνη αὐτὴ κατά τινας ἐκ τοῦ ἡλίου δέχεται |[19] τὰς αὐγὰς καὶ γίνεται δεύτερον φῶς χορηγούμενον
20 | ἀπὸ τοῦ μείζονος, οὕτω καὶ ἡ ἐκκλησία φῶς ἐστιν τοῦ |[21] κόσμου. Ἀμέλει γοῦν τοῖς ἑαυτοῦ μαθηταῖς Κύριος εἶπεν · | « *Ὑμεῖς ἐστε τὸ φῶς τοῦ κόσμου* », οὐχ ἡλιακόν, — αὐτὸς γὰρ |[23] ἦν ὁ *ἥλιος τῆς δικαιοσύνης*, — ἀλλ' ἔλαττον καὶ ὑπ' αὐτοῦ | χορηγούμενον. Ἀλλὰ καὶ ὁ ἀπόστολος
25 λέγων « *Ἐν οἷς ἐστε* |[25] *ὡς φωστῆρες ἐν κόσμῳ* » δείκνυσιν ὅτι μετεσχηκότες τοῦ | *ἀληθινοῦ φωτὸς* φῶς εἰσι κόσμου · ἐπάγει γάρ · « *Λόγον ζωῆς* |[27] *ἐπέχοντες* ». Καὶ εἴη ἂν ἡ ἐν
39 τούτοις αὐτοῦ τοῦ φωτὸς σχέσις |[1] σελήνη · οὐ γὰρ εἶπεν
(III, 7) ' ὑμεῖς ἐστε τὰ φῶτα ', ἀλλὰ τὸ φῶς · ἑνό|τητα γὰρ πάντες πρὸς ἑαυτοὺς ἔχοντες οὕτω φῶς ἕν εἰσι, |[3] ἐκκλησία ὄντες.

38, 11 [..]λιοι ‖ 12 ⟦τ⟧ο ‖ τελιος ‖ 13 επ'ε'ιδη ‖ 14 τελιος ‖ 20 μ'ε'ι-ζονος ‖ ⟦α⟧'ο'υτω ‖ 22 εστε (ε_2 **refait sur** αι) ‖ 23 υπ⟦ερ⟧ ‖ 24 εσται ‖ 27 σχεσις (σ_1 **refait sur** ε) ‖ **39,** 1 εστε (ε_2 **refait sur** αι) ‖ τα (α **refait sur** ο) ‖ φωστα

38, 8 **Cf. Mal. 3, 20 ‖ 22 Matth. 5, 14 ‖ 23 Cf. Mal. 3, 20 ‖ 24 Phil. 2, 15 ‖ 26 Cf. Jn 1, 9 ‖ Phil. 2, 16**

nocturne. Il naît donc encore maintenant des luminaires, à savoir des notions du Fils[1], selon le sens qui découle logiquement du passage présent. Le Fils s'adapte à la mesure de chacun : pour ceux qui sont plus élevés il se fait Soleil de Justice; à ceux qui le sont moins, il donne, pour être à leur portée, une illumination de l'Esprit analogue à celle de la lune. Quant à ceux qui sont illuminés dans la nuit, il s'agit sans doute de tous ceux qui, tout en étant parfaits, sont nécessairement tributaires des besoins du corps. Car, bien que tel, un parfait, parce qu'il a un corps, se nourrit et éprouve les autres besoins du corps. Il les satisfait à la manière d'un parfait, et c'est bien pourquoi il a la lumière, mais c'est une lumière nocturne, parce que la tension d'un tel effort se trouve, sinon détruite, du moins relâchée par suite des besoins du corps.

Et comme la lune, selon certains, reçoit ses rayons du soleil et devient une seconde lumière alimentée par la plus grande, de même l'Église est la lumière du monde[2]. De fait, le Seigneur a dit à ses disciples : « *Vous êtes la lumière du monde* », non pas une lumière solaire, car il était lui-même le Soleil de Justice, mais une lumière moindre alimentée par lui. Enfin quand l'Apôtre déclare : « *Parmi eux, vous êtes comme des luminaires dans le monde* », il montre que c'est en participant à la *vraie Lumière* qu'ils sont lumière du monde, car il ajoute : « *en retenant le Verbe de Vie* ». Cette présence en eux de la Lumière

39 elle-même correspondrait / à la lune; le Seigneur, en effet, n'a pas dit : ' Vous êtes les lumières du monde ', mais *la lumière*, car l'unité qu'ils ont tous entre eux fait qu'ils sont une seule lumière, étant l'Église.

38, 1. Tout le développement suivant provient d'Origène ; cf. *Hom. in Gen.* I, 7 (*GCS* 29, p. 9, 10-17; *SC* 7bis, p. 42).

38, 2. Pour ORIGÈNE aussi la lune désigne l'Église : cf. *Hom. in Gen.* I, 7 (*GCS* 29, p. 8, 18-19; *SC* 7bis, p. 40).

[39] Καὶ οἱ ἀστέρες δὲ τούτων ἂν ὑπάγοιν|το τῷ Λόγῳ
5 ὑπερανα6εϐηκότες τοὺς ἄλλους κατὰ τὴν ἀλλη|[5]γορίαν, οὓς
καὶ φωτίζουσιν. Οἵτινες ἂν εἶεν προφῆται πρὸ | τῆς ἀνατολῆς
τοῦ ἡλίου αὐγὴν ἐκπέμποντες τὴν τῆς προ|[7]αναφωνήσεως.
Ἐκεῖνος γοῦν ἀνατείλας κατηύγασεν τὸ | ὅλον, καὶ ἓν
φῶς τὰ πάντα ἀπέδειξεν [διὰ τὸ] τοὺς μετέ|[9]χοντας φῶς
10 ἀποδειχθῆναι τέλειον. Εἴρη[ται γὰρ] ὅτι ἐκλάμ|ψουσιν οἱ
δίκαιοι « *ὡς ὁ ἥλιος ἐν τῇ βασιλείᾳ τ[οῦ] πατρὸς ἑαυτῶν* »,
|[11] οὐχ ‘ἥλιος’, ἀλλ’ *ὡς ὁ ἥλιος*, καθὰ καὶ ἐν τῷ Ἄισμ[α]τι
εἴρηται | περὶ τῆς μετασχούσης τοῦ φωτός · « *Τίς αὕτη ἡ
ἐκκύπτουσα* |[13] *ὡσεὶ ὄρθ<ρ>ος καλή, ὡς σελήνη ἐκλεκτή,
ὡς ἥλιος θάμϐος* ; » | Καὶ θεώρει ὅτι προκοπαί τινες διὰ
15 τούτων δηλοῦνται · πρῶ|[15]τον γὰρ *ὄρθ<ρ>ος* γίνεται, ἔπειτα
ὡς σελήνη ἐκλεκτὴ ἀντὶ | τοῦ πλήρης καὶ ἀνελλιπὴς κατὰ
τὴν πλησιφαῆ, — εἰ γὰρ καὶ |[17] ἡ αὐτή ἐστιν, διχότομός τε
οὖσα καὶ μηνοειδὴς καὶ ἀμφί|κυρτος, ἀλλ’ ἡ τελεία αὐτῆς
κατάστασις ἡ κατὰ τὸ πλησι|[19]φαές ἐστιν, ᾧ τὴν νύμφην
20 εἰκάζει —, μεθ’ ἃ καὶ *ὡς ἥλιός* | ἐστιν αὕτη, *θάμϐος* διὰ τὴν
πολλὴν προκοπὴν καὶ ἕνωσιν. |[21] Οἱ οὕτως γινόμενοι φῶς
οὐκ ἐκ κατασκευῆς εἰσιν τοιοῦ|τοι, ἀλλ’ ἐκ μετουσίας τοῦ
ἀληθινοῦ φωτός.
Οἳ καὶ χωρίζουσι |[23] « *ἀνὰ μέσον τῆς ἡμέρας* » καὶ « *ἀνὰ
μέσον τοῦ σκότους* », τὴν κα|κίαν καὶ τὴν ἀρετὴν διαιροῦντες,
25 καὶ οὕτω καταλάμποντες |[25] τοὺς ἐπὶ γῆς, οἵτινες οὔπω διὰ
πράξεως οὐράνιοί εἰσιν. Ση|μαίνουσίν τε *καιροὺς* καὶ *ἡμέρας*
καὶ μῆνας καὶ *ἐνιαυτοὺς* κα|[27]ταλλήλους, τὸ μέτρον ἑκάστου
40 γνωρίζοντες καὶ πῶς ἔχει ὅδε |[1] πρὸς παίδευσιν, καθὰ καὶ
(III, 8) τὸν ἰατρόν φαμεν λέγειν εἶναι | καιρὸν τροφῆς πρὸς τὸ πῶς
ἔχει ὁ τρεφόμενος σκοποῦντα · |[3] καὶ γὰρ ἐσθότε νυκτὸς
τρέφει ὁ τῇ ἰατρικῇ χρώμενος.

39, 6 εκπεμποντ⟦ο⟧`ε´ς ‖ 7 ανατιλας ‖ 11 ασμ[.]τει ‖ 16 ⟦ε⟧α-
νελλιπης ‖ 22 αληθεινου ‖ 24 διε`αι´ρουντας P² ‖ 25 ουρανειοι ‖ **40,** 1
πε`αι´δευσιν P²

39, 10 Matth. 13, 43 ‖ 12 Cant. 6, 10 ‖ 23 Gen. 1, 14

39, 1. De même ORIGÈNE, *Hom. in Gen.* I, 7 (*GCS* 29, p. 8, 20-25).

Quant aux *étoiles* parmi eux, elles peuvent évoquer allégoriquement ceux qui sont montés par le Verbe plus haut que les autres et qui, en outre, les illuminent; il s'agit sans doute des prophètes[1] qui émettent un rayon avant le lever du soleil : le rayon de la prophétie.

Le fait est qu'en se levant le Soleil a éclairé l'univers et manifesté que tout était une seule lumière, parce que ceux qui participent à lui sont apparus comme une lumière parfaite. L'Écriture dit en effet que les justes brilleront « *comme le soleil dans le royaume de leur Père* » : ils ne sont pas le Soleil, mais *comme le soleil*, de même qu'il est écrit dans le Cantique au sujet de celle qui participe à la Lumière : « *Qui est celle-ci qui apparaît belle comme une aurore, comme une lune choisie, comme un soleil, objet d'étonnement?* » Remarque les progrès indiqués dans ce texte : elle est d'abord *aurore*, puis *comme une lune choisie*, c'est-à-dire une lune pleine et entière comme à la pleine lune — car, bien que la lune soit la même au premier et au dernier quartier, son état parfait est celui de la pleine lune, et c'est à lui que l'Écriture compare la fiancée —, ensuite elle est *comme un soleil, objet d'étonnement*, à cause de ses grands progrès et de son unité... Ceux qui deviennent lumière à ce degré ne sont pas tels par nature, mais par participation à la *vraie Lumière*.

A leur tour, ils partagent « *par le milieu le jour et les ténèbres* », en séparant le vice de la vertu et en éclairant de la sorte ceux qui sont sur la terre, c'est-à-dire qui ne sont pas encore célestes dans leurs actions. Ils indiquent aussi les *saisons*, les *jours*, les *mois* ou les *années* selon les cas, en faisant connaître à chacun son degré d'avancement et **40** le point où il en est / de son éducation, de même qu'on dit d'un médecin qu'il prescrit le moment de la nourriture en regardant comment se porte celui qui doit la prendre; et il arrive même qu'on s'alimente la nuit quand on suit un traitement.

[40] | Σημαίνει οὖν ὁ *ἥλιος δικαιοσύνης* καὶ ἡ σὺν αὐτῷ
5 λεχθεῖ|[5]σα σελήνη καὶ οἱ ἀστέρες καιρὸν τοιοῦτον οἷον καιρὸν | μαθημάτων, καιρὸν προκοπῆς, καιρὸν εἰσαγωγῆς, σημαί|[7]νουσιν δ[ὲ καὶ] αὐτὰ τὰ πράγματα, — ὅταν γὰρ φωτισθῇ τις, | καθαρὰ [αὐτ]ὰ τὰ ὑποκείμενα πράγματα —, οὐ τότε τοῦ *ἡ|[9]λίου τῆ[ς δι]καιοσύνης* ὑποστάντος ὅτε καὶ
10 σημαίνει, | ἀλλ' ὄντος ἀϊδίως, σημαίνοντος δὲ ὅτε οἱ προσίοντες |[11] χειραγωγίας δέονται. Διὸ καὶ ἐν *τετάρτῃ ἡμέρᾳ* γεγενῆ|σθαι λέγονται, τοῦ γεγενῆσθαι κατ' ἀλληγορίαν τὴν |[13] πρὸς τὰ λογικὰ σχέσιν δηλοῦντος. Ὡς γὰρ προείρηται, ἐν | δυνάμει ὄντες ἀρετῆς, χρῄζομεν τῶν ἐναγόντων εἰς
15 |[15] αὐτὴν ἐνέργειαν τῶν ἀρετῶν, ἥτις ἐκ τετράδος εἰς | δεκάδα ἔρχεται. Δυνάμει γὰρ δεκὰς ἡ τετράς, ὡς ἤδη |[17] δέδεικται · κατὰ γὰρ τὴν τῆς τετράδος σύνθεσιν ἡ δε|κὰς ἀπαρτίζεται.

Στερέωμα δέ, ἐν ᾧ οἱ φωστῆρες γίνον|[19]ται, τὴν πίστιν
20 ἐκδεκτέον καὶ τελείαν ἀρετήν, ἣν ἔχων | ὁ ψαλμῳδὸς ἔλεγεν · « *Καὶ ἐγένετο Κύριος ἀντιστήριγμά μου.* » |[21] Καὶ περὶ τῆς ἐκκλησίας λέγεται · « *Τίς αὕτη ἡ ἀναβαίνουσα,* | *ἐπιστηριζομένη ἐπὶ τὸν ἀδελφιδὸν αὐτῆς* ; » Ἄνευ γὰρ τοῦ |[23] Λόγου οὐχ οἷόν τε εἶναι τὴν ἐκκλησίαν · οὗτος γὰρ ταύτης | στήριγμα καὶ θεμέλιος ὑπάρχει.

25 Οὗτοι δὲ αὐτοὶ οἱ φωστῆρες |[25] *εἰς σημεῖά* εἰσιν, κατὰ μὲν τὸ ῥητὸν πολλάκις ἢ βασιλείαν | σημαίνοντες ἢ αὐχμοὺς
41 ἢ ἐπομβρίας ἤ τι τῶν ἄλλων κατὰ |[1] τὸ χρήσιμον μεγάλων,
(III, 9) κατὰ δὲ ἀναγωγήν, ὡς εἴρηται, τὰς | προκοπάς, πολλάκις δὲ καὶ τὴν τῆς ψυχῆς ἐρημίαν · καὶ τοῦτο |[3] γὰρ ὑποδεικνύουσιν οἱ φωστῆρες κατ' ἀλληγορίαν.

40, 8 τ⟦ω⟧ˋοˊτε || 9 οτ⟦αι⟧ˋεˊ || 11 ⟦α⟧ˋεˊν || 13 λογ⟦ε⟧ικα || 15 ⟦πα⟧ˋτετˊραδος P^2 || 16 ερχεται ($ε_2$ refait sur α) || 21 εκλησιας || η (refait sur ν) || αναβαινουσα+blanc (5 lettres) || 22 επιστηριπομενη || 23 εκλησιαν || 24 δˋεˊ || 25 πολλακ⟦ε⟧ις || **41,** 1 κ⟦αι⟧ατα || 3 υποδεικνυˋουˊσιν P^2

40, 4 Cf. Mal. 3, 20 || 9 Cf. Mal. 3, 20 || 20 Ps. 17, 18 || 21 Cant. 8, 5

40, 1. Cf. p. 35, 18.
40, 2. L'addition 1+2+3+4 donne 10.

Le *Soleil de Justice*, la lune nommée avec lui, les étoiles « indiquent » donc une époque de cette sorte : l'époque de la connaissance, l'époque du progrès, l'époque des débuts. Ils indiquent aussi les actes eux-mêmes, car lorsque quelqu'un est illuminé, les actes mêmes qui dépendent de lui sont purs. Toutefois le *Soleil de Justice* ne commence pas d'exister au moment où il indique, mais il existe éternellement et n'indique qu'au moment où ceux qui recourent à lui ont besoin qu'il les guide. Voilà pourquoi l'Écriture dit que les luminaires ont été faits le *quatrième jour*, le verbe « être fait » désignant allégoriquement leur relation aux êtres raisonnables. Comme on l'a expliqué plus haut, nous sommes en puissance de vertu et nous avons besoin de gens qui nous incitent à l'acte même des vertus, ce qui revient à passer de la tétrade à la décade, puisque la tétrade est décade en puissance comme on l'a déjà montré[1] : l'addition de la tétrade donne en effet la décade[2].

Le *firmament* où sont les luminaires doit s'entendre de la foi et de la vertu parfaites que le psalmiste possédait quand il disait : « *Le Seigneur est devenu mon ferme appui.* » Il est dit aussi de l'Église : « *Quelle est celle-ci qui monte en s'appuyant fermement sur son bien-aimé?* » Sans le Verbe, en effet, il ne peut pas y avoir d'Église; il est son ferme appui et son fondement.

Ces luminaires même servent *de signes*; au sens littéral, ils indiquent souvent un règne, une sécheresse, des pluies **41** ou quelque autre événement aux / répercussions importantes[1]; au sens anagogique, ils indiquent les progrès de l'âme, comme on l'a dit plus haut[2], et souvent aussi sa disette, car c'est encore là une chose qu'ils donnent à entendre allégoriquement.

41, 1. Philon, *De opif.* 59, énumère tous les faits météorologiques et agricoles dont les astres sont le signe. Le texte de Didyme ajoute que les astres peuvent indiquer « un règne », allusion à l'étoile des mages.

41, 2. Cf. p. 39, 25 à 40, 1.

[41] Οὗτοι δὲ καὶ | τοὺς *ἐπὶ γῆς* φωτίζουσιν · ὅσοι γὰρ μὴ
5 δύνανται ἀκράτου τοῦ |[5] τελείου φωτὸς μετασχεῖν διὰ τοῦ
τῶν ἁγί[ων] φω[τ]ίζονται. | Καὶ Μωσῆς τοῦτο διδάσκων
φησίν · « *Κἀγὼ ἔστην [ἀ]νὰ μέσον* |[7] *Κυρίου καὶ ὑμῶν* »,
τὰς ὑμῶν ἱκεσίας τῷ Θεῷ ἀναφ[έρ]ων, τὰς δὲ | παρ' αὐτοῦ
χάριτας διακονῶν ὑμῖν. Οὕτω καὶ ὁ Σωτὴρ ἄνθρωπος
γενόμε|[9]νος *μεσίτης* ἐστὶν *Θεοῦ καὶ ἀνθρώπων* · Θεὸς γὰρ
10 ὢν τῷ | Πατρὶ ἡμᾶς συνάπτει, ἄνθρωπος δὲ γενόμενος
τρόπον τινὰ ὡς |[11] φιλάνθρωπος ἅπερ ἤκουσεν παρὰ Πατρὸς
ταῦτα καὶ λαλεῖ ἡμῖν. | Τῶν ὑποδεεστέρων τοῦ ἡλίου
φώτων εἴη ἂν καὶ ὁ νόμος, περὶ |[13] οὗ εἶπεν ὁ ψαλμῳδός ·
« *Λύχνος τοῖς ποσίν μου ὁ νόμος σου* », | δηλῶν ὅτι φωτίζει
15 ὁ νόμος τὰς προκοπὰς καὶ διαβάσεις |[15] τῆς ψυχῆς. Οὕτω
φωτισθεὶς καὶ Παῦλός φησιν · « *Ὡς ἐν ἡμέρᾳ εὐ|σχημόνως
περιπατήσωμεν* » · ἐν Χριστῷ γὰρ ὄντες οἱ τοιοῦτοι |[17] αὐτοῦ
εἰσιν λέγοντες ἕκαστος · « *Ζῶ δὲ οὐκέτι ἐγώ, ζῇ δὲ ἐν
ἐ|μοὶ Χριστός* », καί · « *Οἶδα ἄνθρωπον ἐν Χριστῷ.* »
Οὕτω γὰρ φῶς ἐκ φωτὸς γίνον|[19]ται, ὥστε διὰ τῆς διδασκαλίας φωτίζειν τοὺς ἄλλους.

20 Δεῖ | δὲ τὸ *ἔθετο* ὡς σημαῖνον τὸ ' ἀποδεῖξαι ' ἐκλαβεῖν
ὡς ἐὰν |[21] λέγηται περὶ τοῦ Σωτῆρος ὅτι ὁ Πατὴρ αὐτὸν
ἔθετο κληρόνομον | *πάντων* ἀντὶ τοῦ ' ἀπέδειξεν ' · οὐ γὰρ
ὕστερον πεποίηκεν |[23] αὐτὸν κληρόνομον, ἀλλ' ὄντα ἐφανέρωσεν.

« *Καὶ εἶδεν ὁ Θεὸς* | *ὅτι καλόν.* » Καλὸν γὰρ καὶ τὸ ὑπὸ
25 αἰσθητοῦ φωτίζεσθαι φωτός, |[25] καὶ πολλῷ πλέον ὑπὸ νοητοῦ.

41, 5 τελιου ‖ 8-9 γενομε|μενος ‖ 10 συ⟦.⟧ναπτει (⟦.⟧ gratté) ‖ 13 λυχνο⟦ν⟧`ς' ‖ 14 διαβα⟦λλ⟧`σ'εις ‖ 19 διδασκαλειας

41, 6 Deut. 5, 5 ‖ 9 I Tim. 2, 5 ‖ 11 Cf. Jn 8, 25.28 ‖ 13 Ps. 118, 105 ‖ 15 Rom. 13, 13 ‖ 17 Gal. 2, 20 ‖ 18 II Cor. 12, 2 ‖ 21 Hébr. 1, 2 ‖ 23 Gen. 1, 18

En outre, ils illuminent ceux qui sont *sur la terre*. Tous ceux qui ne peuvent participer à la lumière absolument parfaite sont illuminés en effet par la lumière des saints. Moïse l'enseigne quand il dit : « *J'ai été établi entre le Seigneur et vous* » pour faire monter vers lui vos supplications et être auprès de vous le ministre de ses grâces. De même le Sauveur s'étant fait homme est « *médiateur entre Dieu et les hommes* » : étant Dieu, il nous unit au Père et, s'étant fait homme, il nous dit en quelque sorte, dans sa condescendance, les paroles qu'il a entendues du Père. Parmi les lumières inférieures au Soleil, il faudrait mettre aussi la Loi dont le Psalmiste a dit : « *Ta loi est une lumière pour mes pas* », en montrant ainsi que la Loi illumine les progrès de l'âme passant d'un état dans un autre. Paul avait reçu cette illumination lorsqu'il déclarait : « *Marchons avec dignité comme en plein jour.* » Car ceux qui lui ressemblent, étant dans le Christ, appartiennent au Christ, et chacun d'eux peut dire : « *Ce n'est plus moi qui vis mais le Christ vit en moi* » ou encore : « *Je connais un homme dans le Christ.* » Ils deviennent ainsi une lumière issue de la Lumière, en sorte qu'ils illuminent les autres par leur enseignement[3].

Les mots « *Dieu les a placés* » doivent s'entendre dans le sens de « les a montrés », de même qu'il est dit du Sauveur que le Père « *l'a placé comme héritier de toutes choses* », au lieu de « montré ». Car il ne l'a pas fait héritier après coup, mais il a fait connaître qu'il l'était.

« *Et Dieu vit que c'était beau.* » Il est beau d'être illuminé par la lumière sensible et combien plus par la lumière spirituelle.

41, 3. Didyme s'inspire probablement encore d'Origène, dont la spiritualité fait une place importante à la fonction de « maître » (διδάσκαλος) ; pour lui l'homme parfait, le spirituel ne vit pas à l'écart, mais il enseigne pour communiquer à autrui la lumière qu'il a acquise ; cf. ORIGÈNE, *Hom. in Jer.*, Introduction.

[41] | **I, 20-23. Καί εἶπεν ὁ Θεός· Ἐξαγαγέτω τὰ ὕδατα ἑρπετὰ ψυχῶν ζωσῶν |[27] καὶ πετεινὰ πετόμενα ἐπὶ τῆς γῆς κατὰ τὸ**
42 **στερέωμα τοῦ οὐρανοῦ. |[1] Καὶ ἐγένετο οὕτως. Καὶ ἐποίησεν**
(III, 10) **ὁ Θεὸς τὰ κήτη τὰ μεγάλα καὶ πᾶ|σαν ψυχὴν ζῴων ἑρπετῶν, ἃ ἐξήγαγεν τὰ ὕδατα κατὰ γένη αὐ|[3]τῶν, καὶ πᾶν πετεινὸν πτερωτὸν κατὰ γένος. Καὶ εἶδεν ὁ Θεὸς ὅτι | καλά. Καὶ ηὐλόγησεν αὐτά, ἕως τοῦ ἡμέρα πέμπτη.**

5 Ἐπεὶ προηγου|[5]μένη κτίσις ἐστὶν τῶν ἐπὶ γῆς ἡ κατὰ τοὺς ἀνθρώπους ζῷα θνη|τὰ τυγχάνον[τα]ς, ἀκολούθως τὰ ἄλλα ζῷά τε καὶ φυτὰ διὰ τὴν |[7] αὐτοῦ χρείαν δεδημιούργηται· τὰ μὲν γὰρ εἰς τροφήν, τὰ δὲ εἰς θε|ραπείαν ἑαυ[τ]οῦ παραλαμβάνει· ἔστιν δ' ἕτερα τὰ μὲν εἰς τὸ ἀχθο|[9]φορεῖν,
10 τὰ δὲ εἴς τινα αὐτοῦ χρείαν γεγενημένα· οὐδὲν γὰρ εἰκαί|ως ὑπέστη. Λέγει οὖν ὁ Θεός· « *Ἐξαγαγέτω τὰ ὕδατα ἑρπετὰ ψυχῶν* |[11] *ζωσῶν καὶ πετεινὰ πετόμενα ἐπὶ τῆς γῆς.* » Ἔδει γὰρ καὶ ταῦτα διὰ | τὴν ἀνθρώπων ὑποστῆναι χρείαν.

Ἑρπετὰ δὲ τὰ σώματα αὐτῶν εἰ|[13]πὼν ψυχὰς ζώσας τὰς πάσας λέγει· κἂν γὰρ ἄλογος ᾖ, ἀλλὰ ζω|τικὴν δύναμιν τῷ
15 σώματι παρέχει συμφθειρομένη αὐτῷ, τῆς τοῦ |[15] ἀνθρώπου καὶ μετὰ τὴν τοῦ σώματος διάλυσιν ὑφισταμένης.

Τῶν *πε|τεινῶν* δὲ τῶν μὲν ὑψιπετῶν ὄντων, τῶν δὲ πλειόνων ταπει|[17]νὴν ἐχόντων τὴν πτῆσιν, μάλιστα τῶν πρὸς τροφὴν τοῖς ἀνθρώποις | ἀπονεμηθέντων, ἀπὸ τοῦ πλεονάζοντος εἴρηται· « *καὶ πετεινὰ* |[19] *πετόμενα ἐπὶ τῆς γῆς* ». Εἰκὸς
20 γὰρ αὐτὰ διὰ τοῦτο μηδὲ εἰς ὕψος κα|τὰ τὸν ἀετὸν καὶ τὰ ὅμοια ἵπτασθαι, ἵν' εὐχείρωτα ᾖ τοῖς ἀνθρώποις, |[21] δι' οὓς καὶ γέγονεν.

41, 26 θεος (en toutes lettres avec tilde) ‖ **42,** 3 ἴδεν ‖ 5 ⟦αι⟧ανους ‖ 14 συνφθειρομενη ‖ 15-16 πετινων ‖ 20 η⟦ν⟧

42, 10 Gen. 1, 20 ‖ 21 Gen. 1, 20

42, 1. Cf. ORIGÈNE, *De princ.* II 8, 1 (*GCS* 22, p. 152, 16 à 153,

I, 20-23. **Et Dieu dit : Que les eaux produisent des reptiles pourvus d'âmes vivantes et des volatiles volant sur la**
42 **terre près du firmament du ciel. / Et ainsi fut fait. Et Dieu fit les grands cétacés et toute âme d'animaux reptiles que les eaux produisirent selon leur genre et tout volatile ailé selon son genre. Et Dieu vit que c'étaient de belles choses et il les bénit,** jusqu'à : **cinquième jour.**

Puisque, parmi les êtres qui sont sur la terre, la création des hommes, qui sont des animaux mortels, est la création principale, il s'ensuit que les autres animaux et les plantes ont été créés pour l'utilité de l'homme. Il prend en effet les uns pour se nourrir, d'autres pour se soigner; d'autres encore ont été faits pour porter les fardeaux ou pour quelque autre de ses besoins. Car rien n'existe sans raison. Dieu dit donc : « *Que les eaux produisent des reptiles pourvus d'âmes vivantes et des volatiles volant sur la terre* », car il fallait que ces êtres existent aussi pour l'utilité de l'homme.

Après avoir appelé *reptiles* leur corps, il appelle toutes leurs âmes *âmes vivantes*, car, bien que leur âme soit sans raison, elle fournit du moins à leur corps une puissance vitale[1]; et elle meurt avec lui, tandis que celle de l'homme survit à la dissolution du corps.

Quant aux *volatiles*, comme les uns volent dans les hauteurs et que les autres plus nombreux volent bas, surtout ceux qui ont été attribués aux hommes pour leur nourriture, le texte, envisageant le plus grand nombre, parle de *volatiles volant sur la terre*. Il y a une bonne raison à ce qu'ils ne volent pas dans les hauteurs comme l'aigle et ses semblables : c'est pour que leur capture soit facile aux hommes pour qui ils ont été créés.

19) qui commente le même verset en expliquant que tous les animaux ont une âme, mais une âme qui n'est pas douée de raison, qui est seulement une « substance vitale » (p. 153, 12 : *substantia uitalis*).

[42] « *Κατὰ τὸ στερέωμα* » δὲ « *τοῦ οὐρανοῦ* » εἴρηται, οὐχ ὅ|τι πλησιάζει ἱπτάμενα τούτῳ, ἀλλ' ὅτι ὑπ' αὐτό εἰσιν, εἰ καὶ μὴ φθά|[23]νουσιν ἐκεῖ. Αὐτίκα γοῦν καὶ τὰ νέφη τὰ φέροντα τὸν ὑετὸν *οὐρανοὺς* | καλεῖ ἡ γραφὴ καὶ τὸν ὑετὸν
25 οὐρανόθεν ἔρχεσθαι, καίτοι τῶν νεφῶν |[25] περὶ τὸν ἀέρα συνισταμένων, ἀφ' ὧν καὶ ὁ ὑ<ε>τὸς φέρεται, ἅτινα νέ|φη οὐ πλέον δεκὰ σταδίων ὑπὲρ γῆς λέγεται εἶναι, ὑπὲρ νεφῶν |[27] πολλάκις ὀρῶν εὑρισκομένων καὶ τῶν νεφῶν αὐτοῖς ἐπικειμένων. | Λύεται οὖν τοῦτο τῷ πολλάκις τὸν ἀέρα καὶ
43 *οὐρανὸν* καλεῖσθαι καὶ στε|[1]ρέωμα.
(III, 11) Τὸ δὲ « *καὶ ἐγένετο οὕτως* » ὁμοίως τοῖς φθάσασιν νοητέον.

Τί δὲ | « *καὶ ἐποίησεν ὁ Θεὸς τὰ κήτη τὰ μεγάλα* » ; Σημειωτέον ὡς οὐ λέγει περὶ τῶν |[3] κητῶν ὅτι ' ἐξαγέτω τὰ ὕδατα κήτη ', ἀλλ' ὅτι αὐτὸς αὐτὰ πεποίηκεν. Ὑπερ|μεγέθη δὲ ταῦτα τυγχάνει, καθὰ καὶ οἱ ἱστορήσαντες ὑπερθαυμά-
5 ζου|[5]σιν, ὡς καὶ νήσοις λέγειν αὐτὰ ἐμφερῆ εἶναι, εἰς ἃ πολλάκις φασὶν | ὀξεληλυθέναι ἀνθρώπους ὡς εἰς χέρσον οἰομένους ἐξιέναι, τότε μόνον |[7] γινώσκοντες ὅτι κήτη εἰσίν, ὅτε αὐτὰ κινούμ̣ενα παρέχει τὴν αἴ|σθησιν.

Πρόσσχες δὲ ἔτι καὶ τῷ « *ἐποίησεν ὁ Θεὸς τὰ κήτη τὰ μεγάλα* |[9] *καὶ πᾶσαν ψυχὴν ζῴων ἑρπετῶν* », ὅτι τὰ μὲν
10 | ὕδατα ἐξάγει αὐτῶν τὰ σώματα, αὐτῶν λέγω τῶν ἀπὸ τῶν ὑδάτων |[11] συστάντων, τὰ δὲ κήτη μετὰ τῶν ἄλλων ζῴων ποιεῖ | Θεὸς τὴν ζωτικὴν αὐτοῖς παρέχων δύναμιν, οὐ δήπου τῶν σωμάτων |[13] προυποκειμένων καὶ οὕτω ψυχουμένων, — οὐ γὰρ ἔχει χωρὶς τὴν ζωὴν | ἡ τῶν ἀλόγων

42, 22-23 φθαν|νουσιν ‖ 24 καλ`ε´ι ‖ 27 επεικ`ε´ιμενων ‖ 28 κα⟦ικ⟧λ`ε´ισθαι ‖ **43,** 1 ⟦εσ⟧τι ‖ 2 και dépasse en marge ‖ 7 κεινουμ̣ενα ‖ ⟦ε⟧`αι´σθησιν ‖ 8 προσχες ‖ 9 ψυχην+ζωσαν την ερπουσαν ‖ 11 μετα+των ⟦ψυχων⟧

42, 23 Deut. 11, 11 ‖ **43** 1 Gen. 1, 20 ‖ 2 Gen. 1, 21 ‖ 9 Gen. 1, 21

42, 23-24 Proc. 101 B 3-4 ‖ **43,** 12-17 Proc. 101 C 3-7

Le texte dit : « *près du firmament du ciel* » : non pas que les oiseaux soient proches de lui dans leur vol, mais parce qu'ils sont au-dessous de lui, bien qu'ils ne l'atteignent pas. Le fait est que dans l'Écriture les nuages qui apportent la pluie portent le nom de *cieux*, et la pluie est dite venir du ciel; pourtant les nuages se tiennent seulement dans l'atmosphère et c'est d'eux que vient la pluie; ils ne sont pas à plus de dix stades au-dessus de la terre, dit-on, puisque souvent des montagnes sont au-dessus des nuages et que les nuages s'appuient sur elles. La solution de ce passage c'est donc que l'atmosphère est souvent désignée par les noms de *ciel* et de *firmament*.

43 Quant à la parole : « *Et ainsi fut fait* », il faut l'entendre comme précédemment.

Pourquoi y a-t-il : « *Et Dieu fit les grands cétacés* » ? On observera que Dieu ne dit pas à propos d'eux : ‘ Que les eaux produisent des cétacés ’ mais qu'ils les a faits lui-même. Ils sont d'une taille extraordinaire, dont les naturalistes restent confondus, au point de les comparer à des îles; ils rapportent que souvent des hommes font voile vers eux en croyant faire voile vers une terre ferme, et ne reconnaissent que ce sont des cétacés qu'au moment où ceux-ci se manifestent en bougeant[1].

Remarque encore la phrase : « *Dieu fit les grands cétacés et toute âme d'animaux reptiles* »; les eaux produisent leurs corps — je veux dire les corps de ceux qui sont nés des eaux —, mais Dieu fait les cétacés avec les autres animaux en leur donnant la puissance vitale. Ce n'est certes pas que leurs corps préexistent puis soient animés, car l'âme des bêtes n'a pas la vie à part du corps[2]; mais parce que leurs

43, 1. Le même trait chez Basile, *Hom. in Hexam.* VII, 6 (*PG* 29, 161 B).

43, 2. Cf. Basile, *ibid.*, VII, 2 (*PG* 29, 168 A), qui cite *Lév.* 17, 11 : « L'âme de tout animal est son sang »; la même parole est alléguée par Origène à propos du même verset de la *Genèse* dans *De princ.* II, 8, 1 (*GCS* 22, p. 153, 2). Didyme reprend l'idée plus bas, p. 48-49.

[43] ψυχή, — ἀλλ' ὅτι, ἅμα αὐτῶν ὑποστάντων θελήματι Θεοῦ,
15 |[15] τὰ μὲν σώματα ἐκ τῶν ὑδάτων ἐξεληλυθέναι λέγει ἡ γραφή, τὰς | δὲ ψυχὰς τὸν Θεὸν πεποιηκέναι, ὅ ἐστιν τὴν ψύχωσιν καὶ τὴν κίνη|[17]σιν, οὐκ ἀπὸ τῶν ὑδάτων ἀλλ' ἐκ βουλήματος τοῦ Θεοῦ τοιούτου.

| Σαφὲς δὲ καὶ τὸ « *κατὰ γένη αὐτῶν* », νοουμένου ἐνταῦθα τοῦ εἴδους ἀν|[19]τὶ τοῦ *γένους*.

« *Καὶ εἶδεν* » φησιν « *ὁ Θεὸς ὅτι καλά.* » Ἐπὶ μὲν γὰρ
20 τῶν | προλαβόντων εἴρηται « *ὅτι καλὸν* » διὰ τὸ ἢ ἓν εἶναι τὸ γινόμενον ἢ ἐν ἑνὶ τοῦ κόσμου |[21] μέρει συστῆναι · ἐπειδὴ δὲ τὰ νῦν διαφόρους χώρας εἴληχεν, ὡς τὰ μὲν | αὐτῶν εἶναι ἀεροπόρα, τὰ δὲ ἔνυδρα, ἀκολούθως τὸ « *εἶδεν ὁ Θεὸς ὅτι* |[23] *καλὰ* » εἴρηται.

« *Καὶ ηὐλόγησεν αὐτὰ ὁ Θεός.* » Τί δήποτε, ἐν τοῖς ἄλλοις τοῖς | πρὸ τούτων μὴ προσκειμένης εὐλογίας, ἐνταῦθα
25 εἴρηται · « *Καὶ ηὐλόγη*|[25]*σεν αὐτὰ ὁ Θεός* » ; Καὶ ὅρα γε μὴ ἄρα διὰ τὸ ἐξ αὐτῶν διαδοχὴν συνίσθασθαι | τοῦτο προσετέθη. Οὐδὲ γὰρ κατὰ τοὺς ἀνθρώπους εὐλογοῦνται, περὶ ὧν εἴρηται · |[27] « *Εὐλογητὸς ὁ Θεὸς καὶ Πατὴρ τοῦ Κυρίου ἡμῶν Ἰησοῦ Χριστοῦ ὁ εὐλογήσας ἡμᾶς ἐν πά|σῃ εὐλογίᾳ πνευματικῇ ἐν τοῖς ἐπουρανίοις* » · αὗται δὲ *πνευματικαί* εἰσιν νοῦ |[29] καὶ τοῦ ἔσω ἀνθρώπο[υ] ἁπτόμεναι,
30 αἵτινες τοῖς ἀλόγοις οὐκ ἐγγίνονται · προσε|τέθη γὰρ τὸ *πνευματικῇ*, ἐμφαῖνον ὅτι καὶ σωματικαί εἰσιν εὐλογίαι,
44 οἷον ὑγεῖα |[1] εὐεξία σώματος καὶ τὰ ἀδιάφορα.
(III, 12) Τὴν αὔξησιν οὖν ἣν προσέταξεν ἐν | τοῖς ζῴοις γίνεσθαι καὶ τὸ πλῆθος *εὐλογίαν* ἐκάλεσεν. Τὸ δὲ « *ἐν ταῖς θα*|[3]*λάσσαις* » ἁπλούστερον καὶ περὶ λιμνῶν καὶ ποταμῶν εἴρηται, ἀπὸ

43, 16 κ'ε'ίνησιν ‖ 17 τοιουτου + blanc (6 lettres) ‖ 19 ἴδεν ‖ 21 επειδη (η refait sur ει) ‖ 22 ἴδεν ‖ 23 ⟦ε⟧'υ'λογησεν ‖ 24 προκειμενης (η refait sur α) ‖ 24-25 ευλογησεν ‖ 29 απ'τ'ομαι ‖ 30 εμφενον ‖ υγια ‖ **44,** 2 ευλογι'α'ν

corps et leurs âmes viennent ensemble à l'existence par la volonté de Dieu, l'Écriture dit que les corps sont sortis des eaux et que Dieu a fait les âmes, c'est-à-dire leur animation et leur mouvement, car les choses de cette sorte ne viennent pas des eaux mais de la volonté de Dieu.

Les mots « *selon leur genre* » sont clairs, *genre* étant pris ici pour espèce.

« *Et Dieu vit que c'étaient de belles choses.* » Pour les êtres précédents, il était dit « *que c'était une belle chose* », parce que ce qui était créé était unique ou se trouvait dans une seule partie du monde ; mais comme les êtres dont il s'agit maintenant ont reçu en partage des contrées diverses, en sorte que les uns parcourent les airs et que les autres sont dans les eaux, il était logique de dire : « *Dieu vit que c'étaient de belles choses.* »

« *Et Dieu les bénit.* » Pourquoi donc, alors que pour les êtres précédents il n'était pas ajouté de bénédiction, est-il dit ici : « *Et Dieu les bénit* »? Vois si la raison de cette addition n'est pas que ceux-ci doivent avoir une descendance. Car ils ne sont pas bénis à la façon des hommes dont Paul déclare : « *Béni soit Dieu, le Père de notre Seigneur Jésus-Christ, qui nous a bénis de toute bénédiction spirituelle dans les biens célestes* » : ce sont là des bénédictions *spirituelles* qui atteignent l'intellect et l'homme intérieur et qui n'ont pas lieu pour les êtres sans raison. L'addition du mot *spirituelle* montre bien qu'il existe aussi des **44** bénédictions corporelles, par exemple la santé, / une belle conformation du corps et les choses indifférentes.

Ce que ce verset appelle *bénédiction*, c'est donc la croissance et la multiplication que Dieu a ordonné qu'il y ait chez les animaux. « *Dans les mers* » est une simplification

43, 19 Gen. 1, 21 || 23 Gen. 1, 22 || 27 Éphés. **1, 3** || **44,** 2 Cf. Gen. 1, 22

[44] 5 τῶν | μειζόνων θελήσαντος δηλῶσαι πᾶν ὕδωρ. |[5] Ἀκολούθως δὲ περὶ τῶν πετεινῶν εἴρηται τὸ « *ἐπὶ τῆς γῆς* » διὰ τὸ πλησιάζειν ταῦτα τῇ γῇ· οὐ γὰρ ἐδύναντο εἰς τὸν αἰθέρα τὴν διατριβὴν |[7] ἔχειν διὰ τὴν τούτου θερμότητα.

« *Καὶ ἐγένετο ἑσπέρα καὶ ἐγένετο* | *πρωΐ, ἡμέρα πέμπτη* », καὶ εἰκότως· ἔπρεπεν γὰρ τὰ πολὺ τῆς αἰσθήσεως |[9] μετέχοντα ἄλογα ζῷα ἐν τῇ πεντάδι δηλούσῃ τὰς αἰσθήσεις
10 γενέ|σθαι. Κἂν γὰρ ἄνθρωποι αἰσθήσεως κοινωνῶσιν, ἀλλ' ἔχουσιν τὸ μεῖ<ζ>ον τῆς |[11] αἰσθήσεως, τὸν νοῦν καὶ λογισμόν, τῶν ἀλόγων περὶ μόνην αἴσθησιν | ἐχόντων.

Ταῦτα μὲν οὖν πρὸς τὸ ῥητόν· πρὸς δὲ ἀναγωγὴν ἡ κακία |[13] ἐν τοῖς προλαβοῦσιν ἀλληγορίας νόμῳ *ὕδωρ* εἴρηται, μάλιστα ὅτε | παρετιθέμεθα. « *Ὕδωρ πολὺ οὐ*
15 *δυνήσεται σβέσαι τὴν ἀγάπην* »· τοῦτο |[15] δὲ οὐκ ἀπὸ τοῦ αἰσθητοῦ συμβαίνει, ἀλλ' ἀπ' ἐκείνου ἀφ' οὗ σπάνις | ἀρετῆς εἶναι εἴρηται ἐκ τοῦ « *διὰ τὸ πληθυνθῆναι τὴν ἀνομίαν* |[17] *ψυγήσεται ἡ ἀγάπη τῶν πολλῶν* ». Οὐκοῦν μὴ ἀνομία τὸ ὕδωρ ἐστὶ | τὸ πειρώμενον σβέσαι τὴν διάθεσιν τὴν ἀγαπητικήν; Αὕτη γὰρ |[19] τὸ μῖσος ἐγείρουσα ἐκκλείει τὰ
20 τῆς ἀγάπης, ἥτις ἐκ τοῦ κοινωνικοῦ | καὶ ἡμέρου, ἅπερ φύσει τοῖς ἀνθρώποις ὑπάρχει, συνέστηκεν.

Βούλεται οὖν |[21] ὁ Θεὸς ἐκ τῶν ὑδάτων τῶν ἑρμηνευθέντων ἔξω γενέσθαι τὰ *ἑρπε|τὰ* καὶ τὰ *πετεινά*, ἅπερ διαφορὰς

44, 4 μ`ε΄ιζονων ‖ υδωρ+blanc (20 lettres) ‖ 5-6 πλησειαζειν ‖ 6 ⟦ε⟧`αι΄θερα ‖ διατρ⟦ε⟧ιβην ‖ 8 ⟦ε⟧`αι΄σθησεως ‖ 9 δηλουση ($\eta_2$ refait sur αι) ‖ 10 μι⟦ζ⟧ον ‖ 11 αισθησεων ‖ 18 π`ε΄ιρωμενον ‖ 19 εγειρουσα (ε_1 refait sur αι) ‖ 20 φυσι ‖ 21-22 ερπατα

44, 7 Gen. 1, 23 ‖ 14 Cant. 8, 7 ‖ 16 Matth. 24, 12

44, 1. Même idée chez Basile, *Hom. in Hexam.* VII, 1 (*PG* 29, 148 B ; *SC* 26, p. 390-392). Le texte de Didyme et celui de Basile encore plus clairement font écho à la parole d'Aristote, *Hist. anim.* I, 1, 7 (487 A 26) : Τῶν δ' ἐνύδρων τὰ μέν ἐστι θαλάττια, τὰ δὲ ποτάμια, τὰ δὲ λιμναῖα, τὰ δὲ τελματαῖα. Origène cite souvent l'*Histoire des animaux* (3 fois dans les *Homélies sur Jérémie,* 4 fois dans le *C. Celse,* cf. l'index des éditions). On admet généralement que

qui s'applique aussi aux étangs et aux fleuves[1], l'Écriture voulant désigner par les plus grandes masses d'eau toute espèce d'eau. Et c'est avec raison qu'au sujet des volatiles il est dit « *sur la terre* », parce qu'ils s'approchent de la terre; ils ne pouvaient pas, en effet, passer tout leur temps dans l'air à cause de sa chaleur.

« *Et il y eut un soir et il y eut un matin : cinquième jour* »; à bon droit, car il convenait que les animaux sans raison, qui participent beaucoup à la sensation, fussent faits dans la pentade qui indique les sens[2]. Les hommes, en effet, tout en participant à la sensation, ont ce qui est plus important que la sensation : l'esprit et le raisonnement, tandis que les animaux sans raison restent dans le seul domaine de la sensation.

Voilà pour la lettre. En ce qui concerne le sens anagogique, le vice a déjà été appelé *eau*, d'après la loi de l'allégorie, dans les pages précédentes[3], spécialement lorsque nous avons cité la parole : « *Beaucoup d'eau ne pourra pas éteindre la charité* » : ce n'est pas là un effet de l'eau sensible mais de celle d'où provient la raréfaction de la vertu, d'après la parole : « *Parce que l'injustice se multipliera, la charité de beaucoup se refroidira.* » N'est-ce donc pas l'injustice, cette *eau* qui s'efforce d'éteindre le sentiment de la charité ? C'est elle, en effet, qui, en éveillant la haine, empêche l'exercice de la charité, laquelle consiste dans la communion et la douceur, choses conformes à la nature humaine.

Dieu veut donc que les *reptiles* et les *oiseaux* sortent des eaux que nous venons d'expliquer ; ces deux catégories font allusion à des manières différentes de se conduire :

Basile a lu lui-même un épitomé de l'*Histoire des animaux* d'Aristote. Il est possible que Didyme ait simplement trouvé ces mots dans le commentaire d'Origène.

44, 2. L'idée vient de PHILON : *De opif.* 62, et plus nettement encore *De plant.* 133.

44, 3. Cf. p. 19, 19.

[44] τρόπων αἰνίττεται, τῶν μὲν εἰς |[23] τὰ βάθη τῆς κακίας φθασάντων καὶ διὰ τοῦτο καταπεφρονηκότων, — | *ἀσεβὴς* γὰρ ἐμπεσὼν *εἰς βάθος κακῶν καταφρονεῖ*, — δίκην *ἑρπετῶν*
25 |[25] περὶ τὰ γήϊνα εἰλυμένων καὶ συνεχομένων τῷ πλήθει τούτου | τοῦ *ὕδατος*, περὶ οὗ εἴρηται · « *Ἄρα διῆλθεν ἡ ψυχὴ ἡμῶν τὸ ὕδωρ τὸ* |[27] *ἀνυπόστατον* », ἅπερ τοῦ τοιούτου καὶ τοσούτου κακοῦ ἐλευθερῶσαι | ὁ εὐεργέτης βούλεται, τῶν δὲ ἐσφαλμένας νοήσεις ἐχόντων |[29] *πετεινῶν* καλουμένων
30 διὰ τὸ δῆθεν περὶ μετέωρα ἔχειν καὶ τῶν | ἄλλων ἀνθρώπων περιττὸν δοκεῖν διανοεῖσθαι, ἅπερ καὶ αὐτὰ ἔξω ταύτης |[31] τῆς καταστάσεως γενέσθαι βούλεται ὁ φιλάνθρωπος Θεός,
45 ὅπως τὴν |[1] σύνεσιν, ἣν εἰς ἃ μὴ χρὴ κατεδαπάνησαν,
(III, 13) ἁρμόσωσιν εἰς τὰ δέοντα | καὶ πρέποντα λογικῇ φύσει, ἵν' οὕτως ἀπολαβῶσιν τὸ οἰκεῖον τῆς πτήσεως |[3] τῆς θείας, ἀφ' ἧς καὶ ἡ παρατροπὴ γέγονεν.

Κήτη δὲ *μεγάλα* ἦσαν | κατὰ νόμους ἀλληγορίας αἱ
5 πονηραὶ δυνάμεις, διάβολος καὶ οἱ ἄγγελοι |[5] αὐτοῦ, οἵτινες *δράκοντες* παρὰ τῇ γραφῇ λέγονται, δηλαδὴ καὶ τοῦ | διαβόλου πολλῷ πλέον ταύτῃ καλουμένου τῇ προσηγορίᾳ. Πρὸς τὸν Σωτῆρα |[7] γοῦν τρόπῳ ὑμνῳδίας λέγεται · « *Σὺ συνέτριψας τὰς κεφαλὰς τοῦ δρά|κοντος, σὺ συνέτριψας τὰς κεφαλὰς τῶν δρακόντων ἐπὶ τοῦ ὕδατος.* » |[9] Σαφὲς δὲ ὅτι ταῦτα παρὰ τοῦ Θεοῦ γέγονεν, οὐ καθὸ φαῦλα τυγχάνει,
10 ἀλ|λὰ κατὰ τὸ οὐσιῶδες αὐτῶν ὑποκείμενον. Οὐ γὰρ διάβολον ἢ δαίμο|[11]νας, καθὸ τοιοῦτοί εἰσιν, ὁ Θεὸς πεποίηκεν, ἀλλ' αὐτοὶ ἑαυτοῖς τὴν ἀ|πώλειαν ἐπεσπάσαντο · ἀγγέλους γὰρ τοὺς μὴ τηρήσαντας τὴν ἑ|[13]αυτῶν τάξιν ἡ γραφὴ

44, 22 ενιττεται ‖ 25 γηεινα ‖ ειλυσμενων ‖ **45,** 2 οικ`ε'ιον ‖ 3 ⟦ει⟧ησαν ‖ 4 αλληγορειας ‖ 10 υποκ`ε'ιμενον ‖ 11-12 απωλιαν ‖ 13 ταξ⟦ε⟧ιν

44, 24 Cf. Prov. 18, 3 ‖ 26 Ps. 123, 5 ‖ **45,** 7 Ps. 73, 14.13

45, 1. Même exégèse chez ORIGÈNE, *In Ioh.* I, 17 (17), § 96 : ... δράκοντα, ὀνομαζόμενον δέ που καὶ « μέγα κῆτος » (cf. *Job* 3, 8), qui cite lui aussi le *Ps.* 73, 13-14 à propos du diable dans *De orat.* 27, 12 (*GCS* 3, p. 371, 5) ; *Com. in Matth.* XVI, 26 (*GCS* 40, p. 563, 33).

45, 2. Cf. ORIGÈNE, *C. Celse* IV, 65, 32 : « Les démons ne sont pas

les uns ont atteint les abîmes du vice et à cause de cela ne font cas de rien — car *l'impie* tombé *dans l'abîme du mal ne fait cas de rien* —; ils se roulent dans les choses terrestres à la façon des *reptiles* et se maintiennent dans la multitude de cette *eau* dont il est dit : « *Alors notre âme a traversé l'eau sans consistance* », mais le Bienfaiteur veut les délivrer d'un si grand mal; les autres, qui ont des pensées vacillantes, sont appelés *oiseaux* parce qu'ils s'occupent de choses en l'air et semblent penser autrement que les autres hommes, mais le Dieu indulgent veut aussi les tirer de cet état et **45** faire en sorte qu'après avoir épuisé / leur intelligence sur ce qu'il ne faut pas, ils l'ajustent à ce qui est nécessaire et convenable pour une nature raisonnable, afin de récupérer l'aptitude au vol divin dont ils s'étaient détournés.

Les *grands monstres*, d'après les lois de l'allégorie, sont les puissances perverses, le diable et ses anges qui sont appelés souvent *dragons* dans l'Écriture, dénomination qui, évidemment, s'applique à plus forte raison au diable, comme dans cette hymne qui s'adresse au Sauveur : « *Tu as broyé les têtes du dragon, tu as broyé les têtes des dragons sur l'eau*[1]. » Il est clair que ces monstres ont été faits par Dieu, non pas en tant qu'ils sont méchants, mais quant à leur substance essentielle. Dieu n'a pas fait le diable ou les démons en tant qu'ils sont tels, mais ce sont eux qui ont attiré sur eux-mêmes leur perte[2]; l'Écriture affirme en effet qu'ils sont des anges qui n'ont pas conservé leur rang[3]. Que le diable

des créatures en tant que démons mais seulement en tant qu'ils sont doués de raison » ; *In Ioh.* XX, 24 (20, § 202 : le démon n'est pas « d'une autre οὐσία » que les anges. Sur les démons déchus, voir encore : *De princ.* I, 6, 3 (début) ; *In Ioh.* I, 17 (17), § 97, etc.

45, 3. Les textes scripturaires traditionnellement cités à ce sujet sont *Jude* 6, et *Gen.* 6, 12 ; cf. ORIGÈNE, *In Ioh.* VI, 42 (25), § 217 ; *C. Celse* V, 55, 2 ; *In Matth.* XV, 27 (*GCS* 40, p. 430, 27 ; 431, 8). L'expression de Didyme « qui n'ont pas conservé leur rang » fait écho à *Jude* 6, μὴ τηρήσαντας τὴν ἑαυτῶν ἀρχήν, mais le changement de ἀρχὴν en τάξιν prouve que Didyme cite soit de mémoire, soit de seconde main à travers Origène.

[45] φησιν. Ὅτι δὲ *κῆτος* ὁ διάβολος εἴρηται, ἐν | τῷ Ἰὼβ περὶ αὐτοῦ λέγεται · « *Ὁ μέλλων τὸ μέγα κῆτος χειρώσασθαι* »,
15 |[15] ὑπ' αὐτοῦ δὲ ἐκάμφθησαν κήτη τὰ ὑπ' οὐρανόν.

Δύναται δὲ καὶ τὸ | « *ἐποίησεν αὐτὰ ὁ Θεὸς* » δηλοῦν τὸ ʽ ἀπέδειξεν ʼ · πολλάκις γὰρ ἡ γραφὴ τὸ |[17] ποιῆσαι ἀντὶ τοῦ ἀποδεῖξαι σημαίνει, ὡς ἐν τῷ « *Ἐὰν εἴπωμεν ὅτι οὐ|χ ἡμαρτήκαμεν, ψεύστην ποιοῦμεν αὐτόν* », οὐχ ὅτι ἡμεῖς δημιουργοὶ |[19] τοῦ Θεοῦ γινόμεθα, ἀλλ' ἀποδείκνυμεν
20 αὐτὸν τὸ ὅσον εἰς ἡμᾶς ψεύ|στην. Τὸ αὐτὸ παρίσταται καὶ ὑπὸ τοῦ εἰρημένου πρὸς Ἰουδαίων ὅτι « *Σὺ* |[21] *ἄνθρωπος ὢν ποιεῖς σεαυτὸν Θεόν* », ἀντὶ τοῦ ʽ ἀποδεικνύεις ʼ. Τοῦτο δὲ ποι|εῖ Θεὸς καὶ ἀποδείκνυσιν τὰς π[ο]νηρὰς δυνάμεις καὶ φανεροῖ ταύτας, |[23] ἵνα μὴ λανθάνοντες ἀμέτρως βλάπτωσιν καὶ ἵνα οἱ πρὸς αὐτοὺς | ἔχοντες τὴν *πάλην* γινώσκωσιν
25 αὐτούς · οὕτω γὰρ καὶ καταφρονῆ|[25]σαι αὐτῶν συμβαίνει.

Ταῦτα δὲ *ἔξω τῶν ὑδάτων* βούλεται εἶναι Θεὸς | ὀλίγον αὐτὰ τέως ὡς ἐν εἰσαγωγῇ ἀρετῆς ἀποστῆναι κακίας θέ|[27]λων, — οὐ γὰρ ὁ ἐν κακίᾳ καὶ τοσαύτῃ γε ἀθρόαν δέχεται τὴν μετά|στασιν ἐπὶ τὸ τέλειον, ἀλλὰ κατὰ προκοπὴν καὶ ἐπίδοσίν τινα προσλαμ|[29]βάνων ἀεί τι τῆς ἀρετῆς, — ἵν' οὕτω ἐκ τοῦ ἐπὶ γῆς ἵστασθαι καὶ *πετεινὰ* οὐρανοῦ
30 | γένωνται κατὰ τοὺς ἀκούοντας · « *Ἐὰν κοιμηθῆτε ἀνὰ*
46 *μέσον τῶν κλήρων* |[1] *πτέρυγες περιστερᾶς περιηργυ<ρω>μέναι*
(III, 14) *καὶ μετάφρενα αὐτῆς ἐν* | *χλωρότητι χρυσίου* », κλήρους λέγων τὰς διόδους τῶν ὑδάτων |[3] ὡς ἐν τῷ « *Ἰσαὰκ τὸ*

45, 16 απ`ε'δ`ε'ιξεν P² ‖ 18 ημ`ε'ις P² ‖ 19 αποδ`ε'ικνυμεν ‖ 20 ιουδ⟦ε⟧`αι'ων P² ‖ 23 ⟦ε⟧ινα$_1$ ‖ ⟦ε⟧ινα$_2$ ‖ 25 υδατω`ν' P² ‖ ⟦ο⟧θεος ‖ 27 αθροαν (refait sur ααροον) ‖ 28 τελιον ‖ 29 `πε'τ`ε'ινα P² ‖ 30 κοιμηθητε (ε refait sur αι) ‖ **46**, 2 χρυσι⟦α⟧`ου' P²

45, 14 Job 3, 8 ‖ 17 I Jn 1, 10 ‖ 20 Jn 10, 33 ‖ 24 Cf. Éphés. 6, 12 ‖ 30 Ps. 67, 14 ‖ **46**, 3 Gen. 49, 14

45, 4. Origène insistait lui aussi sur le fait que le passage du mal au bien se fait progressivement, « peu à peu » : *De princ.* IV, 4, 10

ait été appelé *monstre*, c'est ce qu'on peut voir dans cette parole de Job le concernant : « *Celui qui va maîtriser le grand Monstre* »; et par lui ont été soumis les monstres qui sont sous le ciel.

« *Dieu les fit* » peut signifier : Dieu les déclare. Car souvent, l'Écriture emploie *faire* pour « déclarer », par exemple : « *Si nous disons que nous n'avons pas de péché, nous le faisons menteur* », pour dire, non pas que nous devenons des créateurs de Dieu, mais que nous le déclarons menteur, autant, du moins, que cela est en notre pouvoir. On a la même chose dans cette parole dite par les Juifs : « *Toi qui es homme, tu te fais Dieu* », au lieu de ' tu te déclares Dieu '. C'est ce que Dieu fait : il montre les puissances perverses et les manifeste, afin qu'elles ne causent pas d'immenses dommages en demeurant cachées, mais que ceux qui *sont en lutte* contre elles les connaissent, car, ainsi, on arrive même à les mépriser.

Dieu veut que ces monstres soient *en dehors des eaux* : aussi longtemps qu'ils sont des débutants dans la vertu, il désire qu'ils s'éloignent un peu du vice — car celui qui est dans le vice, et à ce degré de vice, ne peut pas passer tout d'un coup à la perfection, mais par des progrès et accroissements il reçoit sans cesse un petit supplément de vertu[4]; de la sorte ils cesseront de se tenir *sur terre* et deviendront des oiseaux du ciel à la manière de ceux à qui s'adresse cette parole : « *Si vous dormez au milieu des* **46** *parts d'héritage,* / *ailes argentées de la colombe et sa nuque d'un vert d'or* », où les *parts d'héritage* évoquent les traversées des eaux[1] comme dans cet autre texte : « *Isaac a désiré*

(37) (*GCS* 22, p. 363, 26) : « In deo quidem hae omnes uirtutes semper sunt nec umquam accedere possunt aut recedere, ab hominibus uero paulatim et singulae quaeque conquiruntur » ; cf. III, 6, 6 (p. 287, 23-26).

46, 1. Allusion aux « traversées » de la mer Rouge et du Jourdain lors de l'entrée des Hébreux dans la terre qui leur était donnée « en héritage ».

[46] *καλὸν ἐπεθύμησεν ἀναπαυόμενος ἀνὰ μέ|σον τῶν κλήρων* »,
5 οἵτινες εἶεν ἥ τε παλαιὰ καὶ καινὴ διαθήκη |[5] πτεροῦσαι τὸν ἀνὰ μέσον αὐτῶν διαναπαυόμενον καὶ συμβάλ|λοντα τὰ προειρημένα τῇ τούτω[ν ἐ]κβάσει ὡς πτέρυγας ἔχειν |[7] *περιστερᾶς*, ᾗ εἰκασθὲν τὸ ἅγιον [Π]νεῦμα ἐπὶ τὸν Ἰησοῦν κατελήλυθεν. | Αὗται αἱ *πτέρυγες* νοήσεις [εἰ]σὶν δίαρμα καὶ μέγεθος οὐρά|[9]νιον ἔχουσαι, ἀπὸ τούτου καὶ *περιστεραὶ*
10 καλούμεναι, καθὰ | καὶ τὴν νύμφην οὕτως ὀνομάζ[ει] ὁ μνηστευσάμενος αὐτὴν |[11] λέγων · « *Περιστερά μου τελεία μου.* » Καὶ περὶ τῶν ἁγίων δὲ εἴ|ρηται · « *Τίνες οἵδε ὡς νεφέλαι πέτονται καὶ ὡς περιστεραὶ σὺν* |[13] *νεοσσοῖς ;* » *νεοσσοὺς* λέγων *περιστερῶν* τοὺς ὑπὸ τοῖς | τελείοις μαθη-
15 τευομένους, οἷος Παῦλος *περιστερὰ* τυγχά|[15]νων καὶ ἔχων *νεοττὸν* Τιμόθεον καὶ Πέτρος τὸν εὐαγ|γελιστὴν Μάρκον. Καὶ ἐπὶ τ[ῶ]ṿ παλαιῶν δὲ ἀνεγρά[φ]η|[17][σά]ν τινες *υἱοὶ προφῃτῶν*, οὕστινας *νεοσσοὺς περιστε|ρῶν* τῶν προφητῶν λέγῳν ọὐκ ἂν ἁμάρτοις. Οἱ αὐτοὶ δὲ |[19] κατ' ἄλλο καὶ
20 ἄλλο *νεοττοὶ* λέγονται καὶ *νεφέλαι* · ᾗ γὰρ | φέρουσιν ὑετὸν θεῖον καὶ πνευμạτικόν, τοῦτον τοῖς ἄλλοις παρα-|[21]πέμποντες εἰς ὠφέλιαν, *νεφέλαι* τυγχάνουσιν, ᾗ δὲ τυποῦν|ται κατὰ τὴν τοῦ ἁγίου Πνεύματος μετουσίαν, *περιστεραὶ* ὑπάρχου|[23]σιν, αἵτινες *περιηργυ*<*ρω*>*μέναι* εἰ[σί]ν, λόγῳ θείῳ κεκοσμημέναι, | ἐκ τῶν θειῶν πεπαιδευμέναι
25 γραφῶν. Ὅτι γὰρ ὁ ἄργυρος σημαί|[25]νει τὸν λόγον, δῆλον ἐκ τοῦ « *ἄργυρος πεπυρωμένος γλῶσσα δι|καίου* ». Οὐ γὰρ ἡ αἰσθητὴ ἄργυρος, ἀλλ' ἐπεὶ ὄργανον λόγου ἐστὶν ἡ γλῶσ|[27]σα, αὐτοῦ καὶ σύμβολον εἴλημπται. Οὗτος δὲ *πεπύρωσται* ἅτε
47 οὐ πε|[1]ρὶ τῶν τυχόντων ἀλλὰ τοῦ φωτὸς τοῦ οὐρανίου
(III, 15) διαλαμβάνων, | οὗ *ἦλθεν* Ἰησοῦς *ἐπὶ γῆς βαλε[ῖ]ν θέλων*

46, 4 τ⟦αι⟧'ε' ‖ παλ⟦ε⟧'αι'α ‖ 8 αι⟦δε⟧ (α refait sur un δ) ‖ πτερυγε⟦ι⟧ς ‖ 11 αγειων ‖ 13 νεοσσους (σσ refaits sur χ) ‖ 14 τελιοις ‖ ⟦.⟧'οιο'σ⟦υν⟧'πα'υλος P² ‖ 15-16 ⟦τ⟧ο⟦ν⟧ ευαγγελιστης 'ν' ‖ 17 ουστιν⟦ο⟧'α'ς P² ‖ 25-26 δικ⟦ε⟧'αι'ου ‖ 26 εσθητη ‖ **47,** 1 βαλ'ε'[.]ν

46, 11 Cant. 5, 2 ‖ 12 Is. 60, 8 ‖ 17 III Rois 21, 35 ; IV Rois 2, 3 etc. ‖ 25 Prov. 10, 20 ‖ **47,** 2 Cf. Lc 12, 49

ce qui est bien en se reposant au milieu des parts d'héritages. » Il s'agit de l'Ancien et du Nouveau Testaments, car ils donnent des ailes à celui qui se repose au milieu d'eux et qui compare les prophéties avec leur réalisation, de manière à avoir les ailes de la *colombe*, laquelle est l'image du Saint-Esprit descendu sur Jésus : ces ailes, ce sont des pensées qui ont une élévation et une hauteur célestes, et de là vient qu'on parle de *colombes*, de même que l'Épouse est appelée de ce nom par l'Époux : « *Ma colombe, ma parfaite.* » Il est dit encore au sujet des saints : « *Qui sont ceux-là? Ils volent comme des nuages et comme des colombes avec leurs petits* »; les *petits* des *colombes* désignent les disciples des parfaits : par exemple, Paul est une *colombe* et il a Timothée pour petit, et Pierre a l'évangéliste Marc. Chez les saints de l'Ancien Testament, il est fait mention de *fils de prophètes*; tu ne risques guère de te tromper en disant que ce sont des *petits de colombes*, celles-ci étant les prophètes. *Petits de colombes* et *nuages* désignent les mêmes personnages mais sous des rapports différents : en tant qu'ils portent une pluie divine et spirituelle et qu'ils la transmettent aux autres pour leur utilité, ils sont des *nuages*[2]; mais en tant qu'ils sont marqués de la participation au Saint-Esprit, ils sont des *colombes*, lesquelles sont *couvertes d'argent*, c'est-à-dire ornées de la Parole divine, parce qu'elles sont instruites dans les saintes Écritures. Que l'*argent* signifie la Parole, c'est manifeste d'après cette sentence : « *La langue du juste est de l'argent embrasé.* » La langue sensible n'est pas de l'argent, mais, parce qu'elle est l'instrument de la Parole, elle est prise aussi pour son symbole. Et la Parole est *embrasée* en tant qu'elle **47** ne traite pas de choses quelconques mais / de la lumière céleste que Jésus est *venu jeter sur terre en souhaitant*

46, 2. Symbolisme origénien ; cf. *Hom. in Jer.* VIII, 5, 2-6.

[47] *ἤδη αὐτὸ ἐξαφθῆναι.* |[3] Ἀλλὰ καὶ αἱ τοῖς ἀποστόλοις φανεῖσαι *γλῶσσαι ὡσεὶ πυρός,* | *αἳ καὶ ἐκάθισαν ἐφ' ἕνα*
5 *ἕκαστον αὐτῶν,* τὸν θεῖον λό|[5]γον καὶ διδακτικὸν σημ̣[αί]-νο[υ]σιν. Καὶ τὰ *μετάφρενα* δὲ τούτων | ἢ τῶν περιστερῶν *ἐν χ[λωρότη]τι χρυσίου* διακεκόσμηνται, δη|[7]λουμένου διὰ μὲν τοῦ *χ[ρυσίο]υ* τοῦ νοῦ, διὰ δὲ τῆς *χλωρότητος* | τοῦ ζωτικοῦ καὶ ἀμαρά̣[ντου].

Ὅσοι οὖν σοφίᾳ κεκόσμηνται, |[9] καθ' ἣν βούλεται Θεὸς
10 τ[ὰ ἑρπ]όμενα ἀπὸ τῶν ὑδάτων ἀφε|λέσθαι, οὗτοι *περιστερ[αί εἰσι]*ν ἕτερον νοῦν ἔχοντες, πτεροῖς |[11] τῆς ἀληθείας ὑψούμενοι καὶ ἀεὶ τὸ *ζωοποιὸν Πνεῦμα* ἐν ἑαυτοῖς | ἔχοντες. Ταῦτα δ' αὐτὰ καὶ *εὐλογεῖ* Θεός, ὅπως ἐπίδοσιν *πλή|[13]θους καὶ αὐξήσεως* δέχωνται, *πλήθους* μὲν ἵνα μιμητὰς ἄλ|λους ἀποδείξωσιν, *αὐξή[σε]ως* δὲ ὅπως ἀεὶ αὐτοὶ τῇ προκο̣π̣ῇ
15 |[15] τοῦ τελείου ἀγαθοῦ ἔρωτα ἔχωσιν.

Τὸ δὲ « *καὶ πληρώσατε τ[ὰ ὕ]|δα[τα]* » σημαίνοι ἂν ὅτι μ̣ηκέ[τι] ὑμεῖς βύθιοι τυγχάνετε [συμ]|[17]πν[ιγ]όμενοι τοῖς τῆς ἁμαρτίας δεσμοῖς, ἀλλ' αὐτοὶ κρατο[ῦν]|τες αὐτῶν ὑπεράνω αὐτῶ‹ν› χωροῦντες διατελεῖτε · ἢ τάχα, ἐ|[19]πεὶ
20 τὸ ὕδωρ οἰκεῖαν ἔχει *πλήρωσιν* καὶ χρῆσιν τήν τε κάθαρ|σιν καὶ τὸ ποτίζειν συμπνίγειν τε καὶ συνέχειν, παραινεῖ ὅ|[21]τι τῶν ὑπ' αὐτοῦ παρὰ πρόθεσιν κα̣ὶ̣ παρὰ σκοπὸν συμβαινόντων | ἀποστάντες, τοῦ συνέχεσθαι λέγω κα̣ὶ συμπνίγεσθαι, ταῖς σει|[23]ραῖς τῶν ἁμαρτιῶν συσφιγγο[μέ]ν̣ους, πρὸς ἐκεῖνα χωρεῖτε, | τό τε ποτίζεσθαι ἀπὸ ὕδατος κ̣[α]θαροῦ καὶ μὴ
25 συμπνίγοντος |[25] καὶ τὸ καθαίρεσθ̣αι παντὸς ἀπαλλαττόμενοι ῥύπου, πληροῦν|τες ταύτας τὰς ἐνεργείας το[ῦ] ὕδατος, ποτιζόμενοι ἀπὸ |[27] ἀθ̣ανά̣τ̣ου ὕδατος καὶ καθαιρόμε[νο]ι, ἀλλὰ μ̣ὴ συνεχόμενοι.

Τὸ | δ̣ὲ̣ « *Κ̣α̣ὶ̣ ἐγένετο ἑσπέρα καὶ ἐγένετο πρωΐ, ἡμέρα*

47, 3-4 πυρος | ⟦ρος⟧ ‖ 4 εκαθ⟦ε⟧ι⟦δ⟧`σ'αν ‖ 5 διδακτειкον ‖ 15 τελιου ‖ πληρωσαται ‖ 16 υμ`ε'ις ‖ τυγχανεται ‖ 18 διατελ`ε'ιται ‖ 19 οικ`ε'ιαν ‖ 20 συνπνιγειν ‖ 21 συμβενοντων ‖ 22 συνπνιγεσθαι ‖ 22-23 `σ'ειρες ‖ 23 συνσφιγγο[..]ν̣ους ‖ χωρ`ε'ιτε ‖ 24 συνπνιγοντος ‖ 26 τας+τα ‖ 27 καθ⟦ε⟧`αι'ρομε[..]ι ‖ 28 εγενετο₁+ 4 lettres grattées (πρωι ?)

qu'elle soit déjà allumée. Enfin, les *langues comme de feu* qui sont apparues aux apôtres et *se sont posées sur chacun d'eux* signifient la Parole divine qui enseigne. Et leurs *nuques*, je veux dire celles des colombes, ont été ornées d'*un vert d'or*, l'*or* représentant l'intelligence, et le *vert* ce qui est doué de vie et d'immortalité.

Tous ceux donc qui sont ornés de la Sagesse en vertu de laquelle Dieu veut enlever les reptiles des eaux sont des *colombes* parce qu'ils ont une autre intelligence, soulevés qu'ils sont par les ailes de la vérité[1] et ayant toujours en eux l'*Esprit vivifiant.* Et Dieu *bénit* même ces reptiles pour qu'ils reçoivent la faculté de s'adonner à la *multiplication* et à l'*accroissement* : à la *multiplication* d'une part en produisant d'autres personnes qui les imitent, à l'*accroissement* d'autre part, en ayant eux-mêmes sans cesse un désir passionné du progrès vers le bien parfait.

Quant à la parole : « *et remplissez les eaux* », elle peut signifier : Vous, ne soyez plus gens des bas-fonds, étouffés par les liens du péché, mais, vous maîtrisant vous-mêmes, employez votre vie à vous dépasser. Ou, peut-être, puisqu'il y a une manière propre à l'eau de *remplir* et d'être utile qui est de purifier et d'abreuver, d'étouffer et d'engloutir, la Parole nous adresse-t-elle cette invitation : Écartez-vous des effets de l'eau contraires à votre intention et à votre but, c'est-à-dire évitez d'être engloutis et étouffés en étant enserrés dans les liens du péché, et tendez vers les autres effets : être abreuvé d'une eau pure et qui n'étouffe pas, être purifié en quittant toute souillure; ' remplissez ' ces fonctions de l'eau en étant abreuvés d'une eau immortelle et purifiés, mais non engloutis.

Les mots « *Et il y eut un soir et il y eut un matin; ce*

47, 3 Cf. Act. 2, 3 || 5-6 Ps. 67, 13 || 11 Cf. Jn 6, 63 || 12-13 Cf. Gen. 1, 22 || 15 Gen. 1, 22

47, 1. Symbolisme qui remonte à PLATON, *Phèdre* 246 C.

48 *πέμπτη* » |[1] ο̣ὕ̣τ̣ω̣ς ἂ̣ν̣ ἐξομαλισθείη · πέρας ἔσχεν αὐτοῖς
(III, 16) ἡ τῶν αἰσθητῶν | ἡ̣μ̣έ̣ρ̣α̣ ἐ̣π̣ὶ τὰ νοητὰ χωροῦσιν · τέλος γὰρ
τῆς παρελθούσης ἡμέ|[3]ρας ἀρχὴν ποιεῖ τῆς διαδεχομένης.
Ἀφέντες οὖν αὐτοὶ τὰ | αἰσθητὰ ἐπὶ τὸ τέλειον χωροῦσιν,
5 [ὃ] δηλοῦται ὑπὸ τοῦ ἓξ ἀριθμοῦ · |[5] προκοπὴ γὰρ τῶν πέντε
κα̣τ̣ὰ τὸ προσεχὲς τὰ ἕξ. Ταῦτα δὲ οὐ|κ ἀριθμῷ δεῖ σκοπεῖν
ἀλλ[ὰ] κ̣α̣τ̣ὰ τοὺς λόγους τοὺς ἐν τοῖς |[7] ἀριθμοῖς, τῶν πέντε
δηλ[ο]ύ[ντω]ν τὰ αἰσθητά, τῶν δὲ ἓξ | ἐπὶ τοῦ παρόντος
τὴν τελειό[τητα].

|[9] **I, 24. Καὶ εἶπεν ὁ Θεός · Ἐξαγαγέτω ἡ γῆ [ψυχὴ]ν̣**
10 **ζῶσαν κατὰ γένος, τε|τράποδα καὶ ἑρπετὰ καὶ θηρ[ία].**

|[11] Ὡσαύτως τοῖς ἔμπροσθεν τὸ *εἶπε[ν ὁ Θεὸς]* ἐκλημπτέον,
εἶπεν δὲ | ἵνα ἐξαγάγῃ ἡ γῆ *ψυχὰς ζ[ώσας*, ὅ]π̣ερ δεικτικὸν
ὑπάρχ̣ε̣ι τοῦ |[13] συνεσπάρ̣θαι τοῖς σώμασιν τῶν ἀλ̣ό̣γ̣ων τὰς
αὐτῶν ψυχὰς ἅ|τε καὶ συμφθειρόμενας, τῶν ἀ[ν]θρωπίνων
15 οὐχ οὕτως ἐχου|[15]σῶν · καὶ μετὰ τὴν διάλυσιν γὰρ ἐπ̣ι̣δ̣ι̣α-
μένουσιν αὗται. Καὶ πρὸς | τοῦτο ὁμοδόξουσιν οἱ πολλοὶ καὶ
[τῶ]ν ἔξω τῆς πίστεως, ᾅδην |[17] εἶναι οἰούμενοι, περὶ οὗ
φαντασίαν μὲν ἀμυδρὰν ἔχουσιν | τὸ ὅλον ..μαινόμενον
... . διάκεινται δὲ ὁ̣[μ]ῶς |[19] εἶναι τοῦτ̣ο̣ν χωρίον τι
20 ἐ̣ν̣ [ᾧ] δια̣τ̣ρ̣ίβουσιν ψυχαὶ μετὰ τὴν | ἐντεῦθεν ἀπαλλαγήν.
Ἡ̣[γοῦ̣ν̣] π̣ρόσταξις περὶ ἀλόγων αἰ|[21]ν<ίσσ>εται ὅπ̣ως
ἐξαγάγῃ *ἡ γῆ ψυχὴν ζῶσαν κατὰ γένος, τετρά|ποδα καὶ*
ἑ̣ρπετὰ καὶ θηρία, ὑ[πο]β̣α̣λ̣λ̣ούσης τῆς προστάξεως |[23] ὡς
....η *γῆ* δύναμιν τῶν [ἐξ] α̣ὐ̣τῆς ἐξελευσομένων ἀλόγων
| ζῴων ἔχει, λόγου σπερματ̣ι̣κοῦ ἐνυπάρχοντος αὐτῇ τρόπον

48, 4 τελιον ‖ του refait sur ται ‖ 6 δει⟦ς⟧ ‖ 7 ⟦ε⟧ʽαιʼσθητα ‖ 8 τελιο[....] ‖ 11 ωσαυʽτωςʼ P² ‖ 14 συνφθειρομενας ‖ 17 οὗ : του ‖ ανυδραν ‖ 23 ὡς ἐκείνη ?

48, 21 Gen. 1, 24

48, 1. Cf. plus haut p. 44 (nombre 5), p. 33 (nombre 6).

48, 2. Plus haut p. 7.

48, 3. Thème traditionnel de l'apologétique contre les païens;

48 *fut le cinquième jour* » / peuvent être expliqués de la manière suivante. Le jour des choses sensibles eut une limite pour eux qui allaient aux choses intelligibles; la fin du jour écoulé permet en effet au jour suivant de commencer. Laissant donc les choses sensibles, ils se dirigent vers ce qui est parfait et qui est indiqué par le nombre 6. Le progrès qui vient immédiatement après 5 c'est en effet 6. Il ne faut pas regarder ces choses numériquement mais selon les raisons contenues dans les nombres, 5 désignant le sensible et 6, dans le cas présent, la perfection[1].

I, 24. **Et Dieu dit : Que la terre fasse sortir toute âme vivante, selon son espèce : quadrupèdes, reptiles et bêtes de la terre.**

Il faut comprendre « *Dieu dit* » comme plus haut[2]. Il dit que la terre fasse sortir des *âmes vivantes*, ce qui montre que les âmes des animaux sans raison ont été semées en même temps que leurs corps, parce qu'elles se corrompent aussi en même temps qu'eux. Il n'en va pas de même pour celles des hommes, car elles subsistent après la dissolution du corps. De cela conviennent la plupart des hommes, même parmi ceux qui sont étrangers à la foi; ils pensent qu'il y a un Hadès dont ils n'ont qu'une idée obscure [ ]; mais du moins sont-ils portés à croire qu'il y a un lieu où les âmes vivent après leur départ d'ici-bas[3].

Toujours est-il que l'ordre concernant les animaux sans raison est que *la terre fasse sortir toute âme vivante selon son espèce*, *quadrupèdes*, *reptiles et bêtes de la terre*, cet ordre suggère que la terre elle-même a en puissance les animaux sans raison qui sortiront d'elle parce qu'un principe spermatique est en quelque sorte en elle, ou

cf. THÉOPHILE D'ANTIOCHE, *Ad Aut.* II, 38 : « La Sibylle donc et les autres prophètes et encore les poètes et les philosophes ont parlé de la justice, du jugement et du châtiment. »

[48] 25 |[25] τινά, μᾶλλον δὲ ἐν τοῖς σπέρμασιν τῶν ζῴων, τούτου προσ|εχεστέρου κειμένου μόν[ου ὅτι] τὴν φανταστικὴν καὶ ὁρμη|[27]τικὴν κίνησιν αἱ τῶν ἀλόγων ψυχαὶ τοῖς σώμασιν παρέχουσιν, | σωματικαὶ ὑπάρχουσαι καὶ αὐταί, μᾶλλον δὲ

49 ἐν αὐτῷ οὖσαι |[1] τῷ σώματι καὶ ἐν τῇ τούτου συστάσει˙

(IV, 1) « *Ψυχὴ* » γάρ φησιν « *παντὸς* | *ζῴου αἷμα αὐτοῦ.* » [Τ]ὸ κοινὸν αὐτοῖς τό τε τρέφεσθαι, γρηγορεῖν, |[3] ὑπνοῦν, κάμνειν. Οὐ [π]ερὶ πάσης δὲ ψυχῆς ἐστι τὸ πρόσταγμα, | ἀλλὰ περὶ μόνων ἀλ[ό]γω[ν]˙ ἡ γὰρ τοῦ ἀνθρώπου ψυχὴ *κατ' εἰκόνα*

5 *καὶ ὁμοιότητα* |[5] Θεοῦ δεδημιούργηται, [ὡ]ς [ἐ]ν τοῖς ἑξῆς ἀκριβέστερον γνωσθή|σεται.

Εἶτα ἐπεὶ τ[ὰ ἐ]ξαγόμενα ἐκ τῆς γῆς ζῷα οὐκ εἰσὶν |[7] πάντα ὁμοειδῆ ἀλλ[ὰ κατὰ γ]ένη διαφόροις εἴδεσιν ὑποβεβλη|μένα, εἶπεν τὸ « *κατὰ γένος* », τοῦ « *καθ' ὁμοιότητα* » δηλοῦντος τὸ εἶ|[9]δος. Κοινὸν οὖν αὐτοῖς τὸ γένος˙ πάντα

10 γὰρ ἔμψυχα ἐξηλλαγ|μένα ὕπεισιν ταῖς οὐσ[ιώ]δεσιν διαφοραῖς˙ ἑτέρα γὰρ ἵππου |[11] καὶ βοὸς οὐσία καὶ τῶν [ἄλλ]ων ὁμοίως.

Τρισὶν δὲ πρόσταξις | γίνεται, *τετραπόδοις* τ[ε] καὶ *θηρίοις καὶ ἑρπετοῖς*, οὐ πάντων |[13] τετραπόδων καὶ θηρίων ὄ[ντ]ων. Εἴη ἂν οὖν καλῶν *τετράποδα* | μὲν νῦν ὅσα ἥμερα

15 καὶ ὑπηρετικὰ ἀνθρώπων, *θήρια* δὲ τὰ |[15] ἀτίθασα τετράποδα, *ἑρπετὰ* δὲ ὅσα ὀφιώδη, καὶ τούτων | δὲ αἱ διαφοραὶ οὐκ ἄγνωσ[το]ι τοῖς ἱστορήσασιν.

I, 24. Καὶ ἐγένετο οὕ|[17]τως.

Ἔδει γὰρ τὸ εἶναι ἀκ[ολου]θεῖν τῇ προστάξει. Διαπορήσειεν | δ' ἄν τις τί ἤδη τῷ ... . το « *καὶ ἐγένετο*

48, 27 κεινησιν ‖ **49,** 4 κ'αι ομοιοτητα' P² ‖ 8 δηλουτος ‖ 12 οὐ : ο⟦α⟧υ ‖ 13 ει'η' P² ‖ 16 'τοις' P² ‖ ⟦ι⟧ιστορησασιν

49, 1 Cf. Lév. 17, 11

48, 4. Cf. Origène, *De princ.* II, 8, 1 (*GCS* 22, p. 152, 19) à propos de l'âme des animaux : « Definitur namque anima hoc modo, quia sit substantia φανταστικὴ et ὁρμητικὴ... quod utique conuenit etiam de omnibus animalibus dici » ; Philon, *Leg. all.* II, 23 : Ψυχὴ δέ ἐστι

plutôt dans le sperme des animaux. Mais ce qu'il y a de plus sûr c'est seulement que les âmes des animaux sans raison confèrent à leurs corps le mouvement de l'imagination et de l'impulsion[4], car elles sont elles-mêmes corporelles ou, plus exactement, elles sont / dans le corps et font partie de sa composition, car, dit l'Écriture, « *l'âme de tout animal est son sang* »; les animaux ont en commun l'alimentation, l'état de veille, le sommeil et la fatigue. Ce commandement, toutefois, ne concerne pas toute âme, mais seulement les animaux sans raison, car l'âme de l'homme a été créée *à l'image et ressemblance* de Dieu, comme on l'apprendra d'une manière plus précise dans la suite.

49

Puis, comme les animaux sortis de la terre ne sont pas tous de la même espèce, mais de genres répartis entre des espèces différentes, il est dit : « *selon leur genre* », tandis que l'expression « *selon la ressemblance* » désigne l'espèce. Ils ont donc en commun le genre. Tous les êtres doués d'âme sont séparés en effet par des différences essentielles : autre est l'essence du cheval et autre celle du bœuf, et semblablement pour les autres.

Le commandement s'adresse à trois catégories : *quadrupèdes*, *bêtes sauvages* et *reptiles*, les *quadrupèdes* n'étant pas tous des *bêtes sauvages*. Il semble donc que l'Écriture appelle maintenant *quadrupèdes* tous ceux qui sont doux et serviables pour les hommes, *bêtes sauvages* les quadrupèdes non apprivoisés, et *reptiles* tous ceux qui ont forme de serpent; ces différences n'ont pas échappé aux naturalistes.

I, 24. **Et ainsi fut fait.**

Il fallait en effet que le commandement fût suivi de leur existence. Mais on pourrait se demander pourquoi, [ ]

φύσις προσειληφυῖα φαντασίαν καὶ ὁρμήν · αὕτη κοινὴ καὶ τῶν ἀλόγων ἐστιν.

[49] *οὕτως* » ἐπιφέρε|[19]ται τὸ « *καὶ ἐποίησεν Θ̣ε̣ός* ». Ạὐ̣ṭị́ḳạ
20 γοῦν ἐπεὶ κατὰ τὴν διαδοχὴν | τῶν ζῴων τὰ διάδοχα ẹ̀ν̣ τ̣ῇ
γ̣ενέσει ταύτῃ τὸ σπέρμα κατα|[21]βάλλει, μορφοῖ δὲ κ̣α̣ὶ̣
διαπλ̣ά̣ττει Θεός, τοῦτ' εἴρηται, προστάγμα|τος πρώτου
τυγχάνοντος, ἔ̣π̣ε̣ιτα τὸ ἐξαγαγεῖν τὸ σπέρμα τε|[23]λεσιουρ-
γοῦντος τ̣ο̣ῦ̣ Θεοῦ ... ... η ἐ̣ν̣ διαστάσει χρόνου
κατὰ | τὴν πρώτην δημ̣ι̣ο̣υ̣ρ̣γίαν ... . ἀλλὰ παραστατικὰ
25 ἡγοῦ ὅτι κα|[25]τὰ Θεοῦ δύναμ̣ι̣ν̣ ἡ̣ τ̣ο̣ῦ̣ σ̣π̣έ̣ρ̣μ̣ατ̣ο̣ς καταβολὴ
γίνεται καὶ ἡ | διάπλασις τοῦ ... ... ἐπ' ἀνθρώπ̣ο̣υ̣
Θ̣ε̣ό̣ς̣ φησιν πρὸς |[27] Ἰερεμίαν · « *Πρὸ τοῦ με πλάσαι σε ἐν*
50 *κοιλίᾳ ἐπίσταμαί σε.* » Διαφορὰ |[1] δὲ τῆς ὑπάρξεως τῶν ζῴων
(IV, 2) ποικίλη, τῶν μὲν ἐξ ἀρχῆς ἐκ γῆς καὶ ὑ|δάτων ἐσχηκότων
τὴν γένεσιν, τῆς δὲ διαδοχῆς ἑτερ̣ο̣ί̣ω̣ς γινο|[3]μένης · τὰ μὲν
γὰρ αὐτῶν ᾠοτόκα τυγχάνει, ἐξ ὧν τὰ ᾠὰ | ἔξεισιν, τὰ δὲ
5 ζωοτόκα, τῆς βουλή[σ]εως τοῦ Θεοῦ τὸν διάφορον τρό|[5]πον
παρασχομένης τῆς τούτων [ὑ]πά[ρ]ξεως.

Περὶ ὧν κ̣α̣ὶ̣ τὸ « *εἶδεν* | *ὁ Θεὸς ὅτι καλὰ* » εἴρηται, οὐ
καλόν · οὐ γὰ[ρ ἓν] ἦν ἔργον ἀλλὰ δ̣ι̣άφορα. |[7] Πρὸς ὅ τις
ἐνστήσεται λέγων ὡς ἐ[πὶ μ]ὲν τοῦ φωτὸς καὶ στερε|ώματος
καὶ ἡλίου καὶ τῶν ὁμοίων ἀκολούθως ἐπήνεκται « *ὅτι*
κα|[9]*λόν* », περὶ δὲ θηρίων καὶ ἰοβόλων ἑρπετῶν πῶς τὸ
10 « *ὅτι καλὰ* » | εἴρηται · φανερὸν γὰρ τὸ ἐν αὐτοῖς ἐ[πα]χθές.
Πρὸς ὃ ἐρεῖ πρῶ|[11]τον μὲν ὅτι, Θεοῦ ἔργον ὄν, *καλὸν* κ[αὶ
ἐπ]αινετὸν ὑπάρχει, κἂν ὁ πε|ρὶ αὐτοῦ ἀκριβὴς λόγος κεκρυμ-
μέ[νο]ς ἀφ' ἡμῶν ὑπάρχῃ, ἔπειτα |[13] εὕροι ἄν τις ἐραυνῶν
τὸ χρήσιμον τῆς τούτων ὑπάρξεως, εἰ | κατανόησαι τὸ ἐν
15 ἑκάστῳ ζῴῳ φυσικόν, τοῦ μὲν τὸ ἥμερον συν|[15]τελοῦν
ἀνθρώποις καὶ ἐντρέπον τὸν [ἄ]γριον καὶ θυμώδη, τοῦ δὲ

49, 22-23 τελεσιουργου'ν'τος ‖ 23-24 θεοῦ, ⌜ὅπερ μὴ λογίσ⌝η ἐν διαστάσει χρόνου κατὰ τὴν πρώτην δημιουργίαν ⌜γενέσθαι⌝ ? ‖ 24 παρασ'τα'τικα ‖ 26 διάπλασις τοῦ ⌜γενομένου καθὰ⌝ επ ἀνθρώπου θεός φησιν ? ‖ 27 επ⟦ε⟧ισταμαι ‖ **50,** 2-3 γινο|ν̣ο̣μενης ‖ 3 ᾠὰ : φωα ‖ 5 ιδεν ‖ 10 φανερο'ν' P² ‖ ὃ : ο⟦τι⟧

49, 19 Gen. 1, 25 ‖ 27 Jér. 1, 5 ‖ **50,** 5 Gen. 1, 25

après qu'il a été dit « *Et ainsi fut fait* », il est ajouté : « *Et Dieu fit.* » En fait ces mots concernent la descendance des animaux, parce que ceux qui se succèdent dans cette sorte de génération émettent le sperme, mais c'est Dieu qui forme et façonne l'être qui naît; il y a d'abord l'ordre d'engendrer, puis Dieu fait se réaliser l'émission de la semence. (N'en conclus pas que) lors de la première création il y ait eu un intervalle de temps (entre l'ordre et sa réalisation), mais vois là une manière de nous expliquer que c'est par la puissance de Dieu que se font à la fois l'émission de la semence et la formation de l'(engendré), comme Dieu le dit à Jérémie au sujet de l'homme : « *Avant de te former dans le sein, je te connais.* » Mais il y a des

50 différences / de toutes sortes dans la manière dont les animaux viennent à l'existence : ceux du début sont nés de la terre et des eaux, et leur descendance s'effectue de diverses manières : certains sont ovipares et donnent des œufs, et d'autres sont vivipares. C'est la volonté de Dieu qui leur donne ces façons différentes de venir à l'existence.

Et il est dit encore à leur propos : « *Dieu vit que c'étaient de belles choses* », et non pas ' une belle chose ', car il n'y avait pas qu'une seule œuvre de faite, mais des œuvres différentes. On objectera : pour la lumière, le firmament et le soleil et les choses semblables, il a été ajouté à bon droit que « *c'était une belle chose* », mais comment peut-on dire des bêtes sauvages et des reptiles venimeux que « *c'étaient de belles choses* »; car leur caractère désagréable est manifeste. A cela on répondra d'abord que ces êtres, étant une œuvre de Dieu, sont une œuvre *belle* et louable, même si sa raison d'être exacte nous est cachée; ensuite, on peut trouver, en cherchant bien, l'utilité de leur existence, si l'on considère les dispositions naturelles de chacun d'eux : chez l'un, la douceur qui est utile aux hommes et porte à de meilleurs sentiments les sauvages et les coléreux; chez un autre, l'empressement et la

[50] τὸ | ἐπιμελὲς καὶ φροντιστικὸν διεγ[ε]ῖϱον τὸν ἀμελῆ, καθὸ καὶ ἡ θε[ί]|[17]α τῶν Παροιμιῶν γραφὴ ἐντρέπ[ουσ]α τοὺς ὀκνηροὺς περὶ ἀνά|λημψιν ἀρετῆς ὑποδείκνυσιν [ἀπὸ] τῶν ἀλόγων τὴν παραίνεσιν |[19] λέγουσα· « *Ἴθι πϱὸς τὸν*
20 *μύϱμηκα, ὦ ὀκνηϱέ, καὶ γενοῦ ἐκείνου σοφώ|τεϱος* »· εὕροι δὲ ὁ τοιοῦτος καὶ εἰς σωφροσύνην συντελοῦντα ἄλο|[21]γα ζῷα καὶ εἰς τιμὴν γονέων καὶ ὅλως εἰς ἀρετήν, ἐκ τοῦ ἐλάττο|νος τὸν *κατ' εἰκόνα* γεγενημένον ἀμελοῦντα διορθούμενα, |[23] ἐντυχὼν τοῖς περὶ τῆς φύσεως αὐτῶν ἀναγραφεῖσιν.

| Τὰ μὲν οὖν τῆς ῥητῆς ἀποδόσεως ὧδε ἐχέτω· τὰ δὲ
25 τῆς πνευματικῆς |[25] θεωρίας ῥητέον. Ἡ ἁμαρτάνουσα ψυχὴ ὑπὸ τὴν χύσιν τῶν γηΐνων | παθῶν τυγχάνει *φοϱοῦσα τὴν εἰκόνα τ̣ο̣ῦ χοϊκοῦ* καὶ ὅλη γηΐνη οὖσα |[27] τῷ φρονεῖν τὰ ἐπίγεια· λέγεται γὰρ περὶ τῶν φαύλων· « *Εἰσελεύσονται* | *εἰς τὰ κατώτατα τῆς γῆς* », οὐ δήπου ταύτης, ἀλλὰ τῆς
51 κατὰ τροπο|[1]λογίαν νοουμένης, καθ' ἣν εἴρηται περί τινων·
(IV, 3) « *Καὶ ἐβαθύνατ̣ε* | *εἰς τὴν κάθισιν* », καί· « *Ἐξέτεινας τὴν δεξιάν σου καὶ κατέ|[3]πιεν αὐτοὺς γῆ* », καιτοὶ οὐχ ὑπὸ γῆς καταποθέντων.

Τούτους | οὖν τοὺς ὑπὸ γῆν ὄντας τὴν εἰρημένην ὁ τῆς
5 μετανοίας |[5] *ἐξάγει* λόγος διὰ προστάξεως Θεοῦ γινόμενος καὶ ἔξω τῆς | ἁμαρτίας ποιεῖ, ἵνα [ὁ] ἀποβάλλων *τὴν εἰκόνα τοῦ χοϊκοῦ* |[7] δέξηται *τὴν τοῦ ἐ[πουϱ]ανίου*. Περὶ τῶν οὕτως ἐχόντων | καὶ ἑαυτοῦ ὁ μακάριος Παῦλός φησιν· « *Συνήγειϱεν καὶ* |[9] *συνεκάθισεν ἡμᾶς ἐν τοῖς ἐπουϱανίοις* »,
10 ἵνα οἱ ἀπ' ἐντεῦ|θεν *τὴν εἰκόνα τοῦ ἐπουϱανίου φοϱοῦντες* καὶ τῆς τού|[11]των διατριβῆς ἀξιωθῶσιν, καθὰ καὶ οἱ ἐναντίως πολι|τευόμενοι κατάλληλον τοῖς τρόποις γηΐνοις οὖσιν |[13] καὶ καταλλήλου χωρίου πειραθῶσιν.

50, 18 υποδειγνυσιν ‖ 19 λεγου`σα' ‖ ιθ⟦ε⟧ι ‖ 20-21 αλωγα ‖ 23 fin de ligne (6 lettres) blanche ‖ 27 φρον`ε'ιν ‖ **51,** 2 καθεισιν ‖ δεξειαν ‖ 3 κατεποθεντων ‖ 12 γηεινοις ‖ ⟦χ⟧ουσιν

50, 19 Prov. 6, 6 ‖ 26 I Cor. 15, 49 ‖ 27 Ps. 62, 10 ‖ **51,** 1 Jér. 30, 25 ‖ 2 Ex. 15, 12 ‖ 8 Éphés. 2, 6 ‖ 10 Cf. I Cor. 15, 49

sollicitude, qui stimulent les négligents; c'est ainsi que le Livre divin des Proverbes, pour porter les paresseux à acquérir la vertu, introduit son exhortation en partant des animaux sans raison : « *Va vers la fourmi, paresseux, et deviens plus avisé qu'elle.* » On trouverait de même des animaux sans raison qui peuvent servir à la tempérance, au respect des parents et, d'une manière générale à la vertu, car ils corrigent, à l'aide d'un plus petit que lui, l'homme fait *à l'image*, quand il tombe dans la négligence; on n'a qu'à lire les descriptions des naturalistes[1].

Cela soit dit pour rendre raison de la lettre. Mais venons-en à ce que perçoit la contemplation spirituelle. L'âme pécheresse, étant sous le flot des passions terrestres, se trouve *porter l'image du terreux* : à force de penser aux choses de la terre elle devient toute terrestre. De fait, il est dit des méchants : « *Ils entreront dans les profondeurs de la terre* », non pas de cette terre-ci, mais de la terre **51** interprétée métaphoriquement, / la terre dont il est dit à propos de certains hommes : « *Vous avez creusé pour vous asseoir* », et : « *Tu as étendu ta main et la terre les a engloutis* », bien qu'ils n'aient pas été engloutis par la terre.

Ces gens donc qui sont sous la terre dont nous parlons, la Parole de la pénitence, qui survient sur ordre de Dieu, les *fait sortir*, les met hors du péché, afin que l'homme qui rejette *l'image du terreux* reçoive *l'image du céleste.* Au sujet de ces hommes et de lui-même, le bienheureux Paul dit : « *Il nous a ressuscités avec lui et il nous a fait siéger avec lui parmi les célestes* »; ainsi ceux qui *portent* dès ici-bas l'*image du céleste* sont jugés dignes de vivre avec les célestes; tandis que ceux qui ont la conduite opposée connaissent, conformément à leurs mœurs, qui sont terrestres, l'épreuve d'un lieu correspondant.

50, 1. C'est ce qu'a fait BASILE pour écrire sa VIIIe et sa IXe homélie *sur l'Hexameron,* où il donne les vertus des animaux en exemple à ses auditeurs.

[51] Ἐξάγει οὖν πᾶσαν | « *ψυχὴν ζῶσαν κατὰ γένος* », τοῦ
15 *κατὰ γένος* ἀκουόντων |[15] ἡμῶν ' κατὰ τάξιν '. Οὐ γὰρ ἅμα τε ἀπέστη τις κακίας καὶ τὸ | τέλος ἔχει, ἀλλὰ δεῖ προκ[ο]πῆς ἑκαστῳ τάγματι πρὸς τὴν |[17] τελείαν κατόρθωσιν ἀπ[ὸ] τῆς διαφόρου κακίας ἐπ' ἀρετὴν | ἀγούσης, ἵνα οἱ μὲν ἵπποι ὄντες τῷ τρόπῳ, περὶ ὧν εἴρη|[19]ται ·
20 « *Ἵπποι θηλυμανεῖς ἐγενήθησαν · ἕκαστος ἐπὶ τὴν γυ|ναῖκα τοῦ πλησίον αὐτοῦ ἐχρεμέτιζεν* », ἀποβάλλοντες |[21] τὸ εἶναι τοιοῦτοι, ἵπποι ἀστεῖοι γένωνται, βαστάζειν | ἀξιούμενοι τὸν λόγον τῇ τῆς ἀρετῆς μετουσίᾳ, ἵνα ἐν |[23] αὐτοῖς καὶ δι' αὐτοὺς λεχθῇ · « *Καὶ ἡ ἱππασία σου σωτηρία.* » Οἱ | δὲ βόες εἰσὶ περὶ ὧν εἴρηται · « *Μὴ τῶν βοῶν μέλει τῷ*
25 *Θεῷ ; ἢ* |[25] *πάντως δι' ἡμᾶς λέγει ὅτι ὀφείλει ἐπ' ἐλπίδι ὁ ἀροτριῶν ἀ|ροτριᾶν καὶ ὁ ἀλοῶν ἐπ' ἐλπίδι τοῦ μετέχειν ;* » Ὅσοι οὖν ἀπὸ |[27] τοῦ ἐπὶ τὰ γήϊνα τὴν σπουδὴν ἔχειν πρὸς
52 τὰ θεῖα μετία|[1]σιν, οὗτοι οἱ προειρημένοι εἶεν βόες. Ἄλλοι
(IV, 4) δὲ νωθεῖς καὶ βραδεῖς | ὑπάρχοντες δίκην ὄνων καὶ ἀχθοφοροῦντες τὴν κακίαν, καὶ |[3] διά τε τοῦτο νωθεῖς ὑπάρχοντες κατὰ τοὺς λέγοντας · « *Λέων* | *ἐν ταῖς ὁδοῖς, ἐν ταῖς*
5 *πλατείαις φονευταί* », ὑπὸ προστάξεως τοῦ |[5] Κυρίου τῆς τοιαύτης νωθείας ἐλευθεροῦνται, ὧν σύμβολον φέρει | ὁ ὑπὸ τῶν ἀποσταλέντων πρὸς τοῦ Κυρίου μαθητῶν *εἰς τὴν κα|*[7]*τέναντι κώμην ὄνος λυ[ό]μενος* ὅπως ὁ Κύριος ἐπ' αὐ|τὸν καθίσας δεσμῶν καὶ ἀλογίας κ[α]ὶ νωθείας ἐλευθερώσῃ τοὺς |[9] ὑπ' αὐτοῦ δηλουμένους κτηνώδεις ἀνθρώπους.
10 Ἀλλὰ καὶ κάμηλοι | κατὰ τὸν τρόπον εἰσὶν ἄνθρωποι, οἵτινες δυσκόλως ἔχουσιν εἰσιέ|[11]ναι εἰς τὴν βασιλείαν τῶν οὐρανῶν, οἳ καὶ αὐτοὶ ἐλευθεροῦν|ται ἀπαλλαττόμενοι τῶν βλα<βε>ρῶν φορτίων τῆς κακίας, ἅπερ |[13] ἐπηχθισμένοι

51, 15 ταξ⟦ε⟧ιν ‖ 17 τελιαν ‖ 21 αστιοι ‖ γε⟦ν⟧νωνται ‖ 25 οφιλει ‖ εφελπιδι ‖ 27 μετειασιν ‖ **52,** 1 ⟦ι⟧ειεν ‖ 3 λεγοντας ‖ 4 ταις₁ (α refait sur ο) ‖ πλατιαις ‖ 6-7 ⟦κα⟧⟦τον⟧ κατεναντι ‖ 8 νωθ`ε'ιας ‖ 12 απαλλα`τ'τομενοι ‖ 13 επειχθεισμενοι

51, 14 Cf. Gen. 1, 24 ‖ 19 Jér. 5, 8 ‖ 23 Hab. 3, 8 ‖ 24 I Cor. 9, 9-10 ‖ **52,** 3 Prov. 22, 13 ‖ 6 Cf. Matth. 21, 2

Il fait donc sortir toute « *âme vivante selon son genre* »; par « *selon son genre* » nous entendons ' selon un ordre ', car on n'atteint pas le terme en même temps qu'on quitte le vice, mais il faut avancer vers l'amendement parfait par chaque degré du progrès qui conduit des différents vices à la vertu. Ainsi, ceux qui sont chevaux par leurs mœurs[1] et au sujet de qui il est dit : « *Ils sont devenus des chevaux que les femelles ont mis en rut; ils hennissaient chacun après la femme de son prochain* », cessent d'être tels et deviennent des chevaux de qualité, jugés dignes de porter la Parole par participation à la vertu, afin que cette parole se vérifie en eux et s'applique à eux : « *Ta chevauchée est le salut.* » Et il y a les bœufs dont il est dit : « *Dieu se met-il en peine des bœufs? Ne parle-t-il pas plutôt à cause de nous, pour dire que celui qui laboure doit labourer avec espérance et celui qui foule le grain, fouler avec l'espérance d'y avoir part?* » Puissent donc ceux qui passent du souci des choses **52** terrestres aux choses divines / être les bœufs susdits. D'autres, qui étaient nonchalants et lents comme des ânes, qui portaient le fardeau du vice et qui, à cause de cela même, étaient nonchalants, ceux qui disent : « *Il y a un lion sur les routes, des meurtriers sur les places publiques* », sont libérés de cette nonchalance par le commandement du Seigneur; ils ont pour symbole cet *âne* qui fut *délié* par les disciples que le Seigneur envoya *au bourg d'en face* : le Seigneur, en s'asseyant sur lui, délivre des liens de la lourdeur et de l'absence de raison les hommes aux mœurs animales qui sont signifiés par cet âne. Les chameaux quant aux mœurs, ce sont les hommes mal disposés pour entrer dans le royaume des cieux; eux aussi sont libérés, débarrassés des fardeaux pernicieux du vice dont

51, 1. Sur les chevaux représentant les hommes sensuels, cf. ORIGÈNE, *Hom. in Jos.* XV, 3 ; *In Ioh.* X, 32 (18), § 204 ; et plus généralement sur les animaux représentant les vices : *Hom. in Luc.* VIII, 3 (*GCS* 49, p. 14-24).

[52] τυγχάνουσιν κατὰ τὸν προφήτην Ἡσαί|αν λέγοντα · « *Ἐκεῖ*
15 ***** |[15] *καὶ ἀσπίδες πετάμενοι οἳ ἔφερον ἐπ' ὄνων καὶ καμήλων* | *τὸν πλοῦτον αὐτῶν* » · δῆλον γὰ[ρ] οὐκ αἰσθητὸν πλοῦτον *ἀσπ[ὶς]* |[17] *ἢ λέων* κέκτηται, ἀλλὰ τὸ[ν] κατὰ τροπολογίαν δηλο[ύ]|μενον αἱ πονηραὶ δυνάμεις *ἀσπίδες καὶ λέοντες* συμβο|[19]λικῶς ὀνομαζόμεναι κέκτηνται, ὃν οὐκ ἐπὶ
20 λογικὸν ζῷον | οὐκ ἐπὶ βοῦς τοὺς δυναμένους ἐργασίαν σεμνὴν καὶ χρησί|[21]μην φέρειν ἐναποτίθενται, ἀλλ' *ἐπὶ ὄνων καὶ καμήλων*, ἅ|περ κεκυρτωμένα καὶ ἀκάθαρτα τυγχάνει. Οὗτοι οὖν ἐξάγον|[23]ται ἀπὸ τῆς χειρίστης ἕξεως τρόπῳ μετανοίας, ὡς εἴρηται, | τοῦ Θεοῦ τοῦτο προστάττοντος ·
25 *οὐ βούλεται* γὰρ *τὸν θάνατον τοῦ* |[25] *ἁμαρτωλοῦ* ὡς τὴν μετάνοιαν.

I, 25. Καὶ εἶδεν ὁ Θεὸς ὅτι καλά.

Κα|*λὸν* γὰρ ἡ ἀπὸ κακίας εἰς ἀρετὴν μετάστασις. Καὶ ταῦτα δὲ πεποι|[27]ηκέναι τὸν Θεὸν ῥητέον μεταπαιδεύοντα
53 αὐτὰ ὅπως τά πο|[1]τε ἰοβόλα θηρία τῆς ἀγριότητος ἀπαλλα-
(IV, 5) γέντα εἰς ἡμερό|τητα μεταστῇ. Κ[α]ὶ ὥσπερ, ἐὰν λέγω ὅτι τὸν πηλὸν ὁ κερα|[3]μεὺς ποιεῖ, δηλῶ οὐχ ὅτι τοῦτο σπουδάζει ὅπως ἀπομείνῃ | ὁ πηλὸς ὡσαύτως, ἀλλ' ἵνα
5 σκεῦος ὀστράκινον γένηται πῆ|[5]ξιν λαβὸν καὶ μηκέτι διαλελυμένον ὑπάρχῃ, οὕτως ἐποίησεν | τὰ θηρία τὰ κατὰ τὴν ἀλληγορίαν, οὐχ ἵνα θηρία μένῃ, ἀλλ' |[7] ἵνα μεταστῇ ἀπὸ τ[ῆς] κατὰ κακίαν ἀγριότητος εἰς τὴν πρα|οτάτην ἀρετήν. Καὶ ἐπεὶ διάφορα τὰ τῶν ἀνθρώπων ἤθη, διὰ τοῦ|[9]το πληθυντικῶς εἴρηται « *Καὶ εἶδεν ὁ Θεὸς ὅτι καλά.* » Ὅτι
10 δὲ τὰ | ἤθη τῶν ἀνθρώπων διὰ ἀλόγων ζῴων σημαίνεται, παρίσταται |[11] ἐκ τῆς βιβλίου τῶν Πράξεων τῶν ἀποστόλων, ὁπηνίκα ἄν|δρες τινὲς παρεγένοντο πρὸς τὸν πρόκριτον τῶν ἀποστό|[13]λων μετακαλούμενοι αὐτὸν ἐπὶ τὸ κηρῦξαι αὐτοῖς

52, 14 εκει+blanc (30 lettres) ‖ 16-17 ασπ[..]⟦ς⟧ ‖ 17 αλλα⟦κα⟧ ‖ 25 ϊδεν ‖ 26 ταυ`τα´ ‖ 27 ρηταιον ‖ **53,** 3 απομ`ε´ινη ‖ 9 ιδεν

52, 14 Is. 30, 6 ‖ 24 Cf. Éz. 33, 11 ‖ **53,** 9 Gen. 1, 21

ils se trouvent chargés, selon la parole du prophète Isaïe : « *De là sont venus <la lionne, le lion> et les vipères volantes qui portaient leur richesse sur des ânes et des chameaux.* » Il est évident qu'une *vipère* ou un *lion* ne possède pas de *richesse* sensible, mais les puissances perverses, appelées symboliquement *vipères* et *lions*, possèdent la *richesse* entendue au sens figuratif, richesse qu'ils ne placent pas sur un animal raisonnable ni sur des bœufs, capables de porter une œuvre respectable et utile, mais *sur des ânes et des chameaux*, bêtes voûtées et impures. Ces hommes sortent donc de leur état mauvais par la pénitence, parce que Dieu l'ordonne comme il est dit dans le texte, car Dieu *ne veut pas* tant *la mort du pécheur* que sa pénitence.

I, 25. **Et Dieu vit que c'étaient de belles choses.**

Il est *beau*, en effet, de passer du vice à la vertu. Il faut préciser que Dieu a fait ces êtres en les transformant **53** par l'éducation, de manière / à faire passer les bêtes venimeuses de la sauvagerie à la douceur. Quand je dis que le potier fait la boue, je n'indique pas qu'il s'applique à cela pour que la boue reste boue mais pour qu'elle devienne une poterie en se coagulant et qu'elle ne soit plus délayée; de même a fait Dieu pour ceux qui sont, allégoriquement, des bêtes sauvages : il ne les a pas faits pour qu'ils restent des bêtes sauvages, mais pour qu'ils passent de la sauvagerie du vice à la vertu la plus douce. Et comme les mœurs des hommes sont diverses, la parole est au pluriel : « *Et Dieu vit que c'étaient de belles choses.* » Que les mœurs des hommes soient signifiées par des animaux sans raison, cela ressort de ce passage du Livre des Actes des apôtres où des hommes se présentent au chef des apôtres en lui demandant de venir leur enseigner

[53] τὸ εὐ|αγγέλιον ἀλλογενέσιν οὖσιν. Ἀνελθόντι γὰρ αὐτῷ
15 *ἐπὶ* |[15] *τὸ δῶμα προσεύξασθαι* ἐφάνη *τι σκεῦος ὡς ὀθόνη τέσσαρ|σιν ἀρχαῖς καθιέμενον* ἐκ τοῦ οὐρανοῦ *ἐπὶ γῆς, ἐν ᾧ ὑπῆρχεν* |[17] *πάντα τὰ τετράποδα καὶ τὰ ἑρπετὰ καὶ τὰ θηρία τῆς γῆς*, φωνὴ | δὲ ἐκ τοῦ οὐρανοῦ ἦλθεν εἰς αὐτὸν λέγουσα. « *Ἀναστάς, Πέτρε, θῦ*|[19]*σον καὶ φάγε.* » Ὁ δὲ
20 ἔφη · « ' *Μηδαμῶς, Κύριε, ὅτι οὐδέποτε ἔφαγον* | *πᾶν κοινὸν καὶ ἀκάθαρτον*'. *Καὶ φωνὴ πάλιν ἐκ δευτέρου πρὸς*|[21] *αὐτὸν* » ἐγένετο · « *Ἃ ὁ Θεὸς ἐκαθάρισεν, σὺ μὴ κοίνου.* » Ἥνπερ | ὀπτασίαν τῶν ζῴων τῶν ἐν τῇ ὀθόνῃ φανέντων ἑρμηνεύ|[23]ων αὐτὸς ὁ Πέτρος, ὅτε πρὸς τοὺς καλοῦντας ἧκεν, φησίν · « *Κἀ*|*μοὶ ἔδειξεν ὁ Θεὸς μηδένα κοινὸν ἢ ἀκάθαρτον λέγειν*
25 *ἄνθρωπον* », |[25] εἰς ἀνθρώπους ἀνάγων τὰ φανέντα τετράποδα καὶ θηρία κα|θαρθέντας τῷ ἀποβεβληκέναι [τ]ὴν κακίαν.

54 Καὶ τοῦτο δὲ ῥητέον, |[1] ὅτι εἰπὼν « *Ἐξαγαγέτω* » οὐκ
(IV, 6) ἠρκέσθη τῇ προστάξει ἀλλ' *ἐποίη*|*σεν* · οὐ γὰρ μόνον προτρέπεται Θεὸς ἐπὶ ἀρετὴν ἀλλ' ἤδη καὶ |[3] συνεφάπτεται · τῷ γὰρ τὸ ἀγαθὸν προαιρουμένῳ καὶ ὁ Θεὸς | συνεργεῖ εἰς
5 ἀγαθόν, ἵνα προθέμενοι ἀνύσαι τὴν πρόσταξιν |[5] δυνηθῶσιν ἐπὶ πέρας ἀγαγεῖν τὸ σπουδαζόμενον. Κἂν γὰρ | τις ἰδίᾳ ὁρμῇ πρὸς ἀρετὴν χρήσηται, ἐπιδεὴς τοῦ Θεοῦ τοῦ τὴν |[7] ἔκβασιν καὶ τὸ ἀγαθὸν τέλος αὐτῆς [χ]αριζομένου τυγχάνει. | Τοῦτό τοι καὶ ἐπὶ τῶν παραδόξων ὁ Σωτὴρ ἐπιδείκνυται ἀπαι|[9]τῶν τὴν παρὰ τῶν ἰωμένων βούλησιν, ὅπου μὲν
10 λέγων · « *Τί* | *θέλετε ἵνα ποιήσω* ὑμῖν ; » ὅπου δὲ ἀκούων παρὰ τοῦ λε|[11]προῦ ἑτοίμου ὄντος εἰς πίστιν · « *Ἐὰν θέλῃς, δύνασαί με κα*|*θαρίσαι.* »

|[13] **I, 26-28. Καὶ εἶπεν ὁ Θεός · Ποιήσωμεν ἄνθρωπον κατ' εἰκόνα ἡμετέραν καὶ κα|θ' ὁμοίωσιν, καὶ ἀρχέτωσαν τῶν**
15 **ἰχθύων τῆς θαλάσσης** |[15] **καὶ τῶν πετεινῶν τοῦ οὐρανοῦ καὶ**

53, 19 κ(υριο)υ ‖ 24 εδ'ε'ιξεν ‖ 26 απο'βε'βληκεναι ‖ ρηταιον ‖ **54,** 10 θελεται ‖ 14 θαλλασης

53, 14-24 Cf. Act. 10, 9-28 ‖ **54,** 1 Gen. 1, 24 ‖ Gen. 1, 25 ‖ 9 Matth. 20, 32 ‖ 11 Matth. 8, 2

l'Évangile, bien qu'ils soient étrangers; Pierre étant monté sur le toit pour prier, un objet lui apparut « *comme une nappe attachée aux quatre coins qui descendait du ciel sur terre et dans laquelle il y avait tous les quadrupèdes, reptiles et bêtes de la terre* ». Une voix vint du ciel, qui lui dit : « *Lève-toi, Pierre, sacrifie et mange.* » Il répondit : « *Oh non ! Seigneur, car je n'ai jamais rien mangé de souillé ni d'impur.* » *Et de nouveau une voix* se fit entendre *à lui* : « *Ce que Dieu a déclaré pur, toi ne l'appelle pas souillé.* » Cette vision des animaux apparus dans la nappe, Pierre l'explique lui-même quand il est venu chez ceux qui l'avaient invité : « *Dieu m'a montré*, dit-il, *qu'il ne faut traiter aucun homme de souillé ou d'impur.* » Il rapportait ainsi les quadrupèdes et les bêtes sauvages de sa vision aux hommes qui se sont purifiés en rejetant le vice.

54 / Il faut ajouter qu'après avoir dit : « *Que la terre les fasse sortir* », Dieu ne s'est pas contenté de ce commandement mais qu'il les « *a faits* ». Dieu, en effet, n'invite pas seulement à la vertu mais voici qu'il y met la main : car lorsque quelqu'un choisit le bien, Dieu collabore avec lui au bien, afin qu'après avoir eu l'intention d'accomplir son commandement, on puisse mener cette résolution à terme. Même si on s'élance de son propre élan vers la vertu, on a besoin de Dieu qui donne de la réaliser et d'en atteindre l'heureux terme. C'est bien ce que montre le Sauveur à l'occasion de ses miracles, en exigeant de ceux qu'il guérit qu'ils veuillent l'être : « *Que voulez-vous que je vous fasse?* », dit-il une fois, et il entend une autre fois cette parole d'un lépreux prêt à croire : « *Si tu le veux, tu peux me guérir.* »

I, 26-28. **Et Dieu dit : Faisons l'homme à notre image et à notre ressemblance; qu'ils commandent aux poissons de la mer, aux oiseaux du ciel, aux troupeaux,**

[54] **τῶν κτηνῶν καὶ πάσης | τῆς γῆς καὶ πάντων τῶν ἑρπετῶν τῶν ἑρπόντων ἐπὶ |[17] τῆς γῆς. Καὶ ἐποίησεν ὁ Θεὸς τὸν ἄνθρωπον, κατ' εἰκόνα Θεοῦ ἐποίη|σεν αὐτόν, ἄρσεν καὶ θῆλυ ἐποίησεν αὐτούς. Καὶ ηὐλόγησεν |[19] αὐτοὺς ὁ Θεὸς λέγων· 20 Αὐξάνεσθε καὶ πληθύνεσθε καὶ πλη|ρώσατε τὴν γῆν καὶ κατακυριεύσατε αὐτῆς καὶ ἄρχε|[21]τε τῶν ἰχθύων τῆς θαλάσσης καὶ τῶν πετεινῶν τοῦ | οὐρανοῦ καὶ πάντων τῶν κτηνῶν καὶ πάσης τῆς γῆς καὶ πάν|[23]των τῶν ἑρπετῶν τῶν ἑρπόντων ἐπὶ τῆς γῆς.**

Ὁ *ἄνθρωπος* ση|[23]μαίνει καὶ τὸ σύνθετον ζῷον τὸ ἐκ ψυχῆς καὶ σώματος συνε|στὸς καὶ μάλιστα τὴν ψυχήν. 25 *[Τὸν] κρυπτὸν* οὖν *τῆς καρδίας* |[25] *ἄνθρωπον* λέγει ὁ πρόκριτος 55 τῶν ἀποστόλων Πέτρος τὴν ψυχήν, |[1] καὶ Παῦλος ὁ μακά- (IV, 7) ριος· « *Συνήδομαι γὰρ τῷ νόμῳ τοῦ Θεοῦ* | *κα‹τὰ› τὸν ἔσω ἄνθρωπον* », τοῦτ' ἔστιν κατὰ τὸν νοῦν, κατὰ τὴν ψυ|[3]χήν. Ὅταν δὲ λέγηται· « *Ἄνθρωπός τις ἦν ἐν χώρᾳ τῇ Αὐσίτιδι* », | καί· « *Ἐγένετο ἡνίκα ἤρξαντο οἱ ἄνθρωποι* 5 *πολλοὶ γίνεσθαι* », τὸ συν|[5]αμφότερον δηλοῖ. Ἐὰν οὖν ἐπὶ τοῦ ῥητοῦ λαμβάνωμεν, τὸ | σύνθετον ἄνθρωπον σημαίνει τὸ « *καὶ εἶπεν ὁ Θεός· Ποιήσωμεν* |[7] *ἄνθρωπον* ». Οὐ μόνον δὲ περὶ τοῦ συνθέτου ἀλλὰ μέχρι καὶ τοῦ φαι|νομένου καὶ αἰσθητοῦ, τουτ' ἔστιν τοῦ σώματος, παρατεί|[9]νειν τὴν 10 ὀνομασίαν τὴν τοῦ *ἀνθρώπου* ὁ μακάριος Παῦλος | βούλεται λέγων· « *Εἰ καὶ ὁ ἔξω ἡμῶν ἄνθρωπος διαφθείρεται, ἀλ*|[11]*λ' ὁ ἔσω ἀνακαινοῦται ἡμέρᾳ καὶ ἡμέρᾳ.* »

Καὶ κατὰ μὲν | πρώτην ἐπιβολὴν ἕκαστος ἡμῶν συνέστηκεν ἐκ ψυχῆς |[13] καὶ σώματος, εἰσὶν δὲ οἳ ἐκ τριῶν συνεστάναι λέγουσι τὸν | ἄνθρωπον ἐκ ψυχῆς καὶ σώματος καὶ πνεύματος, 15 ὃ καὶ κατασκευάζουσιν |[15] συγχρώμενοι τῷ ἀποστολικῷ ῥητῷ φάσκοντι· « *Ὁ δὲ Θεὸς τῆς εἰ*|*[ρ]ήνης ἁγιάσαι ὑμᾶς*

54, 19 αυξανεσθαι ‖ πληθυνεσθαι ‖ 20-21 αρχεται ‖ **55,** 4 εγενε-`το' P² ‖ 7 αλλ`α' P² ‖ μεχρει ‖ 7-8 φ⟦ε⟧`αι' νομενου ‖ 8 ⟦ε⟧`αι'σθητου ‖ 15 συνχρωμενοι ‖ 16 αγειασαι

54, 25 I Pierre 3, 4 ‖ **55** 1 Rom. 7, 22 ‖ 3 Job 1, 1 ‖ 4 Gen. 6, 1 ‖ 6 Gen. 1, 26 ‖ 10 II Cor. 4, 16 ‖ 15 I Thess. 5, 23

à toute la terre et à tous les reptiles rampant sur la terre. Et Dieu fit l'homme. Il le fit à l'image de Dieu. Il les fit homme et femme. Et Dieu les bénit en disant : Croissez et multipliez ; emplissez la terre et dominez-la ; commandez aux poissons de la mer, aux oiseaux du ciel, à toutes les bêtes, à toute la terre et à tous les reptiles rampant sur la terre.

L'*homme* désigne à la fois le composé vivant, constitué d'une âme et d'un corps, et très particulièrement l'âme. Pierre, le chef des apôtres, appelle l'âme *l'homme caché*

55 *dans le cœur* ; / de même, le bienheureux Paul : « *Je prends plaisir à la loi de Dieu selon l'homme intérieur* », c'est-à-dire selon l'intelligence, selon l'âme. Mais lorsque l'Écriture dit : « *Il y avait un homme au pays d'Ausitis* », ou : « *Et voici que les hommes commencèrent à devenir nombreux* », elle désigne le composé des deux. Si donc nous nous en tenons à la lettre, la parole : « *Et Dieu dit: ' Faisons l'homme'* » indique par *homme* le composé. Le bienheureux Paul n'emploie pas seulement la dénomination d'*homme* pour le composé, mais il veut encore l'étendre à sa partie apparente et sensible, c'est-à-dire au corps, quand il dit : « *Bien que notre homme extérieur se corrompe, l'homme intérieur se renouvelle chaque jour.* »

A première vue chacun de nous est composé d'une âme et d'un corps, mais il y a des gens qui disent que l'homme est composé de trois choses : l'âme, le corps et l'esprit[1]. Ils fondent leur opinion sur ce texte de l'Apôtre : « *Que le Dieu de paix vous bénisse tout entiers et maintienne intègre*

55, 13-14 Proc. 144 C 1-2

55, 1. Tout le développement qui va suivre sur la question de savoir si l'homme est composé de deux ou de trois parties est provoqué par le fait que Philon en admettait trois : corps, âme et intellect (νοῦς) et appliquait l'« image » au νοῦς.

[55] *ὁλοτελεῖς καὶ ὁλόκληρον ὑμῶν τὸ* |[17] *[π]νεῦμα καὶ ἡ ψυχὴ καὶ τὸ σῶμα* », οὐκ ἀκόλουθον ἡγούμενοι τὸ | περὶ τοῦ ἁγίου Πνεύματος εἰρῆσθαι ἵν' ᾖ ὁλόκληρον, ὃ οὐδὲ εἰς |[19] ἀσθένειαν ἐλθεῖν πέφυκεν. Τούτου οὖν ἀποδεικτικὸν
20 | παράγουσιν καὶ ἕτερον ῥητὸν οὕτως ἔχον · « *Αὐτὸ τὸ Πνεῦμα* |[21] *συμμαρτυρεῖ τῷ πνεύματι ἡμῶν* » · τὸ γὰρ ἡμῶν, φασίν, πνεῦμα ἕτερόν | ἐστιν παρὰ τὸ ἅγιον Πνεῦμα, μαρτυρούμενον ὑπὸ τοῦ ἁγίου |[23] Πνεύματος, ὅταν εὖ ἔχῃ. Καὶ τὸ ἀπὸ τοῦ Δανιήλ · « *Πνεύματα καὶ ψυχαὶ δι|καίων εὐλογεῖτε τὸν Κύριον* », τοῦ αὐτοῦ παραστατικὸν οἴονται.
25 |[25] Οἱ δὲ μὴ βουλόμενοι ἕτερον εἶναι τὸ πνεῦμα παρὰ τὴν ψυχὴν | λέγουσιν ὅτι τὴν γνώμην ση[μ]αίνει διὰ τοῦ *πνεύματος* ἢ ὅτι καὶ αὐ|[27]τὴν τὴν ψυχὴν τῇ προσηγορί[ᾳ] τοῦ
56 *πνεύματος* ἐδήλωσεν. Οἱ δὲ πρὸς |[1] τοῦτο ἀνανεύοντές
(IV, 8) φασιν ὅτι συμπλεκτικῷ χρησάμενος | συνδέσμῳ τῷ *καὶ* ἐν τῷ « *πνεύματα καὶ ψυχαὶ δικαίων* » δηλοῖ ἕ|[3]τερον εἶναι τὴν ψυχὴν παρὰ τὸ πνεῦμα. Κατασκευαστικὸν δὲ | τὸ ἐκ
5 ψυχῆς καὶ σώματος συνεστάναι τὸν ἄνθρωπον παράγου|[5]σιν τὸ ἐν τῷ εὐαγγελίῳ διαρρήδην λεγόμενον · « *Μὴ φοβεῖ|σθε ἀπὸ τῶν ἀποκτεννόντων τὸ σῶμα, τὴν δὲ ψυχὴν μὴ* |[7] *δυναμένων ἀποκτεῖναι · φοβήθητε δὲ τὸν δυνάμενον καὶ* | *ψυχὴν καὶ σῶμα ἀπολέσαι ἐν γεένν[ῃ].* » Εἰ δὲ τὸ μὲν ἀποκτέν|[9]νουσιν ἄνθρωποι, τὸ δὲ οὔ, δύο εἰσὶν τὸ σῶμα καὶ ἡ ψυχή.
10 Ἐλέγομεν | οὖν *ἄνθρωπον* καὶ τὸ σῶμα μόνον, ἀλλ' οὐχ ἁπλῶς, ἀλλ' *ἔξω ἄνθρωπον* |[11] μετὰ προσθήκης, καὶ μόνην τὴν ψυχὴν *ἄνθρωπον* οὐχ ἁπλῶς, ἀλλὰ | *ἔσω ἄνθρωπον*, τὸν δὲ σύνθετον ἁπλῶς *ἄνθρωπον* μηδὲν προστιθέντες. |[13] Ζητείσθω οὖν ἐνταῦθα περὶ οὗ λέγεται πρὸς τοῦ Θεοῦ τῶν ὅ|λων. « *Ποιήσωμεν ἄνθρωπον κατ' εἰκόνα καὶ*
15 *ὁμοιώσιν ἡμετέραν.* » Οὐ |[15] κατὰ τὸν σύνθετον τοίνυν *κατ' εἰκόνα Θεοῦ* ὁ ἄνθρωπος γέγονεν · οὐ | γὰρ ἀνθρωπόμορφος ὁ Θεός. Καὶ τοῦτο ἡ θεία διδασκαλία βεβαιοῖ · |[17] λέγεται γὰρ ὁ Θεὸς *πνεῦμα* καὶ *φῶς* εἶναι, φῶς δὲ καὶ

55, 18 `ο' ‖ 19 τουτο`υ' P^2 ‖ 21 συνμαρτυρει ‖ 24 ευλογ`ε'ιται ‖ 25 το⟦ν⟧ ‖ **56,** 7 φοβηθητ[.]ι ‖ 9 δ`ύ'ο P^2 ‖ 12 `μ'ηδεν P^2 ‖ 16 διδασκαλεια

ce qui est en vous : l'esprit, l'âme et le corps », en estimant qu'il ne serait pas logique de formuler au sujet de l'Esprit-Saint le vœu qu'il soit *intègre*, car il n'est pas de nature à s'affaiblir. Ils en donnent comme preuve cette autre parole : « *L'Esprit lui-même rend témoignage à votre esprit* »; notre esprit, disent-ils, est autre chose que l'Esprit-Saint puisqu'il reçoit son témoignage quand il est dans de bonnes dispositions. La parole de Daniel : « *Esprits et âmes des justes, bénissez le Seigneur* », indique à leur avis la même chose. Mais ceux qui ne veulent pas que l'esprit soit autre que l'âme disent que l'Écriture désigne par *esprit* la pensée, ou que c'est l'âme elle-même qui est appelée **56** *esprit*. Ceux qui / refusent cette interprétation répondent qu'en employant la conjonction de coordination « *et* » dans l'expression : « *Esprits et âmes des justes* », l'Écriture montre que l'âme est autre chose que l'esprit. Pour établir que l'homme est composé d'une âme et d'un corps, on produit un texte très clair de l'Évangile : « *Ne craignez pas ceux qui tuent le corps et ne peuvent pas tuer l'âme, mais craignez celui qui peut perdre et l'âme et le corps dans la géhenne* »; si les hommes tuent l'un et ne tuent pas l'autre, il y a deux choses, le corps et l'âme.

Nous appelions donc *homme* le corps seul, mais pas simplement *homme*, nous ajoutions : homme *extérieur* et nous appelions aussi l'âme seule *homme*, non pas simplement *homme*, mais *homme intérieur* ; pour le composé, nous disons simplement *homme* sans rien ajouter. Cherchons donc ici à quoi s'applique la parole dite par le Dieu de l'univers : « *Faisons l'homme à notre image et ressemblance.* » Ce n'est pas en tant que composé que l'homme a été fait *à l'image de Dieu*, car Dieu n'est pas anthropomorphe. La doctrine divine le confirme; il est dit en effet que Dieu est *Esprit* et *Lumière*; or l'Esprit et

55, 20 Rom. 8, 16 || 24 Dan. 3, 86 || **56,** 5 Matth. 10, 28 || 14 Gen. 1, 26 || 17 Jn. 3, 24 || I Jn 1, 5

[56] πνεῦμα οὐκ ἔχει | μορφὴν ἀνθρώπου. Ἀλλὰ καὶ ἑπτὰ *ὀφθαλμοὺς* ἔχειν τὸν Θεὸν ἡ γρα|[19]φὴ διαγορεύει *καθορῶντας*
20 *πᾶσαν τὴν γῆν*, ὁ δὲ ἄνθρωπος | δύο ἔχει· οὐκ ἄρα *κατ' εἰκόνα Θεοῦ* ὁ ἄνθρωπος, οὕτως ἡμῶν θεωρούν|[21]των, εὑρεθήσεται. Ταῦτα δέ φαμεν οὐχ ὡς τοῦ Θεοῦ ἑπτὰ αἰσθη-|τοὺς ὀφθαλμοὺς ἔχοντος, ἀλλὰ θηρεύοντες πῶς *κατ' εἰκόνα* |[23] *Θεοῦ* ὁ ἄνθρωπός ἐστιν· τὴν γὰρ τελείαν ἐποπτικὴν αὐτοῦ δύναμιν | διὰ τῆς ἑβδομάδος ἐδήλωσεν ὁ λόγος καὶ
25 δι' ἃς ἔχει ἀρετὰς |[25] ὁ ἑπτὰ ἀριθμός, ὡς ἤδη προείρηται. Πάλιν ὁ Θεὸς λέγεται | πτέρυγας ἔχειν καθὰ ὁ ἅγιός φ[η]σιν· « *Ἐν σκέπῃ τῶν πτερύγων* |[27] *σου σκεπάσεις με* », ὁ δὲ ἄνθρωπος ἄπτερον ζῷόν ἐστιν, τὸ δὲ ἄ|πτερον οὐχ οἷόν τε εἰκόνα κα[ὶ ὁ]μοίωσιν ἔχειν Θεοῦ, οὐκ ἐπὶ |[29] αἰσθητῶν
57 λαμβανόντων ἡμῶ[ν] τὰς τοῦ Θεοῦ πτέρυγας ἀλλ' |[1] ἐπὶ
(IV, 9) νοήσεων ὑπερβαλλουσῶν καὶ ἄνω φερουσῶν τοὺς τοῦτο πο|θοῦντας. Ἐρευνητέον οὖν πῶς *κατ' εἰκόνα καὶ ὁμοίωσιν* τοῦ Θεοῦ |[3] ὁ ἄνθρωπος γέγονεν. Καὶ γὰρ καὶ ὁ σοφώτατος Παῦλος τούτῳ τῷ ὀνόμα|τι ἐπὶ τοῦ ἀνθρώπου χρώμενός
5 φησιν· « *Ἀνὴρ μὲν γὰρ οὐκ ὀφείλει κατα|*[5]*καλύπτεσθαι τὴν κεφαλήν, εἰκὼν καὶ δόξα Θεοῦ ὑπάρχων.* » Δέ|δεικται δὲ ὅτι οὐ κατὰ τὸ σύνθετος εἶναι εἰκών ἐστιν· ὁ μὲν |[7] γὰρ ἀσώματος καὶ νοερὰ οὐσία ἐστίν, ὁ δὲ σῶμα ἔχει με|μορφωμένον. Ἑτέρως ἄρα δεῖ λαβεῖν τὸ *κατ' εἰκόνα καὶ ὁμοί|*[9]*ωσιν* αὐτὸν γεγονέναι. Ὁ Θεὸς οὖν πεποιηκὼς τὰ ὅλα πάντων τε
10 | ἄρχων καὶ προ<ηγ>ητὴς ὑπάρχων — ὡς γὰρ δημιουργὸς οὕτω καὶ ἄρ|[11]χων καὶ βασιλεύς ἐστιν — ποιήσας τὸν ἄνθρωπον ὥστε καὶ ἄρχειν | τῶν δι' αὐτὸν γενομένων θηρίων, κτηνῶν, πτηνῶν, δείκνυ|[13]σιν *εἰκόνα* κατὰ τὸ ἄρχειν

57, 1 επει ‖ 4 οφιλει ‖ 6 το⟦ν⟧ ‖ ει`κων´ P² ‖ 12 δικνυσι

56, 18-19 Zach. 4, 10 ‖ 26 Ps. 16, 8 ‖ **57,** 4 I Cor. 11, 7

56, 1. Cet adjectif caractérisait la connaissance des réalités supérieures ; cf. les textes de Théon de Smyrne, Plutarque, Clément d'Alexandrie, Origène, etc., cités par J. Kirchmeyer, « Origène, Commentaire sur le Cantique, prol. », dans *Studia patrist.*, X (*Texte*

la Lumière n'ont pas forme d'homme. L'Écriture explique en outre que Dieu a *sept yeux qui voient toute la terre* : or l'homme n'en a que deux; l'homme ne se trouvera donc pas à l'image de Dieu d'après cette considération; nous ne disons pas cela comme si Dieu avait sept yeux sensibles, mais pour découvrir comment l'homme est *à l'image de Dieu*; c'est pour exprimer que la puissance époptique[1] de Dieu est parfaite que le Verbe s'est servi de l'hebdomade et des vertus du nombre sept, comme il a été dit plus haut[2]. A nouveau Dieu est dit avoir des ailes, selon la parole du saint : « *A l'ombre de tes ailes tu m'abriteras* »; or l'homme est un animal sans ailes; ce qui n'a pas d'ailes ne peut pas avoir l'image et la ressemblance de Dieu; — toutefois nous ne prenons pas les ailes de Dieu comme **57** des ailes sensibles, mais / comme des pensées extrêmement élevées qui portent vers le haut ceux qui le désirent. Il faut donc rechercher comment l'homme a été fait *à l'image et ressemblance* de Dieu. De fait le très sage Paul se sert lui aussi de cette appellation pour l'homme : « *L'homme ne doit pas se couvrir la tête, car il est image et gloire de Dieu.* » Or il a été montré que l'homme n'est pas *image* en tant qu'il est composé, car l'homme intérieur est une essence incorporelle et intelligible, et l'homme extérieur a un corps doté d'une forme. Il faut donc comprendre autrement le fait qu'il ait été créé *à l'image et ressemblance* de Dieu. Dieu qui a fait l'univers, qui est chef et guide de toutes choses — car étant créateur il est aussi chef et roi — et qui a fait l'homme de telle sorte qu'il commande aux bêtes sauvages, aux troupeaux et aux volatiles qui ont été créés à cause de lui, veut dire que l'homme est son *image* en ce

und Unters., 107), Berlin 1970, p. 230-231, auxquels on ajoutera le titre d'un des ouvrages du philosophe Numénius d'Apamée, ἔποψ (signalé par ORIGÈNE, *C. Cels.* IV, 51, 19).

56, 2. Probablement au sujet des sept cieux dans les pages très mutilées 13 et 14,

[57] ἑαυτοῦ εἶναι τὸν ἄνθρωπον. Ὅτι δὲ τοῦ|θ' οὕτως ἔχει, ἀπὸ τῆς ἀποστολικῆς λέξεως ἔστι μαθεῖν · « *Θέλω δὲ*
15 |[15] *ὑμᾶς εἰδέναι ὅτι κεφαλὴ παντὸς ἀνδρὸς ὁ Χριστός ἐστιν,* | *κεφαλὴ δὲ τῆς γυναικὸς ὁ ἀνήρ.* » Ὡς γὰρ ἄρχεται ὑπὸ τοῦ Χριστοῦ |[17] ὁ ἀνήρ, οὕτως ἄρχεται καὶ ἡ γυνὴ ὑπὸ τοῦ ἀνδρὸς ἔχουσα | αὐτὸν κεφαλήν. Κατὰ γὰρ ἀναλογίαν ἡ ὁμοιότης ληπτέα, |[19] ἥτις οὐκ ἐν ταῖς αὐταῖς ὕλαις ἔχει
20 τὴν ὁμοιότητα, καθὸ λέ|γομεν ὅτι, ὃν ἔχει λόγον ἰατρὸς πρὸς τὸ ποιεῖν ὑγείαν, τοῦτον |[21] ἔχει τὸν λόγον οἰκοδόμος πρὸς τὸ κατασκευάζειν οἰκίαν · | ποιητικὸς γὰρ ἑκάτερος ἔργου τινός.

Ἐπεὶ οὖν μιμεῖται τὸν Θεὸν |[23] ὁ ἄνθρωπος λογικὸς γεγενημένος κατὰ τὸ ἄρχειν τῶν ὑποκειμέ|νων αὐτῷ, κατὰ
25 τοῦτο δύναται εἶναι *κατ' εἰκόνα καὶ ὁμοίωσιν* |[25] Θεοῦ. Ἔστιν δὲ μάλιστα κατὰ προηγουμένην διάνοιαν ἐκλαβεῖν | τὸ προκείμενον · προείρηται κυρίως ἄνθρωπος εἶναι ὁ νοῦς καὶ ἡ ψυχή · |[27] αὕτη μετέχουσα Θεοῦ ἐξ αὐτῆς τῆς μετουσίας εἰκὼν αὐτοῦ γίνε|ται, καθὸ λέγομεν εἰκονίζ[ει]ν τὴν ἀρετὴν τὸν μετέχον|[29]τα αὐτῆς, ὅπερ ἐπιστάμεν[ος] καὶ
30 ὁ ἐν Χριστῷ λαλῶν Παῦλός φη|σιν οἷς προτρέπεται κατὰ
58 Χριστὸν εἰκονισθῆναι · « *μέχρις οὗ μορφω*|[1]*θῇ Χριστὸς ἐν*
(IV, 10) *ὑμῖν* », διδάσκων ὅτι ἡ περὶ Χριστοῦ νόησις ἀληθὴς ἐγγι|νομένη ψυχῇ χαρακτηρίζει καὶ εἰκονίζει αὐτὴν κατ' αὐτόν.

57, 13-14 τουτ' ‖ 14 ˋεχειˊ P² ‖ 15 ειδεναι + ˋαγνοεινˊ (sic) ‖ 18 ληµπτ⟦αι⟧ˋεˊα P² ‖ 20 υγιαν ‖ 27-28 γινε|εται ‖ 30 προτρεπαιται ‖ **58,** 1 ενγινομενη

57, 14 I Cor. 11, 3 ‖ 30 Gal. 4, 19

57, 1. Cette exégèse dérive, en la transformant, de celle de Philon, *De opif.* 69, pour qui le νοῦς est l'image de Dieu parce qu'il commande dans l'homme comme Dieu commande dans le monde.

57, 2. La rédaction de Didyme est maladroite. Il veut dire ceci : l'homme ne commande pas de la même manière que Dieu, mais il lui ressemble du moins en ce qu'il commande. L'exemple du médecin et de l'architecte est donné ensuite pour expliquer ce qu'est une analogie : ils ne font pas la même chose, mais ils se ressemblent en ce qu'ils font l'un et l'autre quelque chose.

qu'il participe à son pouvoir de commander[1]. Qu'il en soit ainsi on peut l'apprendre par cette déclaration de l'Apôtre : « *Je veux que vous sachiez que la tête de tout homme est le Christ, mais que la tête de la femme c'est l'homme* »; de même que l'homme est commandé par le Christ, de même la femme est commandée par l'homme puisqu'elle a l'homme comme *tête.* La ressemblance doit en effet s'entendre analogiquement, car elle n'a pas le même contenu chez Dieu et chez l'homme. C'est comme quand nous disons que le médecin est à la guérison ce que l'architecte est à la construction, parce qu'ils font l'un et l'autre un travail[2].

C'est donc parce que l'homme créé raisonnable imite Dieu en commandant aux êtres qui lui sont subordonnés, qu'il peut être *à l'image et ressemblance* de Dieu. Mais il est surtout un sens prédominant selon lequel le texte en question peut être compris. Nous avons dit que l'*homme*, c'est à proprement parler l'intelligence ou l'âme; c'est elle qui, participant à Dieu, devient, par cette participation même, *image* de lui[3], comme nous disons que celui qui participe à la vertu est une image de la vertu. Paul le savait bien, lui qui parlait dans le Christ; il dit à ceux qu'il **58** exhorte à imiter le Christ : « *jusqu'à ce que le Christ / soit formé en vous* », enseignant ainsi que la véritable intelligence de ce qu'est le Christ, quand elle vient dans une âme, y imprime les traits du Christ et la fait devenir son image.

57, 3. Même insistance chez ORIGÈNE pour montrer que seule l'âme, l'« homme intérieur », peut être « à l'image » : *Entretien avec Héraclide* 12, 4-14 (*SC* 67, p. 80) ; 15, 28 à 16, 10 (p. 88) ; 23, 2-4 (p. 100) : *Hom. in Gen.* I, 13 (*GCS* 29, p. 15, 7-17) ; *Hom. in Lev.* XIV, 3 (*GCS* 29, p. 484, 6-7) ; *Hom. in Luc.* VIII, 2 (*GCS* 49, 3). Déjà PHILON, *De Opif.* 69 : « L'image s'applique ici à l'intellect guide de l'âme », ἡ δὲ εἰκὼν λέλεκται κατὰ τὸν τῆς ψυχῆς ἡγεμόνα νοῦν, mais, tandis que Philon distingue l'esprit et l'âme et n'applique l'image qu'au premier, Origène et Didyme l'appliquent indifféremment à l'un et à l'autre.

[58] |[3] *« Ποιήσωμεν ἄνθρωπον κατ' εἰκόνα καὶ ὁμοίωσιν ἡμετέραν »* · εἰκὼν | τοῦ Θεοῦ ἐστιν ὁ Υἱὸς αὐτοῦ ὁ
5 μονογένης · Παῦλος τοῦτο διδάσκει |[5] γράφων · *« Ὅς ἐστιν εἰκὼν τοῦ Θεοῦ τοῦ ἀοράτου »*, εἰκὼν δὲ οὐσιώ|δης καὶ ἀπαράλλακτος · « *Ὁ* » γὰρ *« ἑωρακὼς ἐμὲ ἑώρακε τὸν Πατέρα. »* |[7] Ἐὰν οὖν εἴρηται πρὸς τοῦ Θεοῦ · *« Ποιήσωμεν ἄνθρωπον κατ' εἰκόνα καὶ ὁ|μοίωσιν ἡμετέραν »*, οὐ δεῖ διαφόρους τὰς εἰκόνας λαμβάνειν · |[9] οὐ γὰρ ἄλλη Πατρὸς
10 καὶ ἄλλη Υἱοῦ τυγχάνει · εἰ γὰρ ὁ ἑωρακὼς τὸν | Υἱὸν εἶδεν καὶ τὸν Πατέρα καὶ *χαρακτὴρ τῆς ὑποστάσεως* τοῦ Θεοῦ |[11] ὁ Υἱός ἐστιν κατὰ τὸν μακάριον Παῦλον, οὐ δεῖ ἑτέραν εἰκόνα ἐν|νοεῖν. Οὐ γάρ τι τῶν γενητῶν εἰκονίζει καὶ χαρακτηρίζει κατ' οὐ|[13]σίαν τὸν Θεόν. Διόπερ οὐκ εἴρηται · *Ποιήσωμεν τὸν ἄνθρωπον* εἰκόνα, | ἀλλὰ *κατ' εἰκόνα*, ὅπερ ἐστιν ἀπ' ἐκείνης εἰκονισθῆναι καὶ μι|[15]μήσασθαι ταύτην · χωρητικὸς γὰρ κατεσκευάσθη ὁ ἄνθρωπος τῆς | εἰκόνος.

Δεῖ δὲ κατανοεῖν ὅτι δύο τινά ἐστιν ἅ φησιν ὁ Θεὸς γε|[17]νέσθαι λέγων · *« Ποιήσωμεν ἄνθρωπον κατ' εἰκόνα καὶ ὁμοίωσιν ἡμε|τέραν »* · οἶμαι γὰρ ὅτι ἡ ὑπερβάλλουσα ἐμφέρεια ἀπαράλλακτος |[19] *ὁμοιότητα* ἐμφαίνει, ὡς εἶναι τὴν
20 μὲν *ὁμοιότητα* καὶ *εἰκόνος* | ὑπερβολήν, οὐ πάντως δὲ τὴν *εἰκόνα* οὕτως ἠκριβάσθαι ὡς |[21] ἀπαράλλακτον ἔχειν *ὁμοιότητα*. Ὡσπεροῦν ἀρχὴ καὶ προοίμι|ον *ὁμοιώσεως* εἴη ἂν ἡ *εἰκών*.

Πρῶτον οὖν δεῖ γενέσθαι αὐτὸν |[23] *κατ' εἰκόνα*, εἶτα *καθ' ὁμοίωσιν*, τὸ δὲ πρῶτον οὐ χρόνῳ δεῖ λαβεῖν | καὶ

58, 4 $ὁ_2$: \`ο' ‖ 7 προ\`ς' P² ‖ 11 δ\`ε'ι P² ‖ εικονα⟦ν⟧ ‖ 16 δ\`ε'ι ‖ δυῳ (ω pointé) ‖ 18 εμφερια ‖ 19-20 εικον⟦α⟧\`ος' | ⟦ος⟧ ‖ 23 κατομοιωσιν

58, 3 Gen. 1, 26 ‖ 5 Col. 1, 15 ‖ 6 Jn 14, 9 ‖ 7 Gen. 1, 26 ‖ 10 Hébr. 1, 3 ‖ 17 Gen. 1, 26

58, 1. Cf. ORIGÈNE, *C. Cels.* VI, 66, 1 s. : « Celse n'a pas vu la différence entre ' à l'image de Dieu ' et ' son image ' : l'image de Dieu est le ' Premier-né de toute créature ', le Logos en personne ..., tandis que l'homme a été créé ' à l'image ' » ; cf. VII, 28-29 ; *Hom. in Gen.* I,

« *Faisons l'homme à notre image et ressemblance.* » L'image de Dieu c'est son Fils Monogène. Paul l'enseigne quand il écrit : « *Lui qui est image du Dieu invisible* », mais image par substance et sans défaut, car « *celui qui m'a vu a vu le Père.* » Quand donc il est dit par Dieu : « *Faisons l'homme à notre image et ressemblance* », il ne faut pas l'entendre d'images différentes; il n'y a pas une image du Père et une autre du Fils. Car, si *celui qui a vu le Fils a vu aussi le Père*, et si le Fils est *empreinte de la substance*, selon le bienheureux Paul, il ne faut pas supposer une autre image. Rien parmi les choses créées n'est image et empreinte de Dieu par substance. C'est pourquoi il n'est pas dit : ' Faisons l'homme image ' mais « *à l'image* », ce qui signifie que c'est de cette Image-là, le Fils, que cette image-ci, l'homme, obtient de devenir l'image et l'imitation[1] : l'homme a été fait capable de contenir l'Image.

Il faut considérer d'autre part que Dieu parle de deux manières de faire : « *Faisons l'homme à notre image et ressemblance.* » Je pense qu'une similitude extraordinaire, sans défaut, caractérise la *ressemblance*[2], en sorte que la *ressemblance* est le degré suprême de l'*image*, tandis que l'*image* n'est pas forcément assez exacte pour avoir une *ressemblance* sans défaut. L'*image* serait donc comme le commencement et les préliminaires de la *ressemblance*.

Il faut donc que l'homme devienne d'abord *selon l'image*, et ensuite *selon la ressemblance* — sauf qu'il ne

13 (*GCS* 29, p. 17, 1-5) ; *Hom. in Luc.* VIII, 2 (*GCS* 49, p. 48, 25 à 49, 3), où l'âme est appelée « imago imaginis », expression qui revient pour le saint dans *De orat.* 22, 4 (*GCS* 3, p. 348, 23). L'idée vient de PHILON, *Leg. all.* III 96.

58, 2. Cf. PHILON, *De opif.* 71 : « Enfin, comme toute image n'est pas fidèle à l'exemplaire archétype et que beaucoup en sont dissemblables, il a précisé le sens en ajoutant au mot ' image ' le mot ' ressemblance ', pour signifier une réplique exacte qui se présente comme une gravure nette. »

[58] μάλιστα ὅτε πρώτη ποίησις τοῦ ἀνθρώπου ἦν, ἀλλὰ κατ᾽ ἐπί-
25 νοι|[25]αν. Καὶ ὅτι τοῦθ᾽ οὕτως ἔχει, ἐπιφέρει τὸ συγγραφικὸν
Πνεῦμα · « *Καὶ* | *ἐποίησεν ὁ Θεὸς τὸν ἄνθρωπον, κατ᾽ εἰκόνα*
Θεοῦ ἐποίησεν αὐτόν », οὐκέτι |[27] προσθεὶς τὸ *καθ᾽ ὁμοίωσιν*.
Ὁ γὰρ ν[οῦς] προσελθὼν τῇ θεοσεβείᾳ | τυποῦται μὲν *κατὰ*
τὴν εἰκόνα τ[οῦ Θ]εοῦ, ὕστερον δὲ διὰ προκοπῆς τῆς
59 |[1] ἐπὶ τελειότητα *καθ᾽ ὁμοίωσιν Θεοῦ* γίνεται, ὅπερ <παρ>ι-
(IV, 11) στὰς ὁ μακά|ριος Ἰωάννης φησίν · « *Ἀγαπητοί, νῦν*
τέκνα Θεοῦ ἐσμεν καὶ οὔ|[3]*πω ἐφανερώθη τί ἐσόμεθα* ·
οἴδαμεν ὅτι ἐὰν φανερωθῇ | *ὅμοιοι αὐτῷ ἐσόμεθα.* » Ἤδη
5 γὰρ κατ᾽ εἰκόνα ὄντες ἐλπίζου|[5]σιν καθ᾽ὁμοίωσιν γενέσθαι.
Ὅτι δὲ αὕτη ἔρρωται ἡ διάνοια, καὶ | Παῦλος μαρτυρεῖ
προτρεπόμενός τινας προκόπτειν κατ᾽ ἀρε|[7]τὴν λέγων · Ἵνα
γίνησθε *κατ᾽ εἰκόνα τοῦ κτίσαντος*, καίτοι | ἤδη ὄντας οὕτω
κατὰ τὸν λόγον τῆς οὐσιώσεως. Ὃ λέγει |[9] οὖν τοιοῦτόν
10 ἐστιν, ὅτι πᾶς ἄνθρωπος, ᾗ μὲν δημιούργημα Θεοῦ | ἐστιν,
δεκτικὸς λόγου τυγχάνων, *κατ᾽ εἰκόνα* ὑπάρχει, χω|[11]ρητικὸς
ὤν, ὡς εἴπομεν, τῆς εἰκόνος καὶ ἐπιτηδείως ἔχων πρὸς
|μετουσίαν αὐτῆς, εἰ δὲ κατ᾽ ἐνέργειαν τοῦτο προσλάβοι,
ὥσ|[13]περ ὁ ἐξ ἀρχῆς δημιουργηθεὶς ἄνθρωπος, ἔχει ἤδη
ἐν ἑαυτῷ ἐνερ|γοῦν τὸ *κατ᾽ εἰκόνα*. Καὶ ἔστω ἐπὶ παρα-
15 δείγματος σαφὲς τὸ |[15] λεγόμενον. Ὁ ἄνθρωπος λογικός
ἐστιν · καὶ αὕτη ἡ οὐσιώδης | ἐπιτηδειότης ὑπάρχει καὶ
τῷ βρέφει, τὸ δὲ λογικὸν οὔ · |[17] ἔχει οὖν καὶ τὸ βρέφος

58, 25 τουτ᾽ ‖ 27 κατομοιωσιν ‖ **59,** 1 τελιοτητα ‖ 7 γενησθαι ‖ 11 επιτηδ`ε´ιως ‖ $κ_1$ κατενεργειαν ($κ_1$ exponctué et transformé en abréviation de κ(αι) par P[2]) ‖ 16 ἐπιτηδειότης : η επ- ‖ λογι`κ´ον P[2]

58, 25 Gen. 1, 27 ‖ **59** 2 I Jn 3, 2 ‖ 7 Cf. Col. 3, 10

58, 3. Allusion au baptême.

59, 1. Thème origénien ; voir un exposé très semblable à celui-ci avec les mêmes arguments scripturaires dans *De princ.* III, 6, 1 (*GCS* 22, p. 280, 2 s.) ; cf. *Hom. in Ez.* XIII, 2 (*GCS* 33, p. 446, 7-15) et les autres textes rassemblés par H. Crouzel, *Théologie de l'Image de Dieu chez Origène*, Paris 1956, p. 218-219. Origène empruntait cette distinction entre l'image que l'homme a dès la naissance et

faut pas comprendre ce « d'abord » d'une antériorité chronologique, surtout quand il s'agit de la première création de l'homme, mais d'une antériorité logique. Qu'il en soit ainsi, l'Esprit qui inspire l'auteur sacré le montre dans la phrase suivante : « *Et Dieu fit l'homme, il le fit à l'image de Dieu* », sans ajouter, cette fois, *à la ressemblance*. En effet, l'intelligence qui vient à la religion est marquée d'abord *à l'image de Dieu*[3] et, plus tard, par **59** le progrès / vers la perfection, elle devient *à la ressemblance de Dieu*. C'est ce que déclare le bienheureux Jean quand il dit : « *Mes bien-aimés, nous sommes maintenant enfants de Dieu, et ce que nous serons n'a pas encore été manifesté ; nous savons que, lorsque ce sera manifesté, nous serons semblables à lui* » : étant déjà *à l'image*, nous espérons devenir *à la ressemblance*[1].

Que cette interprétation soit solide, Paul, lui aussi, en témoigne quand, pour encourager certaines personnes à progresser dans la vertu, il leur dit : « Afin que vous deveniez *à l'image de celui qui vous a créés* », bien qu'ils fussent déjà naturellement tels[2] quant à la substance. Voici ce qu'il veut dire : tout homme, en tant que créature de Dieu, étant capable d'avoir la raison, est *à l'image* : il a, comme nous l'avons dit, la puissance de contenir l'Image, le pouvoir de participer à elle; mais s'il acquiert cela en acte, il a désormais en lui, effectif, l'état « à l'image », comme l'homme créé au début. Prenons un exemple pour éclairer ce que nous disons : l'homme est raisonnable; même le nourrisson possède cette disposition par nature, mais il ne possède pas la raison : il en a la

la ressemblance qu'il n'aura que dans la perfection à CLÉMENT D'ALEXANDRIE, *Protreptique* XII, 122, 4 ; *Pédagogue* I, XII, 98, 2, qui disait la tenir d'autres chrétiens : *Stromates* II, XXII, 131, 6.

59, 2. Didyme ne veut évidemment pas dire que les hommes sont consubstantiels à Dieu, mais il rappelle qu'ils sont son image par leur nature même, en tant qu'ils sont des êtres raisonnables commandant aux animaux.

[59] ταύτην τὴν δύναμιν· συμπληρω|θέντος γοῦν τοῦ λόγου ἐπιδείκνυται ταῦτα, ἐὰν πρὸς παίδευ|[19]σιν ῥέψῃ. Οὕτω καὶ
20 τὸ *κατ' εἰκόνα*, ἕως μὲν οὐκ ἐπιχύννυται, | φέρει τῆς πρώτης δημιουργίας τὴν ἀξίαν, ἐπὰν δὲ προσχω|[21]σθῇ κακία καὶ μοχθηρία, δεῖ δέξασθαι τὸ σάρον κατὰ τὰ ἐν | εὐαγγελίῳ εἰρημένα, ὅπερ ἐστὶν ὁ τῆς μετανοίας λόγος, |[23] ἵν' ἀναπτύξαντες τὴν ἐπικειμένην ἀχλὺν τοὺς τύπους | τῆς εἰκόνος φανερώσωμ[εν].

25 Τὸ δὲ « *καὶ ἀρχέτωσαν τῶν* |[25] *ἰχθύων τῆς θαλάσσης καὶ τῶν πετεινῶν τοῦ οὐρανοῦ καὶ τῶν* | *κτηνῶν καὶ πάσης τῆς γῆς [κα]ὶ πάντων τῶν ἑρπετῶν τῶν* |[27] *ἑρπόντων ἐπὶ τῆς γῆς* » κατὰ [τὴν] προτέραν διήγησιν ἐμφαίνοι ἂν

60 |[1] τὸ ἀρχικὸν τοῦ ἀνθρώπου κατὰ τῶν ὑποτεταγμένων αὐτῷ
(IV, 12) ζῴων. | Θαυμάσαι γὰρ ἄν τις πῶς τὰ πάνυ ὑπὲρ τὴν δύναμιν αὐτοῦ |[3] τυγχάνοντα καὶ ἄγρια ἅμα καὶ βλάπτειν πεφυκότα καὶ προσ|έτι ὑπερμεγέθη πάγαις τισὶν καὶ δικτύοις ἀγρεύει·
5 οὐκ ἂν δὲ τοῦ|[5]το οὕτως ἐγίνετο, εἰ μὴ ἀρχὴν κατ' αὐτῶν εἶχεν θεόθεν. Ἔσθ' ὅ|τε γὰρ καὶ ὑπὸ κομιδῇ παιδίου ἢ ἄλλως ἀνθρώπου ἀσθενοῦς ἀγέ|[7]λαι πολυπληθεῖς διαφόρων ζῴων ἐλαύνονται, ὅπερ σαφῶς | ἐπιδείκνυσιν θείαν τινὰ δύναμιν ἐνεῖναι τῷ λογικῷ ζῴῳ, |[9] καθ' ἣν αὐτῷ ταῦτα
10 ὑποτέτακται. Ἀρχὴ δὲ οὐδὲν ἕτερόν ἐ|στι ἢ νόμιμος ἐπιστασία. Οὐδὲν γοῦν τῶν ἄλλων ἄρχει τοῦ |[11] ὁμογενοῦς· κἄν ποτε δὲ ὁ καλούμενος κτίλος πρόβατον ἐξάρ|χῃ ἀγέλης κατὰ τὸ προηγεῖσθαι, οὐ λογισμῷ κατὰ τοὺς ποιμένας |[13] ἀνθρώπους, φύσει δὲ τοῦτο δρᾷ. Γέγονεν δὲ ἄνθρωπος *κατ' εἰκόνα καὶ ὁ|μοίωσιν Θεοῦ*, ἵνα ἄρχῃ τῶν εἰρημένων.
15 Ἐπειδὴ δὲ καὶ κα|[15]τ' ἄλλην διάνοιαν τὸν νοῦν τοῦ ἀνθρώπου

59, 18-19 ʼπʼαιδευσιν ‖ 22 ʼοʼ ‖ **60,** 5-6 οται ‖ 8 επιδʼεʼικνυσιν ‖ 10 τ⟦ων⟧ʼουʼ P² ‖ 12 προηγʼεʼισθαι ‖ ποιμαινας ‖ 14 ⟦ε⟧ινα

59, 21 Cf. Lc 15, 8 ‖ 24 Gen. 1, 26

59, 3. C'est aussi une idée d'ORIGÈNE que le péché ne fait pas disparaître l'« image », mais la recouvre : *Hom. in Gen.* XIII, 4

puissance; et il le montrera bien lorsque sa raison se sera réalisée, s'il n'est pas réfractaire à l'éducation. De même, ce qui est *à l'image*, tant que ce n'est pas submergé, porte la dignité de la première création, mais si le vice et la perversion s'amoncellent sur lui, il faut, selon la parole de l'Évangile, qu'il reçoive le balai, c'est-à-dire la parole de pénitence, pour qu'en enlevant l'obscurité qui le recouvre, on fasse apparaître les traits de l'*image*[3].

La parole : « *Et qu'ils commandent aux poissons de la mer*, *aux oiseaux du ciel*, *aux troupeaux*, *à toute la terre et à tous les reptiles rampant sur la terre* » doit indiquer, selon **60** la première explication / que l'homme a le pouvoir de commander aux animaux qui lui sont soumis. On pourrait s'étonner, en effet, qu'il capture par pièges et filets des animaux qui ont une force bien supérieure à la sienne, qui sont sauvages, naturellement nuisibles et, en outre, d'une taille très grande : cela ne pourrait pas se faire si l'homme n'avait pas reçu de Dieu le commandement sur eux. Il arrive que d'immenses troupeaux d'animaux divers sont conduits par les soins d'un enfant ou d'un infirme, ce qui montre clairement qu'il y a dans l'animal raisonnable une force divine selon laquelle les animaux lui sont soumis. Le commandement n'est rien d'autre qu'une domination légitime; il est de fait qu'aucun des autres êtres ne commande à son semblable et même si parfois le mouton qu'on appelle bélier commande au troupeau en tant qu'il marche en tête, il ne fait pas cela par la raison, à la manière des bergers, mais par nature; mais l'homme a été fait *à l'image et à la ressemblance de Dieu* pour commander aux animaux susdits[1].

Comme nous disons, selon une autre interprétation, que

(*GCS* 29, p. 119, 26-27) avec la même référence à *Luc* 15, 8 (p. 119, 10) ; *Hom. in Jer.* XVI, 6, 9-12 ; *In Matth.* XVII, 27 (*GCS* 40, p. 659, 12).

60, 1. Le même développement et les mêmes exemples chez PHILON, *De opif.* 84-85.

[60] λέγομεν εἶναι ἄνθρωπον, *κα|τ' εἰκόνα καί ὁμοίωσιν Θεοῦ* προσταχθέντα γενέσθαι, καταλ|[17]λήλως λαμβάνομεν αὐτὸν ἄρχειν θηρίων ἐκείνων περὶ [ὧν] | εὐχὴν ἀναπέμπων φησὶν ὁ ἅγιος · « *Μὴ παραδῷς τοῖς θηρίο[ις]* |[19] *ψυχὴν ἐξομο-*
20 *λογουμένην σοι* », ἅπερ εἶεν αἱ ἀντικείμεναι ἐ[νέρ]|γειαι, ὧν ἔξω γενέσθαι τὴν ἐξομολογουμένην ψυχὴν εὔχεται, ἢ |[21] λογισμοὶ πονηροὶ παρ' αὐτῶν ὑποβαλλόμενοι. Πάλιν τῷ Ἰὼβ | λέγεται · « *Ἰδοὺ θηρία παρὰ σοὶ χόρτον ἴσα βουσὶν ἐσθίει* », οὐ|[23]χ ὅτι τὰ κατὰ τὸ πρόχειρον θηρία παρὰ τῷ Ἰὼβ ἐξήλλακται τὴν | φύσιν, ἀλλ' ὅτι τὸ ἀτίθασον τῶν
25 ἐναντίων δυνάμεων ἐξημε|[25]ροῦτο μὴ σθένον πρὸς τὸ μέγεθος τῆς ἀρετῆς τοῦ ἁγίου. Καὶ | πολλὰ ἔστιν εὑρεῖν ἐν τῇ γραφ[ῇ] ζῷα μυστικῶς ἀναγόμενα. |[27] Καὶ γὰρ *ἰχθύες* εἰσὶν συμβολικῶς καλούμενοί τινες ἐν ἀνθρώποις, οὓς | ἑλκεῖ ἡ βληθεῖσα βασιλεία τῶ[ν οὐρα]νῶν εἰς τὴν θάλασσαν. Ἀπὸ γὰρ |[29] παντὸς γένους, τουτ' ἔστιν ἀ[πὸ] παντὸς ἤθους ἀνθρώπων
30 καὶ ἔθνους | ἄγει τὸ κήρυγμα τοῦ λόγου. Ἄρχει οὖν καὶ τῶν
61 *ἰχθύων* τούτων. Καὶ *πε|*[1]*τεινὰ* δέ εἰσιν νοητά, τὰ μὲν ψεγόμενα,
(IV, 13) τὰ δὲ ἐπαινόμε|να · « *Νεοσσοί* » φησιν « *γυπῶν τὰ ὑψηλὰ πέτοντα* », καὶ περὶ τοῦ |[3] καταλαλοῦντος πατρὸς ἢ μητρὸς εἴρηται · « *Ἐκκόψαισαν αὐτὸν κόρα|κες ἐκ τῶν φαράγγων*
5 *καὶ καταφάγοισαν αὐτὸν νεοσσοὶ ἀετῶν* », |[5] ἅπερ ἐπὶ ἱστορίας οὐκ ἂν εἴη, ἐπὶ παντὸς τόπου δυνατοῦ ὄντος |εὑρίσκεσθαι κακολογοῦντα τοὺς γονεῖς, *κοράκων* πανταχόσε μὴ |[7] εὑρισκομένων · ἀλλὰ δῆλον ὡς τούτῳ τῷ σφάλματι ἐνεχόμε|νος ὑπὸ σκοτίων ἐνεργειῶν τρόπον τινὰ δαμάζεται καὶ κατεσθί|[9]εται, αἵτινες ταπειναὶ τυγχάνουσιν, *φάραγξιν*

60, 19-20 ε[...]γ`ε'ιαι ‖ 21 υποβαλλομεναι ‖ 22 εσθειει ‖ 23 εξηλλα`κ'τ⟦ε⟧`αι' ‖ 24 ατιθοσον ‖ **61,** 4 καταφαγαισαν ‖ 6 γονης ‖ πανταχοσαι ‖ 7 δηλο⟦υ⟧ν ‖ 8-9 κατεσθ⟦ε⟧ιεται ‖ 9 φαραγξειν

60, 18 Ps. 73, 19 ‖ 22 Job 40, 15 ‖ **61,** 2 Job 5,7 ‖ 3 Prov. 30, 17

60, 2. Cf. ORIGÈNE, *Hom. in Gen.* I, 16 (*GCS* 29, p. 20, 7-8).

l'*homme*, à qui il est prescrit de devenir *à l'image et à la ressemblance de Dieu*, c'est l'intelligence de l'homme, nous comprenons, corrélativement, que cette intelligence commande à ces bêtes sauvages dont parle le saint dans sa prière : « *Ne livre pas aux bêtes l'âme qui se confesse à toi* » : ces bêtes doivent être les puissances adverses dont il demande que l'âme qui se confesse soit délivrée, ou encore ce sont les pensées mauvaises suggérées par ces puissances[2]. Il est dit encore à Job : « *Voici des bêtes sauvages chez toi ; elles mangent du foin comme des bœufs* » : non pas que les bêtes sauvages, au sens usuel du mot, aient changé de nature chez Job, mais la sauvagerie des puissances adverses a été domestiquée et privée de force en face de la grandeur de la vertu du saint. On peut trouver dans l'Écriture beaucoup d'animaux mystiquement transposés[3]. Il y en a d'appelés symboliquement *poissons* : ce sont les hommes que tire le royaume des cieux jeté dans la mer; le message du Verbe en fait sortir en effet de tout « genre », c'est-à-dire des hommes de toutes mœurs et de **61** toute nation; il commande donc à ces *poissons-là.* / Et il y a des *oiseaux* intelligibles, les uns blâmables, les autres louables : « *Les petits des vautours* », est-il écrit, *volent vers les hauteurs* », et il est dit de l'homme qui médit de son père ou de sa mère : « *Les corbeaux des précipices le perceront et les petits des aigles le mangeront* », ce qui ne se produit assurément pas dans la réalité historique, car on peut trouver en tout lieu quelqu'un qui médit de ses parents, tandis qu'on ne trouve pas des corbeaux partout; mais il est évident que l'homme qui tombe dans cette faute est d'une certaine manière vaincu et dévoré par les puissances ténébreuses, lesquelles sont au sol et ont coutume de résider dans les *précipices*. Pour les autres animaux,

60, 3. Thème origénien, voir plus haut p. 51, n. 1, et H. CROUZEL, *op. cit.*, p. 197-198.

[61] 10 ἐνδιατρίβειν εἰ|ωθυῖαι. Καὶ ἐπὶ τῶν ἄλλων ὁ φιλόκαλος εὑρήσει καὶ ἐπαινετῶς |[11] καὶ ψεκτῶς ζῷα λαμβανόμενα.

Ἄρχειν οὖν ὁ ἄνθρωπος τούτων ἁπάν|των τέθειται, *κατ' εἰκόνα* Θεοῦ γεγονώς. Οἱ ἀπόστολοι εἰς ταύτην |[13] τὴν κατάστασιν ἐληλυθότ[ε]ς ὥστε *κατ' εἰκόνα καὶ ὁμοίωσιν* Θεοῦ | εἶναι *ἦρχον* τῶν *ἰχθύων* τ[ῆ]ς νοητῆς θαλάσσης, 15 ἁλεεῖς ὑπὸ Χριστοῦ |[15] γεγενημένοι εἰπόντος πρὸς αὐτούς · « *Δεῦτε ὀπίσω μου, καὶ ποι|ήσω ὑμᾶς ἁλεεῖς ἀνθρώπων* », ὡς καὶ τῷ Πέτρῳ · « *Ἀπὸ τοῦ νῦν ἀνθρώπους ἔ|*[17]*σῃ ζωγρῶν* », τοὺς ἐν τῇ εἰρημένῃ δηλονότι θαλάσσῃ ἐννη-|χομένους. Ὅτι δὲ καὶ *θηρίων ἄρχοντες* ἦσαν, *ἐξουσίαν* εἰλήφα|[19]σιν *πατεῖν ἐπάνω ὄφεων καὶ σκορπίων καὶ ἐπὶ* 20 *πᾶσαν τὴν | δύναμιν τοῦ ἐχθροῦ*. Ἀλλὰ καὶ ἐν τῷ ψαλμῷ δείκνυται ὡς πα|[21]ρὰ Θεοῦ ἐξουσία τῷ δικαίῳ κατὰ τῶν τοιούτων δέδοται, λέγον|τος τοῦ ἁγίου Πνεύματος πρὸς τὸν ἐνάρετον · « *Ἐπ' ἀσπίδα καὶ βασιλίσκον* |[23] *ἐπιβήσῃ καὶ καταπατήσεις λέοντα καὶ δράκοντα.* » Δέδωκεν | δὲ αὐτοῖς καὶ τῶν *πετεινῶ[ν]* ἐξουσίαν τῶν ἁρπαζόντων τὸν 25 |[25] ὑπὸ τοῦ λόγου πεμπόμενον σπόρον, ἵνα θηρεύοντες αὐτὰ πόρρω | αὐτοὺς ἀποπέμπωσιν, ἔτι δὲ καὶ τῶν κτηνωδεστέρων ἀνθρώπων, |[27] περὶ ὧν εἴρηται · « *Μὴ γίνεσθε [ὡ]ς ἵππος καὶ ἡμίονος, οἷς οὐκ ἔστιν | σύνεσις* », καί · « *Ἵπποι θηλυμαν[εῖ]ς ἐγενήθητε.* » *Ἄρχουσι* δὲ τούτων |[29] ἁπάντων

62 οἱ ἅγιοι μετατιθέντες αὐτοὺς ἀπὸ τῶν χειρόνων ἐπὶ |[1] κρείτ-(IV, 14) τονα διὰ τοῦ λόγου. Ἀλλὰ καὶ τῶν *ἑρπετῶν* ἐξουσίαν εἴ|ληφεν ἄνθρωπος, ἅπερ εἰς τὰς ἡδονὰς καὶ τ[ὰ] πάθη ἀναφέρων |[3] οὐκ ἂν ἁμάρτοις, ἀπεχόμενος τῶν σαρκικῶν ἐπιθυμιῶν | ἐν τῷ κατεξανίστασθαι αὐτῶν καὶ νεκροῦν « *τὰ μέλη τὰ* 5 *ἐπὶ* |[5] *τῆς γῆς, πορνείαν, ἀκαθαρσίαν, πάθος, ἐπιθυμίαν, κακήν* ».

| Καλῶς δὲ κατὰ τῆς ἀνταποδόσεως ἔχει λεγούσης · « *Καὶ ἐ|*[7]*ποίησεν ὁ Θεὸς τὸν ἄνθρωπον, κατ' εἰκόνα Θεοῦ*

61, 15 ειποντος+⟦ου⟧ ‖ 22 \`προς' ‖ 25 \`σ'πορον ‖ **62,** 1 κρ\`ε'ιτ⁻τονα ‖ λογου+⟦και⟧ ‖ 5 πορν\`ε'ιαν

l'homme cultivé trouvera lui-même l'interprétation en bonne et mauvaise part.

L'homme a donc été placé pour les *commander* tous, ayant été fait *à l'image de Dieu.* Les apôtres, parvenus à cet état où l'on est *à l'image et à la ressemblance de Dieu*, *commandaient aux poissons* de la mer spirituelle, car le Christ les a faits *pêcheurs* en leur disant : « *Suivez-moi et je ferai de vous des pêcheurs d'hommes* », et à Pierre : « *A partir de maintenant tu captureras des hommes* », à savoir ceux qui nagent dans la mer susdite; et, pour montrer qu'ils *commandaient* aussi aux *bêtes sauvages*, ils ont reçu le pouvoir de « *marcher sur les serpents*, *les scorpions et toute la puissance de l'ennemi* ». Dans le psaume, également, il est indiqué que Dieu a donné puissance au juste contre ces sortes de bêtes, quand le Saint-Esprit dit à l'homme vertueux : « *Tu marcheras sur l'aspic et le basilic*, *tu fouleras aux pieds le lion et le dragon.* » Il leur a donné puissance aussi sur les *oiseaux* qui s'emparent de la semence jetée par la Parole, pour qu'ils fassent la chasse à ces oiseaux et les écartent; et puissance sur les hommes bestiaux dont il est écrit : « *Ne devenez pas comme un cheval ou un mulet qui n'ont pas d'intelligence* », et : « *Vous êtes devenus des chevaux que les femelles ont mis en rut.* » Les saints *commandent* à tous ces gens en les faisant passer **62** du pire au / mieux par la parole. Enfin, l'homme a reçu puissance sur les *reptiles* — reptiles que tu peux interpréter sans erreur, des plaisirs et des passions —, quand il s'abstient des désirs charnels, qu'il se tient en garde contre eux et qu'il fait mourir « *les membres terrestres*, *la fornication*, *l'impureté*, *la passion*, *le désir mauvais* ».

C'est avec raison que la phrase corrélative dit : « *Et Dieu fit l'homme ; il le fit à l'image de Dieu.* » Tandis que le

61, 11 Cf. Gen. 1, 26 || 15 Matth. 4, 19 || 16 Lc 5,10 || 19 Lc 10, 19 || 22 Ps. 90, 13 || 27 Ps. 31, 9 || 28 Jér. 5, 8 || **62** 4 Col. 3, 5 || 6 Gen. 1, 27

[62] *ἐποίησεν αὐτόν.* » | Τῆς γὰρ προστάξεως περιεχούσης, πρὸς τῷ « *κατ' εἰκόνα* », |[9] « *καὶ καθ' ὁμοίωσιν* » αὐτὸν
10 γενέσθαι, ἡ ἀνταπόδοσίς φησιν | ὅτι « *κατ' εἰκόνα ἐποίησεν αὐτόν* », οὐ προσθεῖσα τὸ « *καθ' ὁμοί*|[11]*ωσιν* », περὶ οὗ ἐν τοῖς ὀλίγῳ πρότερον διειλήφαμεν.

Τὸ δὲ | « *ἄρσεν καὶ θῆλυ ἐποίησεν αὐ[τ]ούς* » ἐξεταστέον, πῶς, πε|[13]ρὶ ἑνὸς ἀνθρώπου προστάξαντος τοῦ Θεοῦ, ἡ ἀνταπόδοσις | λέγει · « *Ἐποίησεν αὐτούς.* » Καὶ εἴη ἂν
15 κατὰ τὸ ῥητὸν ἀπόδει|[15]ξις αὕτη τοῦ ὁμοούσιον εἶναι τὴν γυναῖκα τῷ ἀνδρί, ὑπὸ ἓν | εἶδος αὐτῶν ταττομένων καὶ διὰ τοῦτο εἰρημένου τοῦ « *ποι*|[17]*ήσωμεν ἄνθρωπον* » · τὸ δὲ « *ἄρσεν καὶ θῆλυ* » παραστατικὸν τῶν τμη|μάτων ‹ὧν› τῆς διαδοχῆς ἕνεκεν ὁ Θεὸς ᾠκονόμησεν, ἐμ|[19]φαῖνον ἅμα ὡς καὶ ἡ γυνὴ « *κατ' εἰκόνα Θεοῦ* » ἐστιν, τῶν αὐτῶν
20 | δεκτικοὶ ἀμφότεροι, μιμήσεώς τε τῆς πρὸς Θεὸν καὶ τῆς τοῦ |[21] ἁγίου Πνεύματος μετουσίας καὶ ἀναλήμψεως ἀρετῆς.

Καὶ ἐπεὶ ἐ|λέγομεν δηλοῦσθαι τὴν *ἀνθρώπου* π[ρο]σηγορίαν καὶ ἐπὶ τοῦ νοῦ καὶ |[23] ψυχῆς, νοήσομεν κατ' ἀναγωγὴν οὕτω τὸ « *ἄρσεν καὶ θῆλυ* », | ὡς ὁ μὲν δυνάμενος διδα-
25 σκ[α]λικὸς εἶναι, ὡς τὸν τοῦ λόγου |[25] σπόρον εἰσιέναι ταῖς παραδέξ[ασ]θαι δυναμέναις ψυχαῖς, οὕ|τως ἂν *ἄρρην* εἴη,
63 ἐκείνων συμβ[ολι]κῶς τὸν *θήλεος* ἐπεχόντων |[1] τόπον τῶν
(IV, 15) ἀφ' ἑαυτῶν μὲν τίκτειν οὐδὲν δυναμένων, | τὰς δὲ παρ' ἑτέρων παιδεύσεις δεχομένων δίκην σπό|[3]ρου. Καὶ ἐπὶ μὲν τοῦ αἰσθητοῦ παρὰ Θεοῦ τὸ *θῆλυ* καὶ τὸ *ἄρρεν* | γίνεται, ἐπὶ
5 δὲ τοῦ νοητοῦ ἑαυτῷ τις καὶ ἀπὸ τῆς ἰδίας |[5] προαιρέσεως ἢ διδασκάλου χῶραν ἐπέχει, ὅς ἐστιν *ἄρρην* | καὶ τῶν ἀγαθῶν σπορεύς, ἢ μαθητὴς τὸν ἑτέρου σπόρον |[7] δεχόμενος

62, 13 λε|⟦λε⟧γει ‖ 14-15 αποδειξ⟦ε⟧ις ‖ 15 του+⟦ου⟧ ‖ ομουσιον ‖ γυνε`αι´κα ‖ τω⟦ν⟧ ‖ 18 τῆς : αυτης ‖ 18-19 εμφ⟦ε⟧`αι´νον ‖ 23 κατ⟦α⟧ ‖ 24 διδασκ[.]λεικος ‖ 25 τα`ι´ς ‖ 25-26 ουτος ? ‖ 26 συμβ[...]κων`ς´ ‖ **63,** 4 γινε⟦σ⟧ται

62, 8 Gen. 1, 26 ‖ 12 Gen. 1, 27 ‖ 16 Gen. 1, 26

62, 1. Cf. p. 60, 21.

commandement parlait non seulement d'être *à l'image* mais encore de devenir *à la ressemblance*, la phrase corrélative déclare qu'*il le fit à l'image*, sans ajouter « *à la ressemblance* ». Nous nous sommes expliqués à ce sujet un peu plus haut[1].

Mais il faut examiner la parole : « *Il les fit mâle et femelle.* » Pourquoi, alors que l'ordre de Dieu concernait un seul homme, la phrase corrélative dit-elle : « *Il les fit* » ? Selon le sens littéral, on peut dire que nous avons ici la preuve que la femme est consubstantielle à l'homme : tous deux sont rangés sous la même espèce et c'est ce qui a fait dire : « *Faisons l'homme.* » Les mots « *mâle et femelle* » indiquent au contraire la distinction que Dieu a ménagée entre eux en vue de la descendance ; ils montrent en même temps que la femme est, elle aussi, *à l'image de Dieu*, que tous deux ont les mêmes capacités : celles d'imiter Dieu, de participer au Saint-Esprit et d'acquérir la vertu.

Et puisque nous disions que la dénomination d'*homme* s'emploie aussi pour l'intelligence et l'âme[2], voici le sens anagogique des mots *mâle et femelle* : l'intelligence capable d'enseigner, de jeter la semence de la Parole dans les âmes susceptibles de la recevoir, doit être le *mâle* ; et **63** tiennent symboliquement la place de la *femelle* / les âmes qui ne peuvent rien enfanter d'elles-mêmes mais qui reçoivent des autres l'enseignement à la façon d'une semence[1]. Dans l'ordre sensible, c'est Dieu qui fait qu'on est *femelle* ou *mâle*, mais dans l'ordre spirituel, c'est chacun pour lui-même et par son propre choix qui, ou bien occupe la place du maître, *mâle* et semeur des biens, ou bien se fait disciple qui reçoit la semence d'un autre et qui

62, 2. Cf. p. 58 et 59.

63, 1. Cf. ORIGÈNE, *Hom. in Gen.* I, 15 (*GCS* 29, p. 19, 10) : « Masculus spiritus dicitur, femina potest anima nuncupari. Haec si concordiam inter se habeant ..., multiplicantur generantque filios sensus bonos et intellectus et cogitationes utiles ... »

[63] καὶ *θῆλυ* κατὰ τοῦτο τυγχάνων. Καὶ οὕτω μὲν | ἄν τις
νοήσαι τὰ μείζονα πρὸς τὰ ὑποδεέστερα τῶν λο|[9]γικῶν
10 δεχόμενος. Εἰ δὲ ὡς πρὸς τὸν Λόγον τοῦ Θεοῦ τις ἐκ|λαβεῖν
βούλοιτο, πᾶσα ἡ λογικὴ φύσις θήλεος πρὸς αὐτὸν |[11] ἔχοι
τάξιν. Νυμφίος ἐστὶν οὗτος τῆς λογικῆς οὐσίας· « *‹Ὁ›
ἔχων* » | γὰρ « *τὴν νύμφην νυμφί[ος ἐσ]τίν.* » Καὶ ἐν τῷ
Ἄισματι δὲ τῶν |[13] ᾀσμάτων καὶ ἐπιθαλάμι[ος] ὕμνος
ᾄδεται νύμφης πρὸς | νυμφίον, τῆς ἐκκλησίας ν[ύ]μφης
15 νοουμένης ἢ τῆς τελείας |[15] ψυχῆς τῆς ἤδη δυναμέ[νη]ς
ἁρμοσθῆναι τῷ Λόγῳ, ὅστις σπο|ρεὺς ὑπάρχει πάσης
λογ[ι]κῆς οὐσίας, ταύτης δεχομένης τὴν |[17] παρ' αὐτοῦ
ὠφελίαν ἔν τε ἠθικοῖς καὶ τοῖς τῆς ἀληθείας δό|γμασιν.
Καὶ ἐπὶ μὲν τῶν αἰσθητῶν ἐξαλλαγὴν γενέσθαι τῆς |[19] φύσεως
20 ἀδύνατον, ἐπὶ δὲ τῶν νοητῶν ὁ νῦν μαθήματα | δεχόμενος
καὶ διὰ τοῦτο ἐν τάξει *θήλεος* ὑπάρχων εἴη ἄν |[21] ποτε ἐκ
προκοπῆς *ἀνὴρ* ὡς ἄλλων γενέσθαι διδάσκαλος, | ὡς καὶ
ἀνάπαλιν ἐκ ῥᾳθυμίας ἀποβαλεῖν τις δύναται τὸ διδά|[23]σκαλος
εἶναι ὥστε μάλα μόγις δύνασθαι δέξασθαι παρ' ἄλλου | ἃ
αὐτὸς πρότερον τοὺς [ἄλλο]υς ἐπαίδευεν. Καὶ εἴη ἂν μαρτύ-
25 |[25]ριον τῶν δεχομένων τὰς τοῦ Λόγου σπορὰς τὸ « *ἀπὸ τοῦ
φόβου σου* | *ἐν γαστρὶ ἐλάβο‹με›ν καὶ ὠδινήσαμεν καὶ
ἐτέκομεν πνεῦμα σωτηρίας* |[27] *ἐπὶ τῆς γῆς* ». Ὁ φόβος δὲ
τὴν [ἁγί]αν ἐργάζεται σύλληψιν περὶ | Θεοῦ · εἴρηται ·
« *Ὁ φόβος Κυρίου ἁγν[ός], διαμένων εἰς αἰῶνα αἰῶνος* »,
64 |[1] καί · « *Φόβος Κυρίου πάντα ὑπερέβαλεν* », ὅντινα ἔχων
(IV, 16) τις καὶ ἐν αὐτῷ | προκόπτων ὡς καὶ ἀνὴρ γενέσθαι γυναικὸς
νοητῆς καὶ διὰ τοῦτο |[3] μακαρίζεσθαι, λέγοντος τοῦ ψαλμοῦ ·
« *Μακάριος εἶ καὶ καλῶς σοι* | *ἔσται, ἡ γυνή σου ὡς ἄμπελος*
5 *εὐθηνοῦσα ἐν τοῖς κλίτεσι τῆς οἰ*|[5]*κίας σου, οἱ υἱοί σου
ὡς νεόφυτα ἐλαιῶν κύκλῳ τῆς τραπέζης* | *σου. Ἰδοὺ οὕτως
εὐλογηθήσεται ἄνθρωπος ὁ φοβούμενος τὸν Κύριον* »,

63, 11 ταξ⟦ε⟧ιν ‖ 14 τελιας ‖ 18 επει ‖ ⟦ε⟧`αι´σθητων P² ‖ 26 ωδεινησαμεν ‖ **64,** 2 τουτου

63, 11 Jn 3, 29 ‖ 25 Is. 26, 18 ‖ 28 Ps. 18, 10 ‖ **64,** 1 Sir. 25, 11

en cela est *femelle*. Tel est le sens qu'on peut donner si l'on considère les êtres supérieurs par rapport à ceux qui sont moins pourvus en capacité rationnelle. Mais si l'on veut appliquer cette parole au Verbe de Dieu, c'est toute la nature raisonnable qui joue par rapport à lui le rôle de *femelle*. C'est lui l'Époux de la nature raisonnable spirituelle car : « *Celui qui a l'épouse est l'Époux.* » Le Cantique des cantiques nous fait entendre l'épithalame chanté par une épouse à un époux : l'épouse signifie l'Église ou l'âme parfaite déjà capable de s'adapter au Verbe, lequel est l'inséminateur de toute nature raisonnable, en ce sens que celle-ci reçoit son assistance pour ce qui est de la morale et des dogmes de la vérité. Dans l'ordre sensible, il est impossible de changer de nature, mais dans l'ordre spirituel, tel qui reçoit maintenant l'enseignement et se trouve, à cause de cela, en situation de *femme* peut devenir un jour par le progrès un *mâle*, un maître pour les autres; à l'inverse, on peut par négligence perdre la qualité de maître au point d'être presque incapable de recevoir d'un autre ce qu'on enseignait soi-même auparavant aux autres. Il est une parole de l'Écriture qui rend témoignage à ceux qui reçoivent les semences du Verbe : « *La crainte de toi nous a fait concevoir, éprouver les douleurs de l'enfantement et mettre au monde un esprit de salut sur la terre.* » C'est cette crainte qui permet d'avoir une sainte conception de Dieu; il est dit : « *La crainte du Seigneur est pure; elle demeure à jamais* » / et « *La crainte du Seigneur surpassa tout.* » Celui qui a la crainte du Seigneur progresse en elle au point de devenir le mari de la femme spirituelle, et d'être à cause de cela même déclaré bienheureux par le Psaume : « *Tu es bienheureux et tu prospéreras : ta femme sera comme une vigne florissante à l'entour de ta maison, et tes fils comme des plants d'olivier autour de ta table. Ainsi sera béni l'homme qui craint le Seigneur.* » Cette parole

64

[64] |[7] ὅπερ κατὰ τὴν ἱστορίαν οὐκ ἔχει τὸ ἀναντίρρητον, πολλῶν φοβουμένων τὸν Θεὸν ἀτέκνων διατελεσάντων ἢ μέχρι γήρως |[9] κατὰ τὸν Ἀβραὰμ καὶ τὸν πατέρα τοῦ Ἰωάννου
10 Ζαχαρίαν διαμεινάν|των. Ὃ λέγει τοίνυν τοιοῦτόν ἐστιν · ἡ γνώμη καὶ ἡ πίστις ἣν |[11] παρείληφεν ὁ μακαριζόμενος *γυνή* ἐστιν συνοικοῦσα αὐτῷ, | ἔργα καὶ λόγους καὶ νοήματα θεῖ[α γ]εννῆσαι δυναμένη · εἴρηται |[13] γάρ · « *Ἡ σοφία τίκτει ἀνδρὶ φρόνη[σι]ν* », καὶ ὁ σοφός φησιν περὶ αὐτῆς · | « *Ἐραστὴς ἐγενόμην τοῦ κάλλους αὐτῆς* », τῆς σοφίας
15 δηλονό|[15]τι, καὶ « *ἤγαγον αὐτὴν πρὸς συμβ[ίωσι]ν ἐμαυτῷ.* » Ὁ φοβούμενος | οὖν τὸν Κύριον ταύτην ἔχει σύνοικον τὴν σοφίαν, τὴν πίστιν, τὴν |[17] ἀρετήν, ἀφ' ἧς οὐδὲν *θῆλυ* γεννᾷ ἀλλὰ πάντα *ἄρρενα* · οὐ γεννᾷ | γὰρ πρᾶξιν καταγιγνωσκομένην ἢ νόημα σαθρὸν ἢ ἐλεγχόμ[ε]|[19]νον ἀλλὰ πάντα
20 εὔτονα καὶ ἰσχυρά · « *Οἱ υἱοί σου* » γάρ φησιν « *ὡς νεόφυ|τα ἐλαιῶν* », ἅπερ φέρει ἔλαιον τρεπτικὸν φωτὸς καὶ λυτήριον πόνων. |[21] Ὁ γὰρ πνευματικὸς ἀεὶ προκόπτων πρᾶξιν ἔχει ἐλαίου δίκην, ἐπιχεομένην | τῷ ἑαυτοῦ φωτί, ὃ καὶ εἰς ἀνδρείαν καὶ ἀγῶνας τοὺς κατὰ τῆς ἀντικει|[23]μένης ἐνεργείας συντελεῖ. « *Ἄρσεν* » οὖν « *καὶ θῆλυ* » κατὰ τὴν εἰρημέ|νην διάνοιαν ἐκλαμβάνοντες, τὸν μὲν διδάσκοντα ἄρρενα, τὸν
21 |[25] δὲ πρὸς διδασκάλου ἢ τοῦ Λόγου [τοῦ Θεοῦ] δεχόμενον τὰς γονὰς καὶ | μορφοῦντα αὐτὰς καὶ τελεσιου[ρ]γοῦντα θῆλυ, τὰς θείας ἀρετὰς ἀ|[27]πογεννῶντα, ἐξ ὧν καὶ *εἰς ἄνδρα τέλειον* ἀχθήσεται.

I, 28-31. Καὶ εὐλόγησεν | αὐτοὺς ὁ Θεὸς λέγων · Αὐξάνεσθ[ε καὶ] πληθύνεσθε, καὶ πληρώσατε |[29] τὴν γῆν καὶ κατα-
65 **κυριεύσατε α[ὐτῆ]ς καὶ ἄρχετε τῶν ἰχθύων τῆς |[1] θαλάσσης**
(V, 1) **καὶ τῶν πετεινῶν τοῦ οὐρανοῦ καὶ πάντων | τῶν κτηνῶν καὶ πάσης τῆς γῆς καὶ πάντων τῶν ἑρπετῶν |[3] τῶν ἑρπόντων ἐπὶ [τ]ῆς γῆς. Καὶ εἶπεν ὁ Θεός · Ἰδοὺ δέδω|κα ὑμῖν πάντα**

64, 18 πραξ⟦ε⟧ιν ‖ 19 'γαρ' P² ‖ 21 πραξ⟦ε⟧ιν ‖ 22 ανδριαν ‖ 25 [. . .θυ] (présence du tilde) ‖ δεχομενο⟦υ⟧'ν' ‖ 27 τελιον ‖ 28 πληρωσαται ‖ 29 κατακυριευσαται ‖ ιχθυ⟦ν⟧'ων' P² ‖ της+|της (ditt.) ‖ **65,** 1 θαλασσης P^c : θαλασση P

n'est pas incontestable au plan de l'histoire, car beaucoup de gens qui craignent Dieu meurent sans enfants ou attendent la vieillesse pour en avoir, comme Abraham ou Zacharie, père de Jean. Ce que l'Écriture veut dire, c'est donc ceci : la règle morale et la foi qu'a reçues l'homme déclaré bienheureux, voilà la *femme* qui habite avec lui, capable d'engendrer des œuvres, des paroles et des pensées divines, selon qu'il est écrit : « *La sagesse enfante à l'homme l'intelligence.* » Et le sage dit d'elle : « *Je suis devenu amoureux de sa beauté* », de la beauté de la sagesse évidemment, « *et je l'ai prise comme compagne de ma vie.* » La compagne de celui qui craint Dieu, c'est donc la sagesse, la foi, la vertu, et d'elle il n'engendre rien de *féminin*, mais des enfants tous *mâles*, car il n'engendre pas d'action blâmable, ni de pensée malpropre ou répréhensible, mais rien que des choses fortes et vigoureuses, car « *tes fils seront comme des plants d'olivier* », dont l'huile nourrit la lumière et soulage les peines. En effet les actions de l'homme spirituel en continuel progrès sont comme une huile qui entretient sa lumière et qui le rend fort pour les combats contre la Puissance adverse. Nous comprenons donc « *mâle et femelle* » selon l'interprétation qui vient d'être exposée : le *mâle* est celui qui enseigne; la *femelle* est celui qui reçoit, ou d'un maître ou du Verbe de Dieu, des germes, qui les forme, les mène à maturité et enfante les divines vertus, grâce auxquelles il arrivera à devenir un *homme parfait.*

I, 28-31. **Et Dieu les bénit en disant : Croissez et multipliez, emplissez la terre et dominez-la ; commandez aux**
65 **poissons de la mer, aux oiseaux du ciel, à toutes les bêtes, à toute la terre et à tous les reptiles rampant sur la terre. Et Dieu dit : Voici que je vous ai donné**

64, 3 Ps. 127, 2-4 || 13 Prov. **10,** 23 || 14 Sag. 8, 9 || 19 Ps. 127, 3 || 27 Éphés. 4, 13

[65] 5 **χόρ[το]ν σπόριμον σπεῖρον σπέρμα, ὅ ἐστιν |5 ἐπάνω πάσης τ[ῆ]ς γῆς, κ̣[α]ὶ πᾶν ξύλον ὃ ἔχει ἐν ἑαυτῷ καρ|πὸν σπέρματος σπό[ριμον] ὑμῖν ἔσται εἰς βρῶσιν καὶ πᾶσιν |7 τοῖς θηρίοις τῆς γῆς καὶ πᾶσι τοῖς πετεινοῖς τοῦ οὐρανοῦ | καὶ παντὶ ἑρπετῷ τῷ [ἕρπον]τι ἐπὶ τῆς γῆς, ὃ ἔχει ἐν αὐτῷ ψυ|9χὴν ζωῆς, καὶ πάντα χ̣[όρτον] χλωρὸν εἰς βρῶσιν. Καὶ ἐγένετο**
10 **| οὕτως. Καὶ εἶδεν ὁ [Θεὸς τὰ] πάντα ὅσα ἐποίησεν, καὶ ἰδοὺ |11 καλὰ λίαν. Καὶ ἐγένε[το ἑσπ]έρα καὶ ἐγένετο πρωΐ, ἡμέρα | ἕκτη.**

|13 Τὸ « *καὶ ἐ[ποί]η̣σεν αὐτοὺς* » π̣[ερὶ ἀν]δρὸς καὶ γυναικὸς εἰρημένον | οὐ ξενισ[τ]έον εἰ ἀρσεν̣[ικῷ χα]ρακτῆρι
15 ἐξενήνεκται · ἔδει γὰρ |15 ἀπὸ τοῦ ἐν̣τιμοτέρου τ̣[ὴν ὀν]ομασίαν ἀμφοτέρων ποιήσα|σθαι. Οὐδέποτε γάρ τι[ς περὶ] ἀρρένων καὶ θηλειῶν διαλεγόμε|17νος προέκρινεν ἀπὸ [τῶν] θηλειῶν πο[ι]ήσασθαι τὴν σημα|σίαν.

« *Εὐλόγησεν* αὐ[τούς] » ὡ̣ς συμπληρῶντας τὴν συμ|19βίωσιν καὶ τῆς διαδ[οχῆς ἀ]ρχομένους. Τοῦτο γὰρ καὶ
20 ἐπή|γαγεν λέγων · « *Αὐξά[νεσθ]ε καὶ πληθύνεσθε* », τὴν τέκνω|21σιν δηλῶν καὶ τὴν ε[ἰ]ς τοῦ]το ἐπιτηδειότητα ἀκώλυτον̣ εἶ|ναι καὶ ἀπαραπόδισ[τον, κ]αθ' ἣν γονεῖς ἔμελλον ἔσεσθαι |23 τῶν ἐξ α[ὐ]τῶν, οἳ κα[τὰ τ]ὸ θεῖον πρόσταγμα πληροῦν | ἔμελλο[ν] τὴν γῆν. Ε[ἴρητ]αι γάρ ·
25 « *Καὶ πληρ̣ώσατε τὴν γῆν* », |25 ὅπερ φρο[νι]μώτερον [νοεῖν] δ̣εῖ · εἰ δὲ μή γε, μάχεται τῷ ἐν|ταῦθα λεγομένῳ τ[ὸ... παρ]οιμίας φερόμενον · « *Κύριος ἐποίησεν* |27 *χώρας καὶ ἀοικήτου[ς.* » Καὶ γ]άρ εἰσιν ἀοίκητοι χῶραι καὶ τόποι.

66 (V, 2) |1 Τὸ « *πληρώσατε τὴν γῆν* » τὴν πρὸς οἴκ̣[η]σ̣ιν εἰλημμένην ἀκουστέ|ον κατὰ τὸ προσυπακούειν τῷ « *πληρ̣ώ̣σατε τὴν γῆν* » τὴν ε̣ἰς |3 τοῦτο ἔχουσαν ἐπιτηδείως.

« *Καὶ κα[τ]ακυριεύσατε αὐτῆς* », ὅπερ | τὴν ἐπιτεταμένην
5 ἐξουσίαν [σ]ημ[αί]νει. Οὐ γὰρ μέρους ἐξουσι|5άζων κατακυριεύειν λέγεται. Τ[οῦτο] δ̣ὲ τῷ ἀνθρώπῳ Θεὸς δεδώρη|ται,

65, 5 τ[.]ς γῆς : γης τ[.]ς ‖ 7 [.....]σι και πασι (ditt.) ‖ 10 ιδεν ‖ 16 ουδεποται ‖ θηλιων ‖ 20 αυξα[...]αι ‖ 22 γονης ‖ **66,** 1 πληρωσαται ‖ 2 προσυποκουειν ‖ πληρ̣ώ̣σαται

toute herbe portant semence qui est sur la surface de toute la terre ; et tout bois qui a en soi du fruit portant semence vous servira de nourriture, ainsi qu'aux bêtes de la terre... à tous les oiseaux du ciel et à tout reptile rampant sur la terre : à tout ce qui a en soi âme de vie ; et toute herbe verte en nourriture. Et il en fut ainsi. Et Dieu vit toutes les choses qu'il avait faites et voici qu'elles étaient très belles. Et il y eut un soir et il y eut un matin : ce fut le sixième jour.

Il ne faut pas s'étonner que la parole : « *Il les fit* », dite de l'homme et de la femme, soit mise au masculin, car il fallait nommer les deux d'après le plus honorable : jamais personne, en dissertant sur les mâles et les femelles, n'a choisi de les désigner d'après les femelles.

« *Il les bénit* », en tant qu'ils consommeraient le mariage et seraient au point de départ de la descendance humaine. Il est ajouté en effet : « *Croissez et multipliez-vous* », en indiquant qu'il n'y avait pas d'interdiction et d'empêchement à la procréation et à l'acte propre à la procurer, parce que c'est de cette manière qu'ils devaient devenir les parents de ceux qui descendraient d'eux, lesquels devaient, d'après le commandement de Dieu, remplir la terre. Il est dit en effet : « *Remplissez la terre.* » Cette parole doit être comprise avec discernement, sinon ce qui est dit là contredit la parole des Proverbes : « *Le Seigneur a fait des campagnes et des lieux inhabitables.* » De fait, **66** il existe des campagnes et des lieux inhabitables. Il faut entendre « *Remplissez la terre* » de la terre prise pour habiter, en sous-entendant, après « *Remplissez la terre* », celle qui est propre à cela.

« *Et dominez-la* » : ce qui signifie une puissance étendue, car on ne dit pas de celui qui a une puissance partielle qu'il domine. Dieu a fait ce don à l'homme, comme nous

65, 26 Prov. 8, 26

[66] ὡς παρεστήσαμεν, ἵνα γεω[ργήσι]μον καὶ τὸ μεταλλεύσιμον |[7]ὁ ἐν διαφόροις καὶ πολλαῖς ὕλαις [.....]υς ὑπ' αὐτὸν ὑπάρχῃ. Καὶ | γὰρ χαλκὸν καὶ σίδηρον καὶ ἄργ[υρον κα]ὶ χρυσὸν καὶ πολλὰ ἄλλα |[9] ἐκ γῆς ἄνθρωπος δέχεται, ἥτις
10 α[ὐ]τῷ [καὶ ε]ἰς τροφὴν ἀνεῖται καὶ σκέ|πην. Καὶ ἐπὶ τοσοῦτον τὴν δεσπ[οτείαν] τῆς γῆς ἐδέξατο ἄνθρωπος |[11] ὡς καὶ μετατρέπειν αὐτὴν διὰ [τέχνης], ὅταν εἰς ὕελον καὶ ὄστρα|κον μετάγηται καὶ τὰ ὅμοια. Τ[οῦτ' αὐτ]ὸ γὰρ δηλοῖ τὸ *καὶ πάσης* |[13] *τῆς γῆς* ἄρχειν τὸν ἄνθρωπον.

Ἐπάγε[ται δὲ τ]ὸ « *ἀρχέτωσαν τῶν ἰχθύ|ων τῆς θαλάσσης*
15 *καὶ τῶν πετε[ινῶν το]ῦ οὐρανοῦ καὶ πάντων τῶν* |[15] *κτηνῶν* ». Καὶ γάρ, ὡς ἤδη καὶ πρό[τερον εἴ]ρηται, πάγαις καὶ μηχα|ναῖς τισιν καὶ ἀ[γ]γίστροις ἀνθρώποις [....].τα ταῦτα τυγχάνει, |[17] ὡς καὶ τὰ φοβερώτατα οἷον λέ[ων τε] καὶ πόρδαλις, οἷς ἡ φύ[σις] | ἀγριωτάτη τιθασ[σεύε]σθαι πολλάκ[ις ὑ]πὸ χεῖρα ἀνθρώπων. Καὶ οὕτως |[19] ἡ κατ' αὐτῶν ἀρχὴ ὑπά[ρ]χει, τοῦ Θεοῦ τα[ύτην αὐ]τοῖς παρασχόντος.
20 Δεῖ | δὲ εἰδέναι ὡς διάφορος ὁ τῆς ἀρχῆς [ὑπάρχ]ει τρόπος. Ἀρχὴ μὲν οὖν |[21] ἐστι νόμιμος ἐπιστασία τοῦ τε ἄρ[χοντος] καὶ τοῦ ἀρχομένου · ὁ | γὰρ νόμος δίδωσιν ἐξουσίαν καὶ .[....]ἀρχῆς τῷ ἄρχοντι καὶ |[23] τῷ ὑπηκόῳ, ἵνα κατὰ ταὐτὸν καὶ ἄρχ[ων ἄρ]χῃ καὶ ὁ ὑπήκοος ὑπο|τάττηται, ὑφηγουμένου τοῦ νόμο[υ ὅτι οὕ]τω ποιητέον. Ἄλλως
25 |[25] παρὰ τοῦτον ἄρχει μαθητῶν διδάσ[καλος, κ]αὶ ἑτέρως δούλων δεσ|πότης καὶ στρατηγὸς στ[ρ]ατοπέδο[υ. Τῶν]
67 ἀλόγων οὖν ζῴων |[1] διαφόρως ἄρχει ὁ ἄνθρωπος, ὡς εἴρηται,
(V, 3) τῶν μὲν ἡμερῶν οὕτως, | τῶν δὲ ἀγρίων πρὸς ὃ πεφύκασιν · οὐ γὰρ ἅπαντα βροτά, ἀλ|[3]λ' ἤδη τινὰ καὶ πρὸς θεραπείαν

66, 7 πολλ⟦ε⟧'αι'ς ‖ 11 υ'ε'λον ‖ 16 α[.]γειστροις ‖ [ἀγρε]υτά ? ‖ 18 αγριοτατη ‖ 22 ἐξουσίαν καὶ γ[νῶσιν] ? (cf. 67, 7) ‖ 23 ο υπηκος

66, 13 Gen. 1, 28

l'avons exposé[1], afin que le sol cultivable et le sol minier, riches en matières nombreuses et diverses, soient sous l'empire de l'homme. De fait l'homme reçoit de la terre l'airain, le fer, l'argent, l'or et beaucoup d'autres métaux; elle lui est livrée aussi pour se nourrir et se vêtir. Et si grande est la domination que l'homme a reçue sur la terre qu'il la transforme par les (techniques), quand il la change en verre, en poterie et autres choses semblables. C'est cela en effet que signifie pour l'homme commander *à toute la terre.*

Il est ajouté : « *Qu'ils commandent aux poissons de la mer, aux oiseaux du ciel et à toutes les bêtes sauvages.* » De fait, comme on l'a déjà dit plus haut[2], ces bêtes peuvent être (capturées) par l'homme au moyen de filets, de certains engins et d'hameçons, si bien que même les plus redoutables d'entre elles, comme le lion et la panthère, dont la nature est très sauvage, sont apprivoisées sous la main de l'homme. Et ainsi les hommes ont commandement sur elles, Dieu le leur donnant. Mais il faut savoir qu'il y a différentes sortes de commandement. Ainsi c'est un commandement que l'autorité de la loi, qui s'impose à la fois au commandant et au commandé, car la loi donne puissance et (science) de commandement au commandant et au subordonné, afin que ce soit en vertu de la même loi que le commandant commande et que le subordonné obéisse, la loi indiquant qu'il faut agir ainsi. C'est d'une autre façon que le professeur commande à ses élèves, et différemment encore le maître à ses esclaves et le stratège **67** à son armée. / L'homme commande donc diversement aux animaux sans raison, comme il a été dit : aux animaux domestiques, de telle façon, et aux animaux sauvages, selon leur finalité naturelle. Car ils ne sont pas tous mangeables, mais voici que certains servent à l'homme

66, 1. Cf. p. 50 et plus longuement p. 60.
66, 2. Cf. p. 60.

[67] ἐστὶν καὶ πρὸς ἑτέραν | συντελοῦντα χρείαν, ἣν ὁ φ̣υ̣σ[ι]ολογῶν εὑρήσει.

5 Ἑξῆς τού|[5]τοις ἐστὶν τὸ « *Καὶ εἶπεν ὁ [Θεός · Ἰ]δοὺ δέδωκα ὑμῖν πάντα | χόρτον σπόριμον σπεῖ[ρον σ]πέρμα ὅ ἐστιν ἐπάνω πάσης |[7] τῆς γῆς* ». Δέδωκεν γὰρ ὁ [Θεὸς ἐξ]ουσίαν καὶ γνῶσιν, ἵνα γιγνώ|σκῃ ὁ ἄνθρωπος ποῖον τῶν ἐ[πάνω] τῆς γῆς σπορίμων εἰς τρο|[9]φὴν χρήσιμόν ἐστιν

10 καὶ π̣[οῖον εἰ]ς θεραπείαν καὶ ποῖον εἰς | ἑτέραν χρείαν. Διαφόρα δ[ὲ φύσις] τούτοις · τὰ μὲν γὰρ αὐτῶν |[11] δένδρα, τὰ δὲ λαχανώδ̣[η, τὰ δὲ] πόαι, καὶ ἐπὶ πάντων τὰ | μὲν ἐδώδιμα, τὰ δὲ π[ρὸς ἄλλην] χ̣ρῆσιν εὖ ὄντα. Χρείαν |[13] οὐκ ἀγνοητέον μὲν το[ύτων κα]τ̣ὰ τὴν πρὸ ταύτης πρόσ|ταξιν — ὅτε εἶπεν ὁ Θεό[ς · « *Βλαστη]σάτω ἡ γῆ βοτάνην*

15 *χόρτου |[15] σπεῖρον σπέρμα κατ[ὰ γένος]* », ἐπάγει · « *καὶ ξύλον κάρπιμον | π̣[ο]ι̣οῦν καρπόν* », ὅτι διαφ[έρει πρ]ὸς τὸν χόρτον τὰ δένδρα, |[17] « *ξ[ύ]λον κάρπιμον* » αὐτὰ ὀ[νομάζω]ν — οὐ μόνον δὲ τῶν ἐκ γε|ωργίας περιγινομένων̣ [ὁ ἄνθρωπος] ἐξουσιάζεν, ἀλλ' ἤδη καὶ ὑλῶν |[19] αὐτῶν ἃς

20 οὔτε σπείρει ο[ὔτε γε]ωργεῖ, ὡς καὶ ἐκ τούτων δια|φόρους ἔχειν τὰς χρεία[ς · οὐ γ]ὰρ πόρρω τῶν οἰκουμένων |[21] τόπων ταύτας φορητὰς π̣[οιεῖ, δ]ῆλον ὡς πρὸς τὸ χρειῶδες | τῶν ἀνθρώπων, καὶ τῷ παντὶ [τῶν φύ]τ̣ω̣ν βλάστη γέγονεν · πάν|[23]τα γὰρ εἰς χρείαν αὐτῶ[ν πεποίη]ται.

Σφόδρα δὲ τὸ προνοη|τικὸν τοῦ Θεοῦ τῶν ὅλ[ων σημαί]-

25 νεται διὰ τοῦ φάσκειν. « *Ὑ|[25]μῖν ἔσται εἰς βρῶσιν κ[αὶ πᾶσιν] τοῖς θηρίοις τῆς γῆς καὶ πᾶ|σιν τοῖς πετεινοῖς το[ῦ οὐρανοῦ.* » Ἔ]πρεπεν γὰρ τὸν κηδόμε|[27]νον ἀνθρώπων

68 καὶ τῶν εἰς [χρείαν καὶ] ὑπηρεσίαν αὐτῶν γεγενη|[1]μένων

(V, 4) ζῴων καὶ ἄλλων αὐτοῖς χρησίμων προνοεῖσθαι · καὶ γάρ, | εἰ μὴ κατὰ προηγούμενον λόγον τῶν ἀλόγων, ἀλλὰ γοῦν δι|[3]ὰ τὸν ἄνθρωπον καὶ αὐτῶν πεποίηται τὴν πρόνοιαν.

67, 13 προσταξειν ‖ 21 χριωδες ‖ 27 αὐτῶν : αυτου ‖ **68,** 1 αλλω ⟦ν⟧`ς´ ‖ 3 ἅπερ : απεν

67, 5 Gen. 1, 29 ‖ 14 Gen. 1, 11 ‖ 15 Gen. 1, 11 ‖ 24 Gen. 1, 29-30

à se soigner, ou à un autre usage que le naturaliste trouvera.

A la suite de cela vient la parole : « *Et Dieu dit : Voici, je vous ai donné toute herbe portant semence qui est sur toute la terre.* » Dieu, en effet, a donné la puissance et la science, afin que l'homme connaisse, parmi les plantes qui sont sur la terre, ce qui est utile à la nourriture, ce qui lui sert à se soigner, et ce qui sert à un autre usage. Mais il y a une différence de nature entre ces choses : les unes sont des arbres, d'autres des légumes, d'autres des herbes ; et surtout les unes sont comestibles, les autres conviennent à un autre emploi. Il ne faut pas méconnaître leur utilité, en vertu de l'ordre précédent, lorsque Dieu eut dit : « *Que la terre fasse germer des herbes portant semence selon leur espèce* », il ajoute : « *et du bois fruitier portant du fruit* », parce que différents du gazon sont les arbres qu'il désigne par « *bois fruitiers* ». Mais l'homme n'a pas puissance seulement sur les produits de l'agriculture, il l'a déjà sur les matières mêmes qu'il ne sème ni ne cultive, en sorte qu'il tire d'elles aussi divers services. Dieu en effet les rend accessibles non loin des lieux habités, cela évidemment pour l'utilité des hommes ; et pour chaque plante il s'est produit une *germination*, car tout a été créé pour l'utilité des hommes.

La Providence de Dieu est marquée fortement par la parole : « *Ce sera pour votre nourriture, à vous, à toutes les bêtes de la terre et à tous les oiseaux du ciel.* » Il convenait, en effet, que Celui qui prend soin des hommes, étendît sa providence aux animaux qui ont été faits pour leur **68** usage et leur service / et aux autres choses qui leur sont utiles. De fait, s'il ne s'occupe pas des êtres dépourvus de raison à titre principal, du moins exerce-t-il sa providence sur eux aussi, à cause de l'homme.

[68] Ἅπερ πάν|τα πάλιν εἶδεν ὁ Θεὸς ὅτι καλά· ἐπιφέρει
5 γάρ· « *Καὶ εἶδεν ὁ Θεὸς πάν*|[5]*τα ὅσα ἐποίησεν, καὶ ἰδοὺ*
κα[λ]ὰ λίαν. » Καὶ πρὸ τούτου μὲν οὖν | ἕκαστον τῶν
γινομένων ὁ λόγ[ο]ς ἐπῄνεσεν φάσκων· « *Καὶ εἶδεν* |[7] *ὁ*
Θεὸς ὅτι καλὰ » ἢ « *καλόν* »· νῦν δὲ ἐ[πισ]ταμένως εἴρηται·
« *καλὰ λί*|*αν* » διὰ τὴν πάντων ἁρμονίαν [τε καὶ] σύμπνοιαν.
Καὶ ἔστω ἐπὶ |[9] παραδείγματος τὸ λεγόμενον [φανε]ρόν.
10 Ὁ βουλόμενος συστή|σασθαι χορὸ[ν] τοὺς καθ' ἕκαστ[ον
χορε]υτὰς ἀρίστους ἐκλέγετα‹ι› |[11] ὡς μηδὲν ἐλλείπειν
ἕκαστ[ον πρὸ]ς τὸ οἰκεῖον ἔργον· εἰ δὲ καὶ | συνόψοι
τούτους εἰς ὃ αὐτοὺς ἡτ[οίμα]σεν, εὑρήσει λίαν ὑπέρβολον
|[13] καλὸν τὸ ἐκ τῆς συμπνοίας α[ὐτῶν γε]νόμενον ἔργον,
ὅπερ ἀφ' ἑ|νὸς μόνου γενέσθαι οὐχ οἷ[όν τε. Τοῦ]το καὶ ἐπὶ
15 στρατοπέδου εὕ|[15]ροι τις ἄν· δεῖ γὰρ ὁπλίτην ἐν αὐ[τῷ
ἄρ]ιστον εἶναι, τοξότην, στρα|τηγόν, σύμβουλον, ἵνα, τοῦ
καιροῦ [ἐλθό]ντος, τὸ πάντων ἔργον συν|[17]απτόμενον δείξῃ
τὸ τοῦ ἐπαί[νου] μέγεθος, εἰς ἕνα σκοπὸν | ἀναφερόμενον.
Τὴν τῶν πάντω[ν εἰς] προσάλληλα ἀναλογί[αν] |[19] καὶ
ἁρμονίαν καὶ τὸ σύμφωνον κα[ὶ τε]ταγμένον, ἔτι τε τὸ
20 τῶν | ἐναντίων ἀστασίαστον ὁ λόγ[ος ἐπι]δεικνὺς τὰ πάντα
« *καλὰ* |[21]*λίαν* » εἶναι διδάσκει, ἅπερ, ὡς κα[ὶ πρότε]ρον
εἴρηται, οὐκ αἰσθήσει, | ἀλλὰ τῷ λόγῳ κρίνεται.
« *Καὶ ἐγέν[ε]το ἑσπέρα καὶ ἐγένετο πρωΐ,* |[23]*ἡμέρα*
ἕκτη »· ἔδει γὰρ τὸν τοσοῦτον [κ]αὶ τηλικοῦτον κόσμον ἐν
| τούτῳ γενέσθαι τῷ ἀριθμῷ, οὗ [ἡ καὶ]ρονομία καὶ ἐν
25 τοῖς φθά|[25]σασιν εἴρηται καὶ ἔτι μᾶλλον ἐ[ν τοῖ]ς ἑξῆς
ῥηθήσεται.
Τὸ μὲν | οὖν ῥητὸν τοῦτο· ἐπειδὴ δὲ καὶ [ἐν τοῖς]
ἔμπροσθεν πρὸς τῇ λέ|[27]ξει καὶ τὴν ἀναγωγὴν εἰρήκαμε[ν,

68, 4 ιδεν ... ιδεν ‖ 6 ιδεν ‖ 8 συνπνοιαν ‖ 11 οικιον ‖ 12 \`ο' ‖ 13 συνπνοιας ‖ 21 ⟦ε⟧\`αι' σθησει

68, 4 Gen. 1, 31 ‖ 22 Gen. 1, 31

68, 1. Cf. p. 8 A.
68, 2. Cf. p. 34, 9 s.

Et Dieu vit à nouveau que toutes ces choses étaient belles; le texte ajoute en effet : « *Et Dieu vit toutes les choses qu'il avait faites, et voici, elles étaient très belles.* » Auparavant l'Écriture a loué chacune des choses qui étaient faites en disant : « *Et Dieu vit qu'elles étaient belles* » ou « *qu'elle était belle* », mais maintenant il dit à bon escient « *très belles* », à cause de l'harmonie et de l'accord de toutes. Un exemple nous éclairera cette parole. Quand quelqu'un veut constituer un chœur, il choisit un par un d'excellents choreutes, de manière qu'aucun d'eux ne laisse rien à désirer dans sa propre partie, mais en outre, si, les prenant ensemble, il les compare à ce pourquoi il les a préparés, il trouvera que le résultat produit par leur accord est très exceptionnellement beau, ce qui n'aurait pas pu se produire avec un seul. On pourrait faire la même constatation au sujet d'une troupe : il faut, en effet, que l'hoplite soit excellent en lui-même, ainsi que l'archer, le chef, son conseiller, afin que le moment venu l'action de tous soit coordonnée et que cela apparaisse dans la grandeur des éloges obtenus, qui a trait au but commun. C'est pour montrer la proportion et l'harmonie de toutes choses les unes par rapport aux autres, leur accord et leur ordre, ainsi que la compatibilité des contraires, que le Verbe enseigne que toutes choses étaient « *très belles* », choses qui se jugent, comme il a été dit plus haut[1], non pas avec les sens mais avec la raison.

« *Et il y eut un soir et il y eut un matin ; ce fut le sixième jour.* » Car, pour la création d'un monde si grand et si beau, il fallait ce chiffre dont les privilèges ont été dits précédemment[2] et le seront encore davantage dans la suite[3].

Telle est donc la lettre; mais, puisque, dans ce qui précède, nous avons indiqué, en plus de la lettre, le sens

68, 3. Didyme a l'intention d'y revenir à propos du sens anagogique de ce verset, cf. p. 73, 3-8.

69 (V, 5) κα]ὶ νῦν τοῦτο ποιητέον. *Εὐλο*|[1]*γοῦνται* οἱ ἄνθρωποι *αὐξανοντες καὶ πληθύνοντες* τῷ τρόπῳ τῆς συν|αγωγῆς· προείρηται δ' ἤδη ὡς ὁ μὲν ἀνὴρ ὁ σπορεὺς καὶ διδάσκα|[3]λος τῶν καλῶν ὑπάρχει, θήλεια δὲ ἡ ὑποδεχομένη τὰ | παρὰ τοῦ διδασκάλου μαθήματα καὶ μορφοῦσα καὶ ἀποτίκτουσα 5 |[5] ψυχή, ὡς ἀμφοτέρων εἶναι τ[ὸ] κατόρθωμα, τοῦ μὲν διδασκά|λου ὡς ἐναγαγόντ[ο]ς εἰ[ς αὐ]τήν, τοῦ δὲ μαθητοῦ ὡς εὔεικτον |[7] παράσχοντος τὴν καρ[δίαν π]ρὸς τελεσιουργίαν τῆς ἀγαθῆς | πράξεως. Καὶ ἐπεὶ ἡ θεία [παίδε]υσις καὶ εἰσαγωγὴν ἔχει καὶ προ|[9]κοπὴν καὶ τέλος, κατὰ τ[αύτην 10 τὸ] « *αὐξάνεσθε* » νοητέον. Καὶ γὰρ ὁ | μακάριος Παῦλος τὸ τῆ[ς εἰσαγ]ωγῆς δηλῶν καὶ τοὺς ἐν ταύτῃ |[11] ὄντας *νηπίους* εἰδὼς ε[ἶναί] φησιν· « *Γάλα ὑμᾶς ἐπότισα, οὐ* | *βρῶμα* »· ἀλλὰ καὶ τελείοις [οὕτως] λέγει· « *Ἡρμοσάμην ὑμᾶς ἑνὶ* |[13] *ἀνδρὶ παρθένον ἁγνὴν [παραστῆσα]ι τῷ Χριστῷ* »· ἡ γὰρ ἐκκλησία τε|λεία τυγχάνουσα νύμφ[ης 15 τρό]πῳ τῷ Χριστῷ συναρμόζεται, ἄν|[15]δρα αὐτὸν ἔχουσα, περὶ [οὗ λέγε]ται· « *Ἰδοὺ ἀνήρ, ἀνατολὴ ὄνομα* | *αὐτῷ.* » Εὐλογοῦνται οὖν [ὅσοι ἐ]κ μικρῶν τέλειοι καὶ ἐξ ὀλίγων |[17] [θ]εωρημάτων πλείονα μ[ανθά]νουσιν, *αὔξησιν* ἀρετῆς καὶ *πλῆ*|*θος* νοητῶν ἀγαθῶν δ[εχόμ]ενοι, οἱ Θεῷ προσανέχοντες. Οὕ|[19]τω καὶ *τὴν γῆν πληροῦσ[ιν*, τὴ]ν ἀγαθὴν 20 ἑαυτῶν καρπίαν· καὶ | γὰρ Σωτὴρ ἐν εὐαγγελί[ῳ περ]ὶ τοῦ σπόρου τὴν καλὴν γῆν τὴν |[21] καρδίαν εἶναι τὴν ἀγαθὴ[ν ἐδ]ίδαξεν, ἥτις δεξαμένη τὸν θεῖον | σπόρον πολλὰ γενήματα ἤγαγεν κατὰ τὸ « *Σπείρετε ἑαυτοῖς* |[23] *εἰς δικαιοσύνην, τρυγή[σα]τε εἰς καρπὸν ζωῆς* ». Δυνατὸν δὲ | καὶ περὶ διδασκάλου αὔξο[ντο]ς καὶ πληθύνοντος τοὺς μαθητευ- 25 |[25]ομένους νοῆσαι ὡς ἐνε[ργοῦ]ντος τὴν εἰρημένην εὐλογίαν

69, 3 θηλ`ι´α γυναικα P (`ι´ P²), puis θηλια a été biffé ‖ ἡ : `τ´η`ν´ P², υποδεχομενην ‖ 9 αυξανεσθαι ‖ 12 τελιοις ‖ 13 εκλησια ‖ 16 τελιοι ‖ 17 πλ`ε´ιονα ‖ 24 πληθ⟦ο⟧υν`ον´τος

69, 11 Cf. I Cor. 3, 1.2 ‖ 12 II Cor. 11, 1-2 ‖ 15 Zach. 6, 12 ‖ 22 Os. 10, 12

69 anagogique, il nous faut encore le faire maintenant. / Les hommes sont bénis en ce sens qu'ils *s'accroissent* et se *multiplient* en s'unissant. Or, il a été déjà dit[1] que l'homme mâle c'est le maître qui sème les bons enseignements, tandis que la femme c'est l'âme qui reçoit les enseignements du maître, leur donne forme et les enfante, en sorte que la réussite est l'œuvre des deux, du maître en tant qu'il a fait entrer l'enseignement dans l'âme et du disciple en tant qu'il offre un cœur docile pour la réalisation de l'acte bon. Et puisque l'enseignement divin comporte introduction, progrès et fin, c'est d'après cela qu'il faut comprendre la parole « *Croissez* ». De fait, le bienheureux Paul, pour désigner l'introduction, parce qu'il savait que ceux qui s'y trouvent sont de petits enfants, dit : « *Je vous ai donné du lait à boire, non de la nourriture solide.* » En outre, parlant aux parfaits, il leur dit : « *Je vous ai accordés à un époux unique, comme une vierge pure à présenter au Christ* », car l'Église, qui est parfaite, est accordée au Christ à la manière d'une fiancée, et elle l'a comme époux, lui dont il est dit : « *Voici un homme: Orient est son nom.* » Sont donc bénis tous ceux qui, partant de petites choses, deviennent parfaits et qui, à partir d'un petit nombre de connaissances spirituelles, en apprennent beaucoup, recevant ainsi un *accroissement* dans la vertu et une *multitude* de biens intelligibles parce qu'ils se sont attachés à Dieu. Et c'est ainsi qu'ils *remplissent la terre*, à savoir leur cœur bon. Le Sauveur a enseigné en effet dans l'Évangile, à propos de la semence, que la bonne terre c'est le cœur bon qui, après avoir reçu la semence divine, a donné une progéniture nombreuse, selon la parole : « *Faites-vous des semailles de justice; récoltez un fruit de vie.* » On peut aussi penser que le maître qui accroît et multiplie ses disciples réalise la parole sus-

69, 1. Cf. p. 62, 24.

[69] | φάσκουσαν · « *Αὐξάνεσθε κ[αὶ π]ληθύνεσθε καὶ πληρώσατε τὴν* |27 *γῆν καὶ κατακυριεύσατε [α]ὐτῆς.* » Κατακυριεύει
70 γὰρ ὁ δρεπό|1μενος ἃ ἔσπειρεν, ὡς λεχθῆναι περὶ αὐτοῦ
(V, 6) καὶ τῶν ὁ|μοίων · « *Ἐρχόμενοι δὲ ἥξουσιν ἐν ἀγαλλιάσει αἴροῦντες* |3 *τὰ δράγματα αὐτῶν* », εἴτε ἐν θεωρήμασιν καὶ πράξεσιν | θείαις, εἴτε ἐν μαθηταῖς · [οὐ] μικρὸν γὰρ
5 τῷ διδασκάλῳ καὶ |5 τὸ ἀπὸ τούτων ὄφελος.

Τ[ὸ δ]ὲ « *[Κ]αὶ ἀρχέτωσαν τῶν ἰχθύ|ων τῆς θαλάσσης καὶ τῶν [πετει]νῶν τοῦ οὐρανοῦ καὶ πάν|7των τῶν κτηνῶν* » οὕτω ν[οηθείη]. Διάφορα ἐν ἀνθρώποις | ἤθη τυγχάνει, ὡς τοὺς μ[ὲν ἀκο]ύειν « *Γεννήματα ἐχι|9δνῶν* », περὶ ἄλλων
10 λέγεσθ[αι · « *Ἵππο]ι θηλυμανεῖς ἐγενή|θητε* », καὶ πάλιν · « *Ἄνθρωπος ἐν [τιμῇ ὢ]ν οὐ συνῆκεν, παρασυν|11εβλήθη τοῖς κτήνεσι[ν τοῖς ἀ]νοήτοις καὶ ὡμοιώθη αὐ|τοῖς* », καί · « *Μὴ γίνεσθε [ὡς ἵππο]ς καὶ ἡμίονος, οἷς οὐκ ἔ|13στιν σύνεσις* », καὶ ἕτερα φ[ιλόκ]αλος ἐν ταῖς θείαις γρα|φαῖς
15 ἐπεσπαρμένα εὑρή[σει.] Λέγοι οὖν ἂν ὅτι ὁ τοὺς |15 ἄλλους ὑπεραναβεβηκὼ[ς διὰ] παιδεύσεως τοὺς προε[ι]|ρημένους τῆς ἀλογίας [ἀ]πο[σῴζε]ι, ὃ δυνατὸν δὲ καὶ οὕ|17τως · τὰ διάφορα πάθη καὶ κι̣ν̣[ήμ]ατα τῆς ψυχῆς, πολλὰ | ὄντα καὶ ποικίλα, ὑπὸ τῆ[ς] .[...] ψυχῆς ἡνιοχεῖται, |19 μὴ
20 ὑποσυρομένης αὐτῆς τ[ῷ κ]ύματι τῆς τούτων φορᾶς, | ἀλλὰ κρατούσης αὐτῶν καὶ ἀ̣[ρ]χ̣ούσης κατὰ τὴν δοθεῖσαν |21 ἐξουσίαν · « *Καὶ ἀρχέτωσαν* » γὰ[ρ « *τ]ῶν ἰχθύων τῆς θαλάσσης* » | καὶ τὰ ἑξῆς. Ἢ οὐκ ἄρχει ἰχ̣θ̣ύ̣ω̣[ν ὁ] τοὺς ἐννηχομένους τῷ |23 κλύδωνι τοῦδε τοῦ βίου [ἐκ τοῦ] βάθους ἀνιμώμενος | κατὰ τὸν Πέτρον τῷ λόγῳ τῆ[ς θ]είας
25 παιδεύσεως καὶ τοὺς |25 ἄλλως ὑψιπετεῖς δι' οἴ̣ημα .[.]ον κατασπακ̣ῶς ἐντιθεί|ς τε ταπεινοφροσύνης σ[ω]τ̣ή[ρ]ιον,

69, 26 αυξανεσθαι ‖ 27-1 δρηπο| πομενος ‖ **70,** 4 θει⟦ε⟧`αι'ς ‖ ειται ‖ 12 γινεσθ`ε'[. ‖ 15 πεδευσεως ‖ 17 κει̣ν̣[..]ατα ‖ 18 μ[ιᾶς] ? ‖ ηνειοχειται ‖ 23 κλυδωνει ‖ ανειμωμενος ‖ 24 π⟦ε⟧`αι' δευσεως ‖ 25 υψιπετις ‖ δι`α'οι.ημα (de la lettre entre ι et η, qui semble grattée, apparaît le sommet d'une haste) ‖ 26 ταπεινο⟦σω⟧φροσυνης

69, 26 Gen. 1, 28 ‖ **70,** 2 Ps. 125, 6 ‖ 5 Gen. 1, 26 ‖ 8 Matth. 3, 7 ‖ 9 Jér. 5, 8 ‖ 10 Ps. 48, 21 ‖ 12 Ps. 31, 9

dite : « *Croissez et multipliez, remplissez la terre et dominez-*
70 *la.* » Il *domine* parce qu'il cueille / ce qu'il a semé, si bien qu'il est dit au sujet de lui et de ses semblables : « *Ils viendront dans l'allégresse, portant leur moisson* », soit en connaissances spirituelles et actions divines, soit en disciples, car l'avantage que le maître lui-même retire d'eux n'est pas mince.

Quant à la parole : « *Qu'ils commandent aux poissons de la mer, aux oiseaux du ciel et à toutes les bêtes* », il faut l'entendre comme voici. Il y a chez les hommes des mœurs différentes, en sorte que l'Écriture appelle les uns « *engeance de vipères* », et d'autres il est dit : « *Vous êtes devenus des chevaux en rut* », ou encore : « *L'homme, placé dans l'honneur, a manqué d'intelligence ; il s'est mis au rang des bêtes sans raison et leur est devenu semblable* », et : « *Ne devenez pas comme le cheval et le mulet qui n'ont pas d'intelligence* »; et un érudit trouvera d'autres textes disséminés dans les Écritures divines. On peut donc dire que celui qui a surpassé les autres sauve par l'éducation tous ces gens-là de la déraison. Mais cette parole peut encore s'entendre comme ceci : les différentes passions et les mouvements de l'âme, qui sont nombreux et variés, sont dirigés par l'âme (elle-même) comme par un cocher[1], quand elle ne se laisse pas entraîner par le flot de leur mouvement mais qu'elle les maîtrise et leur commande selon la puissance qu'elle a reçue : « *Et qu'ils commandent aux poissons de la mer* », etc. Ou bien, ne commande-t-il pas à des poissons celui qui fait remonter de l'abîme, comme Pierre, par la parole de l'instruction divine, les gens qui nagent dans les flots de cette vie, et qui tire vers le bas ceux qui volent en haut par la haute opinion qu'ils ont d'eux-mêmes et leur infuse le remède de l'humilité,

70, 1. Allusion à la comparaison célèbre de PLATON, *Phèdre* 253 CD.

71 (V, 7) ἐφ' ἧς ὁ Κύριος παρακαλῶν |[1] φησιν· « *Μάθετε ἀπ' ἐμοῦ ὅτι πραΰς εἰμι καὶ ταπεινὸς τῇ καρ|δίᾳ* », ἵν' οὕτως ἀπὸ ταύτης εἰς θεῖον ὕψος ἐπαιρόμενοι πτε|[3]ροφυήσωσιν ὡς ἀετοί, λαβόντες πτέρυγας ὡσεὶ περιστε|ρᾶς καὶ πετασθέντες 5 εἰς τὴν κατάλληλον κατάπαυσιν. |[5] Ἀλλὰ καὶ ὁ τοὺς ἐξηγριω[μ]ένους εἰς ἡμερότητα ἄγων | δείκνυσιν τῆς ἀρχῆς [τὸ μέ]γεθος.

Καὶ ὁ τὰ ἴδια δὲ κινήμα|[7]τα ἐπαιρόμενα κ[ατὰ το]ῦ νοῦ καὶ κατεξανιστάμε|να λογισμῷ ἀγω[νιῶν κα]τακρατεῖν αὐτῶν τὴν παρὰ |[9] Θεοῦ δοθεῖσαν ἀρχὴ[ν ἀποδ]είκνυται, 10 ἄρχων « *καὶ πάσης* | *τῆς γῆς* », ὅ ἐστιν τῶ[ν σωμ]ατικῶν ἁπάντων παθῶν, νε|[11]κρῶν « *τὰ μέλη τὰ ἐ[πὶ τῆς γ]ῆς, πορνείαν, ἀκαθαρσίαν, πάθος,* | *ἐπιθυμίαν κακήν* », ἅ[περ *ἐρπ]ετὰ* λέγων οὐκ ἂν ἁμάρτοις.

|[13] Ὧν καὶ αὐτῶν ἄρχε[ιν λέγετ]αι ὑπὸ τοῦ δεδωκότος « *πάν|τα χόρτον σπόριμον* » [καὶ τρ]οφὴν τὴν ἄλλην, ἅπερ 15 εὐλό|[15]γως ἂν νοηθείη τὰ [τῆς θ]είας γραφῆς παιδεύματα, τρο|φὸς τυγχάνοντα οὐ[ράνιο]ς· « *Οὐ* » γὰρ « *ἐπ' ἄρτῳ μόνῳ ζήσε|*[17]*ται ἄνθρωπος, ἀλλ' ἐπὶ π[αντὶ] ῥήματι ἐκπορευομένῳ διὰ* | *στόματος Θεοῦ.* » Δέδ[ωκε] δ[ὲ] ὁ Θεὸς καὶ ἕτερον εἶδος τρο|[19]φῆς *ἐπάνω τῆς γῆ[ς]* ἐπικ[εί]μενον· 20 τὰς γὰρ ἀγαθὰς ἐν|νοίας ἐν τῷ λόγῳ [ἐ]ν ἀρχῇ δημιουργήσας ἐνέπηξεν, ἃς |[21] ὁ διασῴζων ὡς ζω[τ]ι[κ]ὸν ἀεὶ τοῦτο φυλάττειν τὸ τρό|φιον ἕξει τὴν ἐν ἀρε[τ]ῇ διαμονήν, μὴ καταχυννὺς |[23] τὰ παρὰ Θεοῦ δοθέντα ἡμῖν [ἐ]ξ ἀρχῆς ἐν τῇ ἐννοίᾳ ἀγα|θά.

Δέδωκε δὲ ὁ Θεὸς « *[πᾶν] ξύλον κάρπιμον ποιοῦν*

71, 2 επ⟦ε⟧`α'ιρομενοι ‖ 6 δ`ε'ικνυσιν ‖ 6-7 κεινηματα ‖ 11 πορνιαν ‖ 15 πεδευματα ‖ 20 τῷ : τηω

71, 1 Matth. 11, 29 ‖ 3 Cf. Ps. 54, 7 ‖ 9 Gen. 1, 26 ‖ 11 Col. 3, 5 ‖ 13 Gen. 1, 29 ‖ 16 Matth. 4, 4 ‖ 24 Cf. Gen. 1, 29

71, 1. Cette seconde explication de la domination sur les animaux entendue comme la domination de la raison sur les passions est celle

71 à laquelle le Seigneur invitait en ces termes : / « *Apprenez de moi que je suis doux et humble de cœur* », afin qu'ainsi, élevés depuis elle jusqu'aux hauteurs divines, ils deviennent ailés comme des aigles, qu'ils aient des *ailes* comme celles de la colombe et prennent leur envol vers le repos fait pour eux. Enfin, celui qui ramène à la douceur les hommes devenus sauvages montre également la grandeur du pouvoir (donné par Dieu).

D'autre part, celui qui combat par la raison les mouvements de l'âme, soulevés et dressés contre l'intelligence, prouve lui aussi que le pouvoir donné par Dieu les domine; et il commande « *aussi à toute la terre* », c'est-à-dire à toutes les passions corporelles, en « *mortifiant les membres terrestres : fornication, impureté, passions, mauvais désirs* », toutes choses que tu peux appeler *reptiles* sans risque de te tromper[1].

Sur eux aussi il est dit de commander par celui qui a donné « *toute herbe portant semence* » et les autres nourritures : on peut avec raison comprendre par là les enseignements de la divine Écriture, qui sont une nourriture céleste, car « *l'homme ne vivra pas seulement de pain mais de toute parole qui sort de la bouche de Dieu* ». Et Dieu a donné encore aussi une autre sorte de nourriture qui est *sur la terre* car, en nous créant, au début, il a fixé dans notre raison des idées bonnes; si on les préserve de façon à garder toujours vivante cette nourriture, on demeurera dans la vertu et on ne laissera pas disparaître les biens que Dieu a mis à l'origine dans notre pensée.

Dieu a donné d'autre part tout « *arbre fruitier portant*

d'ORIGÈNE, *Hom. in Gen.* I, 16 ; l'assimilation des passions à des animaux remontait, par-delà PHILON, *Leg. all.* II, 11, à PLATON, *Phèdre* 246. Il ne serait pas étonnant qu'Origène soit aussi la source de Didyme pour l'explication donnée dans le paragraphe précédent, car il ne manquait pas une occasion de mettre en valeur le rôle du didascale dans l'œuvre de sanctification.

[71] 25 *καρπόν* », |[25] ἐξ οὗ πάλιν τροφή τις δ[έ]δ̣[οτ]α̣ι̣ · οἱ γὰρ τελειότεροι καὶ διακονοῦν|τες τὴν τῶν ἀνθρώπων σ[ωτηρ]ίαν οὗτοι ἂν εἶεν *ξύλα* κατὰ τὸ |[27] ε̣ἰρημένον · « *Καὶ πάντ[α τὰ ξ]ύλα τοῦ ἀγροῦ ἐπικροτήσει* | *τοῖς κλάδοις* », ἅπερ

72 ε[ἴσ]ι̣ν̣ [ο]ἱ εὐφραινόμενοι ἐπὶ τῇ σωτηρίᾳ |[1] τῶν μετα-

(V, 8) νοούντων, παραπλήσιοι ὄντες τῷ μακαριζομένῳ ἐν | πρώτῳ ψαλμῷ, ὅντινα ὁμοιοῖ ὁ λόγος *τῷ ξύλῳ τῷ πεφυτευμέ*|[3]*νῳ παρὰ τὰς διεξόδους τῶν ὑδάτων*, ὅπερ ἀεὶ ποτίζεται τῇ τῶν θείων μελέτῃ καὶ καιρίως τὸν καρπὸν ἀποδίδωσιν.

5 Τὸ δὲ |[5] καί · « *Ὑμῖν δέδοται εἰς βρῶσιν καὶ [π]ᾶσιν τοῖς θηρίοις καὶ πᾶσιν τοῖς* | *πετεινοῖς τοῦ οὐρανοῦ καὶ παντὶ [ἑρπ]ετῷ ἕρποντι ἐπὶ τῆς γῆς* » οὕ|[7]τω νοηθείη · ὁ κηδόμενος τῆς [σωτηρ]ίας τῶν πάντων Κύριος διάφο|ρα φάρμα<κα> πρὸς τὰ ποικίλα τραύ[ματα] δέδωκεν, ἵνα πᾶς ὁστισοῦν |[9] ἀναπολόγητος ᾖ μὴ ἔχων ...[...] οὐκ ἔσχεν

10 τὰς τοῦ λόγου | ἀφορμάς · οὕτω καὶ οἱ θεραπ[ευταὶ] αὐτοῦ πρὸς ἕκαστον ἁρμο|[11]<ζό>μενοί φασιν καθὰ ὁ Παῦλος [.....] « *Τοῖς πᾶσιν γέγονα τὰ πάν*|*τα, ἵνα πάντως τινὰς σώσω* », [....].ως καὶ προσφόρως ἑκάστῳ |[13] ἁρμοζόμενος, καὶ *οὐ βάλλω[ν τὰ ἅγι]α τοῖς κυσὶν* οὐδὲ τοὺς *μαρ*|*γαρίτας ἔμπροσθεν τῶν χ[οίρων*, ἀλλ]ὰ καὶ τούτους

15 μετάγων [ἀ]|[15]πὸ τῶν ἰδιωμάτων ὧν ἔσχον [ἐξ ἰ]δίας προθέσεως διὰ λόγου κα|ταλλήλου αὐτοῖς εἰς παίδευσιν. [Μὴ ἑ]ρπετὸν ὑπάρχῃ τις καὶ διὰ τοῦ|[17]το εἰς βάθος κακῶν ἀφίκηται, ο[ὐ]κ ἐστέρηται τῆς ἐπιγνώσε̣|ως τοῦ καλοῦ, ὅνπερ τρόφιον *[ἐπ]άνω τῆς γῆς* ὁ Θεὸς δέδωκε[ν] |[19] τῇ

20 ψυχῇ ἐξ ἀρχῆς ἐνεὶς τὰς κ[αλ]ὰς ἐννοίας, ἃς ὁ διακαθαί|ρων ἕξει ζωτικὴν τροφήν.

« *Καὶ εἶδεν ὁ Θεὸς πάντα ὅσα ἐποί*|[21]*ησεν καὶ ἰδοὺ πάντα καλὰ λίαν* » · ὡ[ς] γὰρ ἐν τοῖς αἰσθητοῖς ἐλέ|γετο ὅτι ἡ

71, 25 τελιοτεροι ‖ 28 ευφρ⟦ε⟧'αι'νομενοι ‖ **72,** 2 ομ'οι'οι ‖ 6 πετινοις ‖ 11 φησιν ‖ 16 π⟦ε⟧'αι'δευσιν ‖ 20 ιδεν ‖ ο θ(εο)ς ο ‖ 21 ⟦ε⟧'αι'σθητοις

71, 27 Is. 55, 12 ‖ **72,** 2 Cf. Ps. 1, 3 ‖ 5 Gen. 1, 29 ‖ 11 I Cor 9, 22 ‖ 13 Matth. 7, 6 ‖ 20 Gen. 1, 31

du fruit », d'où est tirée encore une nourriture. Ceux en effet qui sont plus parfaits et qui se font les ministres du salut des hommes sont sans doute les *arbres*, selon la parole : « *Et tous les arbres de la campagne applaudiront avec leurs rameaux* », parce qu'ils se réjouissent du salut / 72 de ceux qui se convertissent; ils sont semblables à celui qui est déclaré *bienheureux* dans le Psaume 1 et que le Verbe compare à l'*arbre planté le long des cours d'eau*, continuellement arrosé par le souci des choses divines et donnant son fruit en son temps.

Quant à la parole : « *Et cela vous a été donné en nourriture à vous, à toutes les bêtes, à tous les oiseaux du ciel et à tout reptile rampant sur la terre* », il faut l'entendre comme voici. Le Seigneur, qui prend soin du salut de tous les êtres, a donné différents remèdes pour les diverses blessures, afin que quiconque soit sans excuse s'il n'a pas (le salut) : n'avait-il pas les prémices du Verbe ? Ainsi dira-t-on que les médecins du Verbe sont adaptés à chaque malade, comme (l'affirme) Paul : « *Je me suis fait tout à tous, afin d'en sauver à tout prix quelques-uns* », parce qu'il s'adaptait à chacun d'une manière (appropriée) et convenable : il ne jetait pas « *les choses saintes aux chiens ni les perles aux pourceaux* », mais, par un discours qui leur était approprié, il tirait ces gens-là de la condition particulière où ils s'étaient mis par leur propre choix et il les amenait à l'éducation. Pour que personne ne soit un *reptile* et ne tombe à cause de cela dans l'abîme du vice, personne n'a été privé de la connaissance du bien. Telle est la *nourriture* que Dieu a donnée *sur la terre* à l'âme, en mettant en elle, à l'origine, les idées bonnes; celui qui les gardera pures aura une nourriture vivante.

« *Et Dieu vit toutes les choses qu'il avait faites et voici, elles étaient très belles* » : nous avons dit[1], à propos des

72, 1. Cf. p. 8 dans les passages lacuneux et p. 68.

[72] ἑκάστου πρὸς ἕκαστον ἁρμονία τὸ ἐπιτεταμέ|[23]νον καλὸν δείκνυσιν, οὕτω καὶ τῶν κατὰ ἀρετὴν τόδε πρὸς | τόδε ἔχον τὴν ἀναλογίαν, πρ[ὸ]ς [τ]ὸ ἐπὶ πᾶσι τέλος ἔχον τὴν
25 |[25] ἀναφοράν, « *λίαν* » ἐπαινετὸν τ[ὸ] λ̣[εγ]όμενον δείκνυσιν. | « *Καὶ ἐγένετο ἑσπέρα καὶ ἐγένε[τ]ο πρωΐ, ἡμέρα ἕκτη.* » Τὰ περὶ τοῦ |[27] ἕκτου ἀριθμοῦ καὶ νῦν ἐφαρμ[ο]-στ̣[έ]ον πολλῷ πλέον, ὅσῳ τὰ ἐπαινού|μενα νῦν κρείττονα

73 τῶν αἰ[σ]θ[η]τ̣ῶ[ν] ἐστιν. Ἐπ' ἐκείνων γὰρ ἐλέγε|[1]το ὡς
(V, 9) ἥρμοζεν ἐν τῷ ἀριθμῷ τούτῳ, τελείῳ τυγχάνοντι καὶ ἐκ | τῶν ἑαυτοῦ μερῶν ἀπαρτιζομένῳ, τόνδε τὸν κόσμον γενέ|[3]σθαι, ἔχοντά τι παθητὸν καὶ δρ̣αστήριον · πολλὰ γὰρ ἐν αὐτῷ καὶ ποι̣|εῖ καὶ πάσχει, εἰ καὶ οὐχ ἅμα, [ὅπε]ρ
5 συμβολικῶς καὶ ἐν τῷ ἀριθμῷ |[5] οἱ τὰ περὶ τούτων φυσιολογο[ῦ]ν[τες] λέγουσιν. Εἴη δὲ καὶ κατὰ τὸν τῆς | ἀναγωγῆς λόγον οἰκείως [τέλειο]ς ἀριθμὸς παραλημφθείς · τέλει|[7]ον γὰρ ὄντως ἡ ἀρετὴ κα[ὶ μὴ ἐλλ]ειπὲς καὶ πληρέστατον, ἅτε Θεοῦ | τελειότερον δώρημα.

Ἄχρ̣[ι πάντω]ν τῶν ἐν ταῖς σαφηνισθείσαις |[9] ἓξ ἡμέραις
10 γεγενημένω[ν φθά]σαντες περιγράψομεν τὸν λό|γον, εὐχόμενοι τὸν τῶν [ὅλων] Θεὸν καὶ δημιουργὸν τοῦ τελείου |[11] καὶ πληρεστάτου κόσμου δοῦναι καὶ ἐν τοῖς ἑ|ξῆς τελείαν πρὸς τὰ λεγ[όμενα νό]ησιν.

|[13] **II, 1-3. [Καὶ σ]υνετελέσθη ὁ οὐρανὸς [καὶ ἡ γ]ῆ καὶ πᾶς ὁ κόσμος αὐτῶν καὶ | συνετέλεσεν ὁ Θεὸς ἐν [τῇ ἡ]μέρ̣ᾳ
15 τῇ̣ ἕκτῃ τὰ ἔργα αὐτοῦ, |[15] ἃ ἐποίησεν, καὶ κατέπαυ[σεν ἐ]ν̣ τῇ ἡμέρᾳ τῇ ἑβδόμῃ ἀπὸ πάν|των τῶν ἔργων αὐτοῦ, ὧν**

72, 25 ἐ[ργ]όμενον ? ‖ 28 κριττονα ‖ **73,** 1 τελιω ‖ 2 απαρτιζομενου ‖ 5 ˋταˊ ‖ 6 οικιως ‖ 8 τελιοτερον ‖ 10 τελιου ‖ 11 κοσμ[.....]σμου (ditt.) ‖ 12 τελιαν

72, 26 Gen. 1, 31

73, 1. Cf. p. 34, 9 s.

73, 2. Parce que six est le « premier nombre mixte », contenant le pair et l'impair (2×3) ; cf. PHILON, *De opif.* 13-14, qui le disait

choses sensibles, que l'adaptation de chacune à chacune montre l'intensité de leur beauté; de même, dans l'ordre de la vertu, la correspondance de chaque être aux autres et son rapport à leur fin commune montrent que le résultat doit être « *très* » loué.

« *Et il y eut un soir et il y eut un matin; ce fut le sixième jour.* » Il faut appliquer, ici encore, ce qui concerne le chiffre 6, d'autant plus que ce qui est loué maintenant est supérieur aux choses sensibles. Relativement à celles-ci, **73** / il a été dit comment il convenait que ce monde, qui a quelque chose de passif et quelque chose d'actif, fût fait avec ce chiffre qui est parfait et est obtenu exactement par ses fractions[1]. Ce monde, en effet, tout ensemble fait et souffre beaucoup de choses en lui-même, bien que ce ne soit pas en même temps; or cela se trouve aussi symboliquement dans le chiffre 6, disent les savants en la matière[2]. Selon le sens anagogique aussi, l'adoption d'un chiffre parfait peut être appropriée, car la vertu est réellement une chose parfaite, sans défaut et absolument plénière, puisqu'elle est le don le plus parfait de Dieu.

Étant ainsi parvenus à la fin de tout ce qui a été fait dans les six jours que nous avons expliqués, nous achèverons notre traité en priant le Dieu de toutes choses, Démiurge du monde parfait et très plénier, de nous donner aussi pour la suite une (compréhension) parfaite des paroles de l'Écriture[3].

II, 1-3. **Alors furent achevés le ciel, la terre et tout leur ornement. Et Dieu acheva dans le sixième jour toutes les œuvres qu'il fit. Et il se reposa dans le septième jour**

à cause de cela « mâle et femelle »; Didyme le dit actif et passif en s'inspirant, directement ou par l'intermédiaire d'Origène, d'une autre source, probablement d'un traité néopythagoricien sur les nombres dans lequel la dyade était symbole de la matière, passive par définition.

73, 3. Cf. Introduction p. 21.

[73] **ἐ[ποίησ]εν. Καὶ εὐλόγησεν ὁ Θεὸς τὴν ἡμέ|[17][ρα]ν τὴν ἑβδόμην καὶ ἡγίασεν αὐτήν, ὅτι ἐν αὐτῇ κατέπαυσεν | [ἀ]π̣ὸ πάντων τῶν ἔργων αὐτοῦ, ὧν ἤρξατο ὁ Θεὸς ποιῆσαι.**

|[19] Τὸ « *συνετελέσθη* » ὁτὲ μὲ[ν] τὴν φθορὰν σημαίνει, 20 ὁτὲ δὲ τὴν | ὕπαρξιν. Ὅταν γοῦν τὸν [Σ]ωτῆρα ἐρωτῶσιν οἱ μαθηταί · « *Πότε ταῦ|[21]τα ἔσται, καὶ τί τὸ σημε[ῖο]ν τῆς σῆς παρουσίας καὶ συντελείας | τοῦ αἰῶνος ;* », περὶ τοῦ τέλο[υ]ς ἐστὶ τὸ τῆς συντελείας σημαινό|[23]μενον, ὅπερ ἀντὶ φθορᾶς [τ]οῦ κόσμου εἴωθε λαμβάνεσθαι · ἐν|ταῦθα δὲ τὸ *συνετελέσθ[η]* ἀν[τὶ] τοῦ ἐπληρώσθη κεῖται. Οὐ γὰρ 25 ἡ ὕ|[25]παρξις αὐτῶν συντετέλε̣[σ]τα[ι], ἀλλ' ἡ ποίησις, καθὸ λέγομεν καὶ | ἐπὶ τῶν ποιητικῶν τεχνῶν με[τ]ὰ τὰς ἐνεργείας τὸ τέλος ἐπι|[27]φερουσῶν ὅτι φέρε συνετ[ε]λέσ̣θ̣η ἡ ναῦς ἢ οἶκος. Συντετέλε|σται οὖν ὁ μὲν οὐρανὸς τὴ[ν] ο̣ἰκεί[α]ν

74 (V, 10) ἁρμονίαν δεξάμενος, ἥτις |[1] ἔκ τε τοῦ στερεώματος καὶ τ̣ῶν φωστήρων καὶ προσέτι τῶν | ἀστέρων ἐδέξατο τὴν διαπ̣λήρωσιν, ἡ δὲ γῆ ἔκ τε τῶν |[3] ζ̣ῴων καὶ τῶν διαφόρων φυ̣τ̣ῶν. Καὶ ὅτε μὲν ἕκαστον αὐ|τῶν ἐγίνετο, τὸ ' συντετέ- 5 λ[εσ]ται ' οὐχ ἥρμοζεν, νῦν δέ, ἁ̣|[5]πάντων τὴν σύμπνοιαν κ[αὶ τ]ὴ[ν] ἁρμονίαν δεξαμένω̣ν, | ἀκολούθως ἐπενήνεκται [τὸ « *Συνε]τελέσθη ὁ οὐρανὸς καὶ ἡ̣ γ̣ῆ |[7] καὶ πᾶς ὁ κόσμος αὐτῶν* ». Κα̣[ὶ λέγε]τ̣αι μὲν ὁ κόσμος τῆς γ̣ῆ̣ς | καὶ πλήρωμα αὐτῆς κατὰ τ[ὸ λεγόμε]νον · « *Τοῦ Κυρίου ἡ γῆ καὶ τὸ |[9] πλήρωμα αὐτῆς.* » Ὅτι καὶ ἡ τ[οῦ οὐρανο]ῦ ποικι[λ]ία 10 κόσμος προσ|ηγόρευται, αὐτὸς Μωσῆς αὐ[ταῖς λέ]ξεσίν φησιν · « *Μὴ ἀναβλέ|[11]ψας εἰς τὸν οὐρανὸν καὶ ἰ[δὼν τὸν] ἥλιον καὶ τὴν σελήνην | καὶ τοὺς ἀστέρας, πάντα τ̣[ὸν κόσ]μον τοῦ οὐρανοῦ, πλανηθεὶς |[13] προσκυνήσῃς αὐτοῖς* », οἵ[τινες διὰ] τ̣ῆς θέσεως, ἧς παρὰ Θεοῦ | ἐτέθησαν, τὸ 15 κάλλος ἐπι̣[δείκνυ]νται <ἐν τῷ>, τῶνδε μὲν τάσδε |[15] τὰς

73, 20 σωτῆρα : .[ ].α (présence du tilde, la première lettre pouvant être κ ou π) P, .[ ].ρα P² correction qui suggère σωτῆρα) ‖ 22 συντελ`ε´ιας ‖ 27-28 συντετελεστε ‖ 28 ο̣ικι[.]ν ‖ **74,** 2 διαμ[.]-ληρωσιν ‖ 5 συνπνοιαν ‖ 9 ποικι[.]ηια (η exponctué)

de toutes les œuvres qu'il fit. Et Dieu bénit le septième jour et le sanctifia parce qu'il s'était reposé en ce jour de toutes les œuvres qu'il avait commencé de faire.

Le verbe « *furent achevés* » signifie tantôt la corruption, tantôt l'existence. Le fait est que, lorsque les disciples demandent au Sauveur : « *Quand cela sera-t-il et quel est le signe de ton avènement et de l'achèvement du monde* ? », le sens du mot *achèvement* concerne la fin et est pris, selon l'usage, pour ' corruption ' du monde. Mais ici, *furent achevés* est mis pour ' furent accomplis ' : ce n'est pas leur existence qui était achevée mais leur création, de même que nous disons, à propos des métiers de fabrication qui comportent, après les actes, une fin : ' Voici que le navire — ou la maison — est achevé. ' Le ciel fut donc *achevé* **74** en recevant son harmonie propre, laquelle / reçut sa plénitude du firmament, des luminaires et, en outre, des astres; la terre, d'autre part, la reçut des animaux et des différentes plantes. Lorsque chacune de ces choses était faite, le verbe *fut achevé* ne convenait pas; mais maintenant que toutes choses ont reçu leur accord et leur harmonie, il est logique que soit ajouté : « *Furent achevés le ciel, la terre et tout leur ornement.* » L'*ornement* de la terre est encore appelé sa *plénitude*, selon la parole : « *Au Seigneur appartient la terre et sa plénitude.* » Que la variété du ciel soit aussi nommée *ornement*, Moïse lui-même le dit en propres termes : « *Quand tu lèves les yeux vers le ciel, quand tu vois le soleil, la lune et les astres, tout l'ornement du ciel, ne te laisse pas entraîner à les adorer.* » C'est par la position que Dieu leur a donnée qu'ils laissent voir la beauté : pendant que tels d'entre eux se meuvent sur

73, 20 Matth. 24, 3 || **74,** 6 Gen. 2, 1 || 8 Ps. 23, 1 || 10 Deut. 4, 19

73, 19-20.24 Proc. 140 D 3

[**74**] περικυκλήσεις κινουμ[ένω]ν, τούσδε δὲ μετὰ τῶν|δε εἶναι, καὶ τούσδε μὲν ἐπ' [εὐ]θείας ποιεῖσθαι τὴν κί|[17]νησιν, τούσδε δὲ ἐγκαρσίως. Στρατιὰ γοῦν οὐρανοῦ διὰ τ[ὸ] | τεταγμένον εἴρηται κατὰ τὸ εἰρημένον· « *Οὗ αἱ χεῖρες ἔ|[19]κτισαν πᾶσαν τὴν στρατιὰν τοῦ οὐρανοῦ.* » Περὶ ἣν
20 οἱ μὴ κα|λῶς ἐπιστήσαντες ἀπεσφάλη[σ]αν εἱμαρμένην εἰση|[21]γησάμενοι καὶ πάντα κατ' ἀνάγκ[η]ν τιθέμενοι, ποιητικοὺς | τοῦ βίου τῶν ἀνθρώπων καὶ τῶν ἄλλω[ν] συμβαινόντων τοὺς ἀ|[23]στέρας εἶναι ὁρίζοντες, οἳ εἰς [τὸ] σημεῖον, εἰ οὐκ εἰς τὸ ποι|εῖν, τέθεινται καθὰ καὶ οτ... [πε]ρὶ τῶν ἐν τῇ
25 τετάρτῃ |[25] ἡμέρᾳ γεγενημένων διηγού[μ]ενοι τὸ « *Ἔστωσαν εἰς ση|μεῖα <καὶ εἰς> καιροὺς καὶ μῆνας καὶ ἐνι[αυ]τοὺς* » ἀπεδείξαμεν, πα|[27]ρατιθέμενοι ὡς οὐ κατηνάγ[κα]σται ἐκ

75 τῶν ἀστέρων |[1] ὁ βίος ὁ ἀνθρώπινος. [Οὐ] γὰρ οἱ ἐν πολέμῳ
(V, 11) καὶ τοῖς | καθολικοῖς συμπτώμασιν ἀπαλλαττόμενοι τοῦ βίου |[3] ὑπὸ ἕνα σχηματισμό[ν ε]ἰσιν. Ἔτι δὲ μᾶλλον | [ὁ]
5 τῆς εἱμαρμένης ἀ[νατ]ρέπεται λόγος ἐκ τῶν νό|[5][μ]ων· πάντες Ἰο[υδαῖοι] ὀγδόῃ ἡμέρᾳ ἔχοντες | [ἀ]πὸ γενέσεως π[εριτέμ]νονται καὶ πεῖραν σιδήρου |[7]ἐξ ἔτι σπαργάνων δ[ίδοντ]αι, καὶ οὐ δήπου τις εἰπεῖν | ἔχοι ὡς ἅμα πάντες [ὑπὸ μ]ίαν ὥραν ἀποτίκτονται, |[9] πανταχόσε σχεδὸν ἐπ[ὶ
10 γῆς] καὶ καθ' ἡμέραν Ἰουδαίων | γεννωμένων· ἀλλὰ [καί τινα]ς Αἰθιόπων τὰς κόγχας τῶν |[11] γονάτων ἅμα γενέσθ[αι περιαιρεῖ]σθαί φασιν, καὶ οὐδ' οὗτοι | ἅμα τὴν γένεσιν ἔχ[ουσιν]· καὶ ἁπαξαπλῶς τὰ διάφο|[13]ρα ἔθη καὶ νόμιμα κα[τὰ τὰ ἔθ]νη ἀναιρεῖ τὴν εἱμαρμέ|νην. Εἰ δὲ τοῦτο
15 καθ' εἱμ[αρμέ]νην οὐ χωρεῖ, πολλῷ πλέον |[15] οὐδὲ τὰ προαιρετικά. Εἰ γὰρ ἡ μὲν εἱμαρμένη ἐξ ἀνάγ|κης ἐπάγει

74, 15 κεινου[....]ν ‖ 17 ενκαρ[....] ‖ **75,** 1 βειος ‖ συμπτω-`μα'σ[..] P² ‖ 3 [.]ισιν+blanc (4 lettres) ‖ 5 ιο[......]⟦οι⟧ ‖ 7 σπαργανω`ν' ‖ 9 πανταχοσαι ‖ 10 γεννουμενων ‖ κοιχας P (refait en κογχας par P²) ‖ 11 ο`υ'τοι

74, 18 Os. 13, 4 ‖ 25 Gen. 1, 14

74, 1. Cf. p. 37.

telle orbite, d'autres sont avec tels autres, et tandis que les uns ont ascension droite, d'autres ont l'ascension oblique. Le fait est que l'Écriture parle d'une *armée du ciel* à cause de l'ordre dans lequel elle est rangée : « *Les mains de Dieu ont créé toute l'armée du ciel.* » Des gens qui se sont occupés de cette armée sans bien réfléchir, qui n'avaient pas une bonne science au sujet de cette armée, ont commis l'erreur d'introduire la Fatalité et d'affirmer que tout se fait en vertu de la Nécessité, en alléguant que les astres font la vie des hommes et les autres événements, alors qu'ils sont placés comme signes et non comme agents, ainsi que nous l'avons prouvé[1] en expliquant, à propos de la création du quatrième jour, la parole : « *Qu'ils servent de signes pour les temps, les mois et les années* » : nous avons montré que **75** la vie humaine n'est pas déterminée par les astres. / En effet, ceux qui meurent à la guerre et dans les catastrophes universelles ne sont pas de la même constellation. Encore mieux, la doctrine de la Fatalité est réfutée par les lois. Tous les Juifs sont circoncis le huitième jour à partir de leur naissance et subissent l'épreuve du fer dès les langes; cependant, personne n'ira dire que tous sont enfantés ensemble, à la même heure, puisqu'il y a presque partout sur terre et chaque jour des Juifs qui naissent. En outre, on rapporte que certains Éthiopiens sont amputés dès leur naissance des rotules des genoux; pourtant, eux non plus ne naissent pas en même temps[1]. Bref, une fois pour toutes, les différentes coutumes et lois en vigueur chez les peuples réduisent à néant la Fatalité. Et si les faits précédents n'arrivent pas en vertu de la Fatalité, à plus forte raison les actes libres. En effet, si la Fatalité amène

75, 1. Cette argumentation contre le fatalisme astral, qui remonte à Carnéade, se trouvait, avec les deux exemples des Juifs et des Éthiopiens, dans le commentaire d'Origène sur *Gen.* 1, 14, passage conservé par la *Philocalie*, XXIII, 16 (Robinson, p. 205) et par EUSÈBE, *Prep. euang.* VI, 11, 66-70 (*GCS* 43, 1, p. 357 ; *PG* 12, 76 B).

[75] τὰ συμβαίνοντα, ἡ δὲ προαίρεσις περὶ τὰ |17 ἐνδεχόμενα ἔχει, οὐκ ἔ[σ]ται περὶ ταῦτα εἱμαρμένη. Ἀρετὴ | γὰρ καὶ κακία τὸν ἔχον[τα] ἡ μὲν ὠφέλησεν, ἡ δὲ ἔβλαψεν, |19 ἕκαστος δὲ τῶν δρώντ[ω]ν ἢ κολάζεται ἐκ τῶν ἐπιτηδευ-
20 |μάτων τῶν φαύλων, ἢ [ἐπ]αινεῖται κατορθῶν · τὰ δὲ ἐξ ἀ|21νάγκης συμβαίνοντα [...]....αι · τὸν ἐξ ἀνάγκης τι ἐνερ|γοῦντα οὐδεὶς οὔτ' ἀπ[οδέ]χεται, οὔτε μέμφεται. Ἄλλως |23 τε, εἰ οἱ νόμοι ἐξ εἱμαρμ[έ]νης καὶ οἱ τούτοις μὴ πειθόμε|νοι
25 ἐξ εἱμαρμένης, ἑαυ[τήν], ὡς ἔοικεν, ἀναιρεῖ καὶ ἀνατρέ|25πει.

Σημαντικοὶ οὖν εἰσι[ν ο]ἱ ἀστέρες, οὐ ποιητικοί, σημαί-
76 νον|1τες ἢ ἐφ[η]μερίας ἢ λοιμικὰ καταστήματα ἢ ἕτερόν
(V, 12) τι ὃ τῷ προ|νοουμένῳ δοκεῖ, καὶ ταῦτα μὲν περὶ τούτου · ἐπανέλθωμεν δὲ |3 ἐπὶ τὸ ἐξ ἀρχῆς προκείμενον · « *Καὶ συνετέλεσεν ὁ Θεὸς ἐν τῇ* | *ἡμέρᾳ τῇ ἕκτῃ τὰ ἔργα αὐτοῦ,*
5 *ἃ ἐποίησεν* », ὅπερ ἐμφαίνει |5 ὡς περὶ μόνων ὧν πεποίηκ[εν] εἶναι τὴν συμπλήρωσ[ιν. Εἰ]|σὶν γὰρ ἔργα καὶ ἃ μηδέπω γ[έγο]ν[ε]ν, προαναπεφώνη[το |7 δ]ὲ ὡς ἐσόμενα, οἷον ἡ ἀνά[στασις] τῶν <νεκρῶν> καὶ ὅλως τ[ὰ κατὰ] | πρόνοιαν ἔσεσθαι μέλλοντ[α, ἅπερ τ]ῇ οἰκείᾳ ἀκολουθίᾳ [πα]|9ρὰ Θεοῦ γίνεται. Καλῶς οὖν ἡ [προσθή]κη « *ὧν ἐποίησεν*
10 | *ἔργων* » πρόσκειται.

Δεῖ δὲ κα[ὶ τοῦτο] θεωρεῖν, ὅτι οὐκ ἐνεργήσας |11 τι τῇ ἑβδόμῃ « *κατέπαυσεν* » ὁ [Θεός, — ἤ]δη γὰρ ἅπαντα συντε|τέλεστο, — « *εὐλόγησεν* » δὲ μ[όνην « *τ]ὴν ἡμέραν τὴν ἑβδόμη[ν]* |13 *καὶ ἡγίασεν αὐτήν* », καὶ τ[ούτοις δὲ] ἐπάγει τὸ λόγιον φάσκ[ον] · | « *Ὅτι ἐν αὐτῇ κατέπαυσεν*
15 *ἀπὸ [πάντ]ων τῶν ἔργων αὐτοῦ, ὧ[ν ἤρ]*|15*ξατο ὁ Θεὸς*

75, 24 αν⟦ε⟧`αι´ρει ‖ **76,** 1 επ[.]μεριας ‖ 7 ε⟦δ⟧`σ´ομενα P² ‖ <νεκρων> cf. Procope ‖ 8 οικια ‖ ακολουθεια ‖ 9 ὧν Proc. : των ‖ 11 απαντα⟦ς⟧ P²

76, 3 Gen. 2, 2 ‖ 12 Gen. 2, 3 ‖ 14 Gen. 2, 3

76, 4-10 Proc. 140 D 5 - 141 A 2

75, 2. Même argument, d'ailleurs classique, chez ORIGÈNE,

nécessairement les choses accidentelles, mais que le libre arbitre règne sur les choses qui sont susceptibles d'être dirigées par lui, il n'y aura pas de Fatalité pour ces dernières. De fait la vertu et le vice procurent à leur possesseur, l'une des avantages, l'autre des dommages, et chacun de ceux qui agissent est, ou puni pour ses actions mauvaises, ou loué d'avoir bien agi; mais les choses accidentelles qui découlent de la Nécessité (exercent une contrainte); à qui fait quelque chose par nécessité, personne n'adresse ni approbation ni reproche[2]. D'ailleurs, si les lois sont l'effet de la Nécessité, et que ceux qui leur désobéissent le font par l'effet de la Nécessité, celle-ci, à ce qu'il semble, se détruit et réfute elle-même.

Les astres sont donc des signes et non des agents[3]; **76** ils indiquent / soit le calendrier, soit des conditions météorologiques funestes, soit toute autre chose, selon le bon plaisir de la Providence. — Voilà pour ce sujet; revenons maintenant à notre texte du début : « *Et Dieu acheva pendant le sixième jour les œuvres qu'il fit* », ce qui montre que l'accomplissement concerne seulement les choses qu'il avait faites. Car il y a aussi des œuvres qui n'ont pas encore été faites, mais qui ont été annoncées comme futures, par exemple la résurrection des morts et, en un mot, toutes les choses qui doivent se produire en vertu de la Providence, parce qu'elles sont faites par Dieu en vertu d'un enchaînement particulier. C'est donc avec raison qu'il est ajouté : « *les œuvres qu'il fit* ».

Mais il faut encore observer que Dieu, le septième jour, n'a rien fait et « *s'est reposé* ». C'est que tout avait été déjà achevé. — « *Il bénit le* » seul « *septième jour et le sanctifia* »; la raison en est donnée ensuite dans cette parole : « *Parce que Dieu s'est reposé en ce jour de toutes les œuvres qu'il avait*

ibid. (*Philocalie*, XXIII, 1, p. 187, 23 s. ; EUSÈBE, *ibid.*, VI, 11, 2, p. 344 ; ou *PG* 12, 52 A).

75, 3. Même formule chez ORIGÈNE, *ibid.*, cf. plus haut p. 24, 6-10 avec la note.

[76] ποιῆσαι. » « Ὧν ἤρξατο » · [οὐ γὰ]ρ πάντων τῶν ἔργων ἀρχ[ὴ] | γέγονεν ἔν τινι τῶν ἓξ ἡμερῶ[ν · ἄ]γγελοι καὶ ἀρχάγγελοι [καὶ] |[17] πᾶσα ἡ νοερὰ οὐσία οὔτε ἀρχὴν ἐδέξατο. Καὶ ὅτι τοῦτο οὕτ[ως] | ἔχει, ὁ Θεὸς αὐτὸς ἐν τῷ Ἰὼϐ λέγει · « *Ὅτε ἐγενήθησαν ἄστρα, ᾔ[νε]|[19]σάν με φωνῇ* 20 *μεγάλῃ πάντες οἱ ἄγ[γ]ελοί μου.* »

— les pages 77-80 du papyrus manquent —

81 |[1] λοιπὸν γεγενημένης. Διὰ τοῦτο τὸ λόγιον προασφαλί- (VI, 1) | ζεται λέγον · « *Ἐὰν πνεῦμα τοῦ ἐξουσιάζοντος ἀναϐῇ ἐπὶ σέ, τό|*[3]*πον σου μὴ ἀφῇς.* » Αὕτη γὰρ ἡ πρόφασις αἰτία πολλῶν γίνεται | κακῶν, ἔτι μείζονα ὑποϐαλ[ό]ντος τοῦ 5 διαϐόλου, ὅπερ καὶ νῦ[ν] |[5] ἐνεργεῖ φθονερὸν εἰσάγω[ν] τὸν Θεόν, ὡς οὐχ ἕνεκα τοῦ μὴ βλ[αφ|θ]ῆναι ἐντειλαμένου τοῦ [Θεοῦ] μὴ μεταλαμβάνειν *μόνου* το[ῦ] |[7] γνωστοῦ καλοῦ καὶ πονηρ[οῦ], ἀλλὰ καὶ πρὸς τὸ μὴ γενέσθαι αὐτ[οὺ]ς | θεούς, ὡς δὴ διορατικῶν α[ὐτ]ῶν μελλόντων γενέσθαι. Ἀμέλει |[9] γοῦν ἐκ ταύτης τῆς παρεκ[δο]χῆς ὅλη αἵρεσις 10 συνέστη ἡ καλου|μένη ὀφιανή, ἥτις σεμνύνε[ι τὸ]ν ὄφιν μεγάλα περὶ αὐτοῦ, ὡς οἴ|[11]εται, λέγουσα · ἐ̣ν̣ οἷς φησ[ιν, αὐ]τοῦ Θεοῦ θέλοντος ὡς ἐν κακοπραγί|ᾳ εἶναι τὸν ἄνθρωπον, κακοπ[ραγία]ν λέγοντες εἶναι τὸ μὴ γιγνώσκει[ν] |[13] καλὸν καὶ πονηρόν, οὕτω[ς δὲ το]ῦτο λέγουσι πανούργως · αὐτός, φη|σίν, ἐποίησεν ἐν καλοῖς [τὸν ἄ]νθρωπον · καὶ ἄλλα δὲ 15 μυθολογοῦσι πε|[15]ρὶ τοῦ ὄφεως κακολογοῦντ[ε]ς ὃν ἀνέπλασαν ἑαυτοῖς θεόν. Ὁμῶς | ὄφις δὲ καιρῶς π̣οιεῖται τὴ[ν]

81, 1-2 προ⟦κ⟧ασφαλιζεται ‖ 6 εντιλαμενου ‖ 13 πανουργ⟦ο⟧`ω´ς P² ‖ 15 ανεπλασ⟦ε⟧`α´ν

76, 18 Job 38, 7 ‖ **81,** 2 Eccl. 10, 4 ‖ 6 Cf. Gen. 3, 11

76, 1. Didyme ne veut sûrement pas dire que le monde noétique des anges et des âmes préexistantes est increé, mais vraisemblablement qu'il est éternellement créé, comme beaucoup de platoniciens le disaient du monde invisible.

81, 1. Gnostiques nommés « Ophiens », Ὀφιανοί, par CLÉMENT D'ALEXANDRIE, *Strom.* VII, XVII, 108, 2 (*GCS* 17², p. 76, 28) et

commencées. » « *Qu'il avait commencées* », car toutes les œuvres n'ont pas eu leur commencement dans l'un des six jours : les anges, les archanges et toute la nature intellectuelle n'ont même pas reçu de commencement[1]. Qu'il en soit ainsi, c'est Dieu lui-même qui le dit dans Job : « *Quand les astres furent faits, tous mes anges me louaient d'une grande voix.* »

— *les pages 77-80 du papyrus manquent* —

81 ... C'est pourquoi il est fait cette mise en garde : « *Si l'esprit du puissant monte en toi, ne lui laisse pas de place.* » Ce motif devient en effet la cause de beaucoup de maux. Le diable est allé encore plus loin dans la suggestion, et c'est ce qu'il fait maintenant en lançant l'idée que Dieu est jaloux; à l'en croire, ce n'était pas pour éviter un dommage à Adam et Ève que Dieu leur avait prescrit de ne pas participer à la connaissance du bien et du mal *toute seule*, mais c'était pour qu'ils ne deviennent pas eux-mêmes des dieux, parce que cette connaissance allait les rendre perspicaces. Il est de fait que cette fausse interprétation est à l'origine de toute l'hérésie dite « ophienne[1] » qui vénère le serpent et lui prête un rôle qui est, à ce qu'elle croit, très important. Ces gens prétendent notamment que Dieu veut que l'homme vive dans le vice, car, disent-ils, ne pas connaître le bien et le mal fait commettre le mal, et voici ce qu'ils ajoutent avec perfidie : C'est le serpent qui a introduit l'homme dans la pratique du bien! Et ils débitent encore d'autres mythes sur le serpent en injuriant ainsi le Dieu qu'ils se sont fabriqué. Il n'en reste pas moins que le serpent réalise sa tromperie avec un sens aigu de l'opportunité : il se contente de persuader Adam et Ève d'être habiles, mais d'une habileté

ORIGÈNE, *C. Celse* VI, 24, 11 ; 28, 14.25.31 ; 30, 2 ; et « Ophites », 'Οφῖται par HIPPOLYTE, *Syntagma contre toutes les hérésies* (ouvrage perdu, duquel dépendent ÉPIPHANE, *Pan.* h. 37 ; PHILASTRE, *Haer.* I ; PS.-TERTULLIEN, *Haer.* II, 1).

[81] ἀπάτην, τὴν ἐντρέχειαν μόνον ἀ|[17]ναπείθων αὐτοὺς ἔχειν οὐκ ἐπ' ἀγαθῷ, οὐδ' ὥσπερ ὁ ἀπόστολος | ἔλεγεν · « *Βούλομαι ὑμᾶς σοφοὺς μὲν εἶναι εἰς τὸ ἀγαθόν, ἀκεραί|*[19]*[ο]υς εἰς τὸ κακόν.* » Ὁ δὲ ὄφις θέλων αὐτοὺς εἶναι σοφοὺς εἰς τὸ
20 κακὸν | τοὺς ἐπὶ τοῦτο ὀφθαλμοὺς ῥέποντας ἀνοῖξαι ἠβούλετο, οἵ|[21]τινες τῆς ἀρετῆς ἐνεργουμένης οὐ διανοίγονται ἀλλὰ κεκλεισ|[μ]ένοι τυγχάνουσιν τύφλωσιν ὠφέλιμον ὑπομένοντες, ἥντινα |[23] [ἐ]νεργεῖν φησιν <Ἰησοῦς> ἐν τῷ εὐαγγελίῳ λέγων. « *Ἐγὼ ἦλθον ἵνα οἱ μὴ βλέ|ποντες βλέπωσιν καὶ οἱ*
25 *βλέποντες τυφλοὶ γένωνται.* » Ἰησοῦς δὲ καθ' ἱσ|[25][τ]ορίαν οὐδένα τυφλὸν πεποίηκεν, ἀλλὰ τυφλοῖς τὸ βλέπειν δε|δώρηται. Δῆλον οὖν ὅτι ἐκείνους τυφλοῖ τοὺς κακῶς ὁρῶντας καὶ ἀ|[27]ναβλέπειν ποιεῖ τοῖς ὠφελίμοις ὀφθαλμοῖς, οἵτινες *τοῦ ἔσω ἀνθρώπου* | τυγχάνοντες, σῴζοντες τὸ καθαρῶς ὁρᾶν οὐκ αἰσθητῶς ἀλλὰ νο|[29]ητῶς, πρὶν γν[ό]ντες καὶ τῇ
30 αἰσθήσει λόγον ἐπιβάλλοντες, | *κρύπτουσιν* αὐτὴν κατὰ τὸ
82 εἰρημένον · « *Σοφοὶ κρύψουσιν αἴσθη|*[1]*[σιν].* » Καὶ ἵνα διὰ
(VI, 2) παραδείγματος σαφὲς γένηται τὸ λεγό|[με]νον, καὶ αἴσθησις ἡ ἁφὴ ἀντιληµπτική [ἐ]στιν θερμῶν καὶ ψυχρῶν, |[3] [σκ]ληρῶν καὶ ἁπαλῶν, τραχέων καὶ λείων, καὶ ἀλόγῳ δὲ καὶ παιδίῳ ταῦ|τ̣α̣ κατὰ τὴν ἁφὴν δῆλα τυγχάνει · ὅταν δὲ φέρε ὁ
5 ἰατρὸς ἅπτηται ἰπώ|[5][σ]εως, *κρύπτει τὴν αἴσθησιν*, λόγον τῇ κινήσει τῶν σφυγμῶν ἐπιβά̣λ̣|[λων]. Οὕτω καὶ τὰς εἰκόνας οἱ μὲν ἰδιῶται αἰσθήσει μόνῃ, οἱ δὲ γρα[φεῖς] |[7] τῷ λόγῳ θεωροῦσιν. Εἶχεν οὖν ὁ ἄνθρωπο[ς π]ρὸ παραβάσεως ὀφθαλμοὺς πρ[οσ]|βλ[έ]ποντας τὰ πράγματα, τοῦτ' ἔστι [νόη]σιν ἐπιστημονικῶς ἐπιβά[λλου]|[9]σαν τοῖς πράγμασιν,

81, 16 εντρεχιαν ‖ 18 ακαιρεους ‖ 20 αναιοιξαι ‖ 21-22 κεκλισ[.]ενοι ‖ 23 λεγω`ν' P$^2$ ‖ 24 κατ ‖ 26 εκεινους (υ refait sur ι) ‖ ορωντ⟦ε⟧`α'ς ‖ 27 ποιειν ‖ 28-29 ⟦γε⟧`νο'|⟦ε⟧ητως ‖ 29 πρειν ‖ τῇ : την ‖ επιβαλ`ον'λο⟦υσι⟧ντες ($ν_2$ exponctué) ‖ 30 κρυπτουσιν P^2 : κρυψουσιν P ‖ **82,** 1 [...]+blanc (6 lettres) ‖ δια+δια ‖ 2 θερ`μ'ων ‖ 3 τραχ⟦αι⟧`ε'ων ‖ λιων ‖ 5 κεινησει

81, 18 Rom. 16, 18 ‖ 23 Jn 9, 39 ‖ 27 Cf. Rom, 7, 22 ‖ 30 Prov. 10, 14

qui n'était pas pour leur bien ni comme celle dont parle l'Apôtre quand il dit : « *Je désire que vous soyez habiles pour le bien et intègres vis-à-vis du mal.* » Désirant, au contraire, qu'ils soient habiles pour le mal, le Serpent voulait leur ouvrir les yeux qui s'abaissent sur le mal. Lorsque la vertu est en action, ces yeux ne s'ouvrent pas, ils sont clos et supportent une bienfaisante cécité dont le Verbe dit dans l'Évangile qu'elle est son œuvre : « *Je suis venu pour que ceux qui ne voient pas voient et que les voyants deviennent aveugles.* » Dans la réalité historique, Jésus n'a rendu personne aveugle; au contraire, il a donné la vue à ceux qui l'étaient. Ceux qu'il rend aveugles, ce sont donc évidemment ceux qui vivent mal, et il les fait voir à nouveau avec des yeux bienfaisants. Ce sont les yeux de l'*homme intérieur*; ils gardent la pureté de leur vue, non pas dans l'ordre sensible mais dans celui des réalités intelligibles. Parce qu'ils ont eu une connaissance antérieure[2] et qu'ils appliquent la raison sur la sensation, ils *cachent* celle-ci selon la parole : « *Les sages cacheront la*
82 *sensation.* » / Prenons un exemple pour éclairer ce que je dis. Le toucher est un sens capable de percevoir le chaud et le froid, le dur et le doux, le rugueux et le lisse. Même à l'animal sans raison et à l'enfant, ces qualités deviennent évidentes par le toucher. Mais lorsque le médecin, par exemple, touche une enflure, il *cache la sensation* en appliquant sa raison sur le battement du pouls. De même pour les tableaux : les profanes les regardent seulement avec leurs sens, tandis que les artistes les contemplent avec leur raison. L'homme avait donc, avant la transgression, des yeux qui regardaient les choses comme il faut, c'est-à-dire une pensée qui s'appliquait scientifiquement aux

81, 20-22 Proc. 184 A 13-15 || **82,** 7-11 Proc. 184 B 1-5

81, 2. A la suite d'Origène, Didyme croit à la préexistence des âmes.

[82] ὡς δεῖ. Ἕως οὖ[ν τ]ούτους εἶχε τοὺς ὀφθαλμοὺς π[ροσ]-
10 |βάλλοντας τοῖς καταλλήλοις θεά[μα]σιν, οὐκ ἐγίγνωσκεν τὸ κακόν, ἀν|[11]τὶ τοῦ πειρᾶν αὐτοῦ οὐκ ἐδέχετο · [ὅτ]ε δὲ οὗτοι ἔδυσαν, ἠνοίχθησαν | δὲ οἱ ἐπὶ τὸ κακὸν ῥέπ[ο]ν̣[τ]ες, τότε [κ]αὶ [ἐ]ξώβλητοι γεγένηνται. Τού|[13]τω̣ν ὁ διάβολος ἔχων τὸ θέλημα σ[οφίζε]ται τὴν γυναῖκα, φθόνον εἰσ|ά[γε]ι Θεοῦ ἐννοεῖν αὐτήν, ἐπαγγέλ[λεται] δὲ μεγάλα, ἵνα καὶ
15 διὰ τούτῳ[ν] |[15] δελεάσῃ λέγω̣ν · « *Ἔσεσθε ὡς θεο[ὺς γιγν]ώσκοντες καλὸν καὶ πον[η]|ρόν* », πρὸς τῷ καὶ ἔννοιαν ὑποβάλλ[ει]ν πλειόνων θεῶν, μήπω σ̣υσ |[17]π̣[.].σ̣ ουσης τῆς δι' ἀγαλμάτων ε[ἰδ]ωλολατρείας, αἰνιττόμενος | τοὺς συναποστάντας ἀγγέλους αὐτῷ.

III, 6-7. Καὶ εἶδεν ὅτι καλὸν τὸ ξύλο[ν] |[19] εἰς βρῶσιν καὶ
20 **ὅτι ἀρεστόν ἐστιν τοῖς ὀφθαλμοῖς καὶ ὡραῖόν ἐστ[ιν] | τοῦ κατανοῆσαι, καὶ λαβοῦσα τοῦ καρποῦ αὐτοῦ ἔφαγεν, καὶ ἔδωκ[εν] |[21] καὶ τῷ ἀνδρὶ αὐτῆς μετ' αὐτῆς, καὶ ἔφαγον καὶ διηνοίχθησαν οἱ ὀφ[θαλ]|μοὶ τῶν δύο καὶ ἔγνωσαν ὅτι γυμνοὶ ἦσαν.**

Τὰ τῆς ἀπάτης τοῦ [ὄφε]|[23]ως κρατήσαντα ἀντίστροφον αὐτῇ τὴν δοκιμασίαν ἐνεποίε̣[ι] · | τὸ γὰρ εἰς βρῶσιν
25 ἐκκείμενον οὐκ ὄψει δοκιμάζεται, πλὴν ἀρξαμ[ένη] |[25] ἡ ἀπάτη πρότερον τέρψιν τινὰ καὶ ἡδονὴν ἐργάζεται, εἶθ' ο̣ὕτω̣ | ἐπὶ τὴν πρᾶξιν ἐγείρει τὸν ἀπατώμενον. Μετὰ <τὸ> ἡσθῆναι ἐπὶ τοῖς ὑπὸ |[27] ὄφεως εἰρημένοις *ἔλαβεν* διὰ συγκατ̣αθέσεως καὶ *ἔφαγεν* τελε̣σι̣|ουργοῦσα τὴν πρᾶξιν, κοινωνὸν δὲ καὶ τὸν ἄνδρα δέχεται, π̣ο̣ι̣ο̣ῦ|[29]σα καὶ διακονοῦσα τὰ πρὸς ἀπάτην · τοιοῦτον γὰρ ἡ αἴσθησις, ἥν̣τ̣ι̣ν̣α̣
83 |[1] λόγον ἐπέχειν τῆς γυναικὸς ἐφάσκομεν.
(VI, 3)

82, 11 εδεχετ⟦α⟧`ο´ ‖ 12 τοτ⟦α[ι]⟧`ε´ ‖ 15 εσεσθαι ‖ 17 ε[..]ωλολατριας ‖ 21 ανδρει ‖ διοινηχθησαν ‖ 22 ⟦κ⟧`τ´α ‖ ἀπάτης : αγαπης ‖ 24 δοκειμαζεται ‖ 26 απατωμεν`ον´ P² ‖ 27 συνκαταθεσεως ‖ 28 πραξιν ⟦και⟧

82, 11-12 Proc. 184 B 7-8 ‖ 17-18 Proc. 184 B 11

82, 15 Gen. 3, 5

choses. Tant qu'il eut ces yeux qui appliquaient leurs regards sur les spectacles qui leur étaient appropriés, l'homme ne connaissait pas le mal : loin d'en faire l'expérience, il ne lui donnait pas accès. Mais lorsque ces yeux se bouchèrent et que s'ouvrirent ceux qui s'abaissent vers le mal, alors l'homme et la femme furent chassés. C'est ce que le diable désirait, et pour cela il trompe la femme, lui glisse l'idée que Dieu est jaloux, et lui fait de belles promesses pour la prendre dans ses filets : « *Vous serez*, dit-il, *comme des dieux*, *connaissant le bien et le mal* », sans compter qu'il lui suggère l'idée qu'il y a plusieurs dieux. Comme le culte idolâtrique des statues n'existait pas encore, l'allusion aux *dieux* vise les anges qui ont accompagné le diable dans son idolâtrie.

III, 6-7. **Et elle vit que l'arbre était bon à manger, qu'il était agréable aux yeux et beau à regarder. Prenant de son fruit, elle en mangea et en donna à son mari avec elle. Ils mangèrent et leurs yeux s'ouvrirent à tous deux et ils connurent qu'ils étaient nus.**

Le mensonge du serpent, une fois maître de la femme, produisit en elle un discernement anormal. Car ce n'est pas par la vue qu'on discerne ce qui est bon à manger, mais le mensonge du début produit d'abord une certaine satisfaction, un plaisir, et ensuite pousse à l'acte celui qui s'est laissé tromper : après avoir perçu par la sensation, la femme, sur les dires du serpent, *prit du fruit* avec plein consentement, et, accomplissant l'acte jusqu'au bout, elle en *mangea*, puis elle s'associe son mari, commettant ainsi la double erreur d'exécuter le conseil trompeur et de s'en **83** faire complice. Telle est bien la sensation / dont nous avons dit plus haut[1] qu'elle suspendait l'exercice de la raison chez la femme[2].

83, 1. Dans les pages comprises entre p. 76 et p. 81.

83, 2. Pour l'assimilation de la femme à la sensation, cf. PHILON, *Leg. all.* 73.

[83] Διανοιχθέντων δ[ὲ] | τῶν ὀφθαλμῶν « *ἔγνωσαν ὅτι γυμνοὶ ἦσαν* ». Φιλεῖ γὰρ τοῦτο τ[οῖς] |[3] ἀπατωμένοις συμβαίνειν. Μετὰ γὰρ τὴν ἐνέργειαν τὸ αἰσχρὸν | τῆς κακίας αὐτῶν φανεροῦτα[ι] ἐπιγιγνωσκόντων ὅτι τῆς ἀρε[τῆς]
5 |[5] ἐγυμνώθησαν, τοῦτο πάλι[ν] τοῦ οἰκτίρμονος Θεοῦ χαριζο[μέ]|νου, ἵνα μὴ ὁ τὴν κακίαν ἐν[ε]ργῶν, παντελῶς ἀναίσθητος δ[ια]|[7]τελῶν, ἔξω παντελῶς τῆς [ἀ]ρετῆς διαμείνῃ.

Ἡ οὖν ἀπάτη τ[οῦ] | διαβόλου αὕτη ἐστίν, ἵνα τὰ [θ]εωρούμενα κατὰ τὸν ἀληθῆ λόγον |[9]ὑπὸ τοῦ ὄμματος τοῦ
10 καθα[ρο]ῦ τῆς ψυχῆς αὐτὸς ἀντιστρόφως | ὁρᾶσθαι ποιήσῃ, τὸ μὲν ἡδὺ [ἀν]τὶ τοῦ ἀγαθοῦ ὑποτιθείς, τὸ δ' ἀγα|[11]θὸν ἐπίπονον παραδει[κ]νύ[ων]. Οὕτω γοῦν καὶ διανοίγονται ὀφθαλ|μοὶ οἱ πάλαι χρησίμως κ[εκλεισ]μέ[ν]οι. Ἔστιν γὰρ ἐν ψυχῇ ὀφθαλμὸς |[13] μὲν ὁ δι' ἑαυτοῦ τοῖ[ς νοη]τοῖς ἐπιβάλλων, οὓς δὲ τὸ τῇ πα|ρ' ἑτέρου παιδεύσει ἑπόμ[ενον],
15 ἅπερ διαστρέψας ὁ ὄφις τὰ τῆς |[15] ἀπάτης ἐπλήρωσεν, ὡς κα[ὶ τ]ὴν αἴσθησιν καὶ τὸν νοῦν βλάβην | ὑπομεῖναι · ὅτε γὰρ ἡ αἴσ[θ]ησις πάσχει διαστροφήν, τότε καὶ |[17] αἱ αἱρέσεις τοῦ νοῦ διεστραμμέναι γίνονται. Εἴρηται περὶ τῶν | ἀλλοκότως κεχρημένων τοῖς πράγμασιν · « *Οὐαὶ οἱ λέγοντες* |[19] *τὸ πονηρὸν καλὸν καὶ τὸ καλὸν πονηρόν.* »
20 Ὑπήχθησαν οὖν ἡ|δονῇ τῇ αἰτίᾳ τῶν σφαλμάτων · κατὰ γὰρ ταύτην φασὶν καὶ |[21] οἱ ἐν τῇ σοφίᾳ τὰ ἡδέα προτ[ι]μῶντες · *** | Τὴν γὰρ ῥᾳστώνην οἱ πολλοὶ προτιμῶσιν τῆς ἀρετῆς, τὴν συν|[23]τονίαν οὐκ ἀποδεχόμε[ν]οι, οἵτινες

83, 1 δια⟦κ⟧`ν'οιχθεντων ‖ 2 εγν⟦οι⟧`ω'σαν ‖ 4 αυτου ‖ φανε-ρ⟦ω⟧`ου'τα[.] ‖ επιγιγνωσκοντων`ς' (ο refait sur ω) ‖ 5 οικτειρ⟦ο⟧-μονος ‖ 6 αν⟦ε⟧`αι'σθητος ‖ 11 παραδ`ε'ι[.]νυ[..] ‖ ο : ⟦τυ⟧ο ‖ 14 παιδευσ`ε'ι ‖ `ο' P² ‖ 16 τοτ⟦αι⟧`ε' ‖ 21 προτ[.]μωντες + fin de ligne et deux lignes en blanc

---

83, 1 Gen. 3, 7 ‖ 18 Is. 5, 20

83, 3. Idée origénienne, cf. *Hom. in Jer.* VI, 2, 39-57, où Origène montre que rien n'est pire que de n'avoir plus la conscience (συναίσ-

Leurs yeux s'étant ouverts, *ils connurent qu'ils étaient nus.* C'est ce qui arrive d'ordinaire à ceux qui se laissent tromper : après qu'ils ont agi, la honte de leur péché leur apparaît et ils découvrent qu'ils ont été dépouillés de la vertu; c'est là encore une grâce du Dieu miséricordieux, pour éviter que celui qui commet le mal vive dans une insensibilité complète et demeure ainsi définitivement en dehors de la vertu[3].

Voilà donc le mensonge du diable : les choses que le regard pur de l'âme considère selon la vraie raison, il les fait voir, lui, d'une manière opposée : il suggère l'agréable au lieu du bien et montre le bien comme pénible. Ainsi s'ouvrent des yeux qui étaient jadis utilement fermés. Il y a, en effet, dans l'âme, un œil qui se porte de lui-même sur les intelligibles, et une oreille qui obéit à l'enseignement reçu d'un autre[4]. C'est en détournant cet œil et cette oreille de leur objet que le diable a réalisé son mensonge, et la conséquence en est que les sens, aussi bien que l'intelligence, ont été endommagés, car, lorsque les sens sont détournés de leur objet, les choix de l'intelligence se portent de tous les côtés. Il est écrit, à propos de ceux qui détournent les choses de leur usage normal : « *Malheur à ceux qui appellent le mal bien, et le bien mal !* »

Ils se soumirent donc au plaisir, cause des chutes. C'est en effet en fonction du plaisir que ceux qui, en philosophie, donnent la préférence à l'agréable[5] disent *** La plupart des gens préfèrent en effet la facilité à la vertu, parce qu'ils n'aiment pas l'effort, et ils sont eux aussi *mis à nu*,

θησις) du péché, de lui être devenu insensible (ἀναισθητεῖν, ἀναίσθητος).

83, 4. Souvenir de la doctrine origénienne des sens intérieurs. Platon avait déjà parlé d'un œil de l'âme ; Origène étend cette comparaison aux autres sens parce que le Livre de la *Sagesse* 7, 22 parle de « sens divins ». Pour Origène l'homme intérieur a aussi des oreilles, un odorat, un tact, un goût : *Entretien avec Héraclide* 16, 11 s. (*SC* 67, p. 88-98) ; *In Ioh.* XX, 43(33), § 405, etc.

83, 5. Les épicuriens.

[83] καὶ ἀπ' αὐτῆς γυμνοῦνται. | Καταφρονητέον οὖν τῶν ἡδέων,
25 ἅπερ ὑπόθεσις ἁμαρτημά|[25]των γίνεται.

Εἴσι τινὲς οἵ φασιν ὅτι τὸ « *μετ' αὐτῆς ἔφαγεν* | *'Αδὰμ* » δηλοῖ συγκατά[β]ασιν αὐτοῦ, ἵνα μὴ τέλεον ἀπόληται, |[27] συγχρώμενοι τῷ εἰρημέ[ν]ῳ ὑπὸ Παύλου · « *'Αδὰμ*
84 *οὐκ ἠπατήθη, ἡ δὲ* |[1] *γυνὴ ἐ]ξαπατηθεῖσα ἐν παραβάσει*
(VI, 4) *γέγονεν* », ὡς ἱκανὸς καὶ αὐτὴν δι' | [ἑαυ]τοῦ τῆς κακίας ἀποστῆσαι.

|[3] **III, 7-8. [Καὶ] ἔρραψαν φύλλα συκῆς καὶ ἐποίησαν ἑαυτοῖς περιζώματα. Καὶ | [ἤκουσ]αν τὴν φωνὴν Κυρίου**
5 **περιπατοῦντ[ο]ς ἐν τῷ παραδείσῳ τὸ δειλινόν, |[5] [καὶ ἐκ]ρύβησαν ὅ τε 'Αδὰμ καὶ ἡ γυνὴ αὐτοῦ ἀπὸ προσώπου τοῦ Θεοῦ ἐμμέ|[σῳ τοῦ] ξύλου τοῦ παραδείσου.**

|[7] Μενόντων τῶν προτεθεωρημένων περί τε τοῦ παραδείσου καὶ τοῦ 'Α|δὰμ καὶ τῆς γυναικός, καὶ ταῦτα συνάπτομεν. 'Επεὶ *ἔγνωσαν* |[9] *ὅτι γυμνοί εἰσιν, ῥάψαντες φύλλα συ[κ]ῆς*
10 *ἐποίησαν αὐτοῖς περιζώ|ματα, ἀκούσαντές τε τὴν φωνὴν [Κυρίου] περιπατοῦντος ἐν τῷ παρα|*[11]*δείσῳ τὸ δειλινὸν ἐκρύβησαν ἀπὸ π[ρο]σώπου τοῦ Θεοῦ ἐμμέσῳ τοῦ | ξύλου τοῦ παραδείσου*. Ἄξιον γὰρ μὴ [κακο]λογοῦντας τοὺς τῇ ἱστο|[13]ρίᾳ ἑπομένους εἰπεῖν πῶς *συνέρρα[ψαν ἑ]αυτοῖς ἐκ φύλλων συκῆ[ς]* | *περιζώματα*, πῶς τε *ἀκούουσι τῆς φ[ωνῆ]ς*
15 *Κυρίου περιπατοῦντος* οἱ |[15] ἀνάξια αὐτῆς πεποιηκότες, διὰ τί τε *[τ]ὸ δειλινὸν* περιπατεῖ, ἔτι | τε πῶς *ἐκρύβησαν*, ὅ τι ἐννοήσαντε[ς] περὶ Θεοῦ, ὑπὸ τὸ δένδρον. Οἶ|[17]μαι γὰρ εἰς ἅπαντα ταῦτα μὴ ἔχειν α[ὐ]τοὺς σῶσαι τὸν εἱρμὸν τῆς |ἱστορίας ἄξιον τῆς ἀπὸ τοῦ ἁγίου Πνεύματος διηγήσεως. Ἡμεῖς τοί|[19]νυν, ὥσπερ ἐν τοῖς φθάσασιν πεποιήκαμεν, καὶ

83, 26 συνκατα[.]ασιν ‖ 27 συνχρωμενοι ‖ **84**, 3 εραψαν ‖ 11-12 τω ξυλω ‖ 13 συνερα[...] ‖ 15 δ'ε'ιλινον ‖ 16-17 οιμ⟦ε⟧'αι'

83, 25 Cf. Gen. 3, 6 ‖ 27 I Tim. 2, 14

83, 6. Probablement Origène, car Didyme acceptera plus loin cette idée, p. 100, 6-12 ; voir l'Introduction p. 23-24.

dépouillés de la vertu. Il faut donc mépriser l'agréable qui devient occasion de péché.

Il y a des auteurs qui disent[6] que la parole : « *Adam mangea avec elle* », est, chez lui, une preuve de condescendance pour que la femme ne soit pas complètement perdue. Ils s'appuient sur le texte de Paul : « *Adam n'a pas été* **84** *trompé / mais c'est la femme, séduite, qui a commis la transgression* », en pensant qu'Adam a été capable de tirer par lui-même la femme du mal.

III, 7-8. **Et ils cousirent des feuilles de figuier et s'en firent des ceintures. Et ils entendirent la voix du Seigneur qui se promenait au paradis dans la soirée. Alors Adam et sa femme se cachèrent de la face de Dieu dans le bois du paradis.**

Ce que nous avons vu précédemment sur le paradis, sur Adam et sa femme[1], restant vrai, nous y adaptons aussi ce verset. Puisqu'ils *connurent qu'ils étaient nus*, *cousant des feuilles de figuier ils se firent des ceintures*, *et en entendant la voix du Seigneur qui se promenait au paradis dans la soirée*, *ils se cachèrent de la face de Dieu au milieu du bois du paradis*. Il conviendrait en effet que les partisans du sens historique nous expliquent sans inconvenance comment Adam et sa femme se firent des *ceintures avec des feuilles de figuier*, comment ils *entendent la voix du Seigneur se promenant*, alors qu'ils ont fait des choses indignes d'elle, pourquoi il se promène *dans la soirée*, enfin quelle idée ils avaient de Dieu pour *se cacher* sous l'arbre. Ils ne pourront pas, à mon avis, conserver à tout cela une cohérence historique digne d'un récit émané de l'Esprit-Saint[2]. Nous donc, comme nous l'avons fait pour

84, 1. Dans les pages manquantes 77-80.

84, 2. Principe d'exégèse sur lequel Origène revient souvent : l'interprétation du texte inspiré par Dieu doit être digne de Dieu ; cf. p. ex. *Hom. in Gen.* I, 13 ; III, 6 (*GCS* 29, p. 16, 1 ; 49, 2 ; *SC* 7 bis, p. 58, 139) ; *Hom. in Jer.* (*SC* 232, p. 136, n. 2).

[**84**] 20 ἐπὶ τούτων τὸ θεῖον | τῶν γεγραμμένων κατανοήσωμεν.

Δύο σχέσεις γυμνότητος |[21] εἰσάγει ὁ λόγος, μίαν μὲν τὴν πρὸ τῆς παραβάσεως, ἑτέραν δὲ | τὴν μετ' αὐτήν, καὶ τὴν μὲν ἀνεπαίσχυντον, τὴν δὲ γνωσθεῖσαν |[23] καὶ αἰσχύνην ποιήσασαν. Ἐλέγετο μέντοι καὶ ἐν τοῖς πρότερον εἰ|ρημένοις ὡς οὐδὲν ἄξιον αἰσχύνης ποι[ο]ῦντες ἀλλὰ πάσης ἀπηλ-
25 |[25]λαγμένοι κηλῖδος εὐπαρρησίαστον εἶχο[ν] πρὸς Θεὸν τὴν διάνοιαν, | τοιοῦτον γὰρ ἀρετή· ἐπειδὴ δὲ παραβᾶται τῆς τοῦ Θεοῦ ἐντο|[27]λῆς γεγένηνται, τὸ τηνικαῦτα ἀπαμφιασθέντες τῆς ἀρε|τῆς τὸ κάλλος, γυμνοὶ αὐτῆς διαμείναντες ᾐσχύνοντο λογιζόμενοι |[29] ἐξ οἵων ἀγαθῶν εἰς οἷα μετέπεσαν
85 κακ[ά], ἔτι αἰσθήσεως ἐκκειμέ|[1]νης, ἐξῆς καὶ *κρύπτονται*
(VI, 5) τὸν τῶν ὅλων Θεὸν *περιπατοῦντα*. [Ὁ] | γὰρ ἁμαρτάνων καὶ μήπω ἐκκεκομμένος τὴν αἴσθησιν, ἀλλ[' ἔ]|[3]τι περιέπων τὸ ἁμάρτημα, διελέγχεται μὲν ἀπὸ τῶν ἐνε|σπαρμένων παρὰ
5 Θεοῦ κοινῶν ἐννοιῶν, ἀεὶ δι' αὐτῶν τοῦ |[5] ποιητοῦ ἐμβοῶντος, τῷ δὲ ἔτι ἐνέχεσθαι [τῇ] ἀπάτ[ῃ τοῦ] | σφάλματος ἀπολογίας πολλάκις τῶν ἁμαρτημ[ά]τω[ν] |[7] *συρράπτει*. Ἢ τοῦτο ἐν πολλοῖς οὐκ ἔστι φανε[ρ]όν; Πολλά|κις γὰρ ὁ τῷ θυμῷ κεχρημένος ἀπολογίας πορί|[9]ζεται πιθανάς, ἐξ ὧν τοῦ
10 θυμοῦ δῆθεν παραστήσει | τὸ εὔλογον, προσχρώμ[ε]νος ἐσθ' ὅτε καὶ τῇ ἀπὸ τῶν γραφῶν |[11] δείξει πρὸς τὸ συνιστᾶ[ν] τὸ ἑαυτοῦ βούλημα, ὅπερ συρράπτοντός | ἐστιν *ἐκ φύλλων* κ[αὶ μὴ] ἀπὸ καρποῦ σκέπην τινὰ οὐ τελείαν· |[13] τοῦτο γὰρ τὸ *περίζ[ωμ]α* παρίστησιν. Ἔστιν γὰρ ἀκοῦσαι τῶν

84, 20 σχεσ'ε'ις ‖ 27 τὸ : τον ‖ 29-1 εγκειμενης ‖ **85,** 7 συνραπτει ‖ 9 πειθανας ‖ ⟦η⟧δηθεν ‖ 11 συνραπτοντος

84, 25 Proc. 192 C 2 ‖ 27 - **85,** 7 Proc. 192 C 3-10

84, 3. Souvenir lointain de Philon, *Leg. all.* II, 53-64, pour qui il y a trois sortes de nudités ; nous ne retrouvons ici que les deux premières : la nudité « libre de tous les vices » et celle qui est la « perte de la vertu ».

84, 4. Cf. p. 83 avec la note 2.

85, 1. Notion stoïcienne ; cf. Von Arnim, *Stoic. vet. frag.* II,

les versets précédents, nous considérerons ici encore le sens divin du texte.

La Parole de Dieu nous présente deux sortes de nudité[3] : l'une avant la transgression, l'autre après, l'une sans honte, l'autre consciente et honteuse. On a expliqué en effet, précédemment, qu'Adam et sa femme ne faisant rien de honteux, évitant au contraire toute souillure, avaient leur pensée tournée en toute franchise vers Dieu; car c'est cela la vertu; puis, lorsqu'ils eurent transgressé le précepte divin, alors, ayant été dépouillés de la beauté de la vertu, ils eurent honte de rester nus, privés d'elle, en considérant quels biens ils avaient laissé pour tomber dans quels maux; car ils n'avaient pas perdu la sen-

85 sation[4]; / à la suite de quoi ils se *cachent* du Dieu de l'univers qui *se promène*. Le pécheur, en effet, quand il n'a pas encore perdu la sensation, mais qu'il fait encore attention à son péché, se critique à l'aide des pensées communes[1] semées en lui par Dieu, car, par elles, le Créateur ne cesse de créer au-dedans de lui, mais par le fait qu'il est encore pris dans la tromperie de la chute, il *coud* souvent des excuses pour ses péchés. N'est-ce pas ce qu'on voit chez beaucoup de gens ? Le coléreux, par exemple, invoque souvent des excuses captieuses pour prouver qu'il a eu raison de se mettre en colère, et se sert même quelquefois du témoignage des Écritures pour donner de la consistance à ce qu'il désire. C'est cela *coudre* avec des *feuilles* en laissant de côté le fruit, et se faire une certaine protection qui n'est pas parfaite, telle qu'en offre une *ceinture*. Il arrive, en effet, qu'on entende des

154, 29-30, citant ALEXANDRE D'APHRODISIAS : « (Chrysippe) dit que nous les avons reçues de la nature comme critères de la vérité. » ORIGÈNE les mentionne comme servant à discerner le bien du mal : *C. Celse* VIII, 52, 14 : « On ne trouverait personne qui ait entièrement perdu les notions communes du bien et du mal, du juste et de l'injuste » ; cf. ci-dessus p. 10.

[85] | θυμουμένων ὡς καὶ ἅγιος θυμῷ χρησάμενος τοὺς *πεντηκον-*
15 |[15]*τάρχους* ἀνεῖλεν καὶ [π]ερὶ ἄλλων, ἀλλὰ οὐκ ἐννοού<ν>των ὡς οὔ|τε ξίφει οὔτε τινὶ ἀμυντηρίῳ χρησάμενοι τοιαῦτ' ἔδρασαν, |[17] ἀλλ' αὐτὸν ἐπικαλεσάμενοι τὸν Θεὸν καὶ δι' εὐχῆς αὐτὸν | ἐσχηκότες ἐπινεύοντα πρὸς ἐπικουρίαν, οἷς οὐκ ἄν, εἴπερ ἀ|[19]πὸ θυμοῦ τὴν εὐχὴν ἐποιο[ῦ]ντο, προσέσχεν
20 ὁ Θεὸς διὰ τῶν ἑ|αυτοῦ παραινῶν ὡς προσήκει τὸν εὐχόμενον *ἐπαίρειν ὁσί|*[21]*ους χεῖρας χωρὶς ὀργῆς καὶ διαλογισμῶν.*

Ἀπὸ τῆς οὖν ἀρετῆς | τῶν ἁγίων οἱ προφασισταὶ καὶ τὰ ἑαυτῶν *κρύπτειν* σφάλματα |[23] βουλόμενοι *φύλλα συρράπτοντες*, ἀπολογίαν δῆθεν τῶν κα|θ' ἑαυτοὺς οἴονται ποιεῖσθαι,
25 ἅπερ καὶ ἐπὶ τῶν πρωτοπλάστων |[25] συμβέβηκεν. Τοῖς τοιαύτῃ προθέσει κεχρημένοις διὰ τῆς | *συκῆς* συμβολικῶς ὁ Κύριος ἐν τοῖς εὐαγγελίοις ἐπιτιμᾷ, ἐλ|[27]θὼν πρὸς αὐτὴν
86 καὶ μὴ εὑρὼν εἰ μὴ φύλλα μόνον, « *Οὐ μηκέτι* |[1] *ἐκ σοῦ*
(VI, 6) *καρπὸς γένηται εἰς τὸν αἰῶνα* » εἰπών. Καὶ οὐδήπου αὐτῇ τῇ συ|κῇ τὴν ἐπιτιμίαν εἰρῆσθαί φαμεν · οὐ γὰρ παρὰ τὴν ἑαυτῆς αἰτίαν |[3] ἡ αἰσθητὴ συκῆ καρπὸν οὐκ ἔφερεν. Ἀλλὰ καὶ τοῦ Ἰσραὴλ εἰς | ἀ[σ]έβειαν ἐκπεσόντος εἴρηται · « *Οὐκ*
5 *ἔστιν σταφυλὴ ἐν ταῖς ἀμ|*[5]*[πέ]λοις οὐδὲ σῦκα ἐν ταῖς συκαῖς.* »

Ἔρραψαν οὖν *φύλλα συκῆς* πι|θα[ν]ὴν ἀπολογίαν, ὡς προείρηται, πορίζοντες, ἀκόλουθος δὲ |[7] τῷ σχήματι τῆς ἱστορίας ὁ λόγος. Ἐπεὶ γὰρ παράδεισος εἰσή|χθη καὶ γυμνότης καὶ μετὰ παρακοὴν ταύτης ἐπίγνω|[9]σις, τὴν σκέπην
10 ἀπὸ φύλλων λέγει ποιεῖσθαι τῷ οἰκείῳ τῆς | διηγήσεως ὁ λόγος προσχρώμενος κατὰ τὸ εἰωθὸς τῇ θεοπνεύ|[11]στῳ γραφῇ. Πολλάκις γὰρ ἡ ψυχὴ ποτὲ μὲν *ἄμπελος*, ποτὲ | δὲ *πρόβατον*, ποτὲ *νύμφη* ἐν τῇ θείᾳ παιδεύσει λέγεται,

85, 18 εσχηκο⟦ν⟧'τες' P² ‖ 19-20 ⟦αι⟧'ε'αυτου ‖ 23 συνραπτοντες ‖ 24 οιοντ⟦ε⟧'αι' P² ‖ 26 επιτιμα (α refait sur ι par P²) ‖ **86,** 5 εραψαν ‖ 5-6 πειθα[.]ην ‖ 9 οικιω

85, 14 Cf. IV Rois 1, 9-12 ‖ 20 Cf. I Tim. 2,8 ‖ 27 Matth. 21, 19 ‖ **86,** 4 Jér. 8, 13

85, 26 - **86,** 6 Proc. 192 C 11 - D 3

coléreux rappeler que tel saint[2], s'étant mis en colère, a fait périr des *chefs de cinquantaines*, ou évoquer d'autres exemples. Ils ne réfléchissent pas que les saints ont fait cela sans se servir d'une épée ou d'une arme quelconque, mais en invoquant Dieu et en obtenant par la prière qu'il leur accorde son secours, et que, s'ils avaient fait leur prière sous l'impulsion de la colère, Dieu ne les aurait pas exaucés, lui qui exhorte, comme il convient, celui qui prie par ses messagers à *élever des mains pures, dans la prière, sans colère ni arrière-pensée.*

Ceux donc qui veulent tirer prétexte de la vertu des saints pour cacher leurs chutes *cousent des feuilles* et s'imaginent donner par là une justification de leurs actes; c'est ce qui s'est passé pour le premier homme et la première femme. Mais le Seigneur punit symboliquement dans les Évangiles, par le moyen du *figuier*, ceux qui ont cette intention : venant vers le figuier et ne trouvant sur **86** lui que des feuilles, il dit : / «*Qu'aucun fruit ne sorte plus jamais de toi*»; peine qui selon nous n'a jamais été portée contre le figuier lui-même, car ce n'était pas par sa faute que le figuier sensible n'avait pas de fruit. Enfin, à propos d'Israël tombé dans l'impiété, il est dit : «*Il n'y a pas de grappe sur les vignes et pas de figue sur les figuiers.*»

Ils cousirent donc des *feuilles de figuier*, en présentant des excuses captieuses, comme on l'a expliqué; et la Parole de Dieu suit avec logique le canevas de l'histoire racontée : puisqu'il était question d'un jardin, d'une nudité et, après la transgression, de la prise de conscience de cette nudité, elle dit qu'ils se font une protection avec des *feuilles*, en utilisant le vocabulaire approprié au récit, selon l'habitude de l'Écriture inspirée. C'est souvent, en effet, que dans l'enseignement divin, l'âme est appelée tantôt *vigne*, tantôt *brebis*, tantôt *fiancée*, et la Parole

85, 2. Élie.

[86] καὶ |[13] πρὸς ἕκαστον ἀκολούθως ἐπάγει τὰ ἑξῆς ὁ λόγος. Ὅτε γὰρ ἄμ|πελον αὐτὴν ὑποτίθεται λέγων · « *Ἄμπελος*
15 *εὐκληματοῦσα* |[15] *Ἰσραήλ* », τότε τοὺς διδασκάλους *γεωργοὺς* καὶ τοὺς ἐπιβουλεύοντας | *ἀλώπεκας* καλεῖ · « *Πιάσατε* » γὰρ « *ἡμῖν ἀλώπεκας μικροὺς ἀφα*|[17]*νίζοντας ἀμπελῶνας* » · ὅτε δὲ *πρόβατον* αὐτὴν ὀνομάζει, | τοὺς διδασκάλους *ποιμένας* καὶ τοὺς διαστρέφοντας *λύκους* |[19] καὶ *λέοντας* · εἴρηται ·
20 « *Πρόβατον πλανώμενον Ἰσραήλ, λέοντες* | *ἐξῶσαν αὐτόν* » · ἀλλὰ καὶ ὅταν *νύμφην* αὐτὴν καλῇ, τὸν ἐ|[21]πάγοντα εἰς τὴν ἀλήθειαν *νύμφιον* καὶ τὸν βλάπτοντα *μοι*|*χὸν* ὀνομάζει · πάντα δὲ ταῦτα, εἰ καὶ διάφορα ὀνόματά ἐστιν, |[23] ἀλλ' ἐπὶ τὴν ψυχὴν ἀναφερόμενα οἰκείαν καὶ πρέπουσαν τῷ | θείῳ Πνεύματι δέχεται τὴν νόησιν, οὐχ ὅτι αὕτη ἢ *πρόβατον* ἢ
25 *νύμ*|[25]*φη* ἢ *ἄμπελός* ἐστιν. Ἀκολούθως οὖν, παραδείσου μνήμης | γεγενημένης, διὰ τὸ σχῆμα τῆς λέξεως *φύλλων* ἐμνημό|[27]νευσεν, ἃ *συνέρραψαν* οἱ τῆς ἀρετῆς ἐκπεσόντες

87 κατὰ τὴν εἰ|[1]ρημένην διάνοιαν.

(VI, 7) Οὗτοι δ' αὐτοὶ καὶ *ἤκουσαν Κυρίου τοῦ Θεοῦ περι*|*πατοῦντος ἐν τῷ παραδείσῳ τὸ δειλινόν*. Καὶ πρὸ μὲν τῆς |[3] παραβάσεως οὐ *περιεπάτει* αὐτοῖς ἔξω αὐτῶν τυγχάνων, | ἀλλ' ἦν μετ' αὐτῶν. Τοῦ γὰρ τηροῦντος τὴν ἀρετὴν καὶ
5 ἐν αὐ|[5]τῇ ὄντος οἰκεῖον τοῦτο, ὡς λέγειν · « *Προορώμην τὸν Κύριον* | *ἐνώπιόν μου διὰ παντός, ὅτι ἐκ δεξιῶν μού ἐστιν, ἵνα μὴ* |[7] *σαλευθῶ* », καὶ « *Ἐγὼ δὲ διὰ παντὸς μετὰ σοῦ*. » Τοῦ δὲ ἀνθρώπου με|τὰ Θεοῦ ὄντος, καὶ ὁ Θεὸς μετ' αὐτοῦ ἐστιν · εἴρηται γάρ · « *Ἐγγίσατε* |[9] *τῷ Θεῷ καὶ ἐγγίσει ὑμῖν* » · ἐπειδὰν δὲ ἀποστῶσιν αὐτοῦ
10 τινες, | ἀκούουσιν · « *Ἐπορεύθη[σ]αν πρὸς ἐμὲ πλάγιοι*

86, 15 \`τοτε' ‖ 18 ποιμ⟦ε⟧\`αι'νας ‖ 23 οικιαν ‖ 27 συνεραψαν ‖ **87,** 2 διλινον ‖ 5 οικιον ‖ ως ⟦λεως⟧ λεγειν (exclusion par exponctuation de $λ_1$ et $ς_2$) ‖ 7 σ⟦α⟧\`ο'υ (υ refait sur ι) ‖ \`απ'αυτου P² ‖ 10 ακο\`υ'ουσιν ‖ επορευθη[.]εν

86, 14 Os. 10, 1 ‖ 15 Cf. v.g. Matth. 21, 33-4[illegible]6 Cant. 2, 15 ‖ 17 Cf. v.g. Jn 10, 3 etc. ‖ 18 Cf. v.g. Éphés. 4, 11 ‖ Cf. Jn 10, 12 ‖

s'exprime ensuite selon la logique de chaque comparaison. Quand elle la suppose *vigne*, en disant « *Israël est une vigne luxuriante* », elle appelle les docteurs *agriculteurs*, et les ennemis *renards* : « *Enlevez-nous les renards, les petits renards qui ravagent les vignes* »; quand elle la nomme *brebis*, elle nomme les docteurs *pasteurs* et ceux qui détournent de la vérité *loups* et *lions* : « *Israël est une brebis égarée, des lions l'ont chassé* »; enfin, quand elle l'appelle *fiancée*, elle nomme *fiancé* celui qui la conduit à la vérité, et *adultère* celui qui lui nuit; toutes ces choses, bien qu'elles portent des noms différents, reçoivent, quand on les rapporte à l'âme, un sens qui est approprié à l'Esprit de Dieu et lui convient, sans que l'âme soit elle-même *brebis*, *fiancée* ou *vigne*. Logiquement donc, puisqu'il a été question d'un jardin, la Parole a mentionné des *feuilles* en vertu du canevas littéraire, feuilles que *cousirent* ceux

87 qui étaient tombés hors de la vertu, selon / le sens exposé plus haut.

Adam et sa femme *entendirent* aussi le *Seigneur Dieu qui se promenait au paradis dans la soirée*. Avant la transgression, pour eux il ne se *promenait* pas comme quelqu'un d'extérieur à eux, mais il était avec eux. Tel est, en effet, le privilège de l'homme qui observe la vertu et qui est en elle; il dit : « *Je voyais le Seigneur toujours en face de moi, car il est à ma droite pour que je ne chancelle pas* » et « *Je suis toujours avec toi.* » Quand l'homme est avec Dieu, Dieu est avec lui, car il est écrit : « *Approchez-vous de Dieu et il s'approchera de vous.* » Mais lorsque des gens s'écartent de lui, ils entendent cette parole : « *Ils sont venus à moi*

19 Jér. 27, 17 ‖ **87,** 1 Gen. 3, 8 ‖ 5 Ps. 15, 8 ‖ 7 Ps. 72, 23 ‖ 8 Jac. 4, 8 ‖ 10 Lév. 26, 23-24.40-41

87, 1-4 Proc. 193 A 1-4

[87] *κἀγὼ πορεύσομαι* |[11] *πρὸς αὐτοὺς ἐν θυμῷ πλαγίῳ.* » Καὶ ὥσπερ ὁ τὸν ἥλιον καταλεί|πων καὶ βύων τοὺς ὀφθαλμοὺς οὐ ποιεῖ τινα τῷ ἡλίῳ ἐλάττω|[13]σιν — μένει γὰρ ὅπερ [ἦ]ν φωτίζων —, οὕτως ὁ καταλείπων Θεὸν | ἑαυτοῦ
15 βλάβην ἐργάζεται, καταλείπει δὲ αὐτὸν οὐχ ὡς ἐν τό|[15]πῳ, ἀλλὰ τὴν ἀρετὴν ἀποστρεφόμενος ὡς ἐκεῖνοι περὶ ὧν | εἴρηται · « *Ἀπώσεται αὐτοὺς ὁ Θεός, ὅτι οὐκ εἰσήκουσαν αὐτοῦ, καὶ* |[17] *ἔσονται πλανῆται ἐν τοῖς ἔθνεσιν* » · ἐπεὶ γὰρ αὐτοὶ οὐκ ἤκου|σαν, αὐτὸς αὐτοὺς ἀπώσατο.

Ἐπεὶ οὖν καὶ οὗτοι διὰ τῆς παρα|[19]βάσεως ἀπέστησαν
20 αὐτοῦ, καὶ αὐτὸς αὐτῶν μεμάκρυνται | μέν, διὰ δὲ τὴν ἰδίαν ἀγαθότητα *περιπατεῖ*, αἴσθησιν παρέ|[21]χων, ὡς εἴρηται, κατὰ τὰς κοινὰς ἐννοίας, ὅπως ἐπιστρά|φωσιν. Τοῦτο δὲ γίνεται *τὸ δειλινὸν* καταλλήλως τοῖς πα|[23]ραβεβηκόσιν. Τῷ μὲν γὰρ ἐν ἀρετῇ ὄντι ἀκμάζει τὸ | τῆς ἀληθείας φῶς,
25 οὐδέποτε γινομένῳ ἐν σκοτεινῇ καταστά|[25]σει — ἀκοῦσαι γοῦν ἔστιν λέγοντος τοῦ ἁγίου · « *Ἐκ νυκτὸς ὀ*|*ρθρίζει τὸ πνεῦμά μου πρὸς σὲ ὁ Θεός* », καὶ « *Ὁ Θεός, ὁ Θεός μου πρὸς σὲ* |[27] *ὀρθρίζω* », καὶ « *Τὸ πρωῒ παρ[α]στήσομαί*
88 *σοι καὶ ἐπόψομαι* » — τότε δὲ |[1] γίνεται *δειλινὴ* καὶ σκοτώδης
(VI, 8) ἡ ὥρα ἐπὶ τὴν ἑσπέραν ἐλαύνου|σα, ὅτε τις ἑαυτὸν ἔξω τοῦ φωτὸς καθίστησιν ἐν ἀγνοίᾳ καὶ κα|[3]κίᾳ γινόμενος, ὡς λέγειν τὸν Θεὸν πρὸς τὴν ἁμαρτάνουσαν ψυχήν · | « *Νυκτὶ ὡμοίωσα τὴν μητέρα σου* ». Καὶ *υἱοὶ* δὲ *νυκτὸς*
5 γίνονταί τι|[5]νες *καὶ σκότους*, ὥστε τῷ ἁμαρτάνοντι τὸ ἀπὸ τῆς ἀγνοίας καὶ | ἀσεβείας καὶ κακίας σκότος πάρεστιν. Δείκνυται δὲ ὡς οὐ|[7]κ ἀθρόως ἀφῆκεν αὐτοὺς τὸ φῶς ἐν τῷ λέγεσθαι ὡς *τὸ δει*|*λινὸν* ἤκουσαν τοῦ Θεοῦ περιπα-

87, 11-12 καταλιπων ‖ 13 καταλιπων ‖ 14 καταλιπει ‖ 16 εισηκουσα⟦τ⟧`ν' ‖ 22 διλινον ‖ 23 τῷ : των ‖ 24 ουδεποται ‖ σκοτινη ‖ 25 λεγοντ⟦ε⟧`ο'ς ‖ 25-26 ο|θριζει ‖ 27 ο`ρ'θριζω ‖ **88,** 2 καθιστησ⟦ε⟧ιν ‖ 3 λεγ`ε'ιν ‖ 4 ω⟦ν⟧`μ'οιωσα P² ‖ 8 περιπα`του'ντος

87, 16 Os. 9, 17 ‖ 25 Is. 26, 9 ‖ 26 Ps. 62, 2 ‖ 27 Ps. 5, 4 ‖ **88,** 4 Os. 4, 5 ‖ Cf. I Thess. 5, 5

en fourbes, alors moi, j'irai à eux avec une colère fourbe. » Et de même que celui qui délaisse le soleil et se bouche les yeux ne cause aucun amoindrissement au soleil, qui reste ce qu'il est et continue de briller, de même celui qui laisse Dieu ne fait de tort qu'à lui-même. Il laisse Dieu, non pas localement, mais en se détournant de la vertu comme ceux dont il est dit : « *Dieu les écartera parce qu'ils ne l'ont pas écouté, et ils seront errants parmi les peuples.* » Puisqu'ils ne l'ont pas écouté, lui les a écartés.

Donc, puisque Adam et sa femme se sont écartés eux aussi de lui par la transgression, lui, de son côté, s'est éloigné d'eux, mais en raison de sa bonté il *se promène*, en leur donnant le moyen de le percevoir par la sensation, grâce aux notions communes, comme on vient de l'expliquer[1], afin qu'ils se convertissent. Et cela se fait *dans la soirée*, comme il convient pour des transgresseurs. Car pour celui qui est dans la vertu, la lumière de la vérité est au zénith et il ne tombe jamais dans un état d'obscurité — à ce sujet, on peut écouter le saint qui dit : « *Au sortir de la nuit mon esprit se lève de bonne heure vers toi mon Dieu* », et : « *Dieu, mon Dieu, je me lève de bonne heure vers toi* » et encore : « *Dès l'aurore je me présenterai à toi et te contemplerai.* » **88** / — Mais l'heure devient la *soirée* ombreuse et va vers le soir quand on se met en dehors de la lumière en tombant dans l'ignorance et le mal, en sorte que Dieu dit à l'âme pécheresse : « *J'ai rendu ta mère semblable à la nuit* »; et certains deviennent des *fils de la nuit ou des ténèbres.* Ainsi les ténèbres qui proviennent de l'ignorance, de l'impiété et du mal sont présentes au pécheur; mais le texte montre que la lumière n'a pas quitté Adam et sa femme tout d'un coup, quand il dit qu'ils entendirent Dieu se promenant *dans la soirée.* En effet, ceux qui ont la brise

87, 18-24 Proc. 193 A 4-9 || **88,** 1-8 Proc. 193 A 7-15

87, 1. Cf. p. 85 avec la note.

[88] τοῦντος. Οἱ γὰρ αὔραν αἰσθήσεως ἔχον|[9]τες ἀμαυράν τινα
10 δέχονται κατάστασιν, οὔπω εἰς παντελῆ | ἐλθόντες ἄγνοιαν,
ἀλλὰ φιλανθρωπ[ί]ᾳ Θεοῦ διεγειρόμενοι ἔτι |[11] ἐμβοῶντος
αὐτῶν τῷ κρυπτῷ, ἵν' ἐκ [τ]ούτου ἐν μεταγνώσει | γένωνται,
ὡς μαθε<ῖ>ν ὅτι « *Ψάντος ἑσπέρας αὐλισθήσεται κλαυ-*
|[13]*θμός, καὶ εἰς τὸ πρωῒ ἀγαλλίωσις* », ἵν' οὕτω καὶ περὶ
τῶν τοιούτων | λεχθῇ ὡς περί τινος αἰσθομένης οἱ κα[κ]ῶν
15 ἐστιν · « *Ὀψὲ φωνὴ αὐ*|[15]*τῆς ὠλόλυξεν* » · ἐκ τούτου γὰρ
συμβήσεται μετανοοῦντας ἐλθεῖν | ἐπὶ φῶς, ὡς εἰπεῖν ·
« *Αὕτη ἡ ἡμέρα ἣν ἐποίησεν ὁ Κύριος, ἀγαλλιασώ*|[17]*μεθα
καὶ εὐφρανθῶμεν ἐν αὐτῇ.* »

Ἀκούσαντες οὖν τῆς φω|νῆς Κυρίου *περιπατοῦντος*, ὡς
εἴρηται, *ἐκρύβησαν ἀπὸ προσώπου* |[19] *Κυρίου τοῦ Θεοῦ.*
20 *Πρόσωπον* δὲ *Κυρίου Θεοῦ* οὐχ ὡς ἀνθρωπομόρφου λέγε|ται ·
εἴρηται γάρ · « *Πνεῦμα ὁ Θεός* » · πνεῦμα δὲ οὐκ ἐκ
μερῶν συνέστηκεν, |[21] ὡς τὸ μέν τι αὐτῶν πρόσωπον
καλεῖσθαι ἢ ἄλλο τι τῶν ἀνθρωπί|νων μελῶν. Οὐ γὰρ
προσήκει τὰς περὶ Θεοῦ φωνὰς ἀνθρωπίνως |[23] ἐκλαμβάνειν,
διὰ τὸ ἡμῶν χρήσιμον οὕτως εἰρημένας. Καὶ οὐδὲν | θαυμα-
στόν, εἰ περὶ Θεοῦ ταῦτα λέγεται, ὁπότε καὶ περὶ αἰσθητῶν
25 |[25] οὕτως διδασκόμεθα. Ἐν γοῦν Παροιμίαις γέγραπται ·
« *Θάνατος* | *καὶ ζωὴ ἐν χειρὶ γλώσσης* », καὶ οὐχ οὕτως
νοοῦμεν ὡς τῆς γλώτ|[27]της χεῖρα ἐχούσης, ἀλλ' ἐνέργειαν,
ἥτις *χεὶρ* αὐτῆς ὠνομάσθη · | καὶ ἐπεὶ εἴρηται · « *Ἐκ τῶν*
89 *ἑαυτοῦ τις λόγων δικαιοῦται καὶ ἐκ τῶν* |[1] *λόγων καταδικά-*
(VI, 9) *ζεται* », διὰ τοῦτό φησιν ὡς *ἐν χειρὶ γλώσσης*, | τοῦτ' ἔστιν
τῷ λόγῳ, « *θάνατος καὶ ζωή* » ἐστιν, ὅτε τις εὖ ἢ κακῶς
|[3] αὐτῷ χρῆται.

88, 9 παντ⟦εχ⟧η ‖ 11 εμβοωντ⟦ε⟧`ο´ς ‖ 12 αυλεισθησεται ‖ 12-13 κλαυθμο⟦ι⟧ς ‖ 14 εσθομενης ‖ 15 ω⟦σ⟧λολυξεν ‖ 25 παροιμιας ‖ **89,** 1 χειρει

88, 12 Ps. 29, 6 ‖ 14 Jér. 2, 23 ‖ 16 Ps. 117, 24 ‖ 20 Jn 4, 24 ‖ 25 Prov. 18, 21 ‖ 28 Matth. 12, 37

89, 3-10 Proc. 193 A 15 - B 6

de la sensation[1] reçoivent un certain état d'obscurcissement sans parvenir encore à une ignorance complète; dans sa miséricorde, Dieu, qui crie dans le fond caché d'eux-mêmes, les tient éveillés, pour qu'ils passent de cet état au repentir, de manière qu'ils apprennent que « *le soir venu on entendra des gémissements, et au matin des cris d'allégresse* »; on peut dire d'eux ce qu'on entend dire dans l'Écriture d'une certaine créature qui a senti à quel point elle est malheureuse[2] : « *Tard dans le soir sa voix a gémi.* » Il arrivera en effet que, se convertissant, ils passeront de là à la lumière, en sorte qu'ils diront : « *C'est le jour que le Seigneur a fait; passons-le dans l'allégresse et la joie.* »

Entendant la voix du Seigneur qui se promenait, comme dit l'Écriture, ils se cachèrent *de la face du Seigneur Dieu. La face du Seigneur* n'est pas nommée dans ce sens que Dieu aurait la forme d'un homme. Il est écrit en effet que « *Dieu est esprit* »; or un esprit n'est pas composé de parties dont l'une serait appelée la face et une autre tel ou tel membre humain. Il ne faut pas comprendre d'une façon humaine les paroles dites sur Dieu. C'est pour notre utilité qu'elles sont exprimées de cette manière. Et l'on ne doit pas s'étonner que l'Écriture parle ainsi de Dieu du moment que, même pour les choses sensibles, elle nous instruit de cette façon. Le fait est qu'on lit dans les Proverbes : « *La mort et la vie sont dans la main de la langue* », et nous ne comprenons pas cette parole en ce sens que la langue a une main, mais une action qui a été appelée sa main. C'est parce qu'il est écrit : « *chacun est justifié d'après* **89** *ses propres paroles / et condamné d'après ses propres paroles* » qu'il est dit que *dans la main de la langue*, c'est-à-dire dans la parole, *sont la mort et la vie*, selon qu'on se sert d'elle bien ou mal.

88, 1. La « sensation » par opposition à l'insensibilité; cf. plus haut p. 83, n. 1.

88, 2. La vigne, représentant Israël pécheur.

[89] *Ἐκρύβησαν* οὖν *ἀπὸ προσώπου τοῦ Θεοῦ* ἀποστάντες | τῆς περὶ Θεοῦ καθαρᾶς νοήσεως, οὐχ ὡς Κάιν· ἐκεῖνος
5 γὰρ *ἐξῆλ*|[5]*θεν ἀπὸ προσώπου τοῦ Θεοῦ* ἀφάνταστον ἑαυτὸν αὐτοῦ παρασκευ|άσας κατὰ ἐκεῖνον, περὶ οὗ εἴρηται. « *Εἶπεν ἄφρων ἐν καρδίᾳ αὐτοῦ·* |[7] *οὐκ ἔστιν Θεός* »· πάντες δ' οἱ ἀπρονοησίαν εἰσάγοντες ταύτης εἰσὶ | τῆς ἐννοίας. Οἱ δ' ἀποκρυπτόμενοι οὐκ ἀνεννόητοι μὲν τῆς |[9] θείας εἰσὶν
10 ἐπιστασίας, διὰ δὲ τὴν ῥυπαρίαν τῆς ἁμαρτίας | τὴν *παρρησίαν* οὐκ ἔχουσιν, καταφρονηταί τινες ὄντες, ἀλλ' οἱ |[11] ἅγιοι ἐλευθέραν ἔχο[ν]τες τὴν συνείδησιν *ἐνώπιόν* εἰσι τοῦ | Κυρίου, ὡς λέγειν· « *Ζῇ Κύριος, ᾧ παρέστην ἐνώπιον αὐτοῦ* »· περὶ δὲ τῶν ἁ|[13]μαρτανόντων λέγεται· « *Ἔστρεψαν ἐπ' ἐμὲ νῶτα καὶ οὐ πρόσω*|*πα αὐτῶν* », ὅπερ ἔδει ἵν' ὡς ἱερεῖς
15 παραστᾶται τυγχάνωσιν καὶ |[15] ὡς ἄγγελοι διὰ παντὸς βλέποντες τὸ πρόσωπον *τοῦ ἐν οὐρανοῖς* | *Πατρός*.

Δύναται δὲ καθ' ἕτερον λόγον ἐκλαμβάνεσθαι τὸ « *Καὶ ἐκρύβη*|[17]*σαν ἀπὸ προσώπου τοῦ Θεοῦ* », πρόσωπον νοούντων ἡμῶν εἶναι | τὸν μονογενῆ Υἱὸν αὐτοῦ ὄντα αὐτοῦ *εἰκόνα καὶ χαρακτῆ*|[19]*ρα τῆς ὑποστάσεως*. Ὁ γὰρ τοῦτον *ἰδὼν ἑώρακε τὸν Πατέρα*.

20 Δέον | οὖν αὐτοὺς πάντα πράττειν ἐπὶ τῷ τηρεῖν τὸ *κατ' εἰκόνα*, κα|[21]θ' ὃ καὶ γεγένηνται. Παραβᾶται θελήσαντες εἶναι τῆς ἐντο|λῆς ἀπέστησαν τοῦ φωτίζεσθαι ἀπὸ τοῦ εἰκόνος τοῦ Θεοῦ. Εἰ|[23]κότως δὲ φεύγουσιν ὑπὸ τὸ *ξύλον* τὸ *ἐμμέσῳ τῷ παραδεί*|*σῳ*, ὃ ἦν τὸ *γνωστὸν καλοῦ καὶ*
25 *πονηροῦ*. Ὁ γὰρ κρυπτόμενος τὸ |[25] τοῦ Θεοῦ πρόσωπον, ὡς μὴ ἐνεργεῖν τὴν ἀρετήν, ἀλλ' ἐπιμορ|φάζεσθαι, κρύπτεται

89, 4 κ⟦η⟧`αι'ν ‖ 12 `ζ'η ‖ 12-13 αμαρτονοντων ‖ 13 εστρεψεν ‖ 16 τό : τε ‖ `ε'κρυβησαν ‖ 18 μονογενη⟦ν⟧ ‖ οντα⟦ν⟧ ‖ 21 γεγε⟦ν⟧νηνται ‖ 24 τὸ$_2$ : `το' P[2]

89, 4 Gen. 4, 16 ‖ 6 Ps. 13, 1 ‖ 10 Cf. I Jn 3, 21 ‖ 12 IV Rois 5, 16 ‖ 13 Jér. 2, 27 ‖ 15 Cf. Matth. 18, 10 ‖ 16 Gen. 3, 8 ‖ 18 Cf. II Cor. 4, 4 ; Col. 1, 15 ; Hébr. 1, 3 ‖ 19 Cf. Jn 14, 9 ‖ 24 Cf. Gen. 3, 5

Ils se cachèrent donc de la face de Dieu en s'écartant d'une notion pure de Dieu, et non pas à la manière de Caïn. Celui-ci s'est éloigné de la face de Dieu en bannissant toute idée de lui[1], comme cet autre dont il est écrit : « *L'insensé a dit dans son cœur : il n'y a pas de Dieu* »; c'est la pensée de tous ceux qui nient la providence. Mais ceux qui se *cachent* ne sont pas sans croire à la surveillance divine; seulement, à cause de la souillure du péché, ils n'ont pas d'*assurance* devant lui[2]; ils le méprisent en quelque sorte. Les saints, au contraire, qui ont la conscience libre, sont *devant* le Seigneur et peuvent dire : « *Vive le Seigneur devant qui je me tiens* », tandis qu'il est écrit au sujet des pécheurs : « *Ils ont tourné vers moi leur dos et non pas leur face* », ce qu'ils auraient dû faire pour être comme de saints auxiliaires auprès de lui, à la manière des *anges qui voient toujours la face du Père céleste.*

On peut prendre dans un autre sens la parole : « *Et ils se cachèrent de la face du Seigneur* », en pensant que sa *face* est son Fils monogène qui est son *Image* et l'*Empreinte de sa substance.* En effet, qui l'a vu *a vu le Père.*

Ils auraient donc dû tout faire pour conserver l'état *selon l'image* dans lequel ils avaient été créés; en préférant être des transgresseurs du commandement, ils ont renoncé à être éclairés par l'*Image* de Dieu, et c'est à juste titre qu'ils se réfugient sous *l'arbre du milieu du paradis*, qui était l'arbre de la *connaissance du bien et du mal.* Car l'homme qui se cache du visage de Dieu pour ne pas pratiquer la vertu, mais pour s'en donner les apparences,

89, 21-27 Proc. 193 **B 7** - C 1

89, 1. Même distinction, expliquée de la même manière, entre Adam qui se *cache* de la face de Dieu et Caïn qui *sort* loin d'elle dans ORIGÈNE, *Hom. in Jer.* XVI, 4, 45-59.

89, 2. Cf. ORIGÈNE, *ibid.* 4,48 : « Le saint ne se *cache* pas, il tient son cœur devant Dieu avec l'*assurance* (παρρησίας) que donne une vie sainte », le mot étant pris à I *Jn* 3, 21.

[89] ὑπὸ τὴν ὑπόκρισιν. Ὁ γὰρ γιγνώσκων κα|[27]λὸν καὶ πονηρόν, ὡς μὴ διαστέλλειν καὶ αἱρεῖσθαι τὸ καλόν, | οὕτως τῇ
90 ἐντρεχείᾳ οἴησιν ἔχων κ̣ρύπτεται Θεόν, τὴν ἀρετὴν |[1] ἐπι-
(VI, 10) μορφαζόμενος.

| III, 9-12. Καὶ ἐκάλεσεν Κύριος ὁ Θεὸς τὸν Ἀδὰμ καὶ εἶπεν αὐτῷ· Ποῦ εἶ; Καὶ |[3] εἶπεν αὐτῷ· Τὴν φωνήν σου ἤκουσα περιπατοῦντος ἐν τῷ | παραδείσῳ καὶ ἐφοβήθην, ὅτι 5 γυμνός εἰμι, καὶ ἐκρύβην. |[5] Καὶ εἶπεν αὐτῷ· Τίς ἀνήγγειλέν σοι ὅτι γυμνὸς εἶ, εἰ | μὴ ἀπὸ τοῦ ξύλου, οὗ ἐνετειλάμην σοι τούτου μόνου μὴ |[7] φαγεῖν, ἀπ' αὐτοῦ ἔφαγες. Καὶ εἶπεν ὁ Ἀδάμ· Ἡ γυνή, ἣν δέδω|κας μετ' ἐμοῦ, αὕτη μοι ἔδωκεν ἀπὸ τοῦ ξύλου καὶ ἔφαγον.

|[9] Πηγὴ ἀγαθότητος ὑπάρχων ὁ Θεὸς καὶ μετὰ τὰ 10 | σφάλματα πάλιν ἡμᾶς *καλεῖ*, τὴν παντελῆ γνῶσιν τοῦ |[11] καλοῦ μὴ ἀπαλείφων ἀπὸ τοῦ λογισμοῦ, κἂν ἡμεῖς διὰ τὴν | ἁμαρτίαν τὴν ἀρετὴν ἀποστρεφώμεθα. Τοῦτο καὶ τῷ Ἀ|[13]δὰμ ἐπὶ τοῦ παρόντος ὁ Θεὸς ποιεῖ, *καλῶν* αὐτὸν κρυπτόμε|νον, *λέγων* τε *αὐτῷ*· « *Ποῦ εἶ;* » Αὐτὸς μὲν 15 γὰρ ἐπὶ τῷ *ἐργάζε*|[15]*σθαι καὶ φυλάττειν* τὸν παράδεισον τεταγμένος ἦν ὑπὸ | τοῦ Θεοῦ, τόπον τοῦτον οἰκεῖον παρ' αὐτοῦ δεξάμενος· τού|[17]του δ' ἀποστὰς διὰ τὴν παρακοὴν ἀκολούθως ἀκούει πα|ρὰ τοῦ Θεοῦ· « *Ποῦ εἶ;* » Ὅτι δὴ τάξις, ἣν ἐγχειρίζεταί τις, τόπος |[19] καλεῖται, 20 ἔστιν ἀπὸ τῶν Πράξεων τῶν ἀποστόλων μα|θεῖν, ὁπηνίκα ἀντὶ τοῦ Ἰούδα τοῦ προδόντος τὸν Ἰησοῦν προ|[21]στήσασθαι μ̣α̣θητὴν οἱ ἀπόστολοι βουλόμενοι εὐχὴν | τῷ Θεῷ ἀναφε̣ροντες ἔλεγον· « *Σὺ Κύριε καρδιογνῶστα πάν*|[23]*των, ἀνάδειξον ἕνα λαβεῖν τὸν τόπον τῆς διακονίας* | *ταύτης* ». 25 Κ̣α̣ὶ̣ ἠκολούθησεν δὲ τῷ Ἀδὰμ παραβε|[25]βηκότι τὴν θ̣ε̣ί̣αν

89, 27 ⟦ε⟧`αι´ρεσθαι ‖ 28 οι⟦κ⟧ησιν ‖ **90,** 6 ενετιλαμην ‖ 7 `δ´εδωκας ‖ 9 ⟦. . . . . .⟧ avant πηγη (texte effacé par lavage) ‖ 11 απαλιφων ‖ 13 καλων (κ refait sur ?) ‖ 16 οικιον ‖ 24 ταυτης + blanc (6 lettres) ‖ ηκολουθησ⟦α⟧`ε´ν

se cache sous l'hypocrisie. Celui, en effet, qui connaît le bien et le mal sans distinguer ni choisir le bien, se **90** croyant habile, se *cache* de Dieu en se donnant / l'air de la vertu.

III, 9-12. **Et le Seigneur Dieu appela Adam et lui dit : Où es-tu ? Adam répondit : J'ai entendu ta voix quand tu te promenais dans le paradis, j'ai eu peur parce que je suis nu, et je me suis caché. Et Dieu lui dit : Qui t'a appris que tu es nu, si ce n'est que tu as mangé de l'arbre que je t'avais prescrit de ne pas manger lui tout seul[1] ? Adam répondit : La femme que tu m'as donnée pour compagne, c'est elle qui m'a donné du fruit de l'arbre, alors j'en ai mangé.**

Étant la source de la bonté, Dieu, même après nos chutes, nous *appelle* de nouveau, en n'effaçant pas complètement de notre esprit la connaissance du bien, alors même que nous avons rejeté la vertu par notre péché. C'est ce que Dieu, dans le verset présent, fait aussi pour Adam en l'*appelant* alors qu'il se *cache* et en *lui disant* : « *Où es-tu?* » Adam, en effet, avait été placé par Dieu pour *travailler* et *garder* le paradis; il avait reçu de lui ce lieu pour être sa résidence. S'en étant écarté par désobéissance, c'est à juste titre qu'il entend Dieu lui dire : « *Où es-tu?* » Que la fonction qu'on occupe soit appelée parfois un *lieu*, on peut l'apprendre par les Actes des Apôtres, quand les apôtres, voulant mettre un disciple à la place de Judas qui avait trahi Jésus, font monter vers Dieu cette prière : « *Seigneur, toi qui connais le cœur de tous les hommes, désigne quelqu'un pour occuper le lieu de son ministère.* » Et il était logique qu'Adam, ayant transgressé la fonction que Dieu lui avait assignée, soit déchu du lieu

90, 14 Cf. Gen. 2, 15 || 22 Act. 1, 24

90, 1. C'est ainsi que l'entend Didyme ; cf. p. 92, 26-28.

[90] τάξιν τὸ καὶ τοῦ καταλλήλου τόπου τῆς τά|ξεως ἐκπεσεῖν· ἐκβέβληται γὰρ ἐκ τοῦ παραδείσου.

Εἴη δ' ἂν |[27] καὶ ἐντρεπτικὸν τὸ « *ποῦ εἶ*; »· ἐγὼ μὲν

91 γάρ σε ἐν ἀρετῇ ἔθηκα, |[1] νῦν δὲ *ποῦ εἶ*; ἐννοήσας αἰσχύνου.

(VI, 11) Εἰσὶ δ' οἳ καὶ τὴν ἀσώματον οὐσί|αν κατὰ τὸ πρῶτον ὑποκείμενον τῆς ψυχῆς ἐννοοῦντες καὶ διὰ |[3] τοῦτο ἐκτὸς παντὸς τόπου αὐτὴν εἶναι προσήκειν λογιζόμενοι, | παρ' ἑαυτὴν δὲ σώματος πειραθεῖσαν ἐντρεπτικῶς ἀκούειν·

5 *Που* |[5]*εἶ*; Ἐν τόπῳ ὑπάρχεις, ἡ ἀπὸ παντὸς τόπου ἐλευθέρα διὰ τὸ ἀσώ|ματος, ὅπερ μὴ φυλάξασα, ἀλλὰ συναφθεῖσα σώματι, ἐν τόπῳ γέ|[7]γονας;

Ἀλλὰ καὶ ὁ *ἐν οὐρανῷ* ἔχων τὸ *πολίτευμα* καὶ ἔχων *τὴν καρ|δίαν ἐν οὐρανῷ* διὰ τὸ *ἐκεῖ τεθησαυρικέναι* κἀκεῖ εἶναι οὐκ ἐν τό|[9]πῳ ἐστίν, ὑπερκόσμιο[ς γ]εγενημένος.

10 Ἐπεὶ οὖν καὶ ὁ Ἀδὰμ οὕ|τως εἶχε, παρέβη δέ, οὕτω[ς] ἀκούει τὸ « *Ποῦ εἶ*; ». |[12] Σὺ δὲ καὶ τὸ πρόσκεισθαι τὸ *Κύριος* ἐνταῦθα τῷ *Θεός*· λέγε|[13]ται γάρ· *Καὶ εἶπεν Κύριος ὁ Θεός*. Ὅτε μὲν γὰρ περὶ δημιουργίας, προέκει|το· « *Ἐν ἀρχῇ ἐποίησεν ὁ Θεὸς τὸν οὐρανὸν καὶ τὴν γῆν* »·

15 ὅτε δὲ παρά|[15]βασις ἠκολούθησεν, τότε καὶ τὸ τοῦ *Κυρίου* πρόσκειται ὄνομα· ἕπεται | γὰρ τῷ *Κυρίῳ* ἐπεξέρχεσθαι κατὰ τῶν ἀμελούντων διατάξεων |[17] αὐτοῦ. Καὶ ἐπιτιμίας γὰρ ἔδει, ἥτις οἰκείως ἀπὸ δεσπότου γίνεται, | συγκεραννύντος ἀγαθό[τ]ητι τὴν ἐπιτιμίαν· διὰ γὰρ τοῦτο εἴρηται· |[19] « *Καὶ ἐκάλεσεν Κύριος ὁ Θεός* ». Τοῦτο καὶ Δαυὶδ ψάλλει

20 λέγων. « *Ἔλεος καὶ κρί|σιν ᾄσομαί σοι, Κύριε* »· μετὰ γὰρ τοῦ *ἐλέειν* καὶ τὸ *κρίνειν* συναπτό|[21]μενον φιλανθρωπίας

91, 3 αυτη⟦ς⟧ ‖ 9 επ`ε΄ι ‖ ⟦π⟧`ο΄υν ‖ 10 που ει+blanc (7 lettres) suivi de |[11] ⟦επεται γαρ τω κω επεξερχεσθαι κατα των αμελουντων των διαταξεων αυτου και⟧ cf. 15-17 ‖ 17 οικ`ε΄ιως ‖ 18 συνκεραννυτος

91, 7 Cf. Phil. 3, 20 ‖ 8 Cf. Matth. 6, 20-21 ‖ 14 Gen. 1, 1 ‖ 19 Gen. 3, 9 ‖ Ps. 100, 1

91, 11-17 Proc. 193 D 1-7

correspondant à cette fonction; effectivement, il fut chassé du paradis.

« *Où es-tu* » pourrait être encore une admonestation : **91** Je t'ai mis dans la vertu / et maintenant où es-tu ? Penses-y et rougis de honte[1].

Il y a des auteurs[2] qui considèrent la substance incorporelle comme le premier substrat de l'âme et qui à cause de cela estiment qu'il convenait que l'âme soit en dehors de tout lieu, et que c'est après avoir fait par sa faute l'expérience du corps qu'elle a entendu cette admonestation : *Où es-tu ?* Tu es dans un lieu, alors que tu étais affranchi de tout lieu par ta qualité d'incorporel. C'est parce que tu n'as pas gardé cette qualité, mais que tu as été jointe au corps, que tu es venue dans un lieu.

Enfin, celui qui a sa *cité dans le ciel* et qui a son *cœur dans le ciel*, parce que c'est là qu'il a *mis son trésor* et qu'il vit, n'est plus dans un lieu, étant devenu supracosmique.

C'est donc parce qu'Adam était ainsi et qu'il a transgressé, qu'il entend le « *Où es-tu ?* » Mais toi, entends aussi que le mot *Seigneur* est ajouté au mot *Dieu*, car il est écrit : « *Et le Seigneur Dieu dit.* » Lorsqu'il s'est agi de la création, on lisait plus haut : « *Au commencement Dieu fit le ciel et la terre* », mais ensuite, quand la transgression a eu lieu, le titre de *Seigneur* est ajouté, car c'est à titre de *Seigneur* que Dieu poursuit ceux qui négligent ses ordonnances[3]. Il fallait, en effet, une punition, et il appartient au maître de la donner, en mélangeant bonté et punition; c'est pourquoi il est écrit : « *Et le Seigneur Dieu les appela.* » David le dit aussi dans le psaume : « *Je chanterai ta miséricorde et ton jugement, Seigneur* »; Dieu donne bien ici une preuve d'indulgence qui joint la *miséricorde* au

91, 1. Cf. PHILON, *Leg. all.* III, 52.
91, 2. Origène ; cf. Introduction p. 24.
91, 3. Cf. plus haut p. 31.

[91] δεῖγμα ἐκφέρει. Καὶ γὰρ ἐπιτιμῶν ἐλέει · | πρὸς τὸ συμφέρον γὰρ ἐπάγει τὰ κολαστήρια.

Ἴδωμεν δὲ καὶ τὴν ἀ|[23]πόκρισιν · « *Τὴν φωνήν σου ἤκουσα περιπατοῦντος ἐν τῷ παραδείσῳ* ». | Ὅταν γάρ τις ἐν ἁμαρτίᾳ γενόμενος αἰσθήσεως βραχείας δέηται τοῦ
25 |[25] μόνως ἔννοιαν δέχεσθαι τοῦ Θεοῦ διὰ τῆς κτίσεως ἐν ᾗ ἐμπεριπα|τεῖ τῶν ὅλων προνοούμενος τάξιν ἐπιθεὶς ἑκάστῳ τῶν ὄντων, τό|[27]τε καὶ ἐπιστρέφει καὶ γιγνώσκει ὅτι ἐφορᾷ τὰ ὅλα καὶ διοικεῖ, οὕτω | τε ἔξω καταφρονήσεως
92 γίνεται. Ὅταν γὰρ θεάσηται ἡλίου μὲν τὴν |[1] τεταγμένην
(VI, 12) πορείαν, οὐρανῶν δὲ τὴν κίνησιν, σελήνης δὲ τὰς με|ταβολάς, ἀστέρων δὲ τὰς κατὰ καιροὺς ἐπιτολάς, καὶ λογίσηται ὅτι |[3] ὁ τοῦδε τοῦ παντὸς ἡνίοχος καὶ ταξίαρχος ὁ τῶν ὅλων ἐστὶν δη|μιουργός, *ἐμπεριπατῶν* ὅλοις *φωνῆς ἀκούει Θεοῦ*,
5 οὐ κατὰ πρόσφο|[5]ρον γινομένης, ἀλλ' ἐν διανοίᾳ τυπουμένης, ὅτι Θεὸν οὐδὲν λανθάνει, | ἀλλὰ πάντα ὑπὸ τὴν αὐτοῦ οἰκονομίαν ἐστίν. Καὶ οὕτω αἰσχυνθεὶς |[7] *κρύπτεται* · ὁ γὰρ ἁμαρτάνων, οὐκ ἔχων πρὸ ὀφθαλμῶν Θεὸν ἁμαρτάνει.

| Αἰσθήσεως δὲ καὶ τὸ εἰπεῖν · « *Τὴν φωνήν σου ἤκουσα περιπατοῦντος* |[9] *ἐν τῷ παραδείσῳ καὶ ἐφοβήθην, ὅτι γυμνός*
10 *εἰμι.* » Αὐτὸς γὰρ ὁ φόβος | ἔχοντος ἔτι διάλημψιν ὡς αἰσχρὸν ἡ κακία καὶ κολαστέον. Τοῦ δὲ |[11] φόβου αἴτιον εἶναί φησιν τὴν γυμνό[τη]τα, ἥτις ἐκ τοῦ ἀπολωλεκέναι | τὴν ἀρετήν, ἥτις ἦν σκέπασμα · ἔνδυμα γάρ ἐστιν θεῖον ἡ ἀρετή. Οὕτω |[13] καὶ ὁ Παῦλος παραινεῖ · « *Ἐνδύσασθε τὸν Χριστὸν Ἰησοῦν* », καὶ « *Ἐνδύσασθε σπλάγχνα* | *οἰκτιρμοῦ* », ὅ ἐστιν · Ἐλεημονικῷ τρόπῳ καὶ τῇ κατὰ Χριστὸν

91, 25 κτ⟦η⟧`ι´σεως ‖ 25-26 ενπεριπατει ‖ **92,** 1 ποριαν ‖ κεινησιν ‖ 4 ενπεριρα⟦ν⟧των ‖ 6 αισχυνθεισ⟦α⟧ ‖ 10 ⟦ε⟧`αι´σχρον ‖ κολασταιον ‖ 12 ἡ ἀρετή : ⟦ηφθ⟧`αρετ´η ‖ 13 `ο´ ‖ παρ⟦ε⟧`αι´νει ‖ ενδυσασθ⟦αι⟧`ε´ ‖ σπλαχνα ‖ 14 οικτ`ε´ιρμου ‖ ελε⟦ο⟧`η´μονικω

91, 23 Gen. 3, 10 ‖ **92,** 8 Gen. 3, 10 ‖ 13 Rom. 3, 14 ‖ Col. 3, 12

91, 24-27 Proc. 193 C 1-6 ‖ **92,** 4-15 Proc. 193 C 6-15

jugement. Et de fait, quand il punit, Dieu *fait miséricorde*, car c'est pour faire du bien qu'il inflige le châtiment.

Mais voyons aussi la réponse : « *J'ai entendu ta voix quand tu te promenais dans le paradis.* » Lorsque l'homme qui est dans le péché n'a besoin que d'une brève sensation, d'avoir seulement la pensée de Dieu par la création, parce que Dieu s'y *promène* par sa providence universelle qui assigne sa place à chacun des êtres, alors il se convertit et reconnaît que Dieu surveille et administre toutes choses, et ainsi il cesse de le mépriser. Car, lorsque l'on con-**92** temple / la marche ordonnée du soleil, le mouvement des cieux, les phases de la lune, le lever des étoiles selon les époques, et qu'on réfléchit que le conducteur et ordonnateur de cet univers est le créateur de toutes choses[1], se *promenant* partout, on *entend la voix de Dieu*, voix non proférée mais empreinte dans l'esprit, disant que rien n'échappe à Dieu mais que tout est soumis à son gouvernement. Et, pris de honte, on se *cache*, car si le pécheur pèche, c'est qu'il n'a pas Dieu devant les yeux.

C'est la sensation qui provoque aussi la parole : « *J'ai entendu ta voix quand tu te promenais dans le paradis et j'ai eu peur parce que je suis nu* », car la *peur* elle-même est le fait de quelqu'un qui peut encore saisir que le mal est honteux et qu'il doit être châtié. Adam dit que la cause de sa peur est sa *nudité*, laquelle provient de ce qu'il a perdu la vertu qui était sa protection. La vertu est en effet un vêtement divin. C'est ainsi que Paul fait cette exhortation : « *Revêtez le Christ Jésus* », et « *Revêtez des entrailles de miséricorde* », c'est-à-dire, parez-vous d'une attitude misé-

92, 1. Ce passage s'inspire, directement ou indirectement, du dialogue perdu d'Aristote, *Sur la philosophie*, comme on peut le voir par Cicéron, *De natura deorum*, II, 37, 95-96 ; cf. W. D. Ross, *Aristotelis fragmenta selecta*, Oxford 1955, p. 81. Philon a un développement semblable dans *Leg. all.* III, 97-99, qui puise à la même source, mais il ne cite pas les phases de la lune et le lever des étoiles qui sont mentionnés à la fois par Cicéron et Didyme.

[92] 15 πολιτείᾳ κοσμή|[15]θητε, καὶ πάλιν · « *Ἐνδυσώμεθα τὰ ὅπλα τοῦ φωτός* » πρὸς τὸ παρασκευ|άσαι ἑαυτοὺς προσπολεμεῖν κατὰ τῶν ἀντικειμένων.

Ἐπεὶ οὖν τούτων |[17] ἐστέρητο τῶν ἐνδυμάτων διὰ τῆς παραβάσεως, ἠλέγχετό τε | ἐκ τοῦ συνειδότος, οὐκ εἶχεν *παρρησίαν* πρὸς Θεὸν ἀτενίζειν · διὰ |[19] τοῦτό φησιν · « *Ἐφοβήθην, ὅτι γυμνός εἰμι* » · ὡς γὰρ ἄτοπα πράξας, εἰ 20 | ζητοῖτο, πρὸς ἄρχοντος δέει τῶν πεπραγμένων κρύπτεται, οὕτως |[21] καὶ ὁ Ἀδάμ, τοῦ μὴ συνειδότος ἑαυτῷ ἁμάρτημα φυλάττοντος | *παρρησίαν*. Πρὸς ἃ μετὰ διορθώσεως πάλιν ὁ τοῦ παντὸς δεσπότης |[23] ἀνακινῶν αὐτοῦ τὴν ἔννοιάν φησιν · « *Τίς ἀνήγγειλέν σοι ὅτι γυ|μνὸς εἶ, εἰ μὴ ἀπὸ τοῦ* 25 *ξύλου, οὗ ἐνετειλάμην τούτου μόνου μὴ φαγεῖν,* |[25] *ἀπ' αὐτοῦ ἔφαγες* ; » Φιλάνθρωπος ὁ λόγος · πάλιν γὰρ ἀντέχεται τοῦ | ἁμαρτήσαντος Θεός, ὑποδεικνὺς τῆς ἐντολῆς τὸν λογισμόν. Ἔδει |[27] γὰρ μετὰ πάντων καὶ τοῦ γνωστοῦ καλοῦ καὶ πονηροῦ μεταλαμβά|νειν καὶ μὴ μόνου. Ἡ γάρ, ὡς προείρηται, ἐντρέχεια ἀνθρωπίνη χω|[29]ρὶς τῆς ἐνεργείας τῆς ἀρετῆς 30 ἐπιβλαβέστατον, μετὰ δὲ πάντων | ὠφέλιμον · ὅπερ καὶ ὁ Θεὸς προσέταξεν ἀγαθοῦ ἰατροῦ δίκην, προπότι|[31]σμα χρησιμώτατον πρὸς ὑγίειαν παρέχων, ὃ συγκραθὲν μὲν **93** λυσιτελεῖ, |[1] διαιρεθὲν δὲ βλάπτει, ὥσπερ ἐπὶ τῆς καλουμένης (VI, 13) θηριακῆς προεί|ρηται. Τοιοῦτον ὁ Κύριος ἐν τοῖς εὐαγγελίοις παιδεύων φη|[3]σίν · « *Γίνεσθε φρόνιμοι ὡς οἱ ὄφεις καὶ ἀκέραιοι ὡς αἱ περιστεραί.* »

| Ἀλλὰ πρὸς αὐτὰ ὁ Ἀδὰμ τὴν γυναῖκα αἰτιώμενός 5 φησιν · « *Ἡ γυνή, ἣν* |[5] *ἔδωκας μετ' ἐμοῦ, αὕτη μοι*

92, 14 πολιτ`ε´ια ‖ 16 κα`τα´ ‖ 18 ατενιζει`ν´ ‖ 20 ⟦ε⟧`κ´ρυπτεται ‖ 22 παρρησια`ν´ ‖ 23 ανακεινων ‖ 24 ενετ`ε´ιλαμην ‖ 25 εφαγε`ς´ ‖ 26 υποδει⟦α⟧`γ´νυς ‖ 31 υγιαν ‖ συνκραθεν ‖ ⟦σ⟧`λ´υσ`ι´τελει ‖ **93,** 2 ⟦τοιουτον⟧εν ‖ 3 γινεσθαι

92, 15 Rom. 3, 12 ‖ 18 Cf. I Jn 3, 21 ‖ 23 Gen. 3, 11 ‖ **93,** 3 Matth. 10, 16 ‖ 4 Gen. 3, 12

93, 5-7 Proc. 200 D 5-6

ricordieuse et d'une conduite conforme au Christ; ou encore : « *Revêtez les armes de la lumière* », pour vous préparer à combattre les adversaires.

Ainsi donc, parce qu'Adam s'était privé de ces vêtements par la transgression, et qu'il était critiqué par sa conscience, il ne pouvait pas regarder Dieu avec assurance; c'est pourquoi il dit : « *J'ai eu peur parce que je suis nu* », car, comme un homme qui commet des choses inconvenantes, s'il est recherché, se cache du prince par *peur* de ses actes, ainsi fait Adam, tandis que l'homme qui n'a pas de péché sur la conscience garde de l'assurance. A ces paroles, le maître de l'univers fait une nouvelle réponse qui les corrige; pour stimuler la pensée d'Adam il lui demande : « *Qui t'a appris que tu es nu, si ce n'est que tu as mangé de l'arbre que je t'avais prescrit de ne pas manger, lui tout seul?* » Parole d'indulgence : Dieu réplique au pécheur en l'invitant à réfléchir sur le précepte. L'homme aurait dû, en effet, prendre de tous les arbres en même temps que de l'arbre de la connaissance du bien et du mal, et non pas de ce dernier tout seul, car la perspicacité humaine, comme on l'a expliqué plus haut[2], est très nuisible sans la pratique de la vertu, mais quand elle s'accompagne de tout le reste elle est bienfaisante. C'est précisément ce que Dieu avait prescrit, en donnant, comme un bon médecin, une potion très utile à la santé, qui guérit quand on la **93** mélange / mais nuit quand on la sépare du reste, comme je l'ait dit à propos de ce qu'on appelle la thériaque[1]. Le Seigneur donne un enseignement semblable dans les Évangiles : « *Devenez avisés comme les serpents et simples comme les colombes.* »

Mais Adam répond en accusant la femme : « *La femme que tu m'as donnée pour compagne, c'est elle qui m'a donné du*

92, 2. Probablement dans les pages manquantes 77-80.

93, 1. Remède contre les serpents, dont Didyme a dû parler dans les mêmes pages absentes.

[93] *ἔδωκεν ἀπὸ τοῦ ξύλου καὶ ἔφαγον.* » Φιλαί|τιον ἡ <κα>κία, καὶ τῶν ἁμαρτανόντων ἴδιον τὸ μὴ ταχέως ὁμολογεῖν |[7] τὸ ἁμάρτημα, ἀλλὰ ἀναπλάττεσθαι αἰτίας τοῦ σφάλματος. Οἱ | μὲν γὰρ τῶν ἀνθρώπων εἱμαρμένῃ διδόντες τὸν βίον ἀπ' ἐκείνης καὶ εἰς |[9] ἁμαρτίαν ἀναγκάζεσθαι οἴονται, οἱ δὲ εἰκῇ καὶ ὡς ἔτυχεν τὰ πάν|τα γίνεσθαι λέγοντες καὶ ταῦτα οὕτω συμβαίνειν νομίζουσιν · ὁ |[11] δὲ πρωτόπλαστος τῆς ἐντολῆς παρακούσας φησίν · « *Ἡ γυνή, ἣν* | *ἔδωκας μετ' ἐμοῦ.* » Ἔδει δ' αὐτὸν ἐννοῆσαι ὅτι πρῶτον μέν, ἀπὸ Θεοῦ |[13] ταύτην δεξάμενος, δεόντως αὐτὴν καὶ τὸ πρὸς τὸ συμφέρον ἐ|δέξατο, ἔπειτα οὐχ ὡς διδάσκαλον ἔλαβεν, ἀλλ' ὡς ἑπομένην. Καὶ |[15] τοῦτο ἐν τοῖς φθάσασιν παρεσημειωσάμεθα ἐκ τῆς ἀποκρίσεως | τῆς Εὔας πρὸς τὸν ὄφιν, φασκούσης πρὸς αὐτόν · « *Ἀπὸ καρποῦ ξύλου* |[17] *τοῦ παραδείσου φαγόμεθα, ἀπὸ δὲ καρποῦ τοῦ ξύλου ὅ ἐστιν ἐμμέ|σῳ τῷ παραδείσῳ εἶπεν ὁ Θεός · Οὐ φάγεσθε ἀπ' αὐτοῦ οὐδὲ μὴ ἅψησ|*[19]*θε αὐτοῦ, ἵνα μὴ ἀποθάνητε* », περὶ γὰρ ἀφῆς ὁ Θεὸς οὐκ ἦν ἐντειλά|μενος, τοῦτο δὲ ὡς ἐκ τοῦ Ἀδὰμ μαθοῦσαν παιδεύοντος αὐτὴν εὐλα|[21]βεστέραν εἶναι, ἅτε ἀσθενῆ, ἀκοῦσαι παρ' αὐτοῦ τὸ μηδὲ ἅψῆσθαι | αὐτοῦ.

Πῶς οὖν ὁ διδάσκαλος καὶ ὑφηγητὴς παρὰ τῆς μανθανού|[23]σης εἰς ἀπάτην ἤχθη ; Εἰσὶ δ' οἱ ἀπολογούμενοι ὑπὲρ τοῦ Ἀδὰμ | ἐκ τοῦ εἰρημένου πρὸς αὐτοῦ · « *Ἡ γυνὴ* » γάρ φησιν « *ἣν ἔδωκας* |[25] *μετ' ἐμοῦ* » · ἐπεὶ γὰρ *μετ' ἐμοῦ* αὐτὴν *δέδωκας* εἶπεν, ἐπι|στάμενος ὡς διὰ τὴν παρακοὴν ἐξώβλητος ἔσται, συν|[27]ηκολούθησεν οὐ κατὰ παράβασίν φασιν αὐτῇ, ἀλλὰ πρὸς | ὠφέλειαν αὐτῆς · πολλάκις γὰρ τοῖς ἀσθενεστέροις οἱ διδάσ|[29]καλοι συγκατίασιν, ἵν' ἐκ

93, 5-6 φιλαι|τιον ηκια (cf. Proc. 200 D : φιλαίτιον ἡ κακία) ‖ 8 ιμαρμενη ‖ ε⟦χ⟧`κ'εινης ‖ 9 οιοντε ‖ 11 γυ⟦μ⟧νη ‖ 15 παρεσημιωσαμεθα ‖ 17 παραδεισου+ου ‖ 18 παραδ⟦ε⟧`αι'ισω ‖ φαγεσθαι ‖ 18-19 αψη⟦σ⟧θ⟦αι⟧`ε' ‖ 19 αποθανηται ‖ 20-21 ευ⟦ε⟧λαβεστεραν ‖ 23 εισ`ι' ‖ 24 αυτου⟦ς⟧ ‖ 26 εξωϐλητος (ϐ refait sur ο) ‖ 27 ⟦χ⟧ου ‖ 28 ωφελιαν ‖ 29 συνκατιασιν

93, 16 Gen. 3, 2-3 ‖ 24 Gen. 3, 12

fruit de l'arbre; alors j'en ai mangé. » Le vice aime la chicane, et c'est le propre des pécheurs de ne pas confesser rapidement leurs péchés, mais d'inventer des causes de leur chute. Ceux qui soumettent la vie des hommes à la fatalité pensent qu'elle les contraint même à pécher; d'autres, qui prétendent que tout arrive sans raison, au hasard, estiment que les péchés se produisent aussi de cette manière. Le premier homme, lui, après avoir désobéi au commandement, dit : « *C'est la femme que tu m'as donnée pour compagne.* » Mais il aurait dû penser, d'abord, qu'ayant reçu sa femme de Dieu, il l'avait nécessairement reçue pour son bien; ensuite qu'il ne l'avait pas reçue pour qu'elle lui donne des leçons, mais au contraire pour qu'elle suive son exemple. Nous l'avons déjà fait remarquer dans les pages précédentes à l'occasion de la réponse d'Ève au serpent : « *Nous mangeons du fruit de tout arbre du paradis; mais du fruit de l'arbre qui est au milieu du paradis, Dieu a dit: N'en mangez pas et n'y touchez pas, de peur que vous ne mourriez.* » En effet, Dieu n'avait rien prescrit au sujet du toucher, mais Ève qui avait reçu les leçons d'Adam lui apprenant à être plus circonspecte parce qu'elle était faible, lui avait entendu dire de ne pas même toucher au fruit.

Comment donc le professeur et le guide s'est-il laissé tromper par son élève ? Certains auteurs[2] prennent la défense d'Adam en se fondant sur cette parole de lui : « *La femme que tu m'as donnée pour compagne.* » Comme il dit : Tu me l'as donnée *pour compagne*, ils estiment que, s'il l'a suivie, c'est parce qu'il savait qu'elle serait expulsée à cause de sa désobéissance; il n'a pas voulu transgresser le commandement, mais il cherchait son bien à elle; il arrive en effet souvent que les maîtres qui enseignent descendent au niveau des plus faibles comme un moyen

93, 2. Probablement Origène, cf. p. 83, 25 s. avec la note.

30 τούτου ὑποστροφὴν αὐτοῖς ἐρ|γάσωνται. Καὶ ταῦτα κρατύ-
94 νουσιν ἐκ τῶν παρὰ Παύλῳ |[1] λεγομένων, ἅπερ εἰς Χριστὸν
(VI, 14) καὶ εἰς τὴν ἐκκλησίαν ἀνήγ[α|γεν · « *Ὁ δ' Ἀδὰμ οὐκ ἠπατήθη, ἡ δὲ γυνὴ ἐξαπατηθεῖσα ἐν* |[3] *παραβάσει γέγονεν.* »
Συνετοῦ δέ ἐστιν, εἰς τὴν ἐκκλησί|αν τῆς γυναικὸς ἀναφερο-
5 μένης καὶ εἰς Χριστὸν τοῦ Ἀδάμ, |[5] σῶσαι τὸν εἱρμὸν τῆς ἀλληγορίας καὶ συνεπισκέψαι μήπο|τε τὸ μὲν γένος τὸ ἀνθρώπων, ἐξ οὗπερ συμπληροῦται ἡ |[7] ἐκκλησία, τῇ παραβάσει χρησάμενον αἴτιον κατέστη τῆς τοῦ | Σωτῆρος καθόδου, ἵνα τῇ οἰκονομίᾳ χρήσηται, δι' ἣν *κατάρα καὶ ἁ*|[9]*μαρτία* γέγονεν, οὐκ ὢν ταῦτα, ἀλλὰ δι' ἡμᾶς αὐτὰ
10 ἀναδε|ξάμενος.

|[11] **III, 13. Καὶ εἶπεν Κύριος ὁ Θεὸς τῇ γυναικί · Τί τοῦτο ἐποίησας ; Καὶ εἶπεν ἡ | γυνή · Ὁ ὄφις ἠπάτησέν με καὶ ἔφαγον.**

|[13] Τρία πρόσωπα εἰσάγεται ὑπὸ μέμψιν ἐνταῦθα · ὁ ἀνήρ, ἡ | γυνή, ὁ ὄφις. Καὶ ὁ μὲν ἀνὴρ ἔσχεν ἀπολογήσασθαι
15 ὅτι ἡ |[15] γυνὴ αὐτῷ παραιτία γέγονεν τοῦ φαγεῖν τοῦ ἀπηγορευμένου | ξύλου, ἐξ οὗ ἔγνω ὅτι γυμνός ἐστιν, ἡ δὲ γυνὴ αἰτιᾶται τὸν ὄ|[17]φιν λέγουσα · « *Ὁ ὄφις ἠπάτησέν με καὶ ἔφαγον* » · καὶ γὰρ ὁ Θεὸς ἀ|πήτησεν παρ' αὐτῶν τοῦ σφάλματος αἰτίαν · οὐ φέρεται δὲ τοι|[19]αύτη πρὸς τὸν
20 ὄφιν ἐρώτησις. Οὐ γὰρ εἶχεν τὴν αἰτίαν τῆς κα|κίας ἐπ' ἄλλον ἀνενεγκεῖν, αὐτὸς αὐτῆς γεννήτωρ ὑπάρξας. |[21] Τοῦτο γὰρ αὐτὸ καὶ ἐν τοῖς εὐαγγελίοις ὁ Κύριος διδάσκει λέγων | περὶ αὐτοῦ · « *Ὅταν λαλῇ τὸ ψεῦδος, ἐκ τῶν ἰδίων λαλεῖ, ὅτι ψεύ*|[23]*στης ἐστὶν καὶ ὁ πατὴρ αὐτοῦ* », ὅ ἐστιν ὁ πατὴρ τοῦ ψεύδους · οὐ | γὰρ ὁ διάβολος πατέρα ἔχει κατὰ τοὺς
25 μυθωδῶς οἰηθέντας. |[25] Πάντες δ' οἱ κακίᾳ χρώμενοι πλὴν αὐτοῦ οὐκ *ἐκ τῶν ἰδίων*, | ἀλλ' ἐκ τῆς αὐτοῦ κακεντρεχείας,

94, 4 γυν⟦ε⟧'αι'κος ‖ 6 ανθρωπ⟦ο⟧'ω'ν P² ‖ ου⟦α⟧περ ‖ 7 εκλησια ‖ 13 τρεια

94, 2 I Tim. 2, 14 ‖ 8 Cf. II Cor. 5, 21 ; Gal. 3, 13 ‖ 22 Jn 8, 44

de les faire revenir de là. Et pour confirmer cette interprétation ils citent une parole dite par Paul / qui la transposait au Christ et à l'Église : « *Adam n'a pas été trompé, mais c'est la femme, séduite, qui s'est rendue coupable de la transgression.* » D'autre part, si l'on prend la femme comme figure de l'Église et Adam comme figure du Christ, il est intelligent de filer l'allégorie et de se demander si le genre humain, à partir duquel l'Église se constitue, n'a pas été, par sa transgression, la cause de la descente du Sauveur sur terre, en vue de cette économie par laquelle il s'est fait *malédiction* et *péché*, non pas qu'il fût cela, mais il l'a pris sur lui à cause de nous.

94

III, 13. **Et le Seigneur Dieu dit à la femme : Pourquoi as-tu fait cela ? Et la femme répondit : Le serpent m'a trompée et j'ai mangé.**

Trois personnages sont ici nommés et blâmés : l'homme, la femme, le serpent. L'homme pouvait dire pour se justifier que la femme avait été en partie cause qu'il ait mangé de l'arbre défendu, à la suite de quoi il avait appris qu'il était nu; la femme, elle, accuse le serpent : « *Le serpent m'a trompée et j'ai mangé* », car Dieu leur avait demandé la cause de leur chute. Mais on ne trouve pas de question semblable posée au serpent. C'est que le serpent n'avait personne d'autre sur qui rejeter la cause du mal, étant lui-même le père du mal. Le Seigneur l'enseigne expressément dans les Évangiles en disant du démon : « *Quand il profère le mensonge il parle de son propre fond, parce qu'il est menteur et son père* », c'est-à-dire le père du mensonge; car le diable n'a pas de père, contrairement à ce qu'ont cru des faiseurs de mythes. Tous ceux qui font le mal, à l'exception du diable, n'y viennent pas *de leur propre fond* mais par l'habileté perverse du diable,

[94] ἐπὶ τοῦτο ἔρχονται, αὐτοῦ |[27] ἀκούοντος πρὸς τοῦ λόγου· « *Σὺ δὲ εἶπας ἐν τῇ διανοίᾳ σου· Εἰς* | *τὸν οὐρανὸν ἀναβήσομαι* » καὶ τὰ ἑξῆς. Οὐ γὰρ ἄλλος αὐτῷ τὴν |[29] ὑπερηφανίαν
95 ὑπέβαλεν, ἀλλὰ αὐτὸς ἑαυτῷ· διὸ καὶ οὐδὲ λόγος |[1] [ἀ]πο-
(VI, 15) λογίας αὐτῷ δίδοται.

Τί οὖν, φησίν, *τοῦτο ἐποίησας*; Μὴ γὰρ | εἰς τοῦτο ἐτέθης ἐπὶ τῷ αἰτίᾳ καταστῆναι τῷ ἀνδρὶ σφάλ|[3]ματος; Καὶ εἶπεν· « *Ὁ ὄφις ἠπάτησέν με* ». Ἀπάτη γὰρ τοῦτο | γέγονεν. Αὐτῆς γὰρ τὰ τῆς ἐντολῆς προενεγκαμένης,
5 |[5] αὐτὸς ἀντιστρόφως ἐχρήσατο τῇ προστάξει μετὰ τοῦ | καὶ ὑπισχνεῖσθαί τι αὐτοῖς κομπῶδες καὶ δελεάσαι δυ|[7]νάμενον· « *Ἤ̣δει γάρ̣* » φησιν « *ὁ Θεὸς ὅτι ᾗ δ' ἂν ἡμέρᾳ φάγητε ἀπ' αὐ|τοῦ, διανοιχθήσονται ὑμῶν οἱ ὀφθαλμοὶ καὶ ἔσεσθε ὡς θε|[9]οί, γιγνώσκοντες καλὸν καὶ πονηρόν.* »
10 Ὁμολογεῖ δὲ νῦν τὴν | ἀπάτην εἰκότως· Θεοῦ γὰρ αἰσθομένη ἐπιγιγνώσκει τὸ γεγε|[11]νημένον. Τοῦτο γὰρ ἔθος τοῖς ἀπατωμένοις μετὰ τὴν ἔκ|βασιν ἐπαισ̣θ̣άνεσθαι τοῦ κακοῦ· κατὰ γὰρ τὴν ἀρ|[13]χήν, τῆς ἡδο̣νῆς ἐπικρυπτούσης τὴν αἴσθησιν, οὐ γίνεται | ἐπίγνωσις.
15 Τὸ δὲ « *εἶπεν* » οὕτως πάλιν λεκτέον, ὅτι ὁμι|[15]λία ἐν διανοίᾳ τῆς γυναικὸς τοῦ Θεοῦ γέγονεν, καὶ τοῦτο οὐ|κ ἄδηλον· ὅτε γάρ, ἁμαρτανόντων ἡμῶν, λογισμὸς ἀνα|[17]τρεπτικὸς τῆς ἁμαρτίας γίνεται, Θεὸν ἡγητέον ἐν τῇ | διανοίᾳ παρεῖναι καὶ λαλεῖν.

Ἐκεῖ δὲ καὶ τάξιν κατὰ τὰ |[19] πρότερον ἀλληγοροῦμεν· ἡ
20 γὰρ ἡδονή, ἥτις ὁ ὄφις ἐστίν, | πρότερον τῇ αἰσθήσει, ἣν γυναῖκα ἐλέγομεν, ἐγγίνεται, εἶ|[21]θ' οὕτως τῷ νῷ αὕτη διακονεῖ, ὅστις καὶ ὁ ἀνὴρ εἴρηται.

94, 29 εαυτος ‖ εαυτω ‖ **95,** 2 ανδρει ‖ 4 προ⟦σ⟧ενεγκαμενης ‖ 6 υπεισχνεισθαι ‖ 7 \`οτι´ P² ‖ 8 εσεσθαι ‖ 12 ἐπαισθάνεσθαι Procope : επαι.....σ̣θ̣α̣νεσθαι ‖ 17 γ⟦ε⟧ινεται ‖ θ⟦υ⟧\`ν´ ‖ 19 αλληγορουμενη ‖ 20 ενγινεται ‖ 21 ὅστις : οστισειν\`αι´ P²

94, 27 Is. 14, 13 ‖ **95,** 1 Gen. **3, 13** ‖ **3** Gen. **3, 13** ‖ **7** Gen. 3, 5 ‖ 14 Gen. 3, 13

95, 11-18 Proc. 201 B 4-9

tandis qu'à lui-même la Parole s'adresse en ces termes : « *Toi, tu as dit dans ton esprit : Je m'élèverai jusqu'au ciel* » et la suite. Ce n'est pas un autre qui lui a suggéré cet orgueil, mais lui-même à lui-même. Telle est la raison pour

95 laquelle / il n'y a pas, non plus, de parole d'excuse dans sa bouche.

Dieu dit donc à la femme : *Pourquoi as-tu fait cela?* Est-ce pour cela que tu as été faite, pour être cause de chute pour l'homme ? Elle répondit : « *Le serpent m'a trompée* », et c'était bien par une tromperie que tout était arrivé, car, lorsqu'elle avait objecté au serpent le commandement donné par Dieu, le serpent s'était servi même de ce commandement en sens opposé en y joignant une promesse flatteuse bien propre à séduire l'homme et la femme : « *Dieu*, avait-il dit, *savait que le jour où vous mangerez de cet arbre, vos yeux s'ouvriront et vous serez comme des dieux, connaissant le bien et le mal.* » Elle avoue maintenant, à juste titre, qu'elle a été trompée. Ayant perçu Dieu, elle reconnaît ce qui s'est passé. C'est en effet l'habitude des gens trompés de n'apercevoir le mal qu'après qu'il a été commis, car, au début, le plaisir cachant la perception, la reconnaissance ne se fait pas.

Quant aux mots « *Dieu dit* », il faut préciser une nouvelle fois que le discours de Dieu a lieu dans l'esprit de la femme; et cela n'a rien de mystérieux : quand nous péchons et que notre esprit se met à critiquer le péché, il faut penser que Dieu est dans notre esprit et y parle.

Là encore nous interprétons allégoriquement, comme plus haut[1] le rang des trois personnages : le plaisir, qui est le serpent, pénètre d'abord dans la sensation, que nous avons dit être la femme, ensuite la sensation sert l'intelligence, que nous avons dit être l'homme.

95, 1. Dans les pages absentes 77-80 à propos de *Gen.* 3, 1. A l'occasion de ce verset, PHILON, *Leg. all.* II, 73-74, énonce les mêmes assimilations et bâtit sur elles toute son exégèse de la tentation.

[95] | **III, 14. Καὶ εἶπεν Κύριος ὁ Θεὸς τῷ ὄφει· Ὅτι ἐποίησας τοῦτο, |23 ἐπικατάρατος σὺ ἀπὸ πάντων τῶν κτηνῶν καὶ ἀπὸ πάντων | τῶν θηρίων τῶν ἐπὶ τῆς γῆς· ἐπὶ τῷ στήθει**
25 **σου καὶ τῇ κοιλίᾳ |25 πορεύσῃ καὶ γῆν φάγῃ πάσας τὰς ἡμέρας τῆς ζωῆς σου.**

| Ὅπερ πρός τε τὸν Ἀδὰμ καὶ τὴν Εὔαν εἶπεν ὁ Θεός, ἑκάστῳ αὐτῶν |27 [λ]έγων· « *Τί ἐποίησας τοῦτο ;* », ἀφ' ὧν καὶ τὸν αἴτιον τῆς κακίας | [ἤ]κουσεν, τοῦ μὲν Ἀδὰμ τὴν γυναῖκα αἰτιωμένου, τῆς δὲ |29 γυ̣ν̣α̣ι̣κὸς τὸν
96 ὄφιν, οὐκέτι εἶπεν πρὸς τὸν ὄφιν· ἀρχέκακος |1 γὰρ οὗτος
(VI, 16) καὶ τὴν αἰτίαν ἐπ' ἄλλον ἀνενεγκεῖν οὐκ ἔχων. Διόπερ εὐ|θὺς ἀντὶ τοῦ « *τί ὅτι ἐποίησας τοῦτο* ; » ἐπάγει τὴν ἐπιτιμίαν εἰπών· |3 « *Ὅτι τοῦτο ἐποίησας, ἐπικα*‹*τά*›*ρατος σὺ ἀπὸ πάντων τῶν κτηνῶν καὶ* | *ἀπὸ πάντων τῶν θηρίων*
5 *τῶν ἐπὶ τῆς γῆς.* » Δῆλον δὲ ὡς οὐ τῷ ἑρ|5πετῷ τούτῳ τὴν ἐπιτιμίαν προσάγει Θεός· οὐδὲ γὰρ ἔχει φύσιν τοῦ | τὸν ἀπάτης προαγαγεῖν λόγον, ἐξ οὗ τὴν καθ' ἑαυτοῦ ἐπιτιμίαν ἐκ|7καλέσεται τὸν Θεὸν ποιήσασθαι. Παῦλος γοῦν γράφων Κορινθίοις, | ἐπιστάμενος ὡς οὐ ζῷον ἄλογον ὑπῆρχεν, περὶ οὗ ἔγραφεν, φη|9σίν· « *Φοβοῦμαι μήπως,*
10 *ὡς ὄφις ἐξηπάτησεν Εὔαν ἐν τῇ πανουρ|γίᾳ αὐτοῦ, φθαρῇ τὰ νοήματα ὑμῶν ἀπὸ τῆς* ‹*ἁπλότητος*› ». |11 Παραβάλλει γὰρ ὁ Παῦλος ἀπάτην γινομένην ὑπὸ κακοήθων | ἀνθρώπων καὶ πανούργων, οἵτινες ἐπιφυέντες ἦσαν, λέγοντες μὴ |13 εἶναι ἀνάστασιν νεκρῶν μηδὲ ἐκ παρθένου τὸν Σωτῆρα γεγεν|νῆσθαι, οἳ καὶ ἠπάτων τοὺς ἐν Κορίνθῳ *νηπίους ἐν*
15 *Χριστῷ*, οὐκ ἔ|15χοντας τὰ *αἰσθητήρια* τῆς καρδίας *γεγυμνασμένα* πρὸς | διάκρισιν καλοῦ καὶ κακοῦ, τῇ ὑπὸ τοῦ ὄφεως κατὰ τῆς Εὔας ἀ|17πάτῃ, ὅπερ δείκνυσιν αὐτὸν οὐχ ἑρπετόν, ἀλλὰ ἀντικειμέ|νην ἐνέργειαν, ἣν διάβολον ἔθος τῇ γραφῇ καλεῖν. Οὐ γὰρ ʽ ὄφις ʼ |19 ἁπλῶς λέγεται, ὥσπερ καὶ περὶ
20 ἐκείνων ἐλέχθη· « *Ὄφεις γεννή|ματα ἐχιδνῶν* », ἀλλ' ὁ

95, 29 γυν⟦ε⟧`αι´κος ‖ **96**, 5-6 τοῦ τὸν : τουτο ‖ 10 της+blanc (10 lettres) ‖ 14-15 εχοντα⟦ο⟧`ς´ ‖ 18 ενεργιαν ‖ 19 οφ`ε´ις

III, 14. **Et le Seigneur dit au serpent : Parce que tu as fait cela, maudit sois-tu parmi tous les bestiaux et parmi toutes les bêtes sauvages qui sont sur la terre ; tu marcheras sur ta poitrine et le ventre et tu mangeras de la terre tous les jours de ta vie.**

La question que Dieu a posée à Adam et à Ève en leur disant à chacun : « *Pourquoi as-tu fait cela?* » et à la suite de laquelle il les a entendus indiquer la cause de leur péché, Adam accusant la femme, et la femme le serpent, cette question Dieu ne l'a pas posée au serpent, car celui-ci **96** est le principe du mal / et n'a personne d'autre sur qui rejeter la faute. Aussi, au lieu de dire : « *Pourquoi as-tu fait cela?* » Dieu inflige tout de suite la punition : « *Parce que tu as fait cela, maudit sois-tu parmi tous les bestiaux et parmi toutes les bêtes sur la terre.* » Il est évident que Dieu n'inflige pas la punition à ce reptile, car celui-ci n'est pas de nature à proférer une parole de mensonge qui inviterait Dieu à le punir. Paul savait bien que celui dont il parlait n'était pas un animal sans raison, quand il écrivait aux Corinthiens : « *Je crains que, de même que le serpent dans sa malice a trompé Ève, de même vos pensées ne se corrompent et ne s'écartent de la simplicité.* » Paul compare ici la tromperie commise par des hommes de mauvaise vie et rusés qui avaient fait leur apparition en niant la résurrection des morts et la naissance virginale du Sauveur, trompant à Corinthe les *nouveaux-nés dans le Christ* qui n'avaient pas *les sens* de leur cœur *mis à nu* pour discerner le bien et le mal, à la tromperie que le serpent a commise contre Ève ; cette comparaison montre bien que le serpent n'est pas un reptile mais la puissance adverse que l'Écriture a l'habitude d'appeler diable. Aussi bien le texte ne dit pas simplement : ' un serpent ', comme pour les autres dont il est dit : « *Serpents, engeance de vipères* »

95, 27 Gen. 3, 13 || **96,** 3 Gen. 3, 14 || 9 II Cor. 11, 3 || 14 Cf. I Cor. 3, 1 || 15 Cf. Hébr. 5, 14 || 19 Matth. 23, 33

[96] ὄφις, ὃ δηλοῖ αὐτὸν τὸν διάβολον, ὃς καί|[21]τοι ἄλλοις τῆς κακίας αἴτιος κατέστη· *ἐνεργεῖ* γὰρ *ἐν τοῖς υἱοῖς* | *τῆς ἀπειθείας*, καὶ ἐνεργεῖται τὰ ἴδια ἐμποιῶν ἐκείνοις σο|[23]φιστικῇ ἀπάτῃ. Διόπερ καὶ τὴν ἐπιτιμίαν ὑπερβάλλουσαν δέ|χεται· « *Ἐπικατάρατος* » γάρ φησιν « *σὺ ἀπὸ πάντων*
25 *τῶν θηρίων* |[25] *τῶν ἐπὶ τῆς γῆς* ». Ὡς γὰρ αἴτιος κακίας, εἰκότως καὶ τῇ ἐπιτιμίᾳ | ὑπὲρ πάντας ὑπόκειται τοὺς ἀπ' αὐτοῦ τὸ ὄφ<ε>ις εἶναι ἐσχηκότας | [27] καὶ *κτήνη* τῷ τρόπῳ καὶ *θηρία γῆς*, καθ' ὧν τὴν ἐξουσίαν δίδω|σιν ὁ Σωτὴρ τοῖς ἰδίοις μαθηταῖς λέγων· « *Ἰδοὺ δέδωκα μὲν ὑμῖν* |[29] *ἐξουσίαν πατεῖν ἐπάνω ὄφεων καὶ σκορπίων, καὶ*
30 *ἐπὶ πᾶσαν τὴν* | *δύναμιν τοῦ ἐχθροῦ*. » Καὶ τῷ *ἐν τῇ βοηθείᾳ τοῦ Ὑψίστου* κατοικοῦν[τι] |[31] ἐπιλέγεται· « *Ἐπ' ἀσπίδα*
97 *καὶ βασιλίσκον ἐπιβήσῃ καὶ καταπατήσεις* |[1] *λέοντα καὶ*
(VII, 1) *δράκοντα*. »

Ταῦτα δὲ πάντα ἀγριότητα κακίας | ἔχοντα ὑπερβάλλων ὁ διάβολος ὄφις καλούμενος ἀκολού[θως] |[3] ὑπὲρ πάντα καταδικάζεται. Πρόσκειται δὲ τῇ ἐπιτιμίᾳ | καὶ τὸ « *Ἐπὶ τῷ στήθει σου καὶ τῇ κοιλίᾳ σου πορεύσῃ* »· ἐπεὶ γὰρ
5 δο|[5]κῶν νόησιν ἐπηρμένην ἔχειν καὶ τροφὰς ἐπιμορφαζόμε|νος ἔχειν μεγάλας ἠπάτα, τὴν πτῶσιν αὐτοῦ ὁ λόγος ἑρμη|[7]νεύει φάσκων ὡς γήϊνα αὐτῷ ἔσται τροφή, οὐδὲν θεῖον ἢ ἀ|νηγμένον ἔχοντι, ἀλλ' εἰλυσπωμένῳ περὶ τὰ γήϊνα, τοῦ ἡγε|[9]μονικοῦ αὐτοῦ ἐκπεσόν<τος, ὃ> τὸ *στῆθος* σημαίνει,
10 οὐκέτι ἀποτί|κτοντός τι θεῖον ἢ οὐράνιόν τι διὰ τὸ τὴν γεννητικὴν |[11] δύναμιν, ἥτις διὰ τῆς *κοιλίας* σημαίνεται, περὶ τὴν ὕλην | καὶ τὰ γήϊνα ἔχειν τὴν σπουδήν. Ὅτι δ' ἡ *κοιλία* οὕτως νοεῖται, ἐκ |[13] τοῦ ἐναντίου ἔστι μαθεῖν, ψάλλοντος τοῦ μακαρίου Δαυίδ· « *Καὶ τὸν νό|μον σου*

96, 21 αιτι⟦α⟧'ο'ς ‖ 22 απει⟦ρ⟧'θ'ειας ‖ 25 'ως' P² ‖ 31 επιβηση⟦ς⟧ ‖ και₂ : 'κ(αι)' ‖ **97,** 2 ε⟦σ⟧χοντα ‖ υπερβαλλ⟦ο⟧'ω'ν 'ο' P² ‖ 6-7 ερμηνευ'⟦σ⟧'ει ‖ 9 εκπεσον + ; (signe de perplexité ?) ‖ 10 ⟦α⟧'θ'ειον ‖ τι₂+⟦τρεφομενω⟧ ‖ 'την' P° ‖ 12 τη'ν' ‖ 13 ψ⟦ε⟧'α'λλοντος P²

96, 21 Cf. Éphés. 2, 2 ‖ 24 Gen. 3, 14 ‖ 28 Lc 10, 19 ‖ 30 Ps. 90, 1 ‖ 31 Ps. 90, 13 ‖ **97** 4 Gen. 3, 14 ‖ 14 Ps. 39, 9

mais « *le serpent* », ce qui désigne le diable en personne en tant qu'il est devenu cause du mal chez d'autres. *Il agit* en effet *chez les fils de la rébellion*, et il y agit en mettant en eux ses propres sentiments par une tromperie digne d'un sophiste. C'est bien pourquoi il reçoit une punition exceptionnelle : « *Maudit sois-tu*, lui dit Dieu, / *parmi toutes les bêtes sauvages sur la terre.* » Étant cause du mal, c'est à bon droit qu'il est soumis à une punition plus forte que ceux qui tiennent de lui d'être des *serpents*, des *bestiaux* par leurs mœurs, des *bêtes sauvages sur la terre*, contre lesquels le Seigneur donne puissance à ses disciples en ces termes : « *Voici que je vous ai donné pouvoir de marcher sur les serpents, les scorpions et toute la puissance de l'Ennemi* »; et au juste qui *demeure sous la protection du Très-Haut* il est dit : « *Tu marcheras sur l'aspic et le basilic, tu fouleras* **97** *aux pieds* / *le lion et le dragon.* »

Surpassant toutes ces bêtes qui ont la sauvagerie du vice, il est logique que le diable, appelé *serpent*, soit condamné plus qu'elles toutes. Et il est ajouté à son châtiment : « *Tu marcheras sur la poitrine et le ventre.* » Comme il a trompé la femme en faisant semblant d'avoir des pensées élevées et en feignant d'avoir des nourritures de grande qualité, la Parole de Dieu commente sa chute en disant qu'il aura des choses terrestres pour nourriture, parce qu'il n'a rien de divin ni d'élevé, mais qu'il se roule dans les choses terrestres, car sa raison, qui est désignée par la *poitrine*, est tombée, et il n'enfantera plus rien de divin ni de céleste, parce que sa faculté d'engendrer, représentée par *le ventre*, ne se soucie que de la matière et du terrestre. Que tel soit le sens du *ventre*, c'est ce qu'on peut apprendre, par un exemple inverse, dans ce psaume du bienheureux David : « *Ta loi est au-dedans de mon*

96, 23-29 Proc. 204 C 4-8 || **97,** 1-9 Proc. 204 C 8 - D 1 || 13-15 Proc. 204 D 2-4

[97] *ἐμμέσῳ τῆς κοιλίας μου* », ὅπερ οὐ τὸ αἰσθητὸν μέλος
15 ἀλ|[15]λὰ δύναμιν ψυχῆς σημαίνει. Ἀμέλει γοῦν οἱ ἐν μετανοίᾳ
γεγενη|μένοι ἄνθρωποι γνόντες ὅτι ἡ νόησις αὐτῶν ὀφείλουσα
οὐρανίων μετα|[17]λαμβάνειν τροφῶν εἰς γῆν κατεβλήθη φασίν ·
« *Ἐκολλήθη εἰς γῆν* | *ἡ γαστὴρ ἡμῶν* », κάτα πάντα γήϊνα
γεγενημένη τῷ καὶ γήϊνα |[19] τρέφεσθαι καὶ γήϊνα ἀπο-
20 κυίσκειν. Ὡς γὰρ δοχεῖόν ἐστιν ἡ *κοιλία* | τροφῶν, οὕτω
καὶ ἐργαστήριον τῶν πλαττομένων. Οἱ μὲν οὖν φαῦ|[21]λα
γεννῶντες ἐπὶ γῆς ἕρποντες πορεύονται, οἱ δὲ θεῖα ἀποτίκ-
τον|τές φασιν · « *Ἀπὸ τοῦ φόβου σου ἐν γαστρὶ ἐλάβομεν
καὶ ὠδινήσαμεν* |[23] *καὶ ἐτέκομεν* » · τὸ δ᾽ αὐτὸ γέννημα
διανοίας καὶ τροφεῖόν ἐστιν.

| Εὖ δὲ καὶ τὸ προσκεῖσθαι · « *Καὶ γῆν φάγῃ πάσας
τὰς ἡμέρας τῆς ζωῆς* |[25] *σου* » · οὐ γὰρ ἁπλῶς ' ζωῆς '
εἶπεν, ἀλλὰ τῆς σῆς, ἣν εἵλω ἐκ τῆς σεαυτοῦ | ῥοπῆς, ὡς εἰ
λέγοι τις καὶ τῷ μὴ καθηκόντως ζῶντι · Πάσας τὰς |[27] ἡμέρας
ἧς εἵλω ἔχειν ζωῆς φαῦλος ἔσει, ἁμαρτίαι σοι τροφὴ ἐν
| πάσαις αἷς προέκρινας ἡμέραις σου φαύλαις. Ἕκαστα
98 γὰρ πρὸς τὸν |[1] ἴδιον τρόπον, ἀποστὰς τῆς δεούσης ζωῆς,
(VII, 2) ἑαυτῷ ζωὴν περιποιεῖται. Τού|τῳ ὅμοιον καὶ τὸ πρὸς τὸν
πλούσιον εἰρημένον · « *Ἀπέλαβες τὰ ἀγαθά σου* |[3] *[ἐν]
τῇ ζωῇ σου, καὶ Λάζαρος ὁμοίως τὰ κακά.* » Καὶ παρατήρει
ὅτι τοῦ μὲν | φαύλου τὰ ἀδιάφορᾳ ἀγαθὰ εἶπεν · ἐπεὶ αὐτὸς
5 ὡς ἀγαθὰ αὐτὰ ἐλογίζε|[5]το καὶ ἐν αὐτοῖς ἤλπισεν, διὰ τοῦτο
καὶ « *τὰ ἀγαθά σου* » εἶπεν · ἐπὶ δὲ τοῦ Λα|ζάρου οὐκ
ἐρρέθη τὰ κακὰ ἑαυτοῦ · οὐ γὰρ ἀπὸ τῆς ἰδίας προθέσεως
ἔπα|[7]σχεν, εἰ καὶ γενναίως ἔφερεν. Καὶ ὁ Ἰὼβ δὲ στερηθεὶς

97, 16 οφιλουσα ‖ 22-23 και ωδινησαμεν και ετεκομεν (ajouté par P² sur un espace blanc laissé par P) ‖ εστιν+blanc (4 lettres) ‖ 26 λε⟦λ⟧'γ'οι P² ‖ 27 τροφη⟦ς⟧ ‖ **98,** 2 'το' ‖ 4 επ'ε'ι ‖ 5 του'το' P² ‖ 7 γεννεως

97, 17 Ps. 43, 25 ‖ 22 Is. 26, 18 ‖ 24 Gen. 3, 14 ‖ **98,** 2 Lc 16, 25

98, 1 Proc. 204 D 7-8

ventre », ce qui ne se rapporte pas à cette partie du corps mais à une faculté de l'âme. De fait, les hommes qui font pénitence, sachant que leur intelligence, qui aurait dû participer aux nourritures célestes, est tombée à terre, disent : « *Notre ventre s'est collé à la terre* », parce qu'il s'est mis au niveau de toutes les choses terrestres en se nourrissant de terrestre et en engendrant du terrestre. De même, en effet, qu'il est le réceptacle des nourritures, le *ventre* est aussi l'atelier où se forment les œuvres qu'on enfante. Ceux qui engendrent des actions mauvaises marchent donc en rampant sur la terre, tandis que ceux qui enfantent des actions divines disent : « *Par crainte de toi, nous avons conçu dans notre ventre, souffert les douleurs et mis au monde.* » Enfant ou nourriture de la pensée, c'est tout un.

Et il était juste d'ajouter : « *Tu mangeras de la terre tous les jours de ta vie.* » Le texte ne dit pas simplement ' la vie ', mais *ta vie*, celle que tu as choisie selon tes propres inclinations[1]. C'est comme si l'on disait à celui qui ne vit pas convenablement : ' Pendant tous les jours de la vie que tu as choisi d'avoir, tu seras un méchant, les péchés seront ta nourriture pendant tous les jours pervers que tu as **98** préférés pour toi. ' Chaque être, / quand il s'écarte de la vie convenable, se fait sa propre vie à sa manière. On trouve la même chose dans la parole adressée au riche : « *Tu as reçu ta part de biens dans ta vie, et pareillement Lazare a reçu des maux.* » Remarque que l'Écriture appelle les choses indifférentes les biens du méchant; parce qu'il les considérait lui-même comme des biens et qu'il mettait son espoir en eux, elle dit : « *tes biens* », mais elle ne dit pas de Lazare que les maux fussent siens, car ce n'était pas par son propre choix qu'il les endurait, bien qu'il les supportât vaillamment. De même, quand Job fut privé

97, 1. Allusion à la préexistence des âmes, qui ont choisi chacune la vie qu'elles mènent, cf. PLATON, *Phèdre* 249 B. Didyme tient à rappeler que le démon n'a pas été créé mauvais.

[98] τῶν ἡδέων, | ἐπεὶ οὐκ ἑαυτοῦ ἀγαθὰ αὐτὰ ἐλογίζετο, ἀλλ' ἐπιστάμενος αὐτῶν τὴν |[9] φύσιν, ὡς ἐδόθησαν παρὰ
10 Θεοῦ, αὐτοῖς ἐκέχρητο, οὐκ εἶπεν · ‛ Εἰ τὰ ἀγα|θά μου ἐδεξάμεθα ’, ἀλλ' « *Εἰ τὰ ἀγαθὰ ἐδεξάμεθα ἐκ χειρὸς Κυρίου* ». Ἃ γὰρ |[11] αὐτὸς ᾑρεῖτο ἀγαθά, αἱ ἀρεταὶ ἐτύγχανον, τοῖς δ' ἀκολουθοῦσιν, κρίσει | Θεοῦ ἀδιαφόροις, ὡς ἔπρεπεν ἐκέχρητο, ἐπαρκῶν δεομένοις · οὕτω γοῦν |[13] καὶ ἔφη · « *Ἡ θύρα δέ μου παντὶ ἐλθόντι ἠνέῳκτο* ».

| **III, 15. Καὶ ἔχθραν θήσω ἀνὰ μέσον σοῦ καὶ ἀνὰ μέσον**
15 **τῆς γυναικός, καὶ ἀνὰ μέσον |[15] τοῦ σπέρματός σου καὶ ἀνὰ μέσον τοῦ σπέρματος αὐτῆς · αὐτός σου | τηρήσει κεφαλήν, καί συ τηρήσεις αὐτοῦ πτέρναν.**

|[17] Ὅτε ὁ ἁπλούστερος σύνεστιν πονηρῷ, οὐ μικρὰν ἔχει τὴν βλάβην · ὁ πο|νηρὸς γὰρ προσέρχεται καὶ τὰ βλάβης ὑποβάλλει, καὶ δέχεται ἡ ἁπλου|[19]στέρα ψυχὴ εἰς ὠφέλιμα.
20 Δεῖ οὖν διαίρεσιν γενέσθαι τούτων καὶ εἰς | ἔχθραν καὶ τὸ ἀκοινώνητον ἐλθεῖν, ὡς τὸν ἁπλούστερον γενόμενον κα|[21]τὰ τὸ σωτήριον παράγγελμα *φρόνιμον* εἰπεῖν περὶ διαβόλου · « *Οὐ γὰρ* | *αὐτοῦ* τὰ *νοήματα ἀγνοοῦμεν.* » Πολλάκις γοῦν καὶ γυναικὸς φιλίαν |[23] πρὸς ἄνδρα σὺν ἁπλότητι γινομένην ὁρῶντες, ἐξ ἧς ἀπάτης ἕπε|ται αἰσχροποιεῖν τοὺς τοιούτους, σπουδάζομεν οὐ μίσει εἰρήνης, ἥτις
25 |[25] ἐστὶ *καρπὸς τοῦ Πνεύματος*, ἀλλὰ ἀποστροφῇ εἰρήνης, καθ' ἧς ὁ Σωτὴρ ἥκει μά|χαιραν ἐπενεγκεῖν λέγων · « *Οὐκ ἦλθον βαλεῖν εἰρήνην*, ἀλλὰ |[27] *μάχαιραν* » διαιροῦσαν καὶ διατέμνουσαν τοὺς ὠφελεῖσθαι ποθοῦντας | ἀπὸ τῶν βλάπτειν ἐπιχειρούντων.

Ἀγαθὸς οὖν ὑπάρχων ὁ Θεὸς φυτεύ|[29]ει *ἔχθραν* οἷς ἡ εἰρήνη καὶ ἡ συναφὴ πολέμιον. Ὅταν γάρ τις ἀγνοίᾳ τοῦ

98, 11 κρ⟦ε⟧`ι´σ`ε´ι P² ‖ 15 ⟦σου⟧ του σπερματος `σου´ P² ‖ 20 εχ`θ´ραν P² ‖ το`ν´ ‖ 22 πολλακ⟦ε⟧ις ‖ 24 ⟦ε⟧`αι´σχροποιειν ‖ μ⟦ε⟧ισει ‖ 25 απο`σ´τροφης ‖ 26 βαλεῖν : βαλθον βαλειν P ⟦βαλθο`ει´ν⟧ βαλειν P² ‖ 27 ποθου`ν´τας ‖ 29 ε⟦κ⟧`χ´θραν ‖ ο⟦ν⟧ταν

98, 10 Job 2, 10 ‖ 13 Job 31, 32 ‖ 21 Cf. Matth. 10, 16 ‖ II Cor. 2, 11 ‖ 25 Gal. 5, 22 ‖ 26 Matth. 10, 34

des choses agréables, comme il ne les considérait pas comme ses propres biens, mais qu'il usait d'elles en connaissant leur nature qui est d'être donnée par Dieu, il n'a pas dit : ‘ Si nous avons reçu mes biens ’, mais « *Si nous avons reçu les biens de la main du Seigneur* ». Les biens qu'il choisissait, c'étaient les vertus; quant aux choses qui les accompagnent et qui sont indifférentes selon le jugement de Dieu, il en usait comme il fallait, en se contentant du nécessaire; de fait, il disait encore ceci : « *Ma porte était ouverte à tout venant.* »

III, 15. **Je mettrai une inimitié entre toi et la femme, entre ta semence et la sienne ; il épiera ta tête et tu épieras son talon.**

Lorsqu'un homme simple fréquente un méchant, il en retire un grand dommage, car le méchant s'approche, lui suggère des choses nuisibles, et cette âme naïve les prend pour des choses utiles. Il faut donc qu'il y ait une séparation entre eux, qu'ils deviennent ennemis et qu'il n'y ait plus de communication, en sorte que le naïf, devenu *avisé* selon l'avertissement du Sauveur, dise du diable : « *Nous ignorons ses desseins.* » De fait, on voit souvent une amitié naître par naïveté entre un homme et une femme, et cet égarement les entraîne à des actes honteux; si nous déployons alors tout notre zèle, ce n'est pas par haine de la paix qui est *fruit de l'Esprit*, mais c'est pour les détourner de cette autre paix contre laquelle le Seigneur est venu apporter le glaive, selon sa parole : « *Je ne suis pas venu apporter la paix mais le glaive* », glaive qui divise et sépare ceux qui désirent qu'on leur fasse du bien de ceux qui cherchent à leur nuire.

Dieu donc, qui est bon, fait naître une *inimitié* entre ceux pour qui la paix et l'union seraient nuisibles; lorsque

98, 17-22 Proc. 205 B 4-9

[98] 30 | κακοῦ αὐτῷ περιπίπτων μανθάνῃ ὅτι ὀλέθριόν ἐστι καὶ ἐπιζήμιον, |[31] ὠφελίαν οὐ μικρὰν καρποῦται. Ἀκολούθως

99 δὲ καὶ τὸ *σπέρμα* τῷ *σπέρματι* |[1] ἐχθρὸν ποιεῖ καὶ αὐτὸν (VII, 3) αὐτῇ. Καί ἐπεὶ μὴ περὶ αἰσθητοῦ ὄφεώς ἐστι τὸ | λεγόμενον, οὐδὲ τὸ *σπέρμα* αὐτοῦ αἰσθητὸν ἐκδεκτέον, ἀλλὰ τοὺς κα|[3]τ' αὐτὸν τυπωθέντας καὶ μορφωθέντας καὶ γεννηθέντας ἢ λογισ[μο]ὺς | διαστρέφοντας ἀπὸ τῆς ἀληθείας καὶ
5 μαθήματα αὐτῆς ἀλλότρ[ια], |[5] *σπέρμα* δὲ τῆς γυναικὸς ὁμοίως τοὺς ἀπ' αὐτῆς ἐναρέτους — τῆς γὰρ ἐκ|κλησίας ἐπέχει τύπον —, ἢ τὰ τῆς θείας παιδεύσεως μαθήματα, πρὸς ἃ |[7] ἡ τοῦ ἀντικειμένου κακουργία τὰς ἐπιχειρήσεις ποιεῖται. | *Σπέρματος* δὲ καὶ *τέκνου* διαφορὰ καὶ ἐν τοῖς εὐαγγελίοις εἴρηται, τῶν |[9] μὲν Ἰουδαίων λεγόντων·
10 « *Σπέρμα Ἀβραάμ ἐσμεν* », τοῦ δὲ Σωτῆρος τοῦτο | μὲν αὐτοῖς συγχωροῦντος, ἀπαγορεύοντος δὲ αὐτοὺς *τέκνα* τυγχ[ά]|[11]νειν τοῦ Ἀβραὰμ ἐν τῷ λέγειν· « *Εἰ τέκνα τοῦ Ἀβραάμ ἦτε, τὰ ἔργα τοῦ* | *Ἀβραὰμ ποιεῖτε.* » Ὁ μὲν γὰρ *τέκνον* ὑπάρχων καὶ *σπέρμα* ἐστίν, οὐ πάν|[13]τως τοῦ *σπέρματος* καὶ *τέκνου* γινομένου τῷ ἀπαμβλίσκεσθαι καὶ μὴ τ[ε]|λεσιουργεῖσθαι. Εἴη δὲ τοῦτο καὶ κατὰ τὸν τῆς
15 ἀναγωγῆς λόγον ἑπόμενο[ν]. |[15] Πολλοὶ γὰρ ἀρξάμενοι κατὰ τὸν Ὑμέναιον καὶ Ἀλέξανδρον περὶ τὴν πί|στιν *ναυαγήσαντες τέκνα* οὐκ ἀπετελέσθησαν.

Πᾶν δὲ τεταγ|[17]μένως καὶ τὰ τῆς φράσεως ἔχει. Οὐ γὰρ ὁ ὄφις πρὸς τὸ σπέρμα, ἀλλὰ | πρὸς αὐτήν, οὐδὲ τὸ σπέρμα τοῦ ὄφεως πρὸς αὐτήν, ἀλλὰ τὸ σπέρμα |[19] αὐτῆς. Τὰ γὰρ
20 ἄκρως κακὰ πρὸς τὰ ὑπερβάλλοντα ἀγαθὰ ἔχει τὴν | μάχην, καὶ τὰ ἐλάττω πρὸς τὰ ἰσόρροπα. Ὁ Θεὸς γὰρ δίδωσιν καὶ

99, 1 εκχ`θ'ρον ‖οφεος ‖ 6 τὰ τῆς : τα⟦υ⟧της ‖ μα`θημα'τα P² ‖ 10 συ⟦ν⟧γχωρουντος P² ‖ 12 ποιειται ‖ 13-14 τ[.]λεσιουργ`ε'ισθαι ‖ 14 το`ν' ‖ 16 παν⟦η⟧ ‖ 16-17 τετα⟦γ⟧`γ'μενως P²

99, 9 Jn 8, 33 ‖ 11 Jn 8, 39 ‖ 15-16 Cf. I Tim. 1, 19-20

quelqu'un, après être tombé dans le mal par ignorance, apprend que c'est une chose pernicieuse et funeste, c'est effectivement pour lui un grand profit. Il était logique que Dieu mît cette inimitié d'une part entre la *semence* du **99** serpent et la *semence* de la femme, / d'autre part entre le serpent et la femme. Puisqu'il ne s'agit pas du serpent sensible, sa *semence* ne doit pas non plus s'entendre d'une semence sensible, mais elle désigne, soit les personnes qui ont la marque, la forme du serpent et qui sont nées de lui, soit les raisonnements qui détournent de la vérité et les enseignements qui lui sont étrangers. La *semence* de la femme désigne pareillement, soit les gens vertueux qui sont issus de la femme prise comme symbole de l'Église, soit les enseignements de la doctrine divine, contre lesquels la malice de l'Adversaire lance ses attaques. La différence entre *semence* et *enfant* apparaît aussi dans les Évangiles : les Juifs disent : « *Nous sommes la semence d'Abraham* », et le Sauveur leur concède cela, mais il nie qu'ils soient les *enfants* d'Abraham, quand il leur dit : « *Si vous êtes les enfants d'Abraham, faites les œuvres d'Abraham.* » Celui qui est *enfant* est aussi *semence*, mais la *semence* ne devient pas forcément *enfant*, car elle peut avorter et ne pas venir à terme. On peut suivre la même ligne pour le sens anagogique : beaucoup de gens, après avoir commencé à croire, comme Hyménée et Alexandre, ont fait naufrage et ne sont pas venus à terme.

La construction même de la phrase est parfaite : le serpent n'est pas mis en parallèle avec la *semence* de la femme, mais avec la femme elle-même, et la *semence* du serpent n'est pas mise en parallèle avec la femme, mais avec sa *semence*. Ce qui est suprêmement mauvais est en effet en lutte contre ce qui est éminemment bon, et ce qui est moindre combat son équivalent. Car Dieu donne

98, 31 - **99,** 7 Proc. 205 C 1-8 || **99,** 17 - **100,** 24 Proc. 205 C 10 - 208 B 5

[99] *τὴν* |[21] *ἔκβασιν τοῦ δύνασθαι ὑπενεγκεῖν* μὴ ἐῶν ἄμετρον γίνεσθαι κα|τά τινος πειρασμόν· « *Εἰ μὴ Κύριος ἦν ἐν ἡμῖν, ἄρα κατέπιον ἡμᾶς.* » |[23] Ὡς ἀγαθὸς δὲ ὁ τοῦ παντὸς Κύριος καὶ τὰς ἐπιβουλὰς τοῦ ἀντικειμένου | καταμηνύει καὶ
25 τὰς κατ' αὐτοῦ ἐπιθέσεις ἐκδιδάσκει, τοῦ μὲν δια|[25]βόλου ἐπιτηροῦντος τὰς τοῦ ἀνθρώπου προκοπὰς καὶ διαβάσεις ἐπὶ τὴν | ἀρετήν, αἵτινες διὰ τῆς πτέρνας δηλοῦνται, τοῦ δὲ ἀνθρώπου τὸ κεφάλαι|[27]ον τῆς κακίας ἐπιτηροῦντος· τούτου γὰρ ἀναιρουμένου, συναναιρεῖται | καὶ τὸ πᾶν.

Πρόσ<σ>χες δὲ πῶς ἀπὸ γένους ἐπὶ γένος ἕτερον μετέστη ὁ |[29] λόγος· ὡς γὰρ πρὸς τὴν γυναῖκα πάντα ἐκεῖνα ἐλέγετο·
30 « *Ἔχθραν θή|σω ἀνὰ μέσον σου καὶ τῆς γυναικὸς* » καὶ τὰ ἑξῆς, νῦν δέ φησιν· « *Αὐτὸς* |[31] *τηρήσει κεφαλὴν καί συ αὐτοῦ*
100 *πτέρναν.* » Ἔδει γὰρ περὶ μὲν τῆς ἀσθενε|[1]στέρας λέγεσθαι
(VII, 4) τὸ *ἔχθραν θήσω*, ἵνα τὸ ἀμιγὲς μηδὲ ἀπάτης χώ|ρα γένηται, περὶ δὲ τοῦ ἀνδρός, ἅτε *οὐκ ἐξαπατηθέντος* κατὰ τὴν ἀ|[3]ποστολικὴν φωνήν, λέγεσθαι· « *Αὐτός σου τηρήσει κεφαλήν.* » Ἰσχυ|[ρὸ]ς γὰρ ὢν καὶ πολεμεῖν ἐστιν ἐπιτη-
5 δειότερος καὶ φυλάττειν τὰς |[5] τοῦ ἀντικειμένου ἐπιβολάς, μὴ συγχωρῶν αὐτῷ ἀπάτης ἀρχὴν | προσαγαγεῖν ὡς τῇ Εὔᾳ, ᾗ, καθὼς προειρήκαμεν, συνηκολούθη|[7]σεν, ἐπεὶ καὶ αὐτὸς εἶπεν· « *Ἡ γυνὴ ἣν ἔδωκας μετ' ἐμοῦ* », ἣν καὶ οὐκ ἀ|φῆκεν διὰ τὸ αὐτῆς χρήσιμον. Συνεκβέβληται γὰρ οὐ δι' ἑαυτόν, κα|[9]θὰ καὶ τοῖς ἐν Βαβυλῶνι αἰχμαλωτιζομένοις
10 ἠκολούθουν οἱ ἅγιοι | οὐδὲν ἄξιον αἰχμαλωσίας δεδρακότες, ἀλλ' ὅπως ἰατροὶ τῶν |[11] αἰχμαλωτισθέντων γένωνται, ὡς Δανιὴλ καὶ Ἰεζεχιὴλ καὶ οἱ ἐν | τῇ καμίνῳ τρεῖς παῖδες.

99, 22 εν ημιν αρα (écrit par une autre main) ‖ κατεπειον ‖ 24 επιθεσις ‖ 27 αν⟦ε⟧`αι´ρουμενου ‖ 31-1 ασθενεστερ⟦ο⟧`α´ν ‖ **100,** 2 ⟦ε⟧`ξ´απατηθεντος P² ‖ 4 φυλαττ`ε´ιν ‖ 5 συνχωρων ‖ 6 ⟦ωσ⟧καθως ‖ 10 αξιον + αξιον ‖ δεδρακο⟦ν⟧τες ‖ 11 ⟦ε⟧`αι´χμαλωτισθεντων ⟦ιδ⟧ως ‖ 12 καμεινω ‖ τρ`ε´ις P²

99, 21 I Cor. 10, 13 ‖ 22 Ps. 123, 2 ‖ 29 Gen. 3, 15 ‖ **100,** 2 Cf. I Tim. 2, 14 ‖ 7 Gen. 3, 12

99, 23-28 Devr. 168

le pouvoir effectif de supporter la tentation; il ne permet pas qu'on soit tenté outre mesure : « *Si le Seigneur n'avait pas été avec nous, ils nous auraient dévorés.* » Bon comme il est, le Seigneur de toutes choses signale les attaques de l'Adversaire et nous apprend la façon de les dominer; le diable vise les progrès de l'homme et sa marche vers la vertu, lesquels sont représentés par le *talon*, tandis que l'homme *vise* le point culminant du vice, car lorsque ce point *capital* est détruit, tout le reste est détruit avec lui.

Remarque, d'autre part, comment la phrase change de genre : alors que tout, jusqu'ici, se rapportait à la femme : « *Je mettrai une inimitié entre toi et la femme* », etc., il est dit maintenant, au masculin : « *Il te visera à la tête, et toi au talon*[1]. » C'est à la femme, parce qu'elle était plus **100** faible, / qu'il fallait rapporter les mots : « *Je mettrai une inimitié* », afin qu'elle n'ait plus de relations avec le démon, ni plus lieu d'être trompée; et c'est à propos de l'homme qu'il convenait de dire : « *Il te visera à la tête* », parce que, selon l'affirmation de l'apôtre, *il n'avait pas été trompé*. Étant fort, l'homme est en effet plus apte que la femme à lutter et à se défendre contre les embûches de l'Adversaire; il ne se laisse pas approcher comme Ève par le début de la tromperie. Mais, comme nous l'avons expliqué[1], il a suivi Ève pour la raison qu'il indique lui-même par ces mots : « *La femme que tu m'as donnée pour compagne* »; pour son bien à elle, il ne l'a pas renvoyée. Car ce n'est pas pour lui-même qu'il a partagé l'exil de la femme, de même que des saints ont suivi les prisonniers de Babylone sans avoir rien fait qui méritât l'emprisonnement, mais afin d'être les médecins des prisonniers, tels Daniel, Ézéchiel et les trois enfants dans la fournaise[2].

99, 1. Ce barbarisme avait été relevé par PHILON, *Leg. all.* III, 188, qui en donnait une autre interprétation.

100, 1. Cf. p. 83, 25 et 93, 25.

100, 2. Pour ORIGÈNE, les prophètes sont des médecins, cf. *Hom. in Jer.* XIV, 1, 12-14.

[100] Τὸ λεγόμενον οὖν πρὸς τὸν ὄφιν « *αὐτός σου* |[13] *τηρήσει*
15 *κεφαλὴν* » |[15] ἐμφάνοι ἂν ὅτι, εἰ | καὶ ὡς ἀσθενεστέραν ἠπάτησας τὴν γυναῖκα, ἀλλ' ὁ ἀνήρ σοι προσ|[17]πολεμήσει τὸ κεφάλαιον τῆς σῆς κακίας ἐπιτηρῶν, ὅ ἐστιν ἡ ἀ|σέβεια, ὅπερ ὁ σοφὸς ἐκβάλλει, τοῦ διαβόλου μὴ ἐφικνουμένου |[19] τῆς κεφαλῆς τοῦ σοφοῦ, ἀλλ' εἰ ἄρα τῆς *πτέρνης*, ἥτις
20 εἴη ἂν τὰ ἐ|σχατιὰ τῶν εἰς ἀρετὴν συντελούντων. Πολλάκις γὰρ μὴ δυνά|[21]μενός τι τῶν προηγουμένων πολεμεῖν, περὶ τὰς χρείας τὰς | ἀνθρωπίνας ἐνεδρεύει, ἵνα διὰ τούτων ὑποσκελίσῃ. Τοῦτ' αὐ|[23]τὸ καὶ ἐν ψαλμοῖς λέγεται · « *Αὐτοὶ τὴν πτέρναν μου φυλάξου|σιν* » · τοῦτο δὲ τὸ φυλάξαι τῷ
25 τηρῆσαι ἐν τῷ νῦν προκειμένῳ |[25] ταὐτὸ σημαίνει · τὸ ἐπιτηρῆσαι γὰρ δηλοῖ, οὐκ ἀγνοούντων | ἡμῶν ὅτι καὶ ἐπὶ τὸ διατηρῆσαι κεῖνται αἱ λέξεις καὶ σκε|[27]πάσαι ὡς ἐν τῷ « *Σύ, Κύριε, φυλάξεις ἡμᾶς καὶ διατηρήσεις* | *ἡμᾶς* », καὶ ἐν τῷ « *Πάτερ ἅγιε, τήρησον αὐτούς* ».

III, 16-19. Καὶ τῇ γυναι|[29]κὶ εἶπεν · Πληθύνων πληθυνῶ
101 **τὰς λύπας σου καὶ τὸν στε|[1]ναγμόν σου · ἐν λύπαις τέξῃ**
(VII, 5) **τέκνα, καὶ πρὸς τὸν ἄνδρα σου | ἡ ἀποστροφή σου, καὶ αὐτός σου κυριεύσει. Τῷ δὲ Ἀδὰμ |[3] εἶπεν · Ὅτι ἤκουσας τῆς φωνῆς τῆς γυναικός σου | καὶ ἔφαγες ἀπὸ τοῦ ξύλου,**
5 **οὗ ἐνετειλάμην σοι τούτου |[5] μόνου μὴ φαγεῖν, ἀπ' αὐτοῦ ἔφαγες, ἐπικατάρατος ἡ γῆ ἐν | τοῖς ἔργοις σου · ἐν λύπαις φαγῇ αὐτὴν πάσας τὰς ἡμέ|[7]ρας τῆς ζωῆς σου. Ἀκάνθας καὶ τριβόλους ἀνατελεῖ σοι, | καὶ φαγῇ τὸν χόρτον τοῦ ἀγροῦ. Ἐν ἱδρῶτι τοῦ προσώπου σου φαγῇ τὸν |[9] ἄρτον σου, ἕως τοῦ ἀποστρέψαι σε εἰς τὴν ⟨γῆν⟩ ἐξ ἧς ἐλήμφθη⟨s⟩,**
10 **ὅτι γῆ εἶ | καὶ εἰς γῆν ἀπελεύσῃ.**

100, 13 κεφαλην+⟦της σης υἱοι και θυγατερες εμης κοιλιας ωδινους εις το κενον εκοπιασα μετα μοχθων καθο και η του μακαριου ιωβ φησιν οτι ηφανισται σου το μνημον ον απο⟧ (exponctué par P^{2} sur toute la longueur) (cf. 101, 14) ‖ 17 κεφαλ⟦ε⟧`αι´ον ‖ 20 πολλακ⟦ε⟧ις ‖ 25 αγνοουτων ‖ 28 αγιε+blanc (4 lettres) ‖ 29 πληθύνων : πληθυνω`ν´ ‖ **101,** 2 αποστροφησ⟦αι⟧`ου´ ‖ 3 ἤκουσας : ηκο⟦λουθη⟧σας ‖ 9 ελημφθη

La parole dite au serpent : « *Il te visera à la tête* », peut donc signifier : Bien que tu aies trompé la femme, qui était plus faible[3], c'est l'homme qui te fera la guerre en visant le point capital de ta malice, lequel est l'impiété, que le sage repousse. Mais le diable n'atteint pas la tête du sage, il n'atteint que son *talon*, lequel doit désigner les plus éloignées des choses qui font partie de la vertu; souvent, en effet, comme il ne peut attaquer aucun des biens essentiels, il s'en prend aux besoins humains pour faire un croc-en-jambe par ce moyen. On trouve cela même dans les Psaumes : « *Ils observeront* (φυλάξουσιν) *mon talon* »; le verbe φυλάττειν a ici le même sens que τηρεῖν dans notre passage : il désigne l'acte d'épier, bien que nous n'ignorions pas que ces mots se trouvent aussi dans le sens de garder, protéger[4], comme dans la parole : « *C'est toi, Seigneur, qui nous garderas et nous protégeras* », ou dans cette autre : « *Père saint, garde-les.* »

III, 16-19. **Et il dit à la femme : Je multiplierai tes douleurs**
101 **et tes gémissements : / tu mettras des enfants au monde dans les douleurs ; tu te porteras vers ton mari et il dominera sur toi. Et il dit à Adam : Parce que tu as écouté la voix de la femme et que tu as mangé de l'arbre que je t'avais prescrit de ne pas manger, lui tout seul, maudite soit la terre pour tes travaux : tu te nourriras d'elle dans la douleur tous les jours de ta vie. Elle te produira des épines et des ronces, et tu mangeras de l'herbe des champs. C'est à la sueur de ton front que tu mangeras ton pain, jusqu'à ce que tu retournes à la terre d'où tu as été tiré, car tu es terre et tu iras en terre.**

100, 12 Gen. 3, 15 || 23 Ps. 55, 6 || 27 Ps. 11, 7 || 28 Jn 17, 11

100, 3. Cf. ORIGÈNE, *De orat.* 29, 18 (*GCS* 3, p. 392, 11) : le serpent est allé vers la femme parce qu'elle était la plus faible.

100, 4. Même distinction stylistique chez PHILON, *Leg. all.* III, 189.

[101] |[11] Οὐκ ἀπίθανόν ἐστιν καὶ τὰς ἱστορίας ἐκλαβεῖν ἐπὶ τῶν λέξεων | τούτων. Καὶ γὰρ φαίνεται ὡς ἡ μὲν γυνὴ πυκναῖς καὶ συνεχέσιν *λύπαις* |[13] πιέζεται καὶ *στεναγμοῖς*, οὐ μικρὸν ὑπομένουσα κάματον ἔν τε ταῖς | συλλήψεσιν καὶ ἀποτέξεσιν ἔτι τε καὶ ἀνατροφαῖς, καθὸ καὶ ἡ τοῦ μακαρίου Ἰὼβ φησιν ὅτι « *Ἠφανισταί σου τὸ μνημόσυνον ἀπὸ τῆς γῆς, υἱοὶ καὶ θυγατέρες, ἐμῆς κοιλίας ὠδῖνες καὶ πόνοι, οὓς εἰς τὸ*
15 *κενὸν ἐκοπίασα μετὰ μόχθων* », καὶ ὡς ἅπαντα |[15] πρὸς τὸν ἄνδρα ἔνεγκεν ἰσχυρότερον δεσπότου, τὰς ἀπ' αὐτοῦ ἀπεκ|δεχομένη ἐπικελεύσεις, ὁ δὲ ἀνὴρ ἔργοις καὶ φροντίσιν κατατρυχό|[17]μενος πόνοις καὶ *ἱδρῶσιν* διὰ παντὸς διατελῶν τοῦ βίου. Καὶ γὰρ τῶν | λυπούντων τὴν γυναῖκα οὐκ ἔστιν ἀμέτοχος, καὶ αὐτὸς ἰδιαζόν|[19]τως πόνοις συνέχεται διὰ
20 παντὸς τοῦ ζῆν, ἄλλα ἐπ' ἄλλοις πονῶν | τε καὶ κάμνων σώματι καὶ ψυχῇ · καὶ γὰρ τὰ κατ' οἶκον αὐτῷ οὐκ ἀ|[21]φρόντιστα, παίδων ἀνατροφή, καὶ τούτων πολλάκις ὀδύναι διάφο|ροι ἢ νόσοις πιεσθέντων ἢ θανάτῳ προλαμβανόντων, ἐξ ὧν ἀπάν|[23]των ἀνία ὑπερβάλλουσα καὶ πόνος ἱκανώτατος, καὶ πολλὰ ἂν εἴη | λέγειν, ἃ πᾶσίν ἐστι προδηλότατα.
25 Ἴδωμεν δὲ καὶ τὸ καθ' ἕ|[25]καστον τῶν εἰρημένων. Τῷ μὲν οὖν ὄφει εἴρηται · « *Ἐπικατά|ρατός συ* », τῷ δὲ Ἀδὰμ οὐχ οὕτως, ἀλλ' « *Ἐπικατάρατος ἡ γῆ ἐν τοῖς* |[27] *ἔργοις σου* », καὶ εἰκότως · οὐ γὰρ ἡττηθεὶς τῇ ἁμαρτίᾳ παρέβη, | ἀλλ' ἀκολουθήσας τῇ γυναικὶ κατὰ τὰ προαπο-
102 δοθέντα ἡμῖν |[1] εἰς τὸ « *Ἡ γυνὴ ἣν ἔδωκας μετ' ἐμοῦ* »,
(VII, 6) ὅτε παρετιθέμεθα τὸ ἀπο|στολικὸν λέγον · « *Ἀδὰμ γὰρ οὐκ ἠπατήθη, ἡ δὲ γυνὴ ἐξαπατη*|[3]*θεῖσα ἐν παραβάσει*

101, 11 απειθανον ‖ 12 φ⟦ε⟧`αι΄νεται ‖ 13 μ`⟦ε⟧΄ικρον ‖ 14 ανατροφαις ⁒ (obèle de P²) ‖ καθο — μοχθων omis par P, qui avait inséré à tort ce passage p. 100, 13-15. En correspondance avec l'obèle, P² a reproduit καθο — μοχθων au bas de la page ‖ 15 ανδραν ‖ 16 επικ⟦αι⟧`ε΄λ`ε΄υσεις P² ‖ 22 θα⟦τ⟧`ν΄ατω ‖ προλαβανοντων ‖ 25 οφ`ε΄ι P² ‖ 28 γυναικ⟦ε⟧ι

101, 13 Job 2, 9 ‖ 25 Gen. 3, 14 ‖ 26 Gen. 3, 17 ‖ **102,** 1 Gen. 3, 12 ‖ 2 I Tim. 2, 14

Il n'est pas contraire à la vraisemblance de prendre ces récits à la lettre. Car il est clair que la femme est soumise à des *douleurs* et *gémissements* fréquents et continuels : elle supporte de grandes fatigues pendant les grossesses, les enfantements et encore les soins de la petite enfance, comme le dit la femme du bienheureux Job : « *Ce qui devait perpétuer ta mémoire a été effacé de la terre: tes fils et tes filles, douleurs et peines de mon sein, que j'ai enfantés vainement dans la lassitude et les souffrances* »; il est clair aussi que la femme a tout offert à l'homme, plus fort qu'un maître, et qu'elle reçoit ses ordres; et que l'homme, de son côté, épuisé de travaux et de soucis, passe toute sa vie dans la peine et la *sueur*. En effet, il n'est pas sans participer aux souffrances de la femme et il est pris lui-même dans des peines qui lui sont propres, pendant toute sa vie : il connaît peine sur peine, fatigue sur fatigue, dans le corps et dans l'âme, car il ne manque pas de soucis : nourrir la maison, élever les enfants, et toutes ces douleurs dont les enfants sont l'occasion quand la maladie les tient ou que la mort les enlève, tout cela produit une immense tristesse et une très grande peine; et il y aurait encore beaucoup de choses à dire qui sont évidentes pour tous.

Mais voyons aussi ce qui concerne chacun des personnages déjà nommés. Au serpent il est dit : « *Maudit sois-tu* », et à Adam, non pas la même chose mais : « *Maudite soit la terre dans tes travaux* », et à bon droit, car ce n'est pas pour avoir été vaincu par le péché qu'il a transgressé mais pour suivre la femme, ainsi que nous **102** l'avons expliqué[1] / à propos de la parole : « *La femme que tu m'as donnée pour compagne* », en citant le texte de l'apôtre : « *Adam n'a pas été trompé, mais c'est la femme, séduite, qui s'est rendue coupable de transgression* »; à la

101, 1. Cf. p. 83, 26 ; 93, 25 ; 100, 6-12.

[102] *γέγονεν.* » Ἀλλὰ καὶ τῇ γυναικὶ εἰς πρόσωπον | αἱ ἀπειλαὶ δίδονται · « *Πληθύνων πληθυνῶ τὰς λύπας σου* ».

5 Ἐπιφέ|[5]ρων δὲ καὶ τὸ « *Γῆ εἶ καὶ εἰς γῆν ἀπελεύσῃ* », τῆς σωματικῆς οὐ|σίας τὸ ἴδιον ἐπιδείκνυσιν · οὐ γὰρ ἡ ψυχὴ ἀπὸ γῆς ἔχει τὴν |[7] ἀρχήν, ἵνα καὶ εἰς ταύτην ἀναλυθῇ κατὰ τοὺς φθαρτὴν αὐτὴν εἰση|γουμένους.

Ἐπειδὴ δὲ ἐν τοῖς ἔμπροσθεν ὁ παράδεισος ἡμῖν |[9] ἐν 10 ἀλληγορίᾳ ἐλαμβάνετο χωρίον εἶναι θεῖον ἐνδιαίτημα | μακαρίων δυνάμεων, καταλλήλως καὶ τὰ περὶ τοῦ ἀνδρὸς |[11] καὶ τῆς γυναικὸς ἐκληπτέον. Ἔχομεν τοίνυν | ἐκ τοῦ μακαρίου Παύλου ἀρχὰς ἐπὶ τὴν ἀναγωγὴν ἀγούσας λέ|[13]γοντος τὸ « *Μυστήριον τοῦτο μέγα ἐστίν, ἐγὼ δὲ λέγω εἰς Χριστὸν* | *καὶ εἰς τὴν ἐκκλησίαν.* » Ἡ ἐκκλησία τοίνυν *τέκνα ἐν λύπαις τίκ-* 15 *τει*, |[15] *πόνος* γὰρ τῆς ἀρετῆς προηγεῖται καὶ *λύπη*, *μετάνοιαν εἰς σω|τηρίαν ἀμεταμέλητον κατεργαζομένη* · τίκτει δὲ αὐτὰ *διὰ* |[17] *λουτροῦ παλιγγενεσίας.* Ἕπεται γὰρ τῇ μὲν ἀρετῇ πόνος, | τῇ δὲ ἡδονῇ ῥᾳστώνη. Τοῦτο ὁ Σωτὴρ παιδεύει λέγων · « *Τί στε|*[19]*νὴ ἡ πύλη καὶ τεθλιμμένη ἡ* 20 *ὁδὸς ἡ ἀπάγουσα εἰς τὴν ζωήν* », | « *πλατεῖα* » δὲ « *καὶ εὐρύχωρος ἡ ὁδὸς ἡ ἀπάγουσα εἰς τὴν ἀ|*[21]*πώλειαν, καὶ πολλοί εἰσιν οἱ εἰσερχόμενοι εἰς αὐτήν.* » Καὶ ὁ στεναγ|μὸς δὲ ἔπαινον ἔχει δι' ἀρετὴν γινόμενος · « *τῶν καταστενα-* |[23]*ζόντων* *** ». | Ἀλλὰ καὶ *πρὸς τὸν ἄνδρα* Χριστὸν 25 τὴν *ἀποστροφὴν* ἔχει, παρ' αὐτοῦ *κυρι|*[25]*ευομένη*, ἵνα κατὰ τὰς ἐκείνου ὑποθημοσύνας τὰ παρ' αὐτῆς ἀ|ποτικτόμενα τῆς

103 ἀρετῆς γεννήματα ἀπ' αὐτοῦ ἔχῃ τὴν τελεσι|[1]ουργίαν ·
(VII, 7) « *Ἡρμοσά[μ]ην γὰρ ὑμᾶς* » φησιν ὁ Παῦλος « *ἑνὶ ἀνδρὶ*

102, 7 \`αυτην' P² ‖ 8 επ\`ε'ιδη P² ‖ ⟦η⟧\`ο' ‖ 11 γυν⟦ε⟧\`αι'κας P² ‖ εκληπτεον+blanc (10 lettres) ‖ 17 παλινγενεσιας ‖ 19 απατουσα ‖ 20 πλατια ‖ 20-21 απωλιαν ‖ 22-23 καταστεναζοντων+le reste de la ligne et une autre ligne en blanc

---

102, 4 Gen. 3, 16 ‖ 5 Gen. 3, 19 ‖ 13 Éphés. 5, 32 ‖ 15 Cf. II Cor. 7, 10 ‖ 16 Cf. Tit. 3, 5 ‖ 18 Matth. 7, 14 ‖ 20 Matth. 7, 13 ‖ 22 Éz. 9, 4 ‖ 23 Cf. Gen. 3, 16 ‖ **103,** 1 II Cor. 11, 2

femme, enfin, les menaces sont adressées personnellement : « *Je multiplierai tes souffrances.* »

En ajoutant : « *Tu es terre et tu iras en terre* », le texte montre la caractéristique de la nature corporelle ; car l'âme n'a pas son principe dans la terre pour qu'elle puisse se dissoudre en elle, comme le soutiennent ceux qui prétendent qu'elle est corruptible.

Puisque, dans les pages précédentes[1], nous avons interprété allégoriquement le paradis comme un lieu divin, séjour des puissances bienheureuses, il nous faut donner à l'histoire de l'homme et de la femme un sens correspondant. Nous trouvons donc ici chez le bienheureux Paul un principe qui nous conduit au sens anagogique, quand il déclare : « *C'est un grand mystère, je veux dire relativement au Christ et à l'Église.* » L'Église *met des enfants au monde dans les douleurs*, car la vertu suppose de la peine et une *douleur* qui *produit un repentir salutaire qu'on n'a pas à regretter* ; et elle les *met au monde* par le *bain de la régénération.* Avec la vertu va la peine, et avec les plaisirs la facilité, comme le Sauveur l'enseigne : « *Combien est étroite la porte et resserrée la route qui conduisent à la vie* », mais « *large et facile la route qui conduit à la perdition, et nombreux sont ceux qui s'y engagent* ». Quant aux *gémissements*, ils sont loués quand ils ont lieu à cause de la vertu : « *<Passe au milieu de Jérusalem et fais une marque au front> des hommes qui soupirent <et souffrent à cause de toutes les iniquités qui s'y commettent>* ». Enfin, l'Église est *tournée* vers son époux, le Christ, et elle est sous sa *domination*, afin que les enfants de la vertu enfantés par elle, selon les préceptes du Christ, reçoivent de lui leur **103** accomplissement ; / Paul dit en effet : « *Je vous ai unis à un seul époux, le Christ, comme une vierge pure à présenter*

102, 11-26 Proc. 212 D 9 - 213 A 9 ; Devr. 168

102, 1. Dans les pages manquantes 77-80.

[**103**] *<παρθένον ἁγνὴν> παρα|στῆσαι τῷ Χριστῷ.* » Μακαρία
γάρ ἐστιν ἡ ἐκκλησία, ὅτε ὑπὸ Χριστοῦ π[ε]|[3]ριέχεται, καὶ
ἑκάστη δὲ γυνὴ ὑπὸ τελείου καὶ σπουδαίου καὶ σῴ|ζοντος
τὸ καθῆκον τοῦ ἄρχειν μακαρία. Μὴ γάρ τις τὰς διεστραμ-
5 |[5]μένας συμβιώσεις παραλαμβάνων ψευδοποιεῖν πειράσθω
τὸ | ῥητόν · οὐδὲ γὰρ περὶ τῶν τοιούτων τῷ λόγῳ τῷ
θείῳ πεφρόντισται, |[7] καὶ τοῦτο διδάσκων ὁ Παῦλος παραινεῖ
λέγων · « *** | *ὥσπερ καὶ ὁ Χριστὸς τὴν ἐκκλησίαν* »,
ὅπερ ἐστὶν ἀπαθῶς.

Τὰ δὲ περὶ |[9] τῆς ἐντολῆς περιεχούσης ὡς οὐ δεῖ μόνου
10 τοῦ ἀπηγορευμένου | φαγεῖν ἐν τοῖς πρὸ τούτων αὐτάρκως
σαφηνισθέντα νῦν παρεα|[11]τέον, τοῦτο μόνον καὶ νῦν ἐπισημειώμενος,
ὡς ὅτι τῆς φωνῆς | ἀκούσας τῆς γυναικὸς ὁ
Ἀδὰμ οὐ προηγουμένως ἥμαρτεν, ἀλ|[13]λ' ἠκολούθησεν
αὐτῇ, δι' ἣν καὶ τὰ εἰρημένα ὑφίσταται · « *Ἐπικα|τάρατος* »
γάρ φησιν « *ἡ γῆ ἐν τοῖς ἔργοις σου.* » ***
15 |[15] « *Ἀκάνθας καὶ τριβόλους ἀνατελεῖ σοι* ». Τί γὰρ ἐκ
τῆς τοῦ σώματος | ἀκολουθίας οὐκ ἐπώδυνόν ἐστιν, *ἡδονῶν*
τε καὶ *μεριμνῶν* ἐ|[17]ξ αὐτοῦ ἐπιφυομένων ; Ταύτας γὰρ
εἶναι τὰς *ἀκάνθας* ὁ Σωτὴρ ἡρμή|νευσεν, αἵτινες *συμπνίγουσι*
τὸν ὑπὸ Ἰησοῦ βαλλόμενον *σπόρον*, |[19] ἐὰν ὁ δεξάμενος μὴ
20 εἰς *βάθος* τοῦτον ὑποδέξηται, ἀλλὰ καὶ τὸ λε|γόμενον ὡς
« *Γῆ ἡ πιοῦσα τὸν ἐπ' αὐτῆς ἐρχόμενον πολλάκις* |[21] *ὑετὸν
καὶ τίκτουσα βοτάνην εὔθετον ἐκείνοις δι' οὓς καὶ γεωρ|γεῖται,
μεταλαμβάνει εὐλογίας ἀπὸ τοῦ Θεοῦ · ἐκφέρουσα
δὲ ἀκάνθας* |[23] *καὶ τριβόλους, ἀδόκιμος καὶ κατάρας ἐγγύς,*

103, 5 συμβ⟦ε⟧ιωσεις ‖ 6 πεφροντισ⟦θ⟧`τ'αι ‖ 7 λεγων + blanc (15 lettres) ‖ 8 τὰ : το ‖ 9 απηγορευ⟦ο⟧μενου ‖ 11 επισημιωμενος ‖ 14 σου + le reste de la ligne et cinq autres lignes en blanc ‖ 16 αποκολουθειας ‖ 18 συνπνιγουσι⟦ν⟧ ‖ 20 επαυτης (ε refait sur α par P²) ‖ 23 ἐγγύς : επυς

103, 7 Éphés. 5, 25 ‖ 13 Gen. 3, 17 ‖ 14 Gen. 3, 18 ‖ 16 Cf. Lc 8, 14 ‖ 19 Cf. Matth. 13, 6 ‖ Hébr. 6, 7

au Christ. » Bienheureuse est l'Église lorsqu'elle est embrassée par le Christ, et chaque femme aussi est bienheureuse lorsqu'elle est embrassée par un époux parfait, zélé et qui ne lui commande que des choses convenables. Qu'on n'essaie pas en effet de dire des mensonges sur le sens littéral de ce passage, en acceptant que les relations conjugales soient détournées de leur fin[1] : la parole de Dieu n'a pas pour objectif des choses pareilles. C'est ce que Paul enseigne dans cette exhortation : « *<Maris, aimez vos femmes> comme le Christ a aimé l'Église* », c'est-à-dire sans rien de passionnel.

Quant au commandement qui interdisait de manger de l'arbre défendu tout seul, nous l'avons suffisamment expliqué plus haut[2] pour n'avoir pas à y revenir. La seule chose que nous soulignerons une fois de plus, c'est qu'en écoutant la voix de la femme, Adam n'a pas eu comme intention principale de pécher : il n'a fait que suivre la femme; c'est elle la cause de ce qui est dit : « *Maudite soit la terre pour tes travaux.* » ***

« *Elle te produira des épines et des ronces.* » Est-il quelque chose qui soit la conséquence du corps et qui ne cause pas de la douleur, puisque du corps proviennent *plaisirs* et *soucis* ? Le Sauveur a expliqué que ce sont là les *épines* qui *étouffent* la *semence* jetée par Jésus, quand celui qui la reçoit ne la fait pas pénétrer au *fond* de lui-même; c'est aussi le sens de cette autre parole : « *Si une terre boit la pluie qui tombe souvent sur elle et qu'elle produise une herbe utile à ceux pour qui elle est cultivée, elle participe à la bénédiction de Dieu; mais si elle produit des épines et des ronces, elle est réprouvée et près d'être maudite et on finit*

103, 14-19 Proc. 216 A 8-14 ; Devr. 168 || 19 - **104** 3 Proc. 216 A 14 - B 8

103, 1. Qui est la procréation des enfants.
103, 2. Cf. p. 90 s.

104 *ἧς τὸ τέλος εἰς καῦσιν.* » |[1] Ἐὰν οὖν τις διὰ μελέτης ταύτας
(VII, 8) μὲν ἀναβλαστῆσαι μὴ συγχω|ρήσῃ, σχήσει *χόρτον*, ὅ ἐστι
τρόφιμόν τι · *πρῶτον* γὰρ χορτῶδες |[3] ἔσται τὸ φυόμενον,
ὡς καὶ ὁ Σωτὴρ φησιν · « *** | *εἶτεν στάχυν* ». Τοῦτον
5 οὖν τὸν πνευματικὸν |[5] οὐκ ἀμελετήτως οὐδ' ἄτερ πόνου
εὑρήσει ὁ σπουδαῖος. Καὶ γὰρ ἐπιμε|λῶς τῆς καρδίας τῶν
ἀνθρώπων ἐπὶ τὰ κακὰ ἐκκειμένης, δυσθήρα|[7]τος ἡ ἀρετὴ
καὶ κόπῳ λαμβανομένη · « *Διὰ* » γὰρ « *πολλῶν θλίψεών* »
φη|σιν « *δεῖ ὑμᾶς εἰσελθεῖν εἰς τὴν βασιλείαν τῶν οὐρανῶν.* »
Ἀγαθοῦ δ' εἰσ|[9]αγωγικὸν *χόρτον* τέως ἐμφαγεῖν τὰ πρῶτα
10 τῆς ἀρετῆς, | *εἶτεν στάχυν*, ὅτε μεγάλα εἰσαγωγικὰ μαθήματα
τελειότητός |[11] τις ἐπιλαμβάνεται ὡς ἀκοῦσαι · « *Τελείων
δέ ἐστιν ἡ στερεὰ τροφή,* | *τῶν διὰ τὴν ἕξιν τὰ αἰσθητήρια
γεγυμνασμένα ἐχόντων πρὸς* |[13] *διάκρισιν καλοῦ τε καὶ
κακοῦ.* »

Ἐπίμοχθον οὖν ἡ ἀρετή, ὅπου καὶ ἡ | καρδία τῶν ἀνθρώ-
15 πων ἐπιμελῶς ἐπὶ τὸ κακὸν ἔγκειται · διὰ τοῦτο « *πά*|[15]*σας* »
φησὶν « *τὰς ἡμέρας τῆς ζωῆς σου ἐν ἱδρῶτι φαγῇ τὸν ἄρτον*
| *σου* », ὅπερ οὐκ ἂν λεχθείη ἀγγέλοις · εὐκολώτερον γὰρ
παρ' ἐκείνοις |[17] τὰ τῆς ἀρετῆς ἐνεργεῖται.

Οἰκείως δὲ τῇ ἀλληγορίᾳ ἐκλημπτέ|ον καὶ τὸ « *ἕως ἂν
ἀποστρέψῃς εἰς τὴν γῆν ἐξ ἧς ἐλήμφθης* ». Ἀναστὰς |[19] γὰρ
ἐν *πνευματικῷ σώματι* οὐράνιον ἕξεις πολιτεῖαν ἐ[ν] τῇ
20 *γῇ τῶν πραῶν* | γινόμενος · « *Μακάριοι* » γὰρ « *οἱ πραεῖς,
ὅτι αὐτοὶ κληρονομήσουσι τὴν* |[21] *γῆν* », εἰ καὶ ἀντὶ ταύτης
τὴν χέρσον διὰ τὰ ἴδια πταίσματα ἄνθρωπος | ἀντικατηλ-
λάξατο. Παρ' ἑα<υ>τοὺς γὰρ ἢ *γῆ ἐσμεν* ἢ οὐρανὸς γινόμεθα ·
|[23] τοῦτο ὁ σοφὸς Παῦλος παιδεύει λέγων · « *Καὶ καθὼς
ἐφορέσα|μεν τὴν εἰκόνα τοῦ χοϊκοῦ, φορέσομεν καὶ τὴν*

104, 1-2 συνχωρησῃ ‖ 3 εστε ‖ φησιν + le reste de la ligne et la moitié de la suivante en blanc ‖ 9 αρετης + αρετης ‖ 19 ε⟦π⟧ι\`τ'εν ‖ τελιοτητος ‖ 11 τελιων ‖ 17 οικ\`ε'ιως P[2] ‖ 19 εξεις (ξ refait sur ζ par P[2]) ‖ πολιτ\`ε'ιαν P[2] ‖ 20 ⟦με⟧\`αυ'τοι ‖ 21 πτεσματα ‖ 24 χο⟦ε⟧ϊκου

104, 4 Mc 4, 28 ‖ 7 Act. 14, 22 ‖ 11 Hébr. 5, 14 ‖ 15 Gen. 3, 19 ‖ 18 Gen. 3, 19 ‖ 19 Cf. I. Cor. 15, 44 ‖ 20 Matth. 5, 5 ‖ 23 I Cor. 15, 49

104 *par la brûler.* » / Si donc quelqu'un prend soin de ne pas laisser pousser les épines, il aura l'*herbe*, c'est-à-dire quelque chose de comestible. Car ce qui pousse est d'*abord* herbeux, comme le Sauveur le dit : « <*La terre fructifie d'elle-même, elle donne d'abord l'herbe*>, *puis l'épi.* » L'homme vertueux ne trouvera pas cette *herbe* spirituelle sans application et sans peine. Comme le cœur des hommes s'applique délibérément au mal, la vertu est difficile à poursuivre et pénible à saisir : « *Il vous faudra passer par beaucoup de tribulations pour entrer dans le royaume des cieux.* » L'homme bon mange une *herbe* de débutant tant qu'il en est aux premiers exercices de la vertu, puis *l'épi* quand il reçoit les grands enseignements qui introduisent à la perfection et s'entend dire : « *Aux parfaits appartient la nourriture solide, à ceux qui, par l'habitude, ont fini par avoir leurs sens exercés à discerner le bien et le mal.* »

La vertu est donc chose laborieuse, dès lors que le cœur des hommes s'applique délibérément au mal; c'est pourquoi il est dit : « *Tous les jours de ta vie, tu mangeras ton pain à la sueur.* » Cette parole ne pourrait pas être adressée aux anges, car ils ont plus d'inclination à pratiquer la vertu.

Il faut encore interpréter conformément à l'allégorie la parole « *jusqu'à ce que tu retournes à la terre d'où tu as été tiré* ». En ressuscitant *dans un corps spirituel*, tu seras un citoyen du ciel[1] établi dans la *terre des doux*, car « *bienheureux les doux parce qu'ils auront la terre en héritage* », bien que l'homme, par ses propres fautes, ait échangé cette terre-là contre le sol aride d'ici-bas. Il nous appartient en effet, soit d'*être terre*, soit de devenir ciel. Le sage Paul l'enseigne en ces termes : « *De même que nous avons porté l'image du boueux, nous porterons celle du céleste* », et c'est

104, 8-15. 17-20 Proc. 216 B 8 - C 3

104, 1. Cf. pour l'idée *Phil.* 3, 20 cité l. 27.

[104] *εἰκόνα τοῦ ἐπου*|[25]*ρανίου* », ὅπερ ἐν τῇ εὐχῇ λέγειν προστάττονται οἱ μαθηταί· « *Γενη*|*θήτω τὸ θέλημά σου ὡς ἐν οὐρανῷ καὶ ἐπὶ τῆς γῆς.* » Πότε δὲ τοῦτο ἔ|[27]σται, ἢ ὅταν ἄνθρωποι *ἐπὶ* γῆς περιπατοῦντες *ἐν οὐρανῷ* ἔχωσιν | *τὸ πολίτευμα.*

Σημειωτέον δὲ τοῦτο, ὅτι οὐκ, ἐάν τι ἀλληγορῆται, |[29] πάντως ὅλον ἐξομαλίζειν ἀνάγκη· εἴλημπται γὰρ διά
30 τί τὸ ῥητὸν | οἰκεῖον πρὸς ἀλληγορίαν, τούτου δὲ νοουμένου,
105 οὐκ ἀνάγκη καὶ τὰ πάντα |[1] δέχεσθαι πρὸς ἀναγωγήν, οἷον
(VII, 9) ὡς ἐπὶ τοῦ « *οὐ φιμώσεις βοῦν ἀ*|*λοῶντα* », ὅπερ διὰ τὸ προσήκειν ἐπιγιγνώσκειν τὸν διδάσκαλον |[3] καὶ τοὺς πόνους οὓς πονεῖ ὑπὲρ τῶν παιδευομένων εἴρηται· οὐ|κ ἀνάγκη δὲ λέγειν εἰ δίκερως ὁ βοῦς καὶ ταῦτα εἰς τί ἀνάγεται·
5 |[5] οὐ γὰρ διὰ τοῦτο παρείλημπται. Ταῦτα δὲ εἴρηται ἵνα μή τις, εἰς Χριστὸν | ἀναγομένου τοῦ Ἀδάμ, πάντα ἀπαιτήσῃ περὶ Χριστοῦ τὰ περὶ τοῦ Ἀδὰμ |[7] ὅλα τὰ οἰκεῖα. Καὶ γὰρ αὐτὸς *κατάρα* ὑπὲρ τῆς ἀνθρωπότητος *γέ*|*γονεν*, σύμβολον ἐχούσης τῆς ἐκκλησίας, ἥτις ἦν ἡ γυνή, ἵνα διὰ |[9] τοῦ κόπου αὐτοῦ καὶ τῆς *κενώσεως ζωὴ* γένηται τοῖς ἀποσφα-
10 λεῖ|σιν· « *Τὸν* » γὰρ « *μὴ γνόντα ἁμαρτίαν ὑπὲρ ἡμῶν ἁμαρτίαν ἐποίησεν*, |[11] *ἵνα ἡμεῖς γενώμεθα δικαιοσύνη Θεοῦ ἐν αὐτῷ.* » *Ἁμαρτία* δὲ οὐ κα|θάπαξ ἐστίν, ἢ γὰρ ἂν οὐκ ἦν ποιητικὴ *δικαιοσύνης*. Καὶ γὰρ *κατάρα* |[13] δὲ γέγονεν, ἵν' ἡμεῖς *εὐλογίαν* σχῶμεν· καὶ ὥσπερ *οὐχ ὁ Ἀδὰμ* | *ἠπατήθη*, ἀλλὰ τῆς *γυναικὸς ἐξαπατηθείσης* ἠκολού-
15 θησεν, οὔ|[15]τω, τῆς ἀνθρωπότητος σφαλείσης, « *ἐκένωσεν ἑαυτὸν μορφὴν δούλου* | *λαβών* ». Εἰ γὰρ μὴ παραβὰν ἐτύγχανε τὸ γένος, οὐδὲ τοῦ θεραπεύ|[17]σοντος ἔχρῃζον,

104, 28 σημιωτεον || τι⟦ς⟧ || 29 ⟦αλ⟧`ο΄λον || 30 οικιον || **105,** 1 ⟦κη⟧-`φι΄μωσεις P² || 3 οὓς : ⟦τ⟧ους || 5 παρ`ε΄ιλημπται P² || 7 οικ`ε΄ια P² || 8 γυνη (υ refait sur ι) || 9-10 αποσφαλισιν || 10 γνο⟦υ⟧ντα || 13 ἵν : ην || 15 ανθρωποτης (ς transformé en `τ΄ο`ς΄ par P²) || σφαλισης

104, 25 Matth. 6, 10 || 27 Phil. 3, 20 || **105,** 1 Deut. 25, 4 ; I Cor. 9, 9-10 || 7 Gal. 3, 13 || 9 Cf. Phil. 2, 7 || Cf. Jn 11, 25 ; 14, 6 || 10 II

ce que les disciples ont reçu l'ordre de dire dans la prière : « *Que ta volonté soit faite sur la terre comme au ciel* ! » Quand cette demande se réalisera-t-elle, sinon quand les hommes, tout en marchant sur la terre, *seront citoyens du ciel* ?

Mais une remarque est à faire. Quand nous expliquons une chose par l'allégorie, il ne faut pas forcément la traiter tout entière de cette façon; on a saisi sur quel point la lettre se prête à l'allégorie, mais, une fois ce point **105** compris, il n'est pas nécessaire de tout / interpréter allégoriquement. Prenons par exemple le verset : « *Tu ne musellleras pas le bœuf qui foule le grain* » : il signifie qu'il faut reconnaître la peine qu'un maître prend pour ses disciples, mais il n'est pas nécessaire de dire si le bœuf a deux cornes et à quoi elles peuvent se rapporter dans l'anagogie, car ce n'est pas pour les cornes que cette parole a été prise. Je dis cela pour qu'on ne cherche pas, sous prétexte qu'Adam est rapporté au Christ, à interpréter en totalité du Christ tout ce qui concerne Adam et lui est propre. Le Christ s'est fait *malédiction* en faveur de l'humanité, qui est le symbole de l'Église, laquelle était la femme, afin que par les souffrances et l'*anéantissement* qu'il a subis, il devienne *vie* pour ceux qui sont tombés, car « *Celui qui n'a point connu le péché, Dieu l'a fait devenir péché pour nous, afin que nous devenions en lui justice de Dieu* »; mais il n'est pas *péché* une fois pour toutes, car le péché n'aurait pas pu être facteur de *justice*. S'il est devenu *malédiction*, c'est pour que nous autres, nous ayons la bénédiction. De même qu'*Adam n'a pas été trompé*, mais qu'il a suivi *la femme qui avait été séduite*, de même, parce que l'humanité était tombée, le Christ « *s'est anéanti en prenant la forme d'esclave* »; si le genre humain n'avait pas failli il n'aurait pas eu besoin d'un

Cor. 5, 21 ‖ 12 Gal. 3, 13 ‖ 13 Cf. Gal. 3, 14 ‖ 13-14 I Tim. 2, 14 ‖ 15 Phil. 2, 7

[105] τραύματος μὴ γεγενημένου, ὃ τὴν ἐν ἀν|θρώποις ἐπιδημίαν ἐξεκάλειτο.

|[19] **III, 20. Καὶ ἐκάλεσεν Ἀδ[ὰ]μ τὸ ὄνομα τῆς γυναικὸς**
10 **αὐτοῦ Ζωή, ὅτι αὕτη μή|τηρ πάντων τῶν ζώντων.**

|[21] Συνέσει κινούμενος προμηθεστάτῃ ὁ Ἀδάμ, ἐπιστάμενος | ὅτι ἔξω τοῦ παραδείσου διὰ τὴν παράβασιν ἔσονται, προανα|[23]φωνεῖ τὸ μέλλον *Ζωὴν* καλῶν τὴν γυναῖκα, « *ὅτι αὕτη μήτηρ* | *πάντων* » ἔσται « *τῶν ζώντων* ». Ἐξ αὐτῆς
25 γὰρ ἅπασα ἡ διαδοχὴ |[25] γέγονεν, οὐ δεῖ δὲ προσυπακούειν ὅτι καὶ τῶν ἀλόγων. Οὐ γάρ, | ἐὰν καθόλου τι λέγηται, προσπαραλαμβάνειν καὶ τὰ μὴ πε|[27]φυκότα προσήκ[ε]ι. Οὐ γάρ, ἐὰν φάσκῃ τὸ λόγιον · « *Ἐκχέω ἀπὸ τοῦ* | *πνεύματός μου ἐπὶ πᾶσαν σάρκα* », καὶ τὴν τῶν ἀλόγων προσλαβεῖν ἀκό|[29]λουθον · οὐδ' ἂν λέγῃ πάλιν · « *Καὶ ὄψεται πᾶσα*
30 *σὰρξ τὸ σωτήριον* | *τοῦ Θεοῦ ἡμῶν* », προσυπακούειν τοῦτο καὶ περὶ τῆς σαρκὸς τῶν |[31] ἀλόγων ἁρμόζει. Οὕτω καὶ νῦν *πάντων τῶν ζώντων μήτηρ* | ἡ Εὔα, τῶν πεφυκότων δηλονότι μητέρα αὐτὴν ἔχειν ἀνθρώπων.

106 (VII,10) |[1] Εἰ δὲ καὶ ἐπὶ τὴν ἐκκλησίαν αὕτη ἀνάγοιτο, τίς ἂν ἄλλη εἴη *μήτηρ* | *τῶν ζώντων* κατὰ τὴν ζωὴν τὸν Κύριον ἡμῶν Ἰησοῦν Χριστὸν λέγοντα · « *Ἐγώ* |[3] *εἰμι ἡ Ζωή* », ἢ ἡ ἐκκλησία, ἥτις ἀπ' αὐτοῦ ὡς ἀπὸ πηγῆς τὴν ζωὴν | ἔχει, ἐξ ἧς καὶ οἱ ἀπογεγραμμένοι ἐν αὐτῇ, *πρωτοτόκων ἐκκλη-*
5 |[5]*σίᾳ* τυγχανούσῃ, ζωῆς θείας μετέχουσιν. Δῆλον δὲ ὅτι, εἰ αὕτη | μήτηρ, καὶ ὁ Χριστὸς πατὴρ τῶν πιστευόντων ὑπάρχει, « *ἐξ οὗ πᾶσα* |[7] *πατριὰ ἐν οὐρανοῖς καὶ ἐπὶ γῆς ὀνομάζεται* ».

| **III, 21. Καὶ ἐποίησεν Κύριος ὁ Θεὸς τῷ Ἀδὰμ καὶ τῇ γυναικὶ αὐτοῦ κιτῶνας δερ|[9]ματίνους καὶ ἐνέδυσεν αὐτούς.**

105, 20 των+των ‖ 21 κεινουμενος ‖ 26 ⟦θει⟧εαν ‖ 31 ζ⟦ω⟧ωντων ‖ **106,** 3 εκλησια ‖ 8 γυν⟦ε⟧`αι´κι

105, 27 Joël 2, 28 ‖ 29 Is. 40, 5 ‖ **106,** 2 Cf. Jn 11, 25 ; 14, 6 ‖ 4 Cf. Hébr. 12, 23 ‖ 6 Éphés. 3, 15

guérisseur, puisqu'il n'y aurait pas eu de blessure réclamant sa venue parmi les hommes.

III, 20. **Et Adam donna à sa femme le nom de Vie, parce qu'elle serait la mère de tous les vivants.**

Mû par une intelligence très clairvoyante, Adam, qui savait que sa femme et lui seraient chassés du paradis à cause de leur transgression, annonce l'avenir en appelant sa femme *Vie, parce qu'elle sera la mère de tous les vivants.* C'est d'elle en effet qu'est sortie toute la descendance. Mais il ne faut pas sous-entendre qu'elle est aussi la mère des animaux. Ce n'est pas parce qu'une affirmation est générale qu'il faut l'appliquer aux êtres qui lui sont par nature étrangers. Ainsi ce n'est pas parce qu'un verset dit : « *Je répandrai de mon esprit sur toute chair* » qu'il faut l'appliquer aussi aux animaux; et quand l'Écriture dit encore : « *Et toute chair verra le salut de notre Dieu* », il ne convient pas de sous-entendre que cela concerne aussi la chair des animaux. De même, dans le présent passage Ève est *la mère de tous les vivants*, de ceux évidemment qui sont de nature à l'avoir pour mère, c'est-à-dire des hommes.

106 / Dans le sens anagogique, si l'on rapporte la femme à l'Église, qui donc peut être la *mère des vivants* selon la *Vie* qu'est notre Seigneur Jésus-Christ — « *Je suis la vie* », dit-il —, sinon l'Église qui reçoit la vie de lui comme d'une source et qui donne à son tour, à ceux qui sont inscrits chez elle, *Église des premiers-nés*, de participer à la vie divine ? Et si elle est la mère des croyants, le Christ est évidemment leur père, « *de qui vient toute paternité dans les cieux et sur terre* ».

III, 21. **Le Seigneur Dieu fit à Adam et à sa femme des tuniques de peau et les en revêtit.**

105, 31 - **106,** 5 Proc. 217 D 6 - 220 A 2

[106] 10 | Καταλλήλως τῇ μελλούσῃ πάντων ἔσεσθαι μητρὶ μετὰ τοῦ |[11] ἀνδρὸς εἰς τοῦτο συμβαλλομένου οἱ *δερμάτινοι κιτῶνες* | γίνονται, οὓς οὐκ ἂν ἑτέρους τις τῶν σωμάτων εἴποι. Εἰ γὰρ |[13] καὶ οἱ φιλίστορες ἐκ δερμάτων κιτῶνας τὸν Θεὸν πεποιηκέ|ναι οἰήσονται, τί πρόσκειται καὶ τὸ
15 « *ἐνέδυσεν αὐτούς* », δι' ἑ|[15]αυτῶν τοῦτο ποιῆσαι δυναμένων ; Οὐ γὰρ ἀνεννόητοι ἐ|τύγχανον σκεπασμάτων, οἵ γε ῥάψαντε[ς] ἑαυτοῖς ἐκ φύλ|[17]λων περιζώματα. Ὅτι δὲ πολλαχοῦ τῶν θ[εί]ων παιδευμάτων | τὸ σῶμα *δέρμα* καλεῖται, ἔστιν εὑρεῖν. Ἰὼ[β] γὰρ ὁ μακάριός |[19] φησιν · « *Οἶδα γὰρ*
20 *ὅτι ἀέναός ἐστιν ὁ ἐκλύειν με μέλλων* · | *ἐπὶ γῆς ἀναστῆσαι τὸ δέρμα μου τὸ ἀναντλοῦν ταῦτα* », παν|[21]τὶ δέ τῳ σαφὲς ὡς ταῦτα περὶ τοῦ σώματος ἑαυτοῦ ὁ Ἰὼβ ἔ|φασκεν · Καὶ πάλιν ὁ αὐτὸς περὶ ἑαυτοῦ τοιαῦτά φησιν · |[23] « *Δέρμα καὶ κρέας με ἐνέδυσας, ὀστέοις δὲ καὶ νεύροις με ἐνεί|ρας.* »
25 Σαφὲς γὰρ καὶ ἀριδηλότατον δεῖγμα τοῦ τοὺς *δερματί|*[25]*νους κιτῶνας* εἶναι τὸ σῶμα, ὅτι καὶ τοῦ *ἐνέδυσας* μνημο|νεύει ὁ Ἰώβ, ὅπερ καὶ ἐπὶ τῶν πρωτοπλάστων εἴρηται.

Εὖ δὲ |[27] καὶ τὰ τῆς παρατηρήσεως ἔχει · δυναμένου γὰρ λεχθῆναι ὡς ʽἐποίη|σεν ὁ Θεὸς ἀμφοτέροις κιτῶνας δερματίνουςʼ, οὐκ οὕτω δ' εἴρηται, |[29] ἀλλὰ « *ἐποίησεν ὁ Θεὸς τῷ Ἀδὰμ καὶ τῇ γυναικ[ὶ] αὐτοῦ κιτῶνας* ».

107 (VII,11) |[1] Δῆλον γὰρ ὅτι διάφοροι χαρακτῆρες ἄρρενος καὶ θήλεος καὶ | ἰδιοσυγκρισίαι ἑτέραι καὶ ἕτερα πλεῖστα, καθὰ ὁ μὲν ἀνδρὸς |[3] χώραν, ἡ δὲ γυναικὸς ἐπέχουσα τῆς διαδοχῆς εἰσιν ἀρχή.

| Πρότερον μὲν οὖν *κατ' εἰκόνα* ὁ ἄνθρωπος γεγενῆσθαι
5 εἴρηται, |[5] ὅπερ δηλοῖ τὸ ἄϋλον · ἐπειδὴ δὲ καὶ ἐν ἑτέρᾳ

106, 10 μητρ⟦ε⟧ι ‖ 11 κειτονες ‖ 12 ⟦ο⟧ʽειʼ ‖ 16 ʽσυʼραψαντες ‖ 19 εκλ⟦η⟧ʽυʼεịν ‖ μ⟦α⟧ʽεʼ ‖ 23 δερμα⟦τα⟧ ‖ 24-25 δερματινουʽςʼ ‖ 26 πρ⟦ο⟧ʽωʼτοπλαστων ‖ **107,** 2 πλιστα ‖ ʽοʼ

106, 19 Job 19, 25-26 ‖ 23 Job 10, 11 ‖ 29 Gen. 3, 21 ‖ **107,** 4 Gen. 1, 27

106, 1. Le papyrus met le point en haut après μέλλων.
107, 1. Cf. p. 56-57, et dans les pages manquantes 77-80 (d'après

Il était approprié de faire à celle qui devait être la mère de tous, et à son époux qui y contribue, des *tuniques de peau* dans lesquelles on ne peut pas voir autre chose que les corps. Si les partisans de l'interprétation historique pensent que Dieu leur fit des tuniques avec des peaux, pourquoi donc le texte ajoute-t-il « *et il les en revêtit* », alors qu'ils pouvaient faire cela eux-mêmes ? car ils n'étaient pas inexperts en vêtements puisqu'ils s'étaient cousu des ceintures avec des feuilles. Mais on peut trouver de nombreux passages des Enseignements divins où le corps est appelé *peau*. Ainsi Job le bienheureux dit : « *Je sais qu'il est éternel, celui qui va me délivrer*[1] *; puisse-t-il ressusciter sur terre ma peau qui a souffert tout cela jusqu'à épuisement* »; il est clair pour tous qu'il parlait de son corps. Le même Job dit encore au sujet de lui-même : « *Tu m'as revêtu de peau et de chair, tu m'as tissé d'os et de muscles.* » La preuve claire et lumineuse que les *tuniques de peau* sont le corps, c'est que Job emploie ici le même verbe : « *Tu m'as revêtu* » que notre passage sur Adam et Ève.

Les détails intentionnels sont eux-mêmes intéressants. Alors qu'on pouvait dire : ' Dieu leur fit à tous deux des tuniques de peau ', ce n'est pas cette formule qui est employée; mais : « *Dieu fit des tuniques à Adam et à sa* **107** *femme* », / car évidemment les deux sexes sont différents dans leurs caractères naturels, leur constitution et maintes autres choses, qui font que l'un tient dans la génération le rôle de l'homme et l'autre le rôle de la femme.

Il était dit plus haut que l'homme fut fait *à l'image*, pour indiquer qu'il était immatériel[1]; mais quand il fut mis

p. 118, 14). Adam et Ève avaient donc un corps semblable au corps des ressuscités, dit « spirituel » par S. Paul, *I Cor.* 15, 44, et qui est assimilé ici par Didyme au corps astral des philosophes, cf. E. R. DODDS, *Proclus. The Elements of theology*, Oxford 1963[2], p. 313-321. Cette assimilation avec le corps astral vient d'Origène ; cf. *C. Cels.* II, 60-61.

[107] καταστάσει γεγέ|νηται ὡς δεῖσθαί τινος ᾧ χρήσεται, ἐδέησεν αὐτῷ ὀργα|[7]νικοῦ σώματος, νῦν δὲ καὶ *δερμάτινοι* γίνονται. Τούτων | παραστατικόν ἐστιν τὸ λεγόμενον· « *Φθαρτὸν γὰρ σῶμα βα*|[9]*ρύνει ψυχήν* », τοῦ *φθαρτοῦ*
10 *σώματος* δηλοῦντος τὸ παχὺ | τοῦτο, εἶθ' ἑξῆς « *[κ]αὶ βρίθει τὸ γεῶδες σκῆνος νοῦν πολυ*|[11]*φροντίδα* », γεῶδες σκῆνος λέγων ᾧ κέχρηται ἡ ψυχὴ | ἀπαλλαττομένη τοῦδε τοῦ σώματος πρὸς τὰς μεταβατι|[13]κὰς ἑαυτῆς κ[ι]νήσεις, ὅπερ μέσον ἐστὶ συνάπτον τὴν νοερὰν | οὐσίαν πρὸς τὸ
15 [π]αχύ· τοῦτο τὴν *ψυχὴν* βαρεῖ, τοῦ *σκήνους* οὐ |[15] τὴν ψυχὴν ἀλλ[ὰ] τὸν *νοῦν βρίθοντος*. Τοῦτο καὶ ὁ ἀπόστολος | διδάσκει λέγων· « *[Ο]ἴδαμεν ὅτι ἐὰν ἡ ‹ἐ›πίγειος ἡμῶν οἰκία τοῦ σκή*|[17]*νους καταλύθῃ* | *οἰκοδ[ομ]ὴν ἐκ Θεο[ῦ ἔ]χομεν, οἰκίαν ἀχειροποίητον αἰώνιον ἐν τοῖς* |[19] *οὐρανοῖς· καὶ γὰρ οἱ [ὄ]ντες ἐν τῷ σκήνει στενάζομεν* »·
20 *οἰκίαν* γὰρ *σκή*|*νους* λέγων φαν[ε]ρῶς διδάσκει τὰ προειρημένα.

Ζητήσειεν ἄν |[21] τις, εἰ ὁ παράδεισος χωρίον ἐστὶν ὑπεραναβεβηκός, πῶς ἐκεῖ ἐν|διδύσκονται καὶ οὕτως ἐκβάλλονται· πρὸς ὃ λεκτέον ὅτι οὐχ ὡς |[23] ἔχει τὰ τῆς προφ[ορ]ᾶς, οὕτως καὶ τὰ πράγματα. Ἐν γὰρ τοῖς ἅμα γι|νομένοις
25 πολλά[κι]ς ἁρμόζει τὸ μὲν πρότερον, τὸ δ' ὕστερον |[25] λεχθῆναι, οὐχ ἵ[ν]α, ὡς ἔχει τὰ τῆς προφορᾶς, καὶ τὰ πράγματα | ἔχῃ. Τούτου τοῦ [εἴ]δους ἐστὶν τὸ ἐν τῇ προφητείᾳ λεγόμενον |[27] οὕτως· « *Ἰδοὺ Κύριος κά[θ]ηται ἐπὶ κούφης νεφέλης, καὶ ἥξει εἰς Αἴγυ*|*πτον, καὶ σεισθήσετ[α]ι τὰ χειροποίητα Αἰγύπτου* »· οὐ γὰρ ἀπ' οὐρανοῦ |[29] τὸ σῶμα κεκομι[κ]έναι
108 τὸν Κύριον φρονητέον, ἵν' οὕτως ἐπ' αὐτοῦ |[1] ὀχούμενος ἐπὶ
(VII,12) τὴν Αἴγυπτον τὸν περίγειον ἔλθῃ τόπον, ἀλλ' ἅ|μα τε

107, 5 κατασταс`ε'ι $P^2$ || 10 ειτ' || γεωσδες || 13 κε[.]νησεις || 16 ἐπίγειος : πιγιος || 17 καταλυθη + blanc (30 lettres) || 18 αχιροποιητον || 19 στενοζομεν || 21 εἰ ὁ : ε⟦ν⟧`ιο' || 28 σισθησετ[.]ι || 29 ⟦ε⟧ϊν || **108,** 1 περιγιον

107, 8 Sag. 9, 15 || 16 II Cor. 5, 1 || 27 Is. 19, 1

dans un autre état où il avait besoin d'un instrument pour agir, il lui fallut un corps qui remplît cette fonction : alors Adam et Ève devinrent *de peau*. C'est à cela que se rapporte la parole : « *Un corps corruptible alourdit l'âme* » — le *corps corruptible* désigne le corps dense d'ici-bas —, et la suite : « *et la tente de terre appesantit l'intelligence chargée de soucis* »; cette *tente de terre* désigne ce qui sert à l'âme pour se mouvoir et passer d'un lieu à un autre quand elle est affranchie du corps présent; c'est un intermédiaire qui unit la substance intellectuelle au corps dense. Ce dernier alourdit l'âme; la *tente*, elle, *n'appesantit* pas l'âme mais *l'intelligence*. L'apôtre aussi l'enseigne : « *Nous savons que si la tente qui nous sert de maison terrestre est détruite, nous avons une demeure qui vient de Dieu, qui n'est pas faite de main d'homme, mais qui est éternelle dans les cieux. Car nous gémissons d'être sous la tente* »; en parlant d'une *tente qui nous sert de maison*, il enseigne manifestement ce que je viens d'expliquer.

On se demandera sans doute : si le paradis est un lieu suréminent, comment Adam et Ève peuvent-ils y être vêtus et en être ensuite chassés[2] ? Il faut répondre que la réalité n'est pas comme l'énoncé : lorsque des faits sont simultanés, il convient souvent que l'un soit exposé le premier et l'autre ensuite, sans qu'on veuille dire que la réalité est comme dans l'énoncé. On trouve dans les prophéties une phrase du même genre : « *Voici, le Seigneur siège sur une nuée légère, il viendra en Égypte et les idoles d'Égypte seront ébranlées.* » Il ne faut pas penser que le Seigneur a amené son corps du ciel pour qu'ensuite, porté **108** par lui, / il vienne en Égypte, lieu terrestre; en même temps qu'il prenait un corps, il était en Égypte. Mais

107, 2. La difficulté était la suivante : puisqu'il ne peut pas y avoir de corps dense au paradis, Adam et Ève n'ont pas pu recevoir le leur avant d'en être chassés, comme semble le supposer l'Écriture. La réponse consiste à dire que c'est en même temps qu'ils ont reçu un corps dense et qu'ils ont été chassés.

[108] σῶμα ἔλαβεν εἰς Αἴγυπτον ἦν, τάξεως δὲ οὐ συγχε|[3]ούσης τὰ πράγματα χάριν εἴρηται. Ὡς οὖν ἐπὶ τοῦ Σωτῆρος οὔ φαμεν | ὅτι προκαθίσας ἐπὶ τῆς κούφης νεφέλης ἦλθεν εἰς
5 τὸν κόσ|[5]μον, ἀλλὰ ταῦτα ἅμα λέγομεν, καὶ ἐνταῦθα οὔ φαμεν ὅτι ἐν τῷ | παραδείσῳ ἔσχον τὰ παχέα σώματα καὶ οὕτω ἐκβέβληνται · |[7] οὐχ οἷόν τε γὰρ μετὰ σώματος ἐκεῖ τοιούτου διάγειν. Ἀμέλει | γοῦν τὸν λῃστὴν γυμνῇ τῇ ψυχῇ εἰς τὸν παράδεισον εἰσήγα|[9]γεν λέγων αὐτῷ · « *Σήμερον*
10 *μετ' ἐμοῦ ἔσῃ ἐν τῷ παραδείσῳ* » — καὶ | γὰρ τὸ αὐτοῦ σῶμα ἐν τῷ ἰκρίῳ ἔμεινεν, ἕως |[11] καὶ τῇ γῇ παρεδόθη — ἅμα καὶ ὁ ἀκούσας · « *Σὺ ἀποσφράγισμα ὁ|μοιώσεως καὶ στέφανος κάλλους ἐν τῇ τρυφῇ τοῦ* |[13] *παραδείσου* », οὐκ ἐγενήθη ὅμοιός σοι δεικνύμενος ἐκεῖσε δι|άγειν. Διὰ τούτων
15 παρίστησιν ὡς παχέα σώ[μ]ατα ἐν αὐτῷ δια|[15]τρίβειν οὐχ οἷά τε ἦν.

| **III, 22. Καὶ εἶπεν ὁ Θεός. Ἰδοὺ Ἀδὰμ γέγονεν ὡς εἷς ἐξ ἡμῶ[ν] τοῦ γιγνώσκειν |[17] καλὸν καὶ πονηρόν ; καὶ νῦν μή ποτε ἐκτείν[ῃ τ]ὴν χεῖρα καὶ λάβῃ | τοῦ ξύλου τῆς ζωῆς καὶ φάγῃ καὶ ζήσετ[αι εἰ]ς τὸν αἰ[ῶνα].**

|[19] Οἱ πολλοὶ ὡς χλευαστικῶς εἰρηκότα τὸ ῥῆ[μ]α τοῦτο
20 τῷ Ἀδὰμ | τὸν Θεὸν ἐκλαμβάνουσιν, ἀνάρμοστόν τι τῷ [Θ]εῷ λέγοντες. Οὐ γὰρ |[21] οἰκεῖον σπουδαίῳ ἀνθρώπῳ ἐπεμβαίνειν πτώματί τινος, μή τί γε | δὴ τῷ Θεῷ. Ἐπεὶ γάρ, φησίν, ὁ ὄφις τοῦτο κατεπαγγείλατο τῇ γυ|[23]ναικὶ λέγων · « *Ἤδει γὰρ ὁ Θεὸς ὅτι, ᾗ δ' ἂν ἡμέρ[α] φάγητε*

108, 2-3 συνχεουσης ‖ 4 προκαθ⟦ε⟧ισας ‖ 6 ε`σ´χον ‖ 7 οιονται ‖ 10 ⟦αυ⟧αυτου ‖ εμ`ε´ινεν ‖ εως + blanc (12 lettres) ‖ 11 γη + ο exponctué ‖ 13 εκεισαι ‖ 17 εκτ`ε´ιν[.] ‖ 19 χλ⟦α⟧`ε´υαστικως ‖ 21 οικιον ‖ σπουδαιω (ω ajouté par P²) ‖ 23 φαγηται

108, 9 Lc 23, 43 ‖ 11 Éz. 28, 12 ‖ 23 Gen. 3, 5

108, 1. L'expression biblique εἷς ἐξ ἡμῶν peut s'entendre théoriquement de deux façons : « comme l'un d'entre nous » ou « comme un

l'Écriture s'exprime ainsi par souci d'ordre, pour ne pas confondre les choses. De même donc que nous ne disons pas du Sauveur qu'après s'être assis sur la nuée légère il est venu dans le monde, mais que ces choses sont simultanées, de même ici, nous ne disons pas qu'Adam et Ève avaient dans le paradis des corps denses et qu'ils ont été chassés ensuite. Car il n'est pas possible d'être dans le paradis avec un corps de cette sorte. De fait, le Sauveur a fait entrer le larron au paradis l'âme nue, en lui disant : « *Aujourd'hui, tu seras avec moi dans le paradis* » — le corps du larron est resté, en effet, sur le gibet jusqu'à ce qu'il soit mis en terre —, tu y seras en même temps que celui à qui s'adresse cette autre parole de l'Écriture : « *C'est toi le sceau de la ressemblance et la couronne de beauté dans les délices du paradis* »; il n'y a eu personne de semblable à toi dont on signale qu'il vive là-bas. L'Écriture montre par ces paroles que les corps denses ne pouvaient pas séjourner dans le paradis.

III, 22. **Et Dieu dit : Voici qu'Adam est devenu, par la connaissance du bien et du mal, comme un qui est sorti d'entre nous. Maintenant, empêchons qu'il étende la main, qu'il prenne de l'arbre de vie et en mange, de manière à vivre pour toujours.**

La plupart des gens comprennent que Dieu a dit cette parole à Adam sur le mode ironique, mais ce qu'ils affirment là est inconvenant pour Dieu[1]. Se moquer de la chute de quelqu'un est indigne d'un homme zélé : serait-ce digne de Dieu ? Puisque le serpent, disent-ils, l'avait annoncé à la femme en lui disant : « *Dieu savait que, le jour où vous en mangerez, vos yeux s'ouvriront et*

qui est sorti d'entre nous ». Les gens qui adoptent la première interprétation sont obligés de dire que cette parole est ironique. Didyme, qui pense que l'ironie n'est pas digne de Dieu, adopte la seconde.

[108] *ἀπ' αὐτοῦ,* | *διανοιχθήσονται ὑμῶν οἱ ὀφθαλμοὶ καὶ ἔ[σε]σθε*
25 *ὡς θεοὶ γιγνώ*|[25]*σκοντες καλὸν καὶ πονηρόν* », ὁ Θεὸς εἶπεν τῷ Ἀδὰμ παραβάντι · *Ἰδοὺ* | *Ἀδὰμ ὡς ἡμεῖς γέγονεν,* εἰρωνευόμενος α[ὐ]τόν.

Ἀπάγοντες οὖν |[27] ἡμεῖς καὶ ἐξορίζοντες τὴν τοιαύτην
109 ἔνν[οι]αν ἀπὸ τοῦ Θεοῦ οἰ|[1]κείως τῷ βουλήματι τῆς θεοπνεύ-
(VII,13) στου γραφῆς ἐκλάβωμεν καὶ | τὸ προκείμενον. Ὁ διάβολος οὐ φύσει κακὸς ἢ κατ' οὐσίαν ἐστίν, |[3] ἀλλὰ καλὸς καὶ ἀγαθὸς γέγονεν, κατ' ἰδίαν τε μεταβολὴν τρα|πεὶς γέγονεν
5 διάβολος καὶ σατανᾶς καὶ πονηρός · τότε δὲ |[5] ἀγαθὸς καὶ καλὸς ἦν, ὅτε τοῦ τάγματος ἐτύγχανε τῶν ἀγγέ|λων, ἐξ αὐτῶν δὲ ἀπέστη ῥιφεὶς ἐπὶ γῆς διὰ τὴν ὑπερηφανίαν, |[7] ἣν ἑαυτῷ ἐπενόησεν. Οὐκ εἶπεν οὖν τῷ Ἀδάμ · Ἰδοῦ γέγονας ὡς | εἷς ἡμῶν, ἀλλ' « *ὡς εἷς ἐξ ἡμῶν* » · ἐκ γὰρ τῶν οὐρανίων ὁ εἷς οὗτος |[9] ἐξέπεσεν, καθὰ καὶ ὁ ψαλμῳδὸς
10 διδάσκει λέγων · « *Ἐγὼ εἶπα · θε*|*οί ἐστε καὶ υἱο[ὶ Ὑ]ψίστου πάντες, ὑμεῖς δὲ δὴ ὡς ἄνθρωποι ἀποθνῄ*|[11]*σκετε καὶ ὡς εἷς τῶν ἀρχόντων πίπτετε.* » Καὶ γὰρ ἐκεῖνος *ἄρχων* | καὶ *θεός*, οὐ κατ' οὐσίαν, ἀλλὰ κατὰ θεοποίησιν, ἐξέπεσεν ὡς κἀ|[13]κεῖνοι περὶ ὧν ε[ἴ]ρηται · « *Υἱοὺς ἐγέννησα καὶ ὕψωσα, αὐτοὶ δέ* | *με ἠθέτησαν.* »

[Εἰ]πὼν δὲ « *Ἰδοὺ γέγονεν Ἀδὰμ ὡς εἷς ἐξ ἡμῶν* »,
15 |[15] ἐπήγαγεν πῶς · « *[το]ῦ γιγνώσκειν καλὸν καὶ πονηρόν* ». Τοῦτ'|αὐτὸ γὰρ μόνον [οἱ] μὴ χρώμενοι τῇ ἀρετῇ ἔχουσιν, γινώ|[17]σκοντες μόνον [τί] καλὸν καὶ [τί] πονηρόν, μὴ διαστέλλον|τες δὲ [ὡ]ς αἱρεῖσθαι μὲν τὸ ἀγαθόν, φεύγειν δὲ τὸ κα|[19]κόν. Ἐναλλὰξ γο[ῦν] τοῖς πράγμασιν χρῶνται
20 κατὰ τοὺς | ταλανιζομένους περὶ ὧν λέγεται · « *Οὐαὶ οἱ*

108, 24 ⟦αι⟧`ε´[..]σθε ‖ 26 γεγονε`ν´ P² ‖ 27 εξοριζοντες (ζ refait sur τ par P²) ‖ 27-1 οικιως ‖ **109,** 6 απεστη (η refait sur ι par P²) ‖ 9 δειδασκει ‖ 10 εστ⟦αι⟧`ε´ P² ‖ 11 πιπτεται ‖ 16-17 γινωσ|`σ´κοντες P²

108, 25 Gen. 3, 22 ‖ **109,** 8 Gen. 3, 22 ‖ 9 Ps. 81, 6-7 ‖ 13 Is. 1, 2 ‖ 15 Gen. 3, 22 ‖ 20 Is. 5, 20

vous serez comme des dieux, connaissant le bien et le mal», Dieu dit à Adam après la transgression : *Voici qu'Adam est devenu comme nous*, en ironisant sur lui.

Nous donc, qui écartons et bannissons pareille idée de **109** la part de Dieu, / nous comprenons le passage présent dans un sens conforme à l'intention de l'Écriture inspirée. Le diable n'est pas mauvais par nature ni dans sa substance[1]; il a été fait beau et bon, et c'est en se changeant lui-même qu'il est devenu diable, satan et mauvais. Auparavant, il était bon et beau, lorsqu'il était dans les rangs des anges, mais il s'est séparé d'eux et fut jeté sur terre à cause de l'orgueil qu'il avait conçu en lui-même. Dieu donc ne dit pas à Adam : ' Voici que tu es devenu comme l'un de nous ', mais : « *comme un qui est sorti d'entre nous* » : le seul qui est sorti d'entre les êtres célestes par sa chute, c'est le diable. Le psalmiste l'enseigne : « *J'ai dit: Vous êtes tous des dieux et des fils du Très-Haut; eh bien! vous mourrez comme des hommes et vous tomberez comme un des archontes* » : il était en effet *archonte* et *dieu*, non par nature, mais par divinisation, et il est tombé comme ces autres dont il est écrit : « *J'ai engendré des fils et les ai élevés mais ils m'ont abandonné.* »

Après avoir dit : « *Voici qu'Adam est devenu comme un qui est sorti d'entre nous* », l'Écriture ajoute comment il l'est devenu : « *par la connaissance du bien et du mal* ». Ceux qui ne pratiquent pas la vertu n'ont que cela : ils savent seulement ce qu'est le bien et ce qu'est le mal; mais ils n'opèrent pas la distinction qui leur ferait choisir le bien et fuir le mal. Ils brouillent les choses, comme ces maudits dont il est écrit : « *Malheur à ceux qui appellent*

109, 7-12 Proc. 224 A 11 - B 3 ; Devr. 168 || 14-22 Proc. 224 B 7 - C 4 ; Devr. 168

109, 1. Origène insiste beaucoup sur ce point, cf. *De princ.* I, 5, 4 (*GCS* 22, p. 73, 23-25) ; *In Ioh.* II 13 (7), § 99 ; *C. Cels.* IV, 65, 31 s., etc.

[109] *λέγοντες τὸ* |[21] *πονηρὸν καλὸν καὶ τὸ καλὸν πονηρόν, οἱ τιθέντες τὸ σκό|τος φῶς καὶ τὸ φ[ῶ]ς σκότος.* »

Λέγει δὲ οὕτως ὁ Θεὸς τὸ « *ἐξ ἡ*|[23]*μῶν* » τοῖς ἑαυτο[ῦ ἀ]γγέλοις, καθάπερ βασιλεὺς τοῖς ἑαυ|τοῦ δορυφόροις. 25 Ὅτ[ι] δὲ τὸ κοινοποιεῖν ἑαυτὸν τὸν Θεὸν μετὰ |[25] τῶν ἑαυτοῦ κτισ[μ]άτων ἐκ τῆς γραφῆς γιγνώσκεται, ἔστιν | μαθεῖν ἐκ τοῦ π[ρὸ]ς τοῦ Σωτῆρος εἰρημένου τοῖς μαθηταῖς·

110 (VII,14) |[1] « *Ἐγείρεσθε, ἄγωμεν ἐντεῦθεν* », ὃ καὶ αὐτὸ οὐ μικρὰν ἔχει | τὴν παρατήρησιν· τὸ μὲν γὰρ « *ἐγείρε[σ]θε* » πρὸς ἐκείνους, |[3] τὸ δὲ « *ἄγωμεν* » μετ' ἐκείνων. Ἐπεὶ γὰρ ὁ Σωτὴρ « ἁμαρτίαν | *οὐκ ἐποίησεν οὐδὲ εὑρέθη δόλος ἐν* 5 *τῷ στόματι αὐ*|[5]*τοῦ* », διὸ οὐδὲ ὑπὸ πτῶμα γεγένηται, τοιαύτης ἐγέρσεως | οὐ χρῄζει ὡς οἱ μαθηταί, οἷς εἶπεν « *Ἐγείρεσθε* », ʿ διαναστῆ|[7]τε τῶν ἀνθρωπίνων ʾ, συναριθμεῖ δ' ἐν τῷ ἀπελθεῖν ἑ|αυτόν. Ἐπεὶ μόνης τῆς ἀνθρωπίνης φύσεως οὐκ ἔστιν |[9] χωρὶς ἐπιπνοίας Θεοῦ τῇ ἀρετῇ 10 χρήσασθαι, διὰ τοῦτο « *ἄγω|μεν ἐντεῦθεν* » λέγει· αὐτὸς γάρ ἐστιν κα[ὶ] *ποιμὴν καὶ ὁδὸς* |[11] *καὶ βακτηρία*, ‹ἣ› ἐπὶ τὰ θεῖα χειραγωγεῖ. Ἀμέλει γοῦν καὶ τῷ | ληστῇ εἶπεν· « *Σήμερον μετ' ἐμοῦ ἔσῃ [ἐ]ν τῷ παραδεί*|[13]*σῳ.* » Ἀλλὰ καὶ ἐν τῇ ἀθέῳ ἐπινοηθεί[σῃ] πρὸς ἀνθρώπων | πυργοποιΐᾳ 15 εἴρηται· « *Δεῦτε καὶ κατα[β]άντες συγχέω*|[15]*μεν αὐτῶν τὴν γλῶτταν.* » Κἂν γὰρ διὰ ὑπο[υργ]ῶν ἀγγέλων | ποιῇ ἃ βούλεται Θεός, — ἀλλὰ λέγω κρίσει α[ὐ]τοῦ γίνεσθαι |[17] τὰ γινόμενα, — καταβαίνειν σὺν τοῖς π[ρ]οστελ[λομ]ένοις | ὑπ' αὐτοῦ λέγεται.

« *Ἰδοὺ* » οὖν « *γέγονέν* » [φ]ησιν « *Ἀδὰμ ὡς εἷς* |[19] *ἐξ ἡμῶν τοῦ γιγνώσκειν καλὸν καὶ πο[ν]ηρόν* », οἷς ἐπάγει 20 | ὥσπερ κατάκρισιν κηδεμονικῶς ὁ φι[λά]νθρωπος. Καὶ γὰρ |[21] τὰς ἀπειλὰς καὶ τὰς ἐπαγωγὰς πρὸς [τὸ] συμφέρον

110, 2 εγειρεσθαι ‖ 6-7 διαναστηται ‖ 8 επ`ε΄ι ‖ 11 επ⟦ε⟧ι ‖ 14 πυργοποιεια ‖ κατε[.]αντες ‖ συνχεωμεν ‖ 15 `την΄ P² ‖ 16 κρισ`ε΄ι ‖ 21 απ`ε΄ιλας

109, 22 Gen. 3, 22 ‖ **110,** 1 Jn 14, 31 ‖ 3 I Pierre 2, 22 (Is.

le mal bien et le bien mal, qui changent les ténèbres en lumière et la lumière en ténèbres. »

Ainsi, en disant « d'entre nous », Dieu s'adresse à ses anges, comme un roi à ses gardes du corps. Il est connu par l'Écriture que Dieu se met en communauté avec ses créatures; c'est ce qu'on peut apprendre par cette parole

110 du Sauveur à ses disciples / : « *Éveillez-vous, allons, sortons* », qui comporte une précision importante : « *Éveillez-vous* » s'adresse à eux mais « *Allons* » se fait avec eux. Puisque le Sauveur *n'a pas commis de péché et qu'aucune malice ne s'est trouvée dans sa bouche*, en sorte qu'il n'a pas eu de chute, il n'avait pas besoin d'être *éveillé* comme les disciples à qui il dit : « *Éveillez-vous* », pour signifier : ' levez-vous, sortez des choses humaines '. Mais il se met avec eux quand il s'agit de s'en aller : c'est parce que la nature humaine est incapable à elle seule, sans l'inspiration de Dieu, de pratiquer la vertu, qu'il dit : « *Allons, sortons* », car il est le *Berger*, la *Route*, le *Bâton* qui conduisent aux choses divines; c'est ainsi qu'il disait au larron : « *Aujourd'hui tu seras avec moi dans le paradis.* » De même, lorsque les hommes imaginèrent dans leur impiété de construire une tour, on lit : « *Allons, descendons et brouillons leur langage.* » Bien que Dieu se serve des anges pour exécuter son dessein — mais je maintiens que ce qui se fait alors se fait par son jugement —, néanmoins, ce texte affirme qu'il est descendu avec ses messagers.

« *Voici* » donc « *qu'Adam est devenu comme un qui est sorti d'entre nous, pour la connaissance du bien et du mal* ». A quoi Dieu ajoute avec sollicitude une sorte de sentence de condamnation, dans son amour pour les hommes — car, lorsqu'il profère des menaces ou envoie des châtiments,

53, 9) ‖ 10 Jn 10, 11 ‖ Jn 14, 6 ‖ 11 Ps. 22, 4 ‖ 12 Lc 23, 43 ‖ 14 Gen. 11, 7 ‖ 18 Gen. 3, 22

109, 22-24 Proc. 224 A 9-11 ; Devr. 168 ‖ 24 - **110,** 15 Proc. 224 C 5 - D 5 ; Devr. 168

[110] ποι|εῖται. Τί δέ ἐστιν ὅ φησιν · « *Καὶ νῦν μή [π]οτε ἐκτείνῃ τὴν* |²³ *χεῖρα καὶ λάβῃ τοῦ ξύλου τῆς ζωῆς κ[αὶ] ζήσεται εἰς τὸν* | *αἰῶνα* » ; Φθόνος ἔξω θείου χοροῦ ἀπελήλασται ·
25 εἰ δὲ τοῦτο, |²⁵ πολλῷ πλέον καὶ ὑπερβαλλόντως ἐν [Θ]εῷ τοῦτον ὑπάρχειν | ἀδύνατον. Οὐ φθόνῳ οὖν κωλύει τοῦ

111 ξ[ύ]λου τῆς Ζωῆς πά|¹λιν αὐτοὺς λαβεῖν, ἀλλ' ἀναρμόστως
(VII,15) κωλύει. Ὡς γὰρ ὁ Σωτὴρ παραγ|²γέλλει · « *Μὴ βάλητε τὰ ἅγια τοῖς κυσὶν μηδὲ τοὺς μαργαρίτας ὑμῶν* |³ *ἔμπροσθεν τῶν χοίρων* », ἐπιφέρει τε καὶ τὸν λογισμὸν λέγων · « *μή*|*ποτε καταπατήσωσιν αὐτοὺς καὶ στραφέντες ῥήξωσιν ὑμᾶς* »,
5 |⁵ οὕτω οὐ καλὸν τὸν ἐν ἁμαρτίαις γεγενημένον καὶ ἔτι ἐν αὐταῖς | ὄντα τῆς ζωῆς τοῦ ξύλου δέχεσθαι · καταφρονητικὸν γὰρ τὸ τοι|⁷οῦτο. Εἰ δὲ κωλυθείη τῆς τοιαύτης ἀγωγῆς ὁ φαῦλος, μὴ καθ' ἡ|μέραν ἀκαίρως διδασκαλίας ἐπαΐων ποθήσει ποτὲ αἰσθόμε|⁹νος οἷ κακῶν ἐστιν · εἰ δὲ καὶ μὴ
10 ποθήσοι, βελτίων ἡ ἐν τοῖς ἐξ ἐπι|νοίας αὐτοῦ κακ[οῖ]ς διατριβὴ τῆς τῶν θείων καταφρονήσεως, εἰ |¹¹ ταῦτά τις αὐτῷ ἀκ[α]ίρως προσάγοι · πολυχρόνιον γὰρ τὸ κακὸν γίνε|ται, τοῦ ἀγαθοῦ [κ]αταφρονηθέντος, ἐξ οὗ συμβαίνει ἀνεράστως |¹³ ἔχειν πρὸς αὐτ[ό].

Τὸ δ' « *εἰς τὸν αἰῶνα* » πρόσκειται ἀντὶ τοῦ ʽ διὰ βίου ʼ, | ᾧ ὅμοιόν ἐστι [τὸ] παρὰ Παύλῳ λεγόμενον · « *Οὐ μὴ*
15 *φάγω κρέας εἰς* |¹⁵ *τὸν αἰῶνα, να μ[ὴ] ἵτὸν ἀδελφόν μου σκανδαλίσω.* »

| **III, 23-24. Καὶ ἐξαπέστειλεν αὐ[τὸ]ν Κύριος ὁ Θεὸς ἐκ τοῦ παραδείσου τῆς τρυφῆς ἐργά|¹⁷ζεσθ[αι τ]ὴν γῆ[ν] ἐξ ἧς ἐλήμφθη, καὶ ἐξέβαλεν τὸν Ἀδὰμ καὶ κα|τῴκισε[ν] ἀπέν[αν]τι τοῦ παραδείσου τῆς τρυφῆς.**

111, 1 λαβων ‖ αναρμοστ⟦ου⟧`ω´ς P² ‖ κωλυ⟦σ⟧ει ‖ 1-2 παραγγελει ‖ 2 βαληται ‖ 3 τ⟦αι⟧`ε´ ‖ 4 καταπατησουσιν ‖ 8 διδασκαλειας ‖ 10 διατριβη (η refait sur ει par P²) ‖ της (η refait sur ι par P²) ‖ 11 ταῦτά τις Procope : ταυτις P τ' αυθις P² ‖ 16 εξαπεστ`ε´ιλεν P²

110, 22 Gen. 3, 22 ‖ **111,** 2-4 Matth. 7, 6 ‖ 13 Gen. 3, 22 ‖ 14 I Cor. 8, 13

c'est pour le bien de l'homme —, et que dit-il ? « *Maintenant, empêchons qu'il tende la main et qu'il prenne de l'arbre de vie, de manière à vivre éternellement.* » La jalousie est exclue du chœur divin des saints : à plus forte raison — et combien plus —, ne peut-elle exister en Dieu. Ce n'est donc pas par jalousie qu'il les empêche à nouveau

111 de prendre de l'arbre de vie, / mais il les empêche d'en prendre d'une manière qui ne serait pas appropriée. De même que le Sauveur donne cet avertissement : « *Ne jetez pas les choses saintes aux chiens ni vos perles aux pourceaux* », en précisant la raison : « *de peur qu'ils ne les foulent aux pieds et ne se retournent pour vous déchirer* », de même, il n'était pas bon que celui qui était tombé dans le péché et s'y trouvait encore eût part à la vie donnée par l'arbre : c'eût été la mépriser. Mais si le méchant est empêché d'agir ainsi, le fait d'être privé d'entendre chaque jour un enseignement qui ne serait pas opportun[1], l'amènera à le désirer quand il aura senti à quel point il est malheureux. Et, même s'il ne le désire pas, mieux vaut qu'il vive dans le malheur qui résulte de son entêtement que de le voir mépriser les choses divines en s'en approchant d'une manière qui serait fâcheuse dans son cas. Car le mal devient chronique lorsqu'on méprise le bien, parce qu'on finit de la sorte par ne plus aimer le bien.

L'addition « *pour toujours* » a la même valeur que ' pour la durée de sa vie ', comme dans cette parole de Paul : « *Je ne mangerai plus de viande pour toujours afin de ne pas scandaliser mon frère.* »

III, 23-24. **Et le Seigneur le renvoya du paradis de délices travailler la terre d'où il avait été tiré ; il chassa Adam et le fit habiter en face du paradis de délices.**

111, 18 - **112,** 8 Proc. 228 A 4 - B 1

111, 1. Didyme interprète la vie donnée par l'arbre comme celle qui est dispensée par la prédication. Les excommuniés en sont exclus ; Didyme va expliquer que c'est pour leur bien même.

[111] Ζητήσειεν |[19] ἄν τις πῶς, τοῦ ὄ[φ]εως μὲν αἰτίου τῆς
20 παραβάσεως γεγενημένου, | τῆς δὲ γυναικὸς *[ἐξ]απατηθείσης*
πρώτης, οὐκ εἴρηται περὶ τούτων |[21] ὡς ἐξεβλήθησα[ν],
ἀλλὰ περὶ τοῦ Ἀδάμ, ὃς εἴρηται παρὰ Παύλῳ τῷ | σοφῷ
μὴ ἠπατῆ[σ]θαι. Λέγομεν ὅτι, εἰ ὁ τὸ ἔλαττον παθὼν ἔξω
|[23] τοῦ παραδείσου γ[έγ]ονεν, πόσῳ δὴ πλέον οἱ τὰ μεγάλα
πταί|σαντες. Εἰ μὲν γὰρ [ὁ] ὄφις ἐκβέβλητο, οὔπω δῆλον
25 τὸ περὶ τῆς γυναι|[25]κὸς καὶ τοῦ Ἀδὰμ ἄξιον εἶναι τοῦ
ἐκβληθῆναι ἀπὸ τοῦ παραδείσου, | ἐπειδὴ ‹δὲ› ὁ *Ἀδάμ*,
ὃς ο[ὐ]χ ὑπόκειται τοῖς μεγάλοις σφάλμασιν, ἔξω γέ|[27]γονεν,
δῆλον ὡς κ[αὶ] οἱ τὰ μεγάλα ἁμάρτοντες. Δύναται δὲ καὶ
112 προσ|[1]υπακούεσθαι περὶ τῆς γυναικὸς τῷ τὸν Ἀδὰμ ἐκβεβλῆ-
(VII,16) σθαι συνεκ|βαλλομένης καὶ αὐτῆς · καὶ γὰρ τὸ τοῦ Ἀδὰμ
ὄνομα *ἄνθρωπον* σημαίνει, |[3] ὅπερ βεβαιοῖ τὸ λόγιον οὕτως
ἔχον · « *Καὶ ἔπλασεν* » γάρ φησιν « *ὁ Θεὸς* | *τὸν ἄνθρωπον*
ἄρρεν καὶ θῆλυ καὶ ἐκάλεσεν τὸ ὄνομα αὐτῶν Ἀδάμ »,
5 |[5] ὅ ἐστιν ʽ ἐκάλεσεν τὸ ὄνομα αὐτῶν ἄνθρωπον ʼ. Περὶ δὲ
τοῦ ὄφεως | λεχθείη ἂν ὅτι ἐν παραδείσῳ ἦν οὐχ ὡς ἄξιος
ἐκεῖ διάγειν, ἀλ|[7]λʼ ὥσπερ ἐν τῷ Ἰὼβ εἴρηται ὅτι « *ἦλθον*
οἱ ἄγγελοι τοῦ Θεοῦ παραστῆ|ναι ἐνώπιον αὐτοῦ », οὕτω
καὶ περὶ τοῦ ὄφεως ἐκληπτέον.

Ἐξαπέ|[9]*στειλεν* οὖν τὸν Ἀδάμ, δῆλον δʼ ὅτι καὶ τὴν
10 γυν[α]ῖκα, ὁ Θεὸς *ἐκ τοῦ πα|ραδείσου*, τὸ δʼ ἀποστελλόμενον
καιρὸν ἔχει τοῦ ἐ[π]ανακάμψαι · οὐ|[11]δὲ γὰρ ἐπὶ τῷ ἀνεπι-
στρεπτὶ ἔχει‹ν› αὐτὸν ἐξαπέστειλεν, ἀλλὰ | ἵνα *κατ αντικρὺ*
κατοικισθεὶς ἀπὸ Θεοῦ ἐν ἀναπολήσει αὐτοῦ |[13] γίνηται
ἀτενίζων αὐτῷ.

111, 23-24 πτεσαν⟦πται|σαν⟧τες ‖ 25 εἶναι : ην ‖ 26 επ᾽ε᾽ιδη ‖ 27-1 προσυπακου⟦σ⟧εσθαι ‖ **112,** 7 ϊ⟦ο⟧᾽ω᾽β P² ‖ 11 ανεπιστρεπτει

111, 20 Cf. I Tim. 2, 14 ‖ 22 Cf. I Tim. 2, 14 ‖ **112,** 3 Cf. Gen. 5, 2 et 2, 7 ‖ 7 Job 1, 6 ‖ 8 Cf. Gen. 3, 23 ‖ 12 Cf. Gen. 3, 24

112, 1. Ce logion est en réalité une citation composite de *Gen.* 5, 2 et 2, 7.

112, 2. Dans la citation de Job, le membre de phrase qui fait la

On se demandera sans doute pourquoi, alors que le serpent avait été la cause de la transgression, et la femme séduite la première, le texte ne dit pas d'eux qu'ils furent chassés, mais le dit au sujet d'Adam dont le sage Paul affirme pourtant qu'il n'avait *pas été trompé*. Nous répondrons que si le moins coupable a été chassé du paradis, à plus forte raison les grands coupables. Si c'était le serpent qui avait été chassé, il ne serait pas évident que la faute de la femme et d'Adam méritait leur exclusion du paradis; mais, du moment qu'Adam, qui n'était pas le grand coupable, a été exclu, il est clair que les grands

112 coupables l'ont été aussi. / En outre, pour ce qui est de la femme, quand le texte affirme qu'Adam a été chassé, on peut sous-entendre qu'elle a été chassée avec lui, car le nom d'Adam signifie l'homme en général, comme le confirme ce verset[1] : « *Dieu fit l'homme mâle et femelle et il leur donna le nom d'Adam* », ce qui revient à dire : ' il leur donna le nom d'homme '. Quant au serpent, on peut dire que, s'il se trouvait dans le paradis, ce n'était pas comme quelqu'un qui était digne d'y vivre; mais il est écrit dans Job que « *les anges de Dieu vinrent se présenter devant lui*[2] » : c'est de cette façon-là qu'il faut comprendre la présence du serpent.

Dieu *renvoya* donc Adam — avec sa femme, évidemment — *du paradis*. Mais ce qui est renvoyé a l'occasion de revenir, car Dieu ne l'a pas renvoyé sans espoir de retour[3] : il le fait *habiter en face du paradis* pour qu'il vive dans le souvenir du paradis en gardant les yeux fixés sur lui.

charnière du raisonnement est curieusement omis : « et le diable vint avec eux (= les anges) ».

112, 3. Emprunt direct à Philon, *De cherub.* 1-2 : « Celui qui est renvoyé ne se voit pas interdire une possibilité de retour. » Didyme emploie ici pour signifier « en face », non pas le mot ἀπέναντι qui était dans son texte biblique, mais καταντικρὺ qui était dans celui de Philon, *De cherub.* 11.

[112] *Ἐργάζεσθαι τὴν γῆν [ἐ]ξ ἧς ἐλήμφθη* | ἐξεβλήθη, ἵνα τὸ σκεῦος ἑαυτοῦ ἄγῃ σεμνῶς, ἡν[ιο]χῶν αὐτὸ καὶ μὴ
15 |[15] ἐῶν τὰς σωματικὰς ὁρμὰς κατατρέχειν τοῦ [λο]γισμοῦ. Διὰ γὰρ | τοῦτο *καὶ κατῴκισεν αὐτὸν ὁ Θεὸς καταντικρὺ [τ]οῦ παραδείσου* |[17] *τῆς τρυφῆς*, νόμον δεδωκὼς ἐν διανοίᾳ, ὃν [κ]αὶ ὕστε[ρον] γρα|πτὸν παρέσχετο, ἵνα ἐγκειμένην προστάγμ[α]σιν ἑαυ[τ]οῦ τὴν |[19] ἀρετὴν εὑρίσκων χρήσηται
20 αὐτῇ καὶ δι' αὐτῆς [κα]τανόησιν λάβῃ | τῆς θείας καὶ καθαρωτέρας ζωῆς τοῦ παραδεί[σο]υ.

Καὶ κατανόη|[21]σον πῶς ἐπὶ μὲν τοῦ Κάιν οὐκ εἴρηται · ' 'Ἐξέβαλεν [αὐ]τὸν ὁ Θεὸς ἀπὸ | προσώπου ἑαυτοῦ ', ἀλλ' « *ἐξῆλθεν Κάιν ἀπὸ προσ[ώπο]υ τοῦ Θεοῦ* », νῦν δὲ |[23] « *καὶ ἐξέβαλεν τὸν Ἀδάμ* », τρόπον τινὰ ἔτι ἔχ[οντ]α αὔραν πόθου | τοῦ παραδείσου, διὰ δὲ τὸ ἀνάξιον ἐκβαλλόμ[ενον].

Οὕτω δὲ οὐχ ὡς |[25] παντελῶς ἀλλότριον ἐξέβαλεν · « *Καὶ κατῴκι[σέν]* » φησιν « *αὐτὸν ἀπέ|ναντι τοῦ παραδείσου* », ἔτι γὰρ κηδομένου καὶ οὐ[κ ἀ]παγορεύσαντος τὸ |[27] κατοικίσαι, κατῴκισεν δὲ αὐτὸν νομίμως, ὡς [πρ]οείρηται,
113 ἐνθεὶς |[1] αὐτῷ ἔννοιαν τῶν ἀπαγορευόντων τὸ κακὸν νόμων,
(VIII, 1) ὅπερ | εἰσαγωγὴ τοῦ ἀγαθοῦ ἐστιν, οὐ κρύψας τὸν παράδεισον |[3] ἀπ' αὐτοῦ · οὐ γὰρ ἀφεῖλεν ἀπ' αὐτοῦ τὴν γνῶσιν τοῦ καλοῦ, | οὐδὲ λήθην ἐνεποίησεν αὐτῷ τῆς ἀρετῆς,
5 καθ' ἣν ἐν |[5] παραδείσῳ διῆγεν.

| **III, 24. Καὶ ἔταξεν τὰ χερουβεὶμ καὶ τὴν φλογίνην ῥομφαίαν τὴν στρεφο|[7]μένην φυλάττειν τὴν ὁδὸν τοῦ ξύλου | τῆς ζωῆς.**

|[9] Αἱ προσηγορίαι τῶν ὑπ[ε]ρβεβηκυιῶν δυνάμεων, ὡς
10 ἂν εἴ|ποι τις, οὐχ ἁπλῶς κα[τὰ] τὰ παρ' ἡμῖν κύρια καλούμενα

112, 18 ενκειμενην ‖ 27 κατοικ⟦ε⟧ισαι ‖ **113,** 6-7 καὶ ἔταξεν — τοῦ ξύλου P avait laissé ces deux lignes en blanc et écrit της ζωης au début de la suivante ; une autre main a comblé la lacune en commettant une faute (déplacement de τα χερουβειμ après στρεφομενην) ; une troisième main a réparé la faute en posant un obèle après εταξεν et en écrivant en marge τα χερουβειμ

Il est envoyé *pour travailler la terre dont il a été tiré*, c'est-à-dire pour conduire son corps avec piété, le tenir en laisse et ne pas laisser les impulsions corporelles se dresser contre la raison. C'est en effet pour cela que Dieu le *fit habiter en face du paradis de délices*, en mettant une loi dans son esprit — loi qu'il donna plus tard par écrit — afin que l'homme, trouvant la vertu inscrite dans les commandements de sa propre raison, la pratique et qu'elle lui fasse comprendre ce qu'est la vie divine et plus pure du paradis.

Considère qu'il n'est pas dit de Caïn : ‘ Dieu le chassa de sa présence ’ mais « *Caïn sortit de la présence de Dieu* », tandis qu'ici : « *Dieu chassa Adam*[4] », comme quelqu'un qui garde encore, pourrait-on dire, un souffle de désir du paradis, mais qui en est chassé à cause de son indignité.

Ainsi donc, Dieu ne l'a pas chassé comme un être complètement étranger, mais « *il le fit habiter en face du paradis* ». Il continue à prendre soin d'Adam : il ne lui refuse pas d'habiter là mais il l'y fait habiter légitimement, **113** comme je viens de l'expliquer, en infusant / dans sa pensée les lois qui interdisent le mal, ce qui constitue l'initiation au bien; et il ne lui cache pas le paradis, car il ne lui enlève pas la connaissance du bien et ne lui fait pas oublier la vertu dans laquelle il vivait au paradis.

III, 24. **Et il mit les Chérubins et l'épée flamboyante et tournoyante pour garder le chemin de l'arbre de vie.**

Les dénominations des puissances surélevées n'entrent pas simplement, comme on pourrait le croire, dans la catégorie des noms que nous appelons propres, mais elles

112, 13 Gen. 3, 23 ‖ 16 Cf. Gen. 3, 24 ‖ 22 Gen. 4,16 ‖ 23 Gen. 3, 24 ‖ 25 Gen. 3, 24

112, 20 - **113,** 5 Proc. 228 B 1-12

112, 4. Même opposition entre Adam et Caïn dans PHILON, *De cherub.* 12.

[**113**] ὀνό|[11]ματά εἰσιν, ἀλλὰ πολ[ιτ]ειῶν σημαντικαί · *ἀρχαὶ καὶ ἐξουσί|α<ι>, θρόνοι, κυριότητε[ς* δ]ιὰ τὸ ἄρχειν καὶ ἐξουσιάζειν καὶ βα|[13]σιλεύειν, — τοῦτο γὰρ *ὁ θ[ρό]νος* δηλοῖ κατὰ τὸ ἐν Παροιμίαις | λεγόμενον · « *Μετὰ γὰρ [δικ]αιοσύνης*
15 *ἑτοιμάζεται θρόνος ἀρ|*[15]*χῆς* », — καὶ *κυριότητες* δ[ὲ δ]ιὰ τὸ κυριεύειν λέγονται. Οὕτω χε|ρου<βεὶ>μ ἐκ τοῦ ἐνυπάρχοντ[ος] αὐτοῖς ἐκλήθησαν · ʽ πλῆθος ʼ γὰρ ʽ γνώ|[17]σεως ʼ ἑρμηνε[ύε]ται *χε[ρο]υβείμ*. Ἀπ' αὐτοῦ οὖν τούτου τοῦ προσ|όντος αὐτοῖς ἡ προσηγο[ρία] εἴρηται. Ταὐτῇ τοι καὶ ἀπὸ τοῦ Ἀ|[19]βρὰμ Ἀβραὰμ μετωνο[μά]σθη καὶ ἀπὸ Σάρας
20 Σάρρα καὶ ἀπὸ | Ἰακὼβ Ἰσραήλ, καὶ Πέ[τρο]ς δ' ὁ πρόκριτος τῶν ἀποστόλων |[21] τῆς προσηγορίας ταύτη[ς τ]ετύχηκεν διὰ προκοπὴν ἀρε|τῆς ὡς καὶ οἱ προεκτεθ[έν]τες. Ἀπὸ γὰρ ὑποδεεστέρας ἀρε|[23]τῆς, ἥτις διὰ τῶν πρώτω[ν ὀ]νομάτων ἐσημαίνετο, διαβάν|τες ἐπὶ μείζονα, οἰκείως [ἀρετ]ῆς
25 τὰς προσηγορίας ἐδέξαντο, ὡς |[25] ἔνεστιν ἐντύχοντα ταῖ[ς τ]ούτων ἑρμηνείαις θεωρῆσαι. Ἀβρὰμ μὲν γὰρ ἑρμηνεύε[ται]
114 πρὸς ἑτέραις καὶ ʽ πατὴρ υἱοῦ ʼ, Ἀβραὰμ |[1] δὲ ʽ πατὴρ
(VIII, 2) υἱῶν ʼ, τοῦ μὲν πρώτου δηλοῦντος διδασκαλικὴν ἕξιν, οὔ|πω δὲ διαβαίνειν εἰς πάντας δυναμένην, ὅπερ ἐδήλου δεύ|[3]τερον · Σάρα δέ, ἑνὸς προσγραφομένου ῥῶ, ʽ μικρότης ʼ ἑρμηνεύ|εται, ὅπερ δηλοῖ τὸν εἰσαγωγικὸν τρόπον, Σάρρα
5 δὲ ʽ ἀρχοῦ|[5]σα ʼ δι' οὗ δηλοῦται ἡ τελειότης τῆς ἀρετῆς · ἀρχικὸν γὰρ αὕ|τη καὶ δυνητώτατον. Ἰακὼβ ʽ πτερνιστὴς ʼ ἑρμηνευόμενος |[7] παρίστησι τὸ ἀσκητικὸν καὶ πρὸς τὰ πάθη

113, 12 θρον⟦μ⟧οι ‖ εξουσειαζειν ‖ 16 ενυπαρχοντ[..] (ο refait sur ει) ‖ 19-20 ἀπὸ Ἰακὼβ : οτι ο ϊακ⟦α⟧μ`ω´β ‖ 24 οικ`ε´ιως P² ‖ [αρετ]η P [αρετ]ης P² ‖ εδεξα`ν´το P² ‖ 25 ε⟦πι⟧`ν´τυχοντα ‖ θεωρησ⟦ε⟧`αι´ ‖ **114,** 1 δηλου`ν´τος ‖ 3 δ`ε´ (ε refait sur ') ‖ 5 τελι⟦α⟧`ο´της ‖ 7 παθη (η refait sur ει par P²)

113, 11 Cf. Col. 1, 16 ‖ 14 Prov. 16, 12

113, 1. Cf. Origène, *Hom. in Jos.* XXIII, 4 (*SC* 71, p. 464) : « Il est certain que tous les anges et tous les hommes reçoivent en lot le nom qu'ils portent, en conformité avec les fonctions ou les

indiquent un genre de vie[1]; on les appelle *Commandements*, *Pouvoirs*, *Trônes*, *Seigneuries*, parce qu'elles commandent, exercent le pouvoir, règnent. C'est cela en effet qu'indique le *trône*, d'après cette parole des Proverbes : « *Car un trône de commandement est préparé avec justice* » — et on les appelle *Seigneuries* parce qu'elles exercent la seigneurie. De même, les *Chérubins* sont appelés ainsi d'après ce qu'ils ont en eux : *Chérubin* se traduit en effet par ' multitude de science[2] '; cela leur est propre et ils en tirent leur nom. De la même manière, Abram a eu son nom changé en Abraham, Sara en Sarra, Jacob en Israël[3]; et Pierre, le chef des apôtres, a reçu ce nom à cause de son progrès dans la vertu, comme ceux que je viens de nommer. D'une vertu inférieure indiquée par leurs premiers noms, ils sont passés à une vertu plus haute et ont reçu d'une manière appropriée le nom de cette vertu. On peut d'ailleurs le voir en lisant la traduction de ces noms : *Abram* signifie, entre autres traductions[4], *père d'un fils* **114** et *Abraham* / *père des fils* : le premier nom indique une aptitude à enseigner mais qui ne peut pas encore s'étendre à tous, ce que montre le second; *Sara*, avec un seul ' r ', se traduit par *petitesse*, ce qui correspond à une conduite de débutant, mais *Sarra* signifie *celle qui commande*, par quoi est indiquée la perfection dans la vertu; car la vertu est apte au commandement et très puissante. *Jacob*, qui se traduit par *homme du croc-en-jambe*, montre la vie ascétique capable de résister aux passions, et *Israël*,

actes qui leur sont personnels » ; et pour les Principautés, Trônes, Puissances, Seigneuries, cf. *De princ.* I, 5, 3 (*GCS* 29, p. 71-72).

113, 2. Cette étymologie est formulée dans les mêmes termes par ORIGÈNE, *Hom. in Num.* V, 3 : « multitudo scientiae », et en termes différents par PHILON, *Vita Moys.* II (III), 98 : Χερουβὶμ ἐπίγνωσις καὶ ἐπιστήμη πολλή.

113, 3. Mêmes exemples chez ORIGÈNE, *Hom. in Jos.* XXIII, 4.

113, 4. La « Traduction des noms hébreux » en proposait en effet plusieurs, cf. WUTZ, *op. cit.* (cf. Introduction, p. 27, n.), p. 159-160.

[114] ἀντιστατικόν, | Ισραὴλ δὲ πρὸς τοῦ Θεοῦ μετονομαζόμενος τοῦ μηδὲν εἰ|[9]καίως ποιοῦντος, παρίστησιν τὸ θεωρητικὸν
10 καὶ τὴν τοῦ | νοῦ καθαρότητα, καθ' ἣν Θεὸν ὁρᾷ, [ὅπ]ερ μετὰ τὴν ἠθικὴν |[11] κατόρθωσιν συμβαίνει · ' νοῦς ' γὰρ ' [ὁρῶ]ν Θεὸν ' Ἰσραὴλ ἑρμηνεύ|εται. Τί δὲ δεῖ περὶ τοῦ προκρ[ίτο]υ τῶν ἀποστόλων λέγειν, |[13] ὅποτε ὁ Κύριος ἡμῶν Ἰησοῦς Χριστὸς φανε[ρῶ]ς ἐν τῷ εὐαγγελίῳ διὰ | τὴν ὁμολογίαν αὐτὸν οὕτω κέ[κ]ληκεν · εἰπόντι γὰρ
15 « *Σὺ εἶ* |[15] *ὁ Χριστὸς ὁ υἱὸς τοῦ Θεοῦ τοῦ ζῶντος* » [ἀπε]κρίνατο · « *Σὺ εἶ Πέτρος καὶ* | *ἐπὶ ταύτῃ τῇ πέτρᾳ οἰκοδομή[σω] μου τὴν ἐκκλησίαν, καὶ* |[17] *πύλαι ᾅδου οὐ κατισχύσουσιν αὐ[τῆς].* »

Καὶ τα[ῦτα] μὲν περὶ τού|των · ἐπανέλθωμεν δὲ ἐπὶ τὸ ἐ[ξ ἀ]ρχῆς · « *Κ[αὶ] ἔταξεν τὰ χε*|[19]*ρουβεὶμ καὶ τὴν*
20 *φλογίνην ῥομ[φα]ίαν τὴν στρεφομένην* | *φυλάττειν τὴν ὁδὸν τοῦ ξύ[λου] τῆς ζωῆς* ». Καὶ ἔστιν |[21] καὶ ἀπὸ τούτων ἐλέγξαι τοὺς κ[αὶ νῦ]ν εἶναι νομίζοντας ἐ|πὶ γῆς τὸν παράδεισον, ἐρω[τῶν]τας αὐτοὺς πῶς *ῥομφαία* |[23] φυλάττει ἄψυχος, εἰ οὕτω λ[αμβά]νοιτο · <τὸ> γὰρ *φυλάττειν* οὐ|κ ἐμψύχου μόνον ἀλλὰ καὶ λο[γικοῦ] τυγχάνει, καὶ μάλιστα
25 |[25] Θεοῦ παράδεισον. Τίνα δὲ δώσουσι[ν λό]γον περὶ τοῦ μὴ ἕτερά τινα | δέδοσθαι *φυλάττειν τὴν ὁδὸ[ν το]ῦ ξύλου*
115 (VIII, 3) *τῆς ζωῆς* ἢ τὰ ὑπερ|[1]ανεβεβηκότα λογικὰ *χερουβείμ* ; Ἐκ γὰρ τῶν φυλαττόντων τὸ | μέγεθος τοῦ φυλαττομένου ἔστιν μὲν νοεῖν. Πῶς δὲ ἐπὶ |[3] μὲν τῆς *ῥομφαίας* ὁ ἑνικὸς εἴρηται χαρακτήρ, ἐπὶ δὲ τῶν *χε|ρουβεὶμ* πλῆθος ; Οὐκοῦν
5 ἐπειδὴ οὐδὲν παρ' ἐκείνων ἢ ψυχρά |[5] τινα, ἃ οὐδὲ λέγειν καλόν, λεχθήσεται, ὥρα ἡμᾶς, ἀξίαν | τοῦ θείου παραδείσου ἐννοοῦντας τὴν δοθεῖσαν φυλακήν, |[7] οἰκείως περὶ τούτου, Θεοῦ δίδοντος, διαλαβεῖν. Φιλανθρωπίαν | μὲν οὖν τοῦ

114, 8-9 εικ⟦αι⟧`ε'ως ‖ 10 θ(εο)ς ‖ 16 εκλησιαν ‖ 20 φυ⟦α⟧λαττειν ‖ 21 καὶ νῦν : `κ[..'..]ν ‖ ει⟦κ⟧`ν'αι ‖ 24 μ⟦ε⟧`ο'νον ‖ **115,** 1 χαιρουβειμ ‖ 7 οικ`ε'ιως

nouveau nom qu'il reçoit de Dieu qui ne fait rien sans raison, signifie la vie contemplative et la pureté de l'intelligence qui lui permet de voir Dieu, comme cela se produit après le redressement moral; *Israël* se traduit en effet par *intelligence qui voit Dieu*[1]. Et faut-il parler du chef des apôtres, quand l'Évangile montre clairement que notre Seigneur Jésus-Christ l'a nommé Pierre a cause de sa confession de foi ? A l'apôtre qui lui avait dit : « *Tu es le Christ, fils du Dieu vivant* », il a répondu : « *Tu es Pierre et sur cette pierre je bâtirai mon Église, et les portes de l'Enfer ne l'emporteront pas sur elle.* »

Voilà pour cette question; mais revenons à la phrase du début : « *Et il mit les Chérubins et l'épée flamboyante et tournoyante pour garder le chemin de l'arbre de vie.* » Ceci encore peut servir à réfuter ceux qui prétendent que le paradis, même de nos jours, est quelque part sur la terre. Nous leur demanderons alors comment une *épée* sans raison, selon cette interprétation, peut *garder*, car garder est le propre d'un être non seulement animé mais encore doué de raison, surtout quand il s'agit de garder le paradis de Dieu. Et comment expliqueront-ils que les

115 êtres *mis pour garder le chemin de l'arbre de vie* / ne sont rien moins que des Puissances spirituelles éminentes, les *Chérubins* ? La qualité des gardiens donne à penser la valeur de l'objet gardé. Et pourquoi le singulier pour l'*épée* et le pluriel pour les *Chérubins* ? Comme ces gens ne donneront que des réponses insipides qui ne valent même pas d'être rapportées, il est temps que nous qui pensons que la garde mise par Dieu était digne du paradis divin, nous donnions, avec la grâce de Dieu, les explications adéquates. C'est pour montrer l'indulgence du Dieu de

114, 14 Matth. 16, 16 || 15 Matth. 16, 18 || 18 Gen. 3, 24

114, 1. Même étymologie dans ORIGÈNE, *Hom. in Num.* XI, 4 (*GCS* 30, p. 83, 21).

[115] Θεοῦ τῶν ὅλων σημαίνει τὸ μίαν εἶναι *ῥομφαί*|9*αν*, ὅπερ
10 σημεῖόν ἐστι κολαστικῆς δυνάμεως, τὴν φυλάσ|σουσαν, ʽπλῆθοςʼ δὲ ʽ[τ]ῆς γνώσεωςʼ τῆς ἐπὶ τὴν θείαν ἀρε|11τὴν ἀγούσης. Οὐ γὰρ κα[τ]ὰ τὰ ἁμαρτήματα ἐπάγει Θεὸς τὰς | κολάσεις, πολλὰς διδο[ὺ]ς ἀφορμὰς ἐπὶ σωτηρίαν ἄγουσας. Καὶ |13 ὅτι μὲν οὐ κατ' ἀξίαν κ[ολ]άζει, δηλοῖ ὁ ψαλμός· « *Ἐὰν ἀνομί*|*ας παρατηρήσῃ, Κύριε, τί[ς] ὑποστήσεται;*
15 *ὅτι παρὰ σοὶ ὁ ἱλασμός* |15 *ἐστιν* ». Τῶν δ' ἐπὶ τὴν ἀ[ρετ]ὴν καλούντων πολλὰ τὰ αἴτια, πρῶ|τον ἡ τῶν κοινῶν ἐνν[οιῶ]ν δόσις, καθ' ἃς σῳζόμενας ἀδια|17στρόφους ἡ ἀρετὴ κατο[ρθο]ῦται, ἐπὶ τούτων διὰ πλῆθος ἁ|μαρτίας κα[λυφ]θεισῶν [π]ατριάρχαι, νόμος, προφῆται καὶ ἐπὶ |19 συντελείᾳ τῶν [α]ἰώνων [ὁ] Κύριος, ὃς καὶ τοὺς ἀποστόλους δέδωκεν,
20 | καὶ ὅλως οὐδὲν τῶν πα[ρὰ] τῆς προνοίας ἐστὶν ὃ μὴ ἐπὶ σω|21τηρίᾳν καλεῖ. Ἀλλὰ καὶ ἡ *[ῥ]ομφαία* χρησίμως καὶ δι' αὐτὸ | τοῦτο τέθειται. Ἢ οὐ θε[ῖος] παράδεισός ἐστιν καὶ ὁ τῆς γρα|23φῆς λόγος ἔχων ἐν ἑαυ[τῷ] καὶ τὰς ἀπειλὰς τὰς κατὰ τῶν | μὴ βουλομένων ἕπεσθ[αι τ]αῖς τοῦ Θεοῦ
25 προστάξεσιν καὶ τὰς |25 μυρίας διορθώσεις ἐπὶ τὴ[ν ἀ]ρετὴν καλοῦσας ; Καὶ γὰρ αὗται, | ποιητικαὶ τυγχάνουσαι τῆ[ς] ἐπὶ τὸν παράδεισον εἰσόδου, |27 κωλύουσι καὶ τῆς κολάσεως [τ]ὴν πικρίαν.

Ὅτι δὲ ἡ ῥομφαία ἀν|τὶ κολάσεως ἐν ταῖς γραφ[αῖς]
116 φέρεται, ἔστιν ἐκ πολλῶν μαρ|1τύρασθαι· « *Ἐν ῥομφαίᾳ* »
(VIII, 4) φησὶν « *τελευτήσουσιν πάντες ἁμαρτωλοὶ* | *λαοῦ* »· καὶ οὐδήπου πάντες διὰ ξίφους ἀποθνῄσκουσιν, ἀλλὰ τὴν |3 μέλλουσαν κατὰ τῶν ἁμαρτανόντων ἐπιφέρεσθαι κόλασιν | τὸ τῆς ῥομφαίας ὄνομα δηλοῖ · καὶ τὸ « *Ὑμεῖς δ' Αἰθίοπες*
5 *τραυ*|5*ματίαι ῥομφαίας μού ἐστε* » τὴν αὐτὴν παρίστησιν διάνοι|αν · ἀλλὰ καὶ τὸ λεγόμενον ἐν τῇ Ἐξόδῳ ὑπὸ τῶν

115, 10 τῆς² : την ‖ 15 ʽταʼ ‖ 17 επει ‖ 19 συντελια ‖ ὃς : ο ‖ **116,** 4 δ' : δε (ε exponctué) ‖ 5 εστε ($ε_2$ refait sur αι)

115, 13 Ps. 129, 4 ‖ **116,** 1 Amos 9, 10 ‖ 4 Soph. 2, 12

115, 20 - **116,** 5 Proc. 229 B 6 - C 4

toutes choses qu'il n'y a qu'une seule *épée* pour garder, signe du pouvoir de châtier, mais qu'il y a une *multitude de science* pour conduire à la vertu : il n'impose pas les châtiments à proportion des péchés, mais il fournit des occasions multiples qui mènent au salut. Qu'il ne châtie pas autant qu'on le mérite, c'est ce que montre le Psaume : « *Si tu considères les fautes, Seigneur, qui donc subsistera? Car près de toi est la miséricorde.* » Mais, pour inciter à la vertu, il y a de nombreuses choses. D'abord, les idées données à tous : si on les conserve sans les altérer, la vertu se rétablit. Ensuite, comme ces idées ont été voilées par la multitude des péchés, il y a les Patriarches, la Loi, les Prophètes et, à la fin des temps, le Seigneur qui nous a donné par surcroît les Apôtres : bref, dans ce qui vient de la Providence, il n'est rien qui ne nous appelle au salut. Enfin, il y a l'*épée*, utile elle aussi. Elle est mise pour la même raison. N'est-ce pas un paradis divin que la Parole de l'Écriture[1] qui renferme à la fois des menaces contre ceux qui refusent de suivre les commandements de Dieu et mille moyens de redressement qui invitent à la vertu ? Parce qu'ils procurent l'entrée dans le paradis, ces moyens enlèvent aux châtiments eux-mêmes leur amertume.

116 Que l'*épée* tienne la place du châtiment dans les Écritures, plusieurs passages l'attestent : « *Par l'épée mourront tous les pécheurs du peuple* » : jamais tous les pécheurs ne meurent par le glaive, mais le mot *épée* désigne le châtiment futur qui frappera les pécheurs. La parole : « *Vous, les Éthiopiens, vous êtes blessés de mon épée* », offre le même sens. De même cette parole de l'Exode adressée

115, 1. On peut soupçonner que, dans la source dont Didyme s'inspire, la Parole de Dieu, avant d'être assimilée au paradis, l'était à l'*épée* elle-même, en vertu de ces versets souvent cités par Origène : « Le glaive de l'Esprit, c'est-à-dire la Parole de Dieu » (*Éphés.* 6, 17), et : « La Parole de Dieu est vivante, efficace et plus incisive qu'un glaive à deux tranchants » (*Hébr.* 4, 12).

[116] ὑπὸ τοῦ Φα|[7]ραὼ καταπονουμένων πρὸς Μωσέα καὶ Ἀαρών· « *Ἴδοι ὁ Θεὸς* | *καὶ κρίναι* *** |[9] *δοῦναι ῥομφαίαν εἰς τὰς*
10 *χεῖρας Φαραώ* », δηλοῦσιν δὲ διὰ τοῦ ὀ|νόματος τῆς ῥομφαίας τὴν καθ' ἑαυ[τ]ῶν ἐπενεχθεῖσαν θλῖ|[11]ψιν. Τούτοις συνᾴδει καὶ τὸ « *Ἐὰν μὴ ἐπιστραφῆτε τὴν ῥομ|φαίαν αὐτοῦ, στιλβώσει* »· αὕτη δὲ στ[ρε]φομένη εἴρηται, ἵνα, |[13] στραφέντος ἀπὸ κακίας ἐπ' ἀρετὴν [τ]οῦ ἀνθρώπου, καὶ αὐτὴ στραφῇ | τὴν εἴσοδον παρέχουσα.

15 Ἡ φυλακὴ ο[ὖν, εἰ]ς ἣν τέθεινται ἡ *ῥομ|[15]φαία* καὶ τὰ *χερουβείμ*, ὡς πρ[οείρ]ηται, εἴη πρὸς ὠφέλειαν, ἵνα, | εἰ γένοιτο πόθος τινὶ τῆς εἰσόδου, [δι]ὰ τούτων ἡ χειραγωγία γέ|[17]νηται, τῶν μὲν *χερουβεὶμ* αἰνιττο[μέν]ων τὴν γνῶσιν τῆς ἀλη|θείας, ἧς μετέχειν δεῖ τὸν εἰσεῖνα[ι β]ουλόμε[νο]ν, τῆς δὲ *ῥομφαί*|[19]*ας* τὴν ἐπίπονον ἀγωγήν· καὶ γὰρ *δι[ὰ*
20 *π]ολλῶν [θλ]ίψεων* τῆς εἰσό|δου ἔστιν τῆς βασιλείας τυχεῖν, ὥ[ς γ]έγραπται. |[21] Ὅτι δὲ *στρεφομένη* ἡ παρὰ Θεοῦ ἐκ[κε]ιμένη κόλασις καὶ οὐ πάν|τως ἐνερχομένη, τὰ κατὰ Νινευεί[τα]ς διδάσκει, οἳ τὴν ὀργὴν |[23] διὰ μετανοίας ἐκώλυσαν· τούτοις [δὲ] τὰ τῆς ἀπειλῆς *ἐστράφη*.

| Ἀλλὰ καὶ οἱ ἅγιοι, εἰδότες τὸ περὶ τ[ὰ] *χερουβεὶμ*
25 κρῖμα καὶ ὡς οὐ|[25]χ οἷόν τε εἰσελθεῖν εἰς τὸν παρά[δει]σον χωρὶς τῆς περὶ αὐτὰ | τοῦ Θεοῦ οἰκονομίας, φασίν· « *Ὁ καθή[μ]ενος ἐπὶ τῶν χερουβεὶμ ἐμ*|[27]*φάνηθι* » καθάπερ ἡνίοχος αὐτοῖς ἐ[πο]χούμενος καὶ τῇ σῇ βουλῇ *ἀ|νοίγων* ἢ *κλείων* τὴν εἴσοδον, ὅτ[ι] τ[ο]ῖς σοῖς πειθόμενοι προστάγ-

117 (VIII, 5) μασι |[1] οἱ ἔξω εἰσελθεῖν ἐπιθυμοῦσιν. Ἀλλὰ καὶ ἄλλοι ἐπιστάμε|νοι ὡς αὐτός ἐστιν ὁ ἀποφηνάμενος κατὰ τοῦ ἀνθρώπου· « *Γῆ εἶ* |[3] *καὶ εἰς γῆν ἀπελεύσῃ* », παρακαλοῦσιν αὐτὸν λέγοντες· « *Ὁ κα|θήμενος ἐπὶ τῶν χερουβείμ*,

116, 8 κριναι + fin de la ligne en blanc ‖ 11 τὸ : τα ‖ επιστραφητ⟦αι⟧`ε' ‖ 15 ωφελιαν ‖ 20 [.]εγραπται + blanc (10 lettres) ‖ 21 στρεφομενη⟦ν⟧ ‖ τὰ τῆς : τα⟦υ⟧τ⟦ο⟧`η'ς P² ‖ 27 εμφανητι ‖ 28 κλιων ‖ **117,** 1 ἄλλοι : αλλοχι`ος' Pᶜ ‖ 1-2 επισταμενος

116, 7 Ex. 5, 21 ‖ 11 Ps. 7, 13 ‖ 19 Act. 14, 22 ‖ 26 Ps. 79, 1 ‖ 28 Cf. Apoc. 3, 7 ‖ **117,** 2 Gen. 3, 19 ‖ 3 Ps. 98, 1

à Moïse et Aaron par ceux que le Pharaon accablait : « *Que Dieu voie et juge : <vous nous avez rendus odieux à Pharaon et à ses serviteurs> au point de mettre une épée aux mains de Pharaon* » : ils indiquent par le mot *épée* l'affliction qui pèse sur eux. Un autre texte est concordant : « *Si vous ne retournez pas son épée, il la fera vibrer* » : il est question ici d'un *retournement* de l'*épée* pour dire que, si l'homme fait retour du mal à la vertu, l'*épée* elle aussi se retourne et le laisse entrer.

La garde à laquelle l'*épée* et les *Chérubins* ont été commis est donc instituée, comme on l'a expliqué plus haut, pour notre bien afin que, si le désir d'entrer naît chez quelqu'un, ils lui servent de guide, les *Chérubins* lui faisant comprendre qu'il faut participer à la *Connaissance* de la Vérité si l'on veut entrer, et l'*épée* lui insinuant que cette marche est pénible, car c'est *à travers de nombreuses tribulations* qu'on obtient l'entrée dans le Royaume, comme il est écrit. Maintenant, que le châtiment infligé par Dieu soit *tournant* et ne survienne pas forcément, c'est ce que nous enseigne l'histoire des Ninivites qui ont arrêté par leur pénitence la colère divine : pour eux, la menace a *tourné*.

Enfin, les saints qui connaissaient la sentence relative aux Chérubins et savaient qu'il n'est pas possible, selon le plan divin, d'entrer sans eux dans le paradis, disent à Dieu : « *Toi qui es assis sur les Chérubins, parais* », tel un cocher sur un char; c'est-à-dire : Toi qui *ouvres* ou *fermes* l'entrée selon ton bon plaisir, parais, parce qu'il y a dehors **117** des gens dociles à tes commandements / et qui désirent entrer. Enfin d'autres saints, sachant que c'est lui qui a porté contre l'homme cette sentence : « *Tu es terre et tu iras en terre* », l'invoquent en ces termes : « *Toi qui es assis sur les Chérubins, que la terre tremble* », afin que, un

116, 12-20 Proc. 229 C 4-11 ; Devr. 168

[**117**] 5 *σαλευθήτω ἡ γῆ* », ἵνα, μεταβο|[5]λῆς γεγενημένης περὶ τὴν γῆν, εἴπῃ τῷ λῃστῇ · « *Σήμερον* | *μετ' ἐμοῦ ἔσῃ ἐν τῷ παραδείσῳ* ».

|[7] **IV, 1-2. Ἀδὰμ δὲ ἔγνω Εὔαν τὴν [γ]υναῖκα αὐτοῦ, καὶ συλλαβοῦσα ἔτε|κεν τὸν Κάιν καὶ εἶπεν · Ἐκτησάμην ἄνθρωπον διὰ τοῦ Θεοῦ. Καὶ |[9] προσέθηκεν τεκεῖν τ[ὸ]ν ἀδελφὸν**
10 **αὐτοῦ τὸν Ἄβελ. Καὶ ἐ|γένετο Ἄβελ ποιμὴν π[ρο]βάτων, Κάιν δὲ ἦν ἐργαζόμενος |[11] τὴν γῆν.**

| Ἀκολούθως μετὰ τὴν ἐ[κ]βολὴν τὴν ἐκ τοῦ παραδείσου καὶ |[13] τὴν ποίησιν τῶν δερμ[α]τί[ν]ων κιτώνων εἴρηται · *Ἔγνω* | *δὲ Ἀδὰμ Εὔαν τὴν γυνα[ῖκα] αὐτοῦ*, τῆς γνώσεως
15 ἀντὶ πεί|[15]ρας καὶ τῆς πρὸς γυναῖκα [συν]όδου λεγομένης · ᾔδει γὰρ αὐ|τὴν κατὰ τὸ τοῦ ἐπίστα[σθ]αι σημαινόμενον · οὕτω γοῦν |[17] καὶ εἶπεν θε[α]σ̣άμεν[ος] αὐτήν · « *Τοῦτο νῦν ὀστοῦν ἐκ τῶν* | *ὀστέων μου* ». [Κα]τὰ τὴν [γ]νῶσιν ἣν ἔγνω *Ἀδὰμ Εὔαν τὴν* |[19] *γυναῖκα αὐτοῦ* εἴρηται κα[ὶ
20 ἐ]ν ταῖς Βασιλείαις · « *Ἔγνω Ἐλκανᾶ* | *Ἄνναν τὴν γυναῖκα αὐτοῦ* ». [Οὕ]τως εἴρηται καὶ περὶ Ῥεβέκκας · |[21] « *Παρθένος ἦν, ἀνὴρ οὐκ ἔ[γνω] αὐτήν* », καὶ ουδήπου ὑπ' οὐδέ|νος ἐγιγνώσκετο ἀνδρό[ς, ἀ]λλὰ δῆλον ὡς διὰ τὸ μήπω συ|[23]νεληλυθέναι αὐτὴν ἀνδρὶ [οὕ]τως εἴρηται. Εὖ δὲ καὶ τὸ εἰπεῖν · | « *Παρθένος ἦν, ἀνὴρ οὐκ ἔγν[ω] αὐτήν* » · εἰ μὴ συνετῶς νοηθῇ, |[25] δισσολογία ἂν εἴη, ἀλλὰ δ[ηλ]ῶσαι βουλόμενον τὸ λόγιον ὡς | καὶ σώματι καὶ γνώμῃ ἁγνοτάτη ἐτύγχανεν,
118 οὕτως εἴρηκεν. Οὔ|[1]τω θειότερον καὶ Μαρία ἔφασκεν ·
(VIII, 6) « *Πῶς ἔσται μοι τοῦτο, ἐπεὶ ἄν|δρα οὐ γιγνώσκω* ; » Ἀλήθης γὰρ οὖσα ὄψεως ἀνδρός, *διεταράχθη* |[3] θεασαμένη τὸν ἄγγελον, εἰ μὴ αὐτὸς αὐτῆς ἀφεῖλεν τὸν φό|βον, πιθανὸν
5 δὲ καὶ τὸ νομομαθῆ οὖσαν ἐννοῆσαι μὴ ἄρα |[5] τις τῶν

117, 5 γεγενημεν⟦ο⟧`η΄ς P² ‖ 13 εγνω⟦ν⟧ ‖ 14 τῆς : την ‖ 15-16 αυτον ‖ 16 σημε`αι΄νομενον ‖ 17 ⟦ει⟧ειπεν ‖ 19-20 ελκα`να΄|⟦ν⟧αν`ν΄α`ν΄ P² ‖ 21-22 ὑ⟦που⟧πουδενος ‖ **118,** 4 πειθανον

117, 5 Lc 23, 43 ‖ 17 Gen. 2, 23 ‖ 19 I Sam. 1, 19 ‖ 21 Gen. 24, 16 ‖ 24 Gen. 24, 16 ‖ **118,** 1 Lc 1, 34

bouleversement s'étant produit dans la *terre*[1], Dieu puisse dire au bon larron : « *Aujourd'hui tu seras avec moi dans le paradis.* »

IV, 1-2. **Adam connut Ève, sa femme. Ayant conçu, elle enfanta Caïn et dit : J'ai formé un homme par le moyen de Dieu. Elle enfanta de surcroît son frère Abel. Abel devint pasteur de brebis et Caïn travaillait la terre.**

C'est très logiquement qu'après l'expulsion du Paradis et la confection des tuniques de peau, il est dit qu'*Adam connut Ève sa femme*, *connaissance* étant pris ici pour *expérience* et désignant le commerce avec la femme. Adam, en effet, la *connaissait* déjà dans le sens de *savoir* : il avait dit en la voyant : « *Voici l'os de mes os.* » De cette autre *connaissance* selon laquelle « *Adam connut Ève sa femme* », il est encore question dans le Livre des Rois : « *Elcana connut Anne sa femme.* » Il est dit aussi de Rebecca : « *Elle était vierge, aucun homme ne l'avait connue* »; non pas que Rebecca ne fût connue d'aucun homme, mais cette expression signifiait bien évidemment qu'elle n'avait eu de commerce avec aucun homme. Et il est bien d'avoir dit : « *Elle était vierge, aucun homme ne l'avait connue* »; à prendre cette parole sans intelligence, on pourrait croire à un pléonasme, mais elle veut indiquer en réalité que **118** Rebecca était toute pure, d'esprit comme de corps. / De même, à un plan plus divin, Marie demandait : « *Comment cela se fera-t-il, puisque je ne connais point d'homme?* » Comme elle n'avait point l'habitude de regarder les hommes, elle fut troublée en apercevant l'ange, jusqu'à ce que celui-ci l'eût rassurée : instruite comme elle était de la Loi, on peut croire qu'elle se demandait si l'ange qui

117, 14-15.19-21 Proc. 233 A 13 - B 2 ; Devr. 168

117, 1. La terre désigne ici l'âme humaine suivant une interprétation allégorique déjà rencontrée, p. 30, 10 s.

[118] παραβάντων ἀγγέλων ἦν ὁ φανείς, τῶν ἐπιτεθυ|μηκέναι εἰρημένων τὰς τῶν ἀνθρώπων θυγατέρας.

« *Καὶ συλλα*|[7]*βοῦσα ἔτεκεν τὸν Κάιν.* » Ἕτερο[ς] τρόπος γενέσεως ἀνθρώπων | ὑπογράφεται · ὁ μὲν γὰρ Ἀδὰμ ἀπ[ὸ] *χοῦ πέπλασται*, ἡ δὲ Εὔα |[9] *ἀπὸ τῆς πλευρᾶς τοῦ*
10 ἀνδρὸς λη[μ]φθεῖσα *ᾠκοδομήθη*, οὗ|τος δὲ ὁ νῦν γεννώμενος ἐξ ἀ[μ]φοτέρων τοκέων πρῶτος |[11] προῆλθεν, τῆς κατὰ τὸν Σωτῆρα γ[εν]έσεως ἐκ μόνης παρθένου | γεγενημένης. Οὐκ ἄκαιρον γὰρ τ[ο]ῦτο παρασημήνασθαι, ἵνα |[13] πάντες οἱ τρόποι τῆς ἀνθρώπων γενέ[σ]εως ἐξαριθμηθῶσιν, σῳ|ζόντων ἡμῶν τὰ προειρημέ[ν]α [π]ερὶ τοῦ *χοῦ*, ὡς τῆς σωμα-
15 |[15]τικῆς οὐσίας δηλουμένης, κα[ταλ]λήλου δηλαδὴ τῆς ἐν πα|ραδείσῳ διατριβῆς ὄντος το[ῦ σ]ώματος.

« *Συλλαβοῦσα* » δὲ |[17] εἴρηται ἐνταῦθα καὶ δῆλον [ὡς ἐ]κ σπερμάτων οὗτοι · ἀκο|λούθως δέ, ἅτε μὴ πάντη ἐ[ξηρ]ημένη τὸν περὶ προνοίας |[19] λόγον, εἶπεν · « *Ἐκτη-*
20 *σάμην ἄνθρωπ[ον] διὰ το[ῦ Θεοῦ]* » · εἰ γὰρ ὑπηρέ|τησαν ὡς γονεῖς τῇ ἀποτέξ[ει], ἀλλ' ἀγω[γῇ] Θεοῦ τὸ πᾶν ἤρτυ|[21]ται. Τὸ δὲ « *διὰ τοῦ Θεοῦ* » ἁπλούστ[ερο]ν ἐκλαβεῖν δεῖ ἀντὶ τοῦ ʽ πα|ρὰ τοῦ Θεοῦ ʼ · οὕτως γὰρ καὶ ὁ Ἰωσ[ὴφ] εἶπεν · « *Οὐχὶ διὰ τοῦ Θεοῦ ἡ* |[23] *διασάφησις αὐτῶν ἐστιν* ; » ἀντ[ὶ το]ῦ ʽ παρὰ Θεοῦ ʼ.

« *Καὶ προσέθηκεν* | *τεκεῖν τὸν ἀδελφὸν τοῦ Κ[άι]ν τὸν*
25 *Ἄβελ* ». Ὁ Φίλων μὲν οὖν |[25] βούλεται διδύμους αὐτοὺς

118, 6 θυγετερας ‖ 20 απο⟦λ⟧`τ'εξ[. .] ‖ 20-21 ηρτηται ‖ 24 ⟦αυ⟧του ‖ `ο'

118, 5 Cf. Gen. 6, 2-4 ‖ 6 Gen. 4, 1 ‖ 8 Cf. Gen. 2, 7 ‖ 9 Cf. Gen. 2, 22 ‖ 14 Gen. 2, 7 ‖ 19 Gen. 4, 1 ‖ 22 Gen. 40, 8 ‖ 23 Gen. 4, 2

118, 21-22 Proc. 233 B 2-4 ; Devr. 168 ‖ 23-24 Proc. 233 D 3-5

118, 1. Dans les pages 77-80 manquantes. Le *limon* de *Gen.* 2, 7 ne peut pas désigner le corps dense que les hommes ont actuellement,

lui était apparu n'était pas l'un de ces anges transgresseurs dont l'Écriture dit qu'ils ont convoité les filles des hommes.

« *Et ayant conçu, elle enfanta Caïn.* » Un nouveau mode de naissance pour les hommes fait ici son apparition dans l'Écriture : Adam avait été *façonné* avec du *limon*, Ève, prise à la côte de l'homme avait été *construite*, et celui qui naît maintenant provient, lui le premier, des deux géniteurs, tandis que la naissance du Sauveur se fera à partir d'une vierge seule. Il n'est pas hors de propos de faire cette remarque, pour que tous les modes de venue à l'existence soient énumérés; mais nous maintenons ce que nous avons dit plus haut[1] du *limon* pris comme signe de la substance corporelle, ce corps étant évidemment approprié au séjour dans le Paradis.

On précise qu'elle *conçut*, et il est évident que Caïn et Abel l'ont été à partir de spermes, mais, comme Ève n'avait pas du tout rejeté la doctrine de la Providence, elle déclare en toute logique : « *J'ai formé un homme par le moyen de Dieu* », car, si Adam et Ève ont servi à cette procréation à titre de parents, tout a cependant été disposé et conduit par Dieu. Il faut comprendre « *par le moyen* (διά) *de Dieu* » comme s'il y avait simplement ' venant (παρά) de Dieu ' : c'est dans ce sens que Joseph dit aussi : « *N'est-ce pas par le moyen de Dieu qu'est donnée l'explication de ces choses?* », au lieu de ' venant (παρά) de Dieu[2] '.

« *Et elle enfanta par surcroît le frère de Caïn, Abel.* » Philon veut qu'ils aient été jumeaux, nés d'une même

puisque Adam n'avait pas encore péché ; c'était un corps approprié au séjour dans le paradis, un « corps spirituel » semblable au corps astral des philosophes, cf. p. 107, n. 1.

118, 2. PHILON, *De Cherub.* 124-127, avait déjà fait remarquer que la préposition διά, « par le moyen de », était inexacte dans le cas présent, comme aussi dans *Gen.* 40, 8, parce qu'elle désigne l'instrument et non pas la cause, laquelle s'exprime normalement par ὑπὸ ou encore par παρά (130).

[118] εἶν[αι] ἀπὸ μιᾶς συλλήμψεως · διό, | φησίν, πρόσκειται τῷ *ἔτεκεν τ[ὸν] Κάιν* τὸ *προσέθηκεν τεκεῖν* |[27] *τὸν ἀδελφὸν αὐτοῦ τὸν Ἀβέλ.* Π[ό]τερον ὑγιῶς ἔχει ἢ οὔ, ἐπιστήσας δοκιμάσεις, δυνατοῦ ὄντ[ο]ς καὶ χωρὶς αὐτοὺς ἐν διαφό-|[29]ροις χρόνοις γεγεννῆσθαι · καὶ γ[άρ], εἴ τῳ φίλον προσέσθαι

119 τὴν βίβλον |[1] τῆς διαθήκης εὑρήσει ἐν αὐτῇ καὶ πόσον (VIII, 7) θάτερ[ο]ς θατέρου τῷ | χρόνῳ προσείληφεν.

Ὅσα μὲν οὖν Φίλων εἰς τοῦτο ἀλληγο|[3]ρῶν εἶπεν, ὁ φιλόκαλος εἴσεται, λεκτέον δ' ὅμως εἰς τοῦτο τὰ | κατὰ δύναμιν. Ἡ ψυχὴ τοίνυν, ὅτε μὲν παροράματι καὶ σφάλ-
5 |[5]ματι ὑποπίπτει, ἀπογεννᾷ φαῦλα γεννήματα, ἐὰν δὲ ἀνα|νήψας ὁ νοῦς ἐπιστροφήν τινα σχῇ, τότε δῆτα ἄρχεται ἐκεῖ|[7]να μὲν ἀπωθεῖσθαι, τίκτẹịν δὲ εἰσαγωγὴν ἀρετῆς, ὅπερ ἐστὶν | ἀποδεκτόν · κατ' ὀλίγον [δὴ] προκοπῇ αὐξομένη ἐπὶ τὸ τέλειον |[9] ἥξει ποτέ, τὸ ἀνάπαλιν δẹ̀ ἄπευκτον,
10 ἀρετῆς προκαταρξαμέ|νης, κακίαν προσθεῖναι τ[ο]ῦ ἀστείου λογισμοῦ παρατραπέντος.

|[11] Εὖ δὲ καὶ τὸ τὰ ἐπιτηδε[ύμα]τα αὐτῶν ἀναγεγρᾶφθαι · « *<Ὁ> μὲν* » γὰρ | « *Ἄβελ* » φησὶν « *ἐγένετο πο[ι]μὴν προβάτων, Κάιν δὲ ἦν ἐργαζόμε*|[13]*νος τὴν γῆν* », ὅπερ ὡς πρὸς τὴν ἱστορίαν ἔχοι παρατήρησιν οὐ|κ εὐκαταφρόνητον,
15 καὶ τ[ὴ]ṿ τάξιν ἡμῶν ἐπιτηρούντων. Ἐν μὲν |[15] γὰρ τῇ γενέσει τὸν Κάιν [προ]έταξεν, τοῦ χρόνου τοῦτ' ἀναγκά-|ζοντος, ἐν δὲ τοῖς ἐπιτη[δεύ]μασιν προτάττει τὸν δίκαιον. Ἀ|[17]στεῖα γὰρ καὶ τιμιώτερα τ[ὰ το]ῦ Ἄβελ, ὧν ἐσπούδαζεν Κάιν · τὰ | μὲν γὰρ ἔμψυχα τῶν ἀψ[ύχων] τῷ τῆς φύσεως

118, 28 δοκειμασεις ‖ **119,** 3 φι`λο´καλος ‖ 6 επι`σ´τροφην ‖ 8 τελιον ‖ 9-10 προκατα`ρ´ξαμενης ‖ 10 αστιου ‖ 16 ⟦το⟧`εν´ ‖ 16-17 αστια ‖ 18 αψυχα των ⟦α⟧`εμ´ψ[....]

119, 12 Gen. 4, 2

119, 14-23 Proc. 233 D 5 - 236 A 6

conception[3]; c'est pourquoi, dit-il, aux mots : *Elle enfanta Caïn*, s'ajoutent ceux-ci : *elle enfanta par surcroît son frère Abel.* A-t-il raison ou tort ? à toi d'examiner et d'en juger. Car on peut aussi supposer qu'ils ont été enfantés séparément, à des moments différents; de fait, s'il plaît à **119** quelqu'un d'admettre *le Livre / du Testament*[1], il y trouvera même de combien de temps l'un a précédé l'autre.

Les lettrés connaîtront toute l'allégorie que Philon a faite à ce propos[2]; il faut néanmoins traiter le sujet dans la mesure du possible. L'âme, lorsqu'elle tombe dans l'erreur et le péché, engendre une progéniture mauvaise (Caïn), mais si l'intelligence, revenue à elle-même, opère une conversion, alors, bien évidemment, l'âme commence par rejeter cette progéniture-là et par enfanter l'introduction à la vertu (Abel)[3], ce qui est louable; puis, en grandissant peu à peu par le progrès, elle arrivera un jour à la perfection; mais il est détestable, à l'inverse, après que la vertu a commencé, d'ajouter du mal par une perversion de la noble raison.

Il est heureux aussi que l'Écriture ait consigné leur genre de vie : « *Abel devint pasteur de brebis et Caïn travaillait la terre.* » Cette phrase appelle, du point de vue de l'histoire, une remarque non négligeable si nous observons l'ordre dans lequel les deux frères sont nommés. Quand elle considérait leur naissance, l'Écriture mettait Caïn en premier, d'après les exigences de la chronologie; mais lorsqu'il s'agit de leurs occupations, elle place en tête le juste. L'occupation d'Abel, en effet, était distinguée, plus honorable que celle de Caïn, car les êtres animés

118, 3. Nous n'avons pas trouvé cette affirmation dans les œuvres conservées de PHILON. Au contraire, dans *De sacr.* 11, il présente Caïn comme « l'aîné » d'Abel.

119, 1. Cf. Introduction p. 28.

119, 2. Dans le *De sacrificiis Abelis et Caini*, qui commence à ce verset de la Genèse.

119, 3. Fait écho à PHILON, *De sacr.* 1 et 3.

[119] λόγῳ διαφέρει. |[19] Καὶ ταύτῃ κ[αλῶς] ὁ Φίλω[ν] τοὺς
20 ἀρχῆς μέλλοντας ἐπιλαμβά|νεσθαι τῆς τε [ἑτ]έρων κ[αὶ] τῆς ἑαυτοῦ ἐν τῇ ποιμενικῇ προ|[21]παιδεύεσθαι ἔφη.

Κάιν δ[ὲ ο]ὐκ ἐρρέθη γεωργός, ἀλλ' *ἐργαζόμενος* | *τὴν γῆν* · οὐ γὰρ ἦν ἀ[στε]ῖος κατὰ τὸν Νῶε, ὅστις *γεωργός*, οὐκ ἐρ|[23]γάτης, εἴρηται.

Πρὸς δὲ ἀ[λλ]ηγορίαν *ποιμήν* ἐστιν ὁ Ἄβελ ζῴ|ων, ὅ
25 ἐστιν τῶν αἰσθήσ[εω]ν, ὑπὸ ἐπιστήμην ἄγων ταῦτας |[25] ὡς νομεὺς ἄριστος, τῷ τ[ε θ]υμικῷ καὶ ἐπιθυμητικῷ ἡνίοχον | καὶ ταξίαρχον τὸν λογισ[μὸ]ν ἐπιτιθείς. Ὁ δὲ Κάιν περὶ |[27] τὴν γῆν καὶ τὰ γήϊνα εἰλ[υ]σ<πώ>μενος οὐ *γεωργὸς* εἴρηται — ἧ | γὰρ ἂν καὶ περὶ αὐτὰ τάξιν [ἐ]ζήτει —, ἀλλ' *ἐργαζόμενος τὴν γῆν* |[29] αὐτὸ μόνον, φιλοσώματός
120 [τι]ς ὤν, μηδένα λόγον ἢ τάξιν ἔχων, |[1] ὃς εἴποι ἂν προσφόρως
(VIII, 8) ἑαυτῷ · « *Φάγωμεν καὶ πίωμεν · αὔρι|ον γὰρ ἀποθ[ν]ήσκομεν* », τοῦ σὺν ἐπιστήμῃ θείᾳ ταῦτα ποι|[3]οῦντος κατὰ τὸ λεχθὲν « *Εἴτε ἐσθίετε, εἴτε πίνετε, εἴ|τε τι ποιεῖτε, πάντα*
5 *εἰς δόξαν Θεοῦ ποιεῖτε* » *γεωργοῦ* ἀλλ' οὐ|[5]κ ἐργάτου γῆς τυγχάνοντος.

| Οὗτοι δέ, ὡς προείρηται, τρόποι ψυχῆς ἂν εἶεν διάφοροι |[7] κατὰ διαφόρους ἐνεργούμενοι χρόνους.

| **IV, 3-5. Καὶ ἐγένετο μεθ' ἡμέρας ἤνεγκεν Κάιν ἀπὸ τῶν καρπῶν |[9] τῆς γῆς θυσίαν τῷ Κυρίῳ, καὶ Ἄβελ [ἤν]εγκεν**
10 **καὶ αὐτὸς ἀπὸ | τῶν πρωτοτόκων τῶν προβάτων αὐτοῦ καὶ ἀπὸ τῶν στεά|[11]των αὐτῶν. Καὶ ἐπεῖδεν ὁ Θεὸς ἐ[π]ὶ Ἄβελ**

119, 22 α[..]ιος ‖ \`κατα' ‖ 28 αυτα⟦ς⟧ ‖ **120,** 2 συν (υ refait sur ι) ‖ 3 εσθ⟦ε⟧ιεται ‖ 4 ποιειται ‖ 5 τυγχανοντες+blanc (24 lettres) ‖ 8 avant καιν une lettre grattée ‖ 11 επιδεν

119, 22 Cf. Gen. 9, 20 ‖ **120,** 1 Is. 22, 13 ; I Cor. 15, 32 ‖ 3 I Cor. 10, 21

119, 23 - **120,** 5 Proc. 237 A 6 - B 2

surpassent les êtres inanimés sous le rapport de la nature. Philon a raison de dire ici que ceux qui doivent assumer le commandement des autres et d'eux-mêmes font l'apprentissage de l'art pastoral[4].

Caïn n'est pas dit cultivateur mais « *travaillant la terre* », car il n'était pas distingué comme l'était Noé qui est appelé *cultivateur* et non pas travailleur[5].

Quant à l'allégorie, Abel est *pasteur* d'animaux, c'est-à-dire des sens qu'il menait, tel un excellent pasteur, sous la houlette de sa science, en imposant à l'irascible et au concupiscible la raison comme conductrice et ordonnatrice[6]. Caïn, qui se roulait dans la terre et dans les choses terrestres, n'est pas appelé *cultivateur* — sinon, il aurait cherché, même dans ces choses, à mettre de l'ordre —, mais il est dit seulement *travaillant la terre*, et rien de plus, parce qu'il était un ami du corps qui n'avait ni raison ni **120** ordre; / il aurait pu dire cette parole bien adaptée à son cas : « *Mangeons et buvons, car demain nous mourrons* », tandis que l'homme qui fait ces choses avec une science divine, conformément au précepte : « *Que vous mangiez, que vous buviez, quoi que vous fassiez, faites tout à la gloire de Dieu* », est un *cultivateur* et non un travailleur de la terre.

En outre, comme il a été dit plus haut[1], Caïn et Abel peuvent être deux aspects différents de l'âme qui agissent à des moments différents.

IV, 3-5. **Et voici qu'après des jours, Caïn offrit au Seigneur une offrande prise parmi les fruits de la terre et Abel, de son côté, en offrit une prise parmi les premiers-nés de ses brebis et dans leur graisse. Dieu jeta les yeux**

119, 4. Cf. PHILON, *De agr.* 41, 50.

119, 5. Distinction qui se retrouve chez PHILON, *De sacr.* 51 ; *De agr.* 21.

119, 6. Cf. PHILON, *De sacr.* 45-49 ; *De agr.* 57-61.

120, 1. Cf. p. 119, 4.

[120] **καὶ ἐπὶ τοῖς δώροις | αὐτοῦ, ἐπὶ δὲ Κάιν καὶ ἐπὶ ταῖς θυ[σία]ις αὐτοῦ οὐ προσέσχεν · |[13] καὶ ἐλύπησεν τὸν Κάιν λίαν καὶ συνέπεσεν τῷ προσώπῳ.**

| Σύντονον καὶ ἀνενδοίαστον εἶνα[ι] προσήκει τὸν ἐνάρετον,
15 |[15] ὡς μὴ μόνον αὐτὸν ἑτοιμότ[ε]ρ̣ο̣ν εἶναι πρὸς τὴν τῆς | ἀρετῆς ἐνέργειαν, ἀλλὰ καί, κω[λυό]ντων ἄλλων, ἐθέλειν |[17] αὐτῆς προκινδυνεύειν καθάπ[ερ] ἥ τε μακαρία Σουσάννα | καὶ Ἰωσὴφ ὁ ἀνδρειότατος · πε[ιρώ]μενοι γὰρ ὡς ἀντεχό-|[19]μενοι τῆς σωφροσύνης περιπ[οι]οῦνται [ἐνσ]τάσεσιν.
20 Κύριοι | γὰρ τοῦ ταύταις περιβαλεῖν ἐφαίνον[το] οἱ εἰς ἁμαρτίαν |[21] προτρεπόμενοι · ὅμως οὐκ εἶξαν, [ἀ]λλ' εἵλαντ[ο] τὸ γνήσιον τὸ | πρὸς Θεὸν διατηρεῖν, καὶ εἰ θάνατ[ος] γένοιτο · οὕτως διαπύρῳ |[23] τῷ πόθῳ τῆς ἁγνείας ἀντείχον[το], καὶ τὸ τέλος δὲ διέδει|ξεν καὶ τοῖς ἀπίστοις
25 τὴν κρίσιν [α]ὐτῶν καὶ τὴν δοκιμασί|[25]αν σωτήριον Θεοῦ, τῆς ἀρετῆς αὐ[το]ὺς ἀποδεξαμένου.

Ἀλλ' ὁ | Κάιν οὐ τοιοῦτος, μελλητὴς δ[ὲ ε]ἰσάγεται · « *Μεθ' ἡμέρας* » γὰρ |[27] « *ἤνεγκεν ἀπὸ τῶν καρπῶν τῆς γῆς* », ὥσπερ ἔκ τινος μετα|γνώσεως Θεοῦ μνημονεύων. Το[ῦ]το καταμεμφομένη ἡ θεία |[29] γραφὴ διδάσκει · « *Μὴ*
121 *ἀπόσχῃ εὖ [π]οιεῖν ἐνδεῆ, ἡνίκα ἂν ἔχῃ* |[1] *ἡ χείρ σου βοηθεῖν.*
(VIII, 9) *Μὴ εἴπῃς · Ἐπανελθὼν ἐπάνηκε καὶ αὔριον | δώσω, δυνατοῦ σου ὄντος εὖ ποιεῖν* ». |[3] Περὶ δὲ τοῦ Ἄβελ οὐκ εἴρηται ὡς « *μεθ' ἡμέρας* », ἀλλά · « *Καὶ Ἄβελ ἤ|νεγκεν καὶ αὐτός* » · καὶ ποῖα ἤνεγκεν, παρασημαίνει τὸ λόγιον,
5 |[5] αἰνιττόμενον αὐτῶν τὸ οἰκεῖον καὶ τίμιον · « *ἀπὸ τῶν πρωτο|τόκων τῶν προβάτων αὐτοῦ καὶ ἀπὸ τῶν στεάτων* ». Ἅτε δὲ |[7] τοῦ μὲν Κάιν ἠμελημένως πεποιηκότος τὰ τῆς προσαγω|γῆς, τοῦ δ' Ἄβελ γνησίως, « *ἐπεῖδεν ὁ Θεὸς ἐπὶ Ἄβελ καὶ ἐπὶ τοῖς* |[9] *δώροις αὐτοῦ, ἐπὶ δὲ Κάι[ν] καὶ*
10 *ἐπὶ ταῖς θυσίαις αὐτοῦ οὐ προσ|έσχεν* ». Τὸ γὰρ γνήσιον

120, 15 ⟦ετ⟧ετ᾽ο᾽ιμοτερον ‖ 18 ανδριοτατος ‖ 20 περιβα⟦λ⟧λειν ‖ 23 αγνιας ‖ 26 τοιουτοις ‖ 27 γη ‖ **121,** 1 επανη᾽κε᾽ ‖ 2 ποιειν+blanc (17 lettres) ‖ 3 ουχ ‖ 5 οικ᾽ε᾽ιον ‖ 8 επ᾽ε᾽ιδεν ‖ 9-10 προσ᾽ε᾽|᾽σ᾽χεν

sur Abel et sur ses dons, mais il ne regarda pas Caïn et ses sacrifices. Caïn en eut beaucoup de peine et son visage fut abattu.

Il convient que l'homme vertueux soit tendu et ferme, de manière à n'être pas seulement prêt à pratiquer la vertu, mais encore, si d'autres l'en empêchent, à vouloir affronter le danger pour elle, comme la bienheureuse Suzanne et le très courageux Joseph. Mis à l'épreuve à cause de leur volonté d'observer la tempérance, ils étaient tentés avec insistance. Les gens portés au péché semblaient maîtres de les harceler. Néanmoins, ils ne cédèrent pas, ils choisirent au contraire de rester sincères envers Dieu, même si la mort devait s'ensuivre. Ils conservèrent ainsi un désir brûlant de pureté, et la fin de l'épreuve montra aux infidèles eux-mêmes le jugement porté sur eux et que Dieu ne les avait éprouvés que pour les sauver, car il avait reconnu leur vertu.

Mais Caïn n'était pas un homme de cette sorte ; l'Écriture le présente comme un temporisateur : « *Après des jours*, dit-elle, il *offrit une offrande avec les fruits de la terre* », comme s'il ne s'était souvenu de Dieu qu'à regret. La divine Écriture blâme cette attitude quand elle enseigne : « *Ne* **121** *t'abstiens pas de faire du bien à l'indigent* | *quand ta main peut lui venir en aide. Ne lui dis pas : va-t-en et reviens, demain je donnerai, alors que tu peux faire le bien.* » Pour Abel il n'est pas dit : « *après des jours* », mais « *Abel fit lui aussi une offrande* », et le texte met en relief ce qu'il a offert pour donner à entendre que c'étaient des choses dignes et précieuses : « *prises parmi les premiers-nés de ses brebis, et dans leur graisse* ». Parce que Caïn avait fait son offrande avec négligence et Abel d'une manière sincère, « *Dieu jeta un regard favorable sur Abel et sur ses dons, mais ne regarda pas Caïn et ses sacrifices* ». La sincérité

120, 26 Gen. 4, 3 || 29 Prov. 3, 27-28 || **121,** 3 Gen. 4, 4 || 5 Gen. 4, 4 || 8 Gen. 4, 4-5

[121] διαφ[αί]νεται τοῦ Ἄβελ · *πρωτότοκα* γὰρ προσ|[11]ήγαγεν, τὰ τιμιώτατα τ[ῷ] Θεῷ κρίνας ἀπονέμειν, ὧν ἐστιν | καὶ τὰ *στέατα*, ὡς ἔδει κ[αὶ τ]ὸν Κάιν ποιῆσαι, ἀπὸ τῶν πρωτογε|[13]νημάτων παράσχοντα. Ἀ[π]άρχεσθαι γὰρ προηγουμένως πρέπει | τῷ Θεῷ, ὅπερ πνευματικῶς ὁ μακάριος
15 Δαυὶδ ποιεῖ λέγων · « *Ἐκ νυκτὸς* |[15] *ὀρθρίζει τὸ πνεῦμά μου πρ[ὸ]ς σέ, ὁ Θεός* », οὐδέν μοι τῶν ἄλλων πρό|κριτόν ἐστιν ἀλλ' ἡ πρὸ[ς] σὲ καταφυγή · καίτοι σοι τῷ Θεῷ πρὸ |[17] παντὸς πράγματος ἀπο[νέμητ]αι τὰ καθήκοντα.

Δῶρον δὲ *θυ|σίας* ταύτῃ διαφέρει ὅτ[ι τὸ μ]ὲν *δῶρον* ἀπὸ ζῴων προσάγεται, |[19] ἡ δὲ *θυσία* οὐχί · ὅσῳ δὲ [ζῷ]α
20 τῶν ἀψύχων τῇ φύσει τιμιώ|τερα φανερ[όν.

Τί] δὲ τὸ « *[Οὐ] προσέσχεν ὁ Θεός* », ἐξ οὗ καὶ λελύπη|[21]ται Κάιν καὶ συν[έπ]εσεν αὐτοῦ τὸ πρόσωπον, εἴποι τις ἄν, ἢ πῶς | ἔγνω Κάιν ὅτι ο[ὐ] προσεδέ[χε]το Θεός, ἵνα καὶ λυπηθῇ ; πρὸς ὃ λέγοι |[23] τις τὰ ἀπὸ τῆς βίβλου τῆς δ[ιαθ]ήκης, ἐν ᾗ γέγραπται ὡς ἀπ' οὐρα|νοῦ πῦρ
25 κατιὸν ἐδέχετο [τὰς] θυσίας τὰς δεόντως προσαγο|[25]μένας, ἐξ οὗ εἰκὸς ἐγνωκ[έ]ναι τὸν Κάιν, ἐπὶ τὰς αὐτοῦ μὴ ἐ|πελθόντος τοῦ πυρός, τῶ[ν τ]οῦ Ἄβελ δαπανηθεισῶν ὑπ' αὐ|[27]τοῦ. Τοῦτο δὲ καὶ ἐν τῷ Λευι[τι]κῷ ἐγίνετο · οἱ γὰρ προαγαγόν|τες ἀλλότριον πῦρ ἐπὶ τὸ θυ[σι]αστήριον δίκην ὑπέσχον οὐ μίκραν, |[29] καὶ Ἠλίας ὁ μέγας προφήτης [π]ρὸς τοὺς
122 ἱερεῖς τῆς Βάαλ ἀπομαχό<μενος> |[1] διέδειξεν ὡς ἀπ' οὐρανοῦ
(VIII,10) τὸ πῦρ κατῄει ἐπὶ τὰς αὐτοῦ, ἁγίου ὄν|τος, θυσίας.

Ταῦτα μὲν οὖν ἡ τοῦ ῥητοῦ παρέχει διήγησις · |[3] ὁ δὲ τῆς ἀναγωγῆς νοῦς τοιοῦτος ἂν εἴη · οἱ τὴν ἀρετὴν | ὑποκρι-
5 νόμενοι τῷ μὴ ἀπὸ γνησίας προθέσεως ἀλλ' ἄλ|[5]λου χάριν

121, 12 ποιησ⟦ε⟧`α'ι ‖ 13 α[.]⟦ε⟧`α'ρχεσθαι ‖ 16 προκριτ⟦ει⟧ον ‖ 19-20 τιμιω⟦σ⟧τερα ‖ 27 του`το' ‖ λευει[..]κω ‖ **122,** 3 `οι' ‖ 4 υποκρινο⟦κρινο⟧μενοι

121, 14 Is. 26, 9 ‖ 20 Gen. 4, 5 ‖ 27 Cf. Lév. 10, 1-2 ‖ 29 Cf. III Rois 18, 38-40

121, 1. Cf. PHILON, *De sacr.* 52-53, qui fait lui aussi deux reproches

d'Abel est, en effet, manifeste : il offrit des *premiers-nés*, estimant qu'il faut réserver à Dieu les choses les plus précieuses, dont font également partie les *graisses*. C'est ce que Caïn aurait dû faire, lui aussi, en apportant les prémices de ses champs. Car il convient éminemment d'offrir les prémices à Dieu[1]. Le bienheureux David[2] le fait spirituellement quand il dit : « *Au sortir de la nuit, mon esprit point vers toi, mon Dieu* », me réfugier vers toi passe avant tout le reste; qu'à toi, mon Dieu, avant toutes choses, soit attribué ce qui est dû.

Le *don* se distingue ici du *sacrifice* en ce que le don est une offrande d'animaux, d'êtres vivants, et le sacrifice non; or on sait d'évidence combien les animaux sont plus précieux que les êtres inanimés.

Mais, dira-t-on, pourquoi Dieu n'a-t-il *pas regardé Caïn*, en sorte que *Caïn en éprouva du chagrin* et que *son visage fut abattu?* Ou encore comment Caïn a-t-il appris que Dieu n'acceptait pas son sacrifice, pour en avoir un tel chagrin ? On pourrait répondre par le *Livre du Testament* où il est écrit qu'un feu descendit du ciel pour prendre les offrandes faites comme il faut; dans ce cas, il est tout naturel que Caïn l'ait appris, puisque le feu n'est pas venu sur ses offrandes alors que celles d'Abel étaient consumées. La même chose s'est passée dans le Lévitique : ceux qui offraient sur l'autel un feu étranger furent sévèrement punis, et le grand prophète Élie, qui **122** luttait contre les prêtres de Baal, / leur administra la preuve que le feu du ciel descendait sur ses offrandes à lui parce qu'il était saint.

Voilà donc l'explication de la lettre. Le sens anagogique doit être celui-ci. Ceux qui simulent la vertu en exhibant de beaux dehors, non pas dans une intention sincère mais

à Caïn : 1) d'avoir fait ses offrandes avec retard, 2) de ne pas avoir offert des prémices.

121, 2. Non pas David mais Isaïe (26, 9).

[122] τὴν ἐξωφάνειαν ἐπιδείκνυσθαι μελληταί τινές | εἰσιν καὶ ἀδόκιμοι, οὐκ ἀπαρχόμενοι τῷ Θεῷ · ἀπαρχὴ δ' ἐστὶν |[7] ἀρετῆς ἡ ἀπὸ τῆς γνώμης · κίνησις ἐπ'[α]ὐτὴν ἐκεῖθεν φύεται. | Τοῦτο Δαυὶδ παιδεύει φάσκων · « *Ἀλλ' ἢν [ἐν] νόμῳ Κυρίου τὸ θέλημα αὐ|*[9]*τοῦ* » · οἱ δ' ὑποκριταί, οὐκ

10 ἔχοντες ἀρετ[ῆ]ς θέλημα, ἢ *αἰσχροῦ χάριν* | *κέρδους*, ὡς εἴρηται, ἢ δόξης τὰ τῆς ἀ[ρε]τῆς ὑποκρίνονται. |[11] Ταύτης ὢν τῆς μερίδος Κάιν προσήγα[γεν] *μεθ' ἡμέρας*, ὁ δ' Ἄβελ | ἀμελλητὶ ζῷα *πρωτότοκα καὶ στέατ[α]* προσάγει · οὐδεμίαν γὰρ |[13] ἑαυτοῦ πρᾶξιν οἴεται ἀπαρχόμενος ὁ [ἐ]νάρετος εἶναι μὴ τῷ Θεῷ | προσήκουσαν, καθὰ καὶ Παῦλος ὁ

15 μα[κ]άρ[ιο]ς λέγων · « *Οὐκ ἐγὼ δέ, ἀλ|*[5]*λὰ ἡ χάρις τοῦ Θεοῦ σὺν ἐμοί* », καὶ ὁ Ψα[λμ]ῳδός · « *Ἐὰν μὴ Κύριος οἰκο|δομήσῃ οἶκον, εἰς μάτην ἐκοπία[σαν ο]ἱ οἰκοδομοῦντες αὐτόν.* »

|[17] Ὁ Ἄβελ οὖν τὰ ζωτικὰ καὶ ἄλογα κ[τή]ματα [...ημ]ερώσας τῷ | λογισμῷ καὶ εὐσταθῆ ποιήσας ἀνέ[φ]ερε τῷ [Θε]ῷ οἰκείων αὐτῷ |[19] καὶ μὴ τοῖς πάθεσιν. Γίνεται *λύπ[η]*

20 τοῖς μὴ ὃν δεῖ τρόπον χρω|μένοις τοῖς πράγμασιν, δίκην πυρὸ[ς] τοῦ συνειδότος ἐλέγχον|[21]τος καὶ παραδεικνύντος, κἂν ἔτι [ἡ] κακία ἐνέχηται, τὸ ἀπρε|πὲς τῶν ἐνεργουμένων, ἐξ οὗ καὶ *σ[υ]μπίπτει* τὸ τῆς ψυχῆς *πρό|*[23]*σωπον*, ἀφ' οὗ καὶ οἱ σωματικοὶ χαρα[κτ]ῆρες δέχονται τὴν κα|τήφειαν. Ὅτι δὲ ψυχῆς πρόσωπον ἔ[σ]τιν, φησὶν τὸ λόγιον · « *Σοφία*

25 |[25] *ἀνθρώπου φωτιεῖ πρόσωπον αὐτοῦ* », κ[α]ὶ « *Ἀνακεκαλυμμένῳ προ|σώπῳ τὴν δόξαν Κυρίου κατοπτριζόμεθα* »,

123 τοῦ αἰσθητοῦ προσώπου |[1] σημαινομένου ἐν τῷ « *καρδίας*

(VIII,11) *εὐφραινομένης πρόσωπον* | *ἱλαρόν, ἐν λύπαις οὔσης σκυθρω-*

122, 5 χαρ⟦ε⟧ιν ‖ ε⟦ι⟧`ξ'ωφανιαν ‖ 7 `η' P² ‖ κεινησις ‖ 10 τ⟦ο⟧`α' ‖ α[..]της+αρετης ‖ 13 απερχομενος ‖ 18 ε⟦σ⟧`υ'σταθη ‖ οικιων ‖ 19-20 χρω|⟦τ⟧`μ'ενοις ‖ 22 σ[.]νπιπτει ‖ 23-24 κατηφιαν ‖ 26 κατοπ`τ'ριζομεθα ‖ **123,** 1 ευφρ⟦ε⟧`αι'νομενης ‖ 2 λυπ⟦η⟧`αι'ς ‖ σκυθρωπα`ζ'ει (ζ inséré par une autre main)

en vue d'autre chose, sont en quelque sorte des temporisateurs, des gens de mauvais aloi, parce qu'ils n'offrent pas les prémices à Dieu; les prémices de la vertu sont ceux qui viennent de l'intention, car le mouvement vers la vertu naît de là. David l'enseigne en disant : « *Sa volonté était dans la loi du Seigneur* », tandis que les hypocrites, qui n'ont pas la volonté de la vertu, simulent les gestes de la vertu, *pour un gain honteux*, comme il est écrit, ou par vanité. Caïn, qui faisait partie de cette catégorie, offrit *après des jours*; Abel, au contraire, offre sans retard des animaux *premiers-nés* et des *graisses*, parce que l'homme vertueux, dans les prémices de ses actions, pense qu'il n'en est aucune qui ne doive être rapportée à Dieu, comme le pensait aussi le bienheureux Paul qui dit : « *Ce n'est pas moi, mais la grâce de Dieu avec moi* », et le *psalmiste* : « *Si le Seigneur ne bâtit pas la maison, en vain auront travaillé ceux qui la bâtissent.* »

Abel, donc, après avoir apprivoisé par la raison les êtres vivants et sans raison qui étaient sa propriété, et les avoir rendus paisibles, présentait à Dieu une offrande conforme à Dieu et non pas aux passions. Il se produit un *chagrin* pour ceux qui n'usent pas des choses comme il faut; leur conscience, à la manière d'un feu, les réprimande et leur montre, alors même que le vice est encore en eux, l'inconvenance de leurs actions; d'où vient que le *visage* de leur âme est abattu, ce qui empreint aussi de tristesse les traits de leur corps. Qu'il y ait un *visage* de l'âme, ces versets le disent : « *La sagesse de l'homme illumine son visage* », et « *Nous contemplerons la gloire du Seigneur* **123** *à visage découvert* »; mais au visage sensible / se rapporte la parole : « *Quand le cœur est à la joie, le visage brille; quand il est dans le chagrin, le visage s'assombrit.* » C'est

122, 8 Ps. 1, 2 || 9 Cf. Tit. 1, 11 || 14 I Cor. 15, 10 || 15 Ps. 126, 1 || 24 Eccl. 8, 1 || 25 II Cor. 3, 18 || **123,** 1 Prov. 15, 13

[123] *πάζει* », ὅπερ τῷ Κάιν συμβέβη|[3]κεν ὑπὸ τοῦ συνειδότος ἐλεγχομένῳ.

| **IV, 6-7. Καὶ εἶπεν Κύριος ὁ Θεὸς τῷ Κάιν · Ἵνα τί**
5 **περίλυπος ἐγένου, καὶ ἵνα |[5] τί συνέπεσεν τὸ πρόσωπόν σου ; Οὐκ ἂν ὀρθῶς προσενέγκης, | ὀρθῶς δὲ μὴ διέλης, ἥμαρτες. Ἡσύχασον. Πρὸς σὲ ἡ ἀπο|[7]στροφὴ αὐτοῦ καὶ σὺ ἄρξ[ει]ς αὐτοῦ.**

| Φιλανθρωπία τοῦ Θεοῦ [τ]ῶν ὅλων ὑπερβάλλουσα δείκνυται, |[9] ὅτι καὶ τοῖς σφαλλομέν[ο]ις διαλέγεται, μὴ
10 ἐῶν αὐτοὺς βυ|θίζεσθαι ταῖς ἁμαρ[τίαι]ς, ἀλλὰ διεγείρων πρὸς τὸ συναι|[11]σθομένους ἐπὶ τὴν [ἀρε]τὴν ἐπιστρέψαι, ὅπερ καὶ νῦν ἐπὶ | τοῦ Κάιν γίνεται, λ[έγο]ντος αὐτῷ τοῦ Θεοῦ κατὰ τὸ ἐνη|[13]χεῖν ἐν διανοίᾳ · « *Ἵν[α τί] περίλυπος ἐγένου* ; », σαυτῷ τούτου πα|ραίτιος γέγονας καὶ ο[ὐχ
15 ἕ]τερος τοῦ ἁμαρτήματος πρό|[15]φασις ὑπῆρξεν. Ὑποτ[ί-θε]ται δὲ καὶ τὸν τρόπον τοῦ | σφάλματος λέγων · « *Οὐκ [ἂν ὀρ]θῶς προσενέγκης, ὀρθῶς δὲ μὴ* |[17] *διέλης, ἥ[μαρτε]ς.* » Ὅσοι γ[ὰρ] πρόνοιαν ἐφεστάναι μὲν τοῖς ὅ|λοις ἡγοῦντ[αι κ]αὶ διεξ[ά]γουσιν αὐτῶν τὰ πράγματα προσ|[19]άγοντες
20 εὐχαριστίαν [οἰ]κείως ποιοῦσιν, ἠμελημένως | δὲ ταύτῃ χρώμενοι, ὡ[ς] τὰ μὲν τίμια ἑαυτοῖς φυλάττειν, |[21] προσάγειν δὲ τὰ εὐτελῆ, [οὗτ]οι κακῶς τῇ *διαιρέσει* κέχρηνται. | Τοῦτ' αὐτὸ τοῦ Ἰσραὴλ π[οιο]ῦντος, ὁ προφητικὸς λόγος ἐπιτι|[23]μητικῶς καὶ ἐντρεπτικ[ῶς] φησιν · « *‹Ἐὰν προσαγάγητε τυφλὸν εἰς θυσίαν, οὐ κακόν ; καὶ ἐὰν προσαγάγητε χωλὸν ἢ ἄρρωστον,› | οὐ κακόν ; Προσάγαγε αὐτὸ*
25 *τ[ῷ] ἡγουμένῳ σου* ». Ἀλλὰ καὶ Ἀνανία |[25] καὶ Σαφφεῖρα

123, 9 αυτους (υ₂ refait sur ι) ‖ 9-10 βυθειζεσθαι ‖ 10 δ⟦ε⟧ιεγειρων ‖ 10-11 συνεσθομενους ‖ 13 σαυ`τω' ‖ 15 ⟦τον⟧ τον ‖ 16 προσενεγκης (η refait sur αι) ‖ 17 με`ν' ‖ 19 ευχαριστειαν ‖ 23 φησιν + blanc (fin de la ligne) ‖ 24 κ`αι'

123, 13 Gen. 4, 6 ‖ 16 Gen. 4, 7 ‖ 23 Mal. 1, 8

123, 1. « User mal de la distinction », c'est commettre une faute de

précisément ce qui est arrivé à Caïn quand sa conscience le réprouvait.

IV, 6-7. **Et le Seigneur dit à Caïn : Pourquoi es-tu devenu triste et pourquoi ton visage est-il abattu? Si tu avais offert correctement et que, correctement, tu n'aies pas opéré une distinction, tu n'aurais pas péché. Tiens-toi tranquille. Cela te reviendra et tu en seras maître.**

Le Dieu de toutes choses montre une indulgence surabondante en acceptant de s'entretenir même avec ceux qui commettent des fautes : au lieu de les laisser s'abîmer dans leurs péchés, il éveille leur conscience pour qu'ils se convertissent à la vertu. C'est ce qui se passe maintenant pour Caïn : Dieu lui dit comme en écho dans sa pensée : « *Pourquoi es-tu devenu triste?* » tu t'es fait ton propre complice, personne d'autre n'a été l'occasion de ton péché. Et il lui expose la façon dont il a péché : « *Si tu avais offert correctement et que, correctement, tu n'aies pas opéré une distinction, tu n'aurais pas péché.* » Quand ils font une offrande, en effet, ceux qui pensent que la Providence s'étend à tous les êtres et que c'est elle qui mène leurs actions à bonne fin, rendent grâce comme il faut; mais ceux qui rendent grâce avec négligence, au point de garder pour eux les choses précieuses et d'offrir celles qui ont peu de prix, ceux-là usent mal de la *distinction*[1]. Parce qu'Israël agissait ainsi, la Parole prophétique lui adresse cette réprimande pour le faire changer : « *<Quand vous offrez en sacrifice une bête aveugle, n'est-ce pas mal? Quand vous offrez une bête boiteuse ou infirme> n'est-ce pas mal? Offre-la plutôt à ton gouverneur.* » Il en va de même d'Ananie et Saphire, dans les Actes des Apôtres : comme beaucoup

logique. Didyme emploie à dessein cette expression. Comme les péchés sont des actes contre « la raison », ils peuvent être assimilés à des fautes contre la logique. Écho lointain de PHILON, *De agr.* 127-130.

[123] ἐν ταῖς Πράξεσιν τῶν ἀποστόλων, πολλῶν προσ|φερόντων
124 εἰς χρείας τοῖς δεομένοις, καὶ αὐτοὶ καθυπέσχοντο |[1] τιμὴν
(VIII,12) χωρίου, ἀφ' ἧς νοσφισάμενοι τὸ ἥμισυ τὸ ἕτερον προσήγα|γον κακῶς τῇ *διαιρέσει* χρώμενοι, ὅπερ ἐλέγχων ὁ πρόκριτος |[3] τῶν ἀποστόλων τῷ πνεύματι κινούμενος ἔλεγεν · | « *Οὐχὶ μένον σοὶ ἔμενεν καὶ πραθὲν ἐν τῇ σῇ ἐξουσίᾳ ὑπῆρχεν ;*
5 |[5] *Τί ὅτι ἔθου ἐν τῇ καρδίᾳ σου ποιῆσαι τὸ πρᾶγμα τοῦτο ;* » ὅπερ καὶ ἐν|ταῦθα τῷ Κάιν ὑπὸ Θεοῦ εἴρηται · « *Ἵνα τί περίλυπος ἐγένου καὶ ἵνα* |[7] *τί συνέπεσεν τὸ πρόσωπόν σου ; Ο[ὐκ] ἂν ὀρθῶς προσενέγκῃς,* | *ὀρθῶς δὲ μὴ διέλῃς, ἥμαρτες.* » *Ἁμαρ[τ]άνουσι* γὰρ ὅσοι ὡς δεο|[9]μένῳ τῷ
10 Θεῷ προσάγουσιν, ἀγνοο[ῦν]τες τὸ εἰρημένον ἐν | Ψαλμοῖς πρὸς αὐτοῦ τοῦ Θεοῦ · « *Μὴ φάγο[μ]αι κρέα ταύρων, ἢ αἷμα* |[11] *τράγων πίομαι ;* » καὶ ἔτι · « *Ἐμά ἐστιν [πάν]τα τὰ θηρία τοῦ ἀγροῦ, κτή|νη ἐν τοῖς ὄρεσιν καὶ βόες* » · ὑμεῖς μ[ὲν] γὰρ ὅσα εὐχείρωτα πα|[13]ρ' ἐμοῦ ἔχετε, ἐγὼ δὲ καὶ τὰ πάντα, [ὥσ]τε οὐ δεόμενος διετά|ξατο, ἀλλ' ἀπὸ
15 τούτων συμβολικ[ῶς πα]ιδεύων ὡς οὐκ ἠμε|[15]λημένως τῇ ἀρετῇ χρῆσθαι πρ[οσήκ]ει, ἀλλὰ τελείᾳ καὶ ὁλοκλήρῳ.

| Εἶτα, ἵνα μὴ προκόπτῃ τὸ κακόν, ἠ[ρεμ]εῖν ἀπ' αὐτοῦ παραινεῖ, ἵνα |[17] μὴ ἐπιτριβόμενον λύμην ἐργάσητ[αι χ]είρονα. Οὕτω καὶ τῇ Σίων | λέγεται ἀτάκτως κινουμένῃ — τ[ο]ι[οῦ]τον γὰρ [ὄνομ]α — · « *Στῆσον* |[19] *σεαυτὴν Σίων.* » Ἐπεὶ
20 γὰρ τὸ λογικὸν [ζ]ῷον ἐνε[ργη]τικόν ἐστιν ἢ | κακίαν ἢ ἀρετὴν ἐνεργοῦν, εἰκότω[ς], ὅτε κακ[ία]ν πράττει, οἰ|[21]κεῖον αὐτῷ τὸ *στῆσαι* ταύτην, ἵν' οὕ[τω]ς ἡ ἀρετὴ

123, 26 κατυπεσχοντο ‖ **124,** 3 κειν̣ουμενος ‖ ελεγεν + blanc (11 lettres) ‖ 4 ουχ⟦ε⟧ι ‖ 8 διέλῃς : αιλ⟦ε⟧ης ‖ 12 υμ`ε΄ις ‖ 14-15 ημελημεν⟦η⟧`ω΄ς P² ‖ 15 τελια ‖ 17 `λ΄υμην P² ‖ σειων ‖ 18 κειν̣ουμενη ‖ 19 σειων ‖ 20-21 οικ`ε΄ιον

124, 4 Act. 5, 4 ‖ 6 Gen. 4, 6-7 ‖ 10 Ps. 50, 13 ‖ 18 Jér. 38, 21

124, 1. Didyme explique ici le nom hébreu « Sion » par une racine grecque σείω, « secouer », « agiter ». Cette étymologie ne vient ni de la *Traduction des noms hébreux* (cf. WUTZ, *op. cit.*, index s.v. « Sion »), ni d'Origène, qui adopte une des interprétations données

de gens faisaient des offrandes pour subvenir aux besoins
124 des indigents, ils firent semblant / de donner eux aussi le prix d'une propriété; ils en mirent une moitié de côté et offrirent l'autre moitié. C'était mal user de la *distinction*, et le prince des apôtres, mû par l'Esprit, le leur reprocha en ces termes : « *Ne pouvais-tu pas, sans la vendre, la garder pour toi, ou, une fois vendue n'étais-tu pas maître de l'argent? Pourquoi as-tu mis dans ton cœur de faire cette action?* » C'est ce que Dieu dit ici à Caïn : « *Pourquoi es-tu devenu triste et pourquoi ton visage est-il abattu? Si tu avais offert correctement et que, correctement, tu n'aies pas opéré une distinction, tu n'aurais pas péché* ». Ils *pèchent*, en effet, tous ceux qui font des offrandes à Dieu comme à quelqu'un qui en aurait besoin, en ignorant ce que Dieu lui-même a dit dans les Psaumes : « *Est-ce que je mange de la chair des taureaux ou bois du sang de boucs* ? » et encore : « *A moi sont toutes les bêtes des champs, les bestiaux sur les montagnes et les bœufs* »; vous, vous avez les bêtes faciles à apprivoiser et vous les tenez de moi, mais moi j'ai toutes les bêtes. Aussi n'a-t-il pas prescrit les offrandes comme s'il en avait besoin, mais pour enseigner symboliquement, par ce moyen, qu'il ne faut pas s'adonner à la vertu avec négligence, mais viser à une vertu parfaite et intégrale.

Puis, pour que le mal ne fasse pas de progrès, il exhorte à cesser de le commettre, de peur que ce mal, comme une blessure qu'on irrite, ne cause un dommage pire. Il est dit de même à Sion qui *avait des mouvements désordonnés* — car tel est le sens de son nom[1] — : « *Arrête-toi, Sion* »; comme l'animal raisonnable est actif, soit qu'il fasse le bien soit qu'il fasse le mal, il lui appartient à juste titre, quand il fait le mal, de *l'arrêter*, pour qu'ainsi la vertu

dans cet ouvrage, σκοπευτήριον, « observatoire », *In Ioh.* XIII, 13, § 82 ; *Hom. in Jer.* V, 16, 21, etc. Le mot même de Sion est absent de l'œuvre de Philon (d'après l'index de Leisegang). Didyme a été poussé à cette interprétation par le verset de Jérémie qu'il cite : « Tiens-toi *tranquille*, Sion. »

[**124**] χώραν εὕρῃ | τὴν πρέπουσαν. Τοῦτό τοι καὶ Δαυὶδ [πα]ραινεῖ· « *Ἔκκλινον ἀπὸ κα*|[23]*κοῦ* » λέγων « *καὶ ποίησον ἀγαθόν.* » « *Ἡσ[ύχ]ασον* » οὖν, φησίν, μὴ πρόκο|πτε τῷ κακῷ, μὴ
25 διὰ τῆς κατηφεί[ας] λογίζου ὡς οὐ δεόντως |[25] οὐ προσεδέχθη σου ἡ θυσία. Πολλο[ὶ γ]ὰρ πολλάκις αὐτοὶ σφαλλό|μενοι καὶ διὰ τοῦτο μὴ ἔχοντες εἶτα καθ' ἑαυτοὺς συνεργὸν |[27] τὸν Θεὸν δυσαρεστοῦνται τῇ προν[οί]ᾳ, ὅπερ κωλύει Θεὸς ἐπὶ τοῦ | Κάιν λέγων· « *Ἡσύχασον.* »

125 Ἐπάγει δὲ [κ]αὶ τὸ « *πρὸς σὲ ἡ ἀποστροφὴ* |[1] *αὐτοῦ* (VIII,13) *καὶ σὺ ἄρξεις αὐτοῦ* », παιδεύων ὡς ὅσα οὐ κατὰ τὸ πρέπον | προσάγεται Θεῷ, ταῦτα οὐκ αὐτῷ προσφέρεται, ἀλλὰ τοῦ δεδω|[3]κότος ἐστὶν *ὑποστρέφοντος πρὸς αὐτὸν* διὰ τὸ μὴ εὑρηκέναι | χώραν ἐν Θεῷ. Οὕτω καὶ οἱ ἐλεημοσύνην
5 παρέχοντες *πρὸς τὸ θε*|[5]*αθῆναι τοῖς ἀνθρώποις* ἀπέχουσιν ἑαυτῶν τὸν μισθόν, οὐδὲν | ἀπὸ Θεοῦ ἔχοντες· οὐ γὰρ θείῳ [σ]κόπῳ τοῦτ' ἐποίησαν.

|[7] Ὅλη μὲν οὖν ἡ τοῦ ῥητοῦ διή[γη]σις ὠφελιμωτάτη πρὸς ἦθος | καὶ οὕτω ψιλῶς λαμβανομ[έ]νη, παιδεύουσα γνησίως τὰς προσ|[9]φορὰς καὶ μὴ ἠμελημένως ποιεῖσθαι· ἐπειδὴ δὲ
10 ἐν τοῖς φθά|σασιν εἰς τρόπους ψυχῆς ἀ[νη]γάγομεν τὰ προειρημένα, ἀναγ|[11]καῖον καὶ νῦν τοῦτο ποιῆσ[αι]. Ὁ λόγος τοῦ Θεοῦ ὁ κατὰ τὰς κοι|νὰς ἐννοίας ἐνυπάρχων, τῇ συνειδήσει τε παρών, κηδε|[13]μονικῶς ἐλέγχει τοὺς σφα[λ]λομένους, ὅπερ καὶ νῦν παρίσταται. | Οἱ γὰρ ὑποκριταί, ὅσον μὲν
15 εἰ[ς] τὸ τιμίαν δεικνύναι τὴν ἀρε|[15]τήν, εἰ καὶ μὴ αἱροῦνται αὐ[τήν], ὀρθόν τι δοκοῦσιν ποιεῖν· ἐπει|δὴ δὲ τῇ *διαιρέσει* φαύλω[ς χρ]ῶνται, τὸ μὲν ἀπὸ τοῦ βάθους τῆς δι|[17]ανοίας κίνημα πρὸς τὰς ἑ[αυτ]ῶν ἡδονὰς ἄγοντες, τὸ δὲ τῆς | ἐξωφανείας δ[ῶρον] διὰ Θεοῦ ποιεῖν σχηματιζόμενοι,

124, 22 απο (α refait sur une autre lettre ‖ 24 κα⟦κ⟧`τ'ηφι[..] ‖ **125**, 1 αρξεις (ει refait sur η par P²) ‖ 4 ελε`ημ'οσυνην ‖ 6 εποιησεν + blanc (10 lettres) ‖ 9 επειδη (η transformé en ε par Pᶜ) ‖ 15-16 επειδη⟦σαι⟧`δε' ‖ `με'⟦ν⟧ Pᶜ ‖ 17 κεινημα ‖ 18 εξωφανιας

124, 22 Ps. 33, 15 ; 36, 27 ‖ 28 Gen. 4, 7 ‖ **125**, 4 Matth. 23, 5 ; cf. id. 6, 1

trouve la place qu'il lui faut; David le recommande aussi : « *Écarte-toi du mal et fais le bien.* » Dieu dit donc à Caïn : « *Tiens-toi tranquille* », ne progresse pas dans le mal, ne crois pas, dans la tristesse, qu'il est injuste que ton sacrifice n'ait pas été accepté. Beaucoup de gens, en en effet, qui commettent souvent des fautes et qui, en conséquence, n'ont plus — dans la mesure où cela dépend d'eux — le concours de Dieu, sont mécontents de la Providence[2]. C'est ce que Dieu veut empêcher pour Caïn quand il lui dit : « *Tiens-toi tranquille.* »

125 Et il ajoute : « *Cela te reviendra / et tu en seras maître* », pour enseigner que tout ce qu'on offre à Dieu autrement qu'il faut ne lui est pas offert, mais appartient encore au donateur et *lui revient*, puisque cela n'a pas trouvé place en Dieu. De même ceux qui font l'aumône pour être vus des hommes se privent de récompense; ils ne reçoivent rien de Dieu parce qu'ils n'ont pas agi dans une intention divine.

Tout ce récit est donc très utile pour la conduite morale, même si on le prend simplement selon la lettre, puisqu'il enseigne à faire les offrandes d'un cœur sincère, sans négligence. Mais comme nous avons, dans les pages précédentes, appliqué les paroles antérieures aux attitudes de l'âme, de même faut-il faire encore ici. La Parole de Dieu, exprimée dans les notions communes et présente dans la conscience, réprimande avec vigilance les pécheurs; et c'est ce que montre aussi le passage présent. Les hypocrites, en effet, en tant qu'ils manifestent de l'estime pour la vertu, même s'ils ne choisissent pas de la pratiquer, font apparemment quelque chose de juste, mais, comme ils usent mal de la *distinction*, puisque le mouvement qui vient du fond de leur cœur se porte vers leur plaisir, alors que dans les apparences extérieures ils se donnent l'air de faire un don à cause de Dieu, ils sont à bon droit

124, 2. Cf. ORIGÈNE, *Hom. in Jer.* XII, 11, 17-18.

[125] εἰκό|[19]τως οὐκ εἴσι δε[κτοί], *τὸ ἔξω[θ]εν τοῦ ποτηρίου*
20 *καθαρίζοντες* καὶ ἔξωθεν μὲν | προ[βά]του δορὰ[ν] περιβαλ-
λόμενοι, *ἔσωθεν δὲ ὄντες* |[21] *λύκοι ἅρπαγες* · τοῖς τοιούτ[οι]ς
ἐλέγχων ὁ Κύριος ἔλεγεν · « *Τί παρο|μοιάζετε τάφοις*
κεκονι[αμ]ένοις · *ἔσωθεν γέμουσιν ὀστέ|*[23]*ων νεκρῶν καὶ*
πάσης ἀκαθ[αρ]σίας. » Ἀλλ' οἱ ἐνάρετοι, ὅλοι δι' ὅλων
| ὄντες Θεοῦ καὶ διαθέσει καὶ π[ρ]ᾳξει, καὶ τὰ ἀνθρώπινα,
25 ἃ δὴ τῆς |[25] σωματικῆς ἀνάγκης ἕνεκ[εν] εἰς αὐτοὺς ὅρα,
καὶ αὐτὰ σοφῶς | ἐπιτελοῦντες, *ὀρθῶς* τῇ π[ρο]σαγωγῇ
τῇ πρὸς Θεὸν χρῶνται, καὶ |[27] τῷ σώματι καὶ τῇ ψυχῇ
καθα[ρ]ότητος ἐπιμελόμενοι, ὧν τύπος | ὁ Ἄβελ ὑπάρχει
126 ἄρχοντα καὶ προστάτην τὸν Θεὸν τῶν ἑαυτοῦ πρά|[1]ξεων
(VIII,14) τιθέμενος. Τοῦτο γὰρ ἐναρέτου ἴδιον, τῆς πράξεως τοῦ
| ὑποκριτοῦ *ὑποστρεφούσης ἐπ' αὐτόν* · Θεὸς γὰρ τὸ βάθος
τῆς δι|[3]ανοίας ἐνορῶν οὐκ ὑποδέχεται τὰ παρ' αὐτοῦ τοιούτου
ἐνερ|γούμενα.

5 |[5] **IV, 8. Καὶ εἶπεν Κάιν πρὸς Ἄβελ τὸν ἀδελφὸν αὐτοῦ. Διέλθωμεν εἰς τὸ | πεδίον · καὶ ἐγένετο ἐν τῷ εἶναι αὐτοὺς ἐν τῷ πεδίῳ καὶ |[7] ἀνέστη Κάιν ἐπὶ Ἄβελ τὸν ἀδελ[φ]ὸν αὐτοῦ καὶ ἀπέκτεινεν | αὐτόν.**

Ἡ κατ' ὀλίγον ἐπίδοσις τῆ[ς κ]ακίας μὴ ἐμποδιζομένη
|[9] εἰς ἀμετρίαν φθάνει, καὶ κρυπτό[μ]ενον ἁμάρτημα τῇ
10 δια|νοίᾳ, ἐπὰν μὴ ἀπὸ λογισμοῦ κω[λ]υθῇ, ἀποτελέσει τὰ
τῆς |[11] ἐνεργείας, κἂν δόξῃ πρὸς βραχὺν [ἀ]ναμένειν χρόνον.
Τοῦτ' | αὐτὸ ἐν ταῖς Πράξεσι τῶν ἀποστ[ό]λων φέρεται ·
τοῦ γὰρ ἡ|[13]γέμονος πλεῖστα ὅσα παρὰ τοῦ Παύ[λο]υ
ἀκούσαντος περὶ τῆς δι|δασκαλίας τῆς θείας καὶ ἐμφό[βο]υ
15 γεγενημένου, ἐνέκει|[15]το πάλιν τὸ τῆς φιλαργυρίας [π]ά[θ]ος ·
φησὶν γὰρ τὸ συγγρα|φικὸν Πνεῦμα ὡς ἔφη πρὸς Παῦλον ·
« *[Και]ρὸν ἔχων μεταπέμψο|*[17]*μαί σε* », ἅμα καὶ προσδοκῶν

125, 20 δὲ : δη ‖ οντ⟦α⟧`ε´ς ‖ 22 παρομοιαζεται ‖ **126,** 6 π⟦αι⟧`ε´διον ‖ π⟦αι⟧`ε´διω ‖ 7 αὐτοῦ ‖ απεκτεινεν ‖ 8 καθολιγον ‖ 9 φθαννει ‖ 12 πραξεσι⟦ν⟧ ‖ 13 πλιστα ‖ 13-14 διδασκαλειας ‖ 14 γεγ⟦η⟧ενημενου ‖ 15 φιλαρ⟦ιο⟧`γυ´ριας P² ‖ 16-17 μεταπεμψομ⟦ε⟧`αι´

réprouvés, car *ils purifient le dehors de la coupe* et se revêtent extérieurement d'une peau de brebis mais ne sont *au dedans* que *des loups ravisseurs.* Le Seigneur a confondu les gens de cette espèce en disant : « *Pourquoi êtes-vous semblables à des sépulcres enduits de chaux? A l'intérieur ils sont pleins d'ossements de morts et de toute sorte d'impureté.* » Les hommes vertueux, au contraire, qui appartiennent tout entiers et complètement à Dieu en pensée et en acte, quand ils font des actions humaines — qui ne se rencontrent chez eux, soulignons-le, que par nécessité corporelle — les font, elles aussi, avec sagesse, et de la sorte leur offrande à Dieu est faite *correctement*, parce qu'ils sont soucieux d'être purs à la fois dans le corps et dans l'esprit. Abel est leur figure, qui met Dieu au **126** principe et en tête de ses actions. / C'est là le propre de l'homme vertueux, tandis que l'action de l'hypocrite fait *retour à lui*, car Dieu, qui voit le fond du cœur, n'accepte pas les œuvres qui proviennent d'un tel homme.

IV, 8. **Et Caïn dit à son frère Abel : Allons dans la plaine. Et voici, quand ils furent dans la plaine Caïn se leva contre son frère Abel et le tua.**

Laissez le vice entrer un peu, si vous ne l'arrêtez pas, il passera toutes les bornes, et un péché caché dans le cœur, s'il n'est pas empêché par la raison, finira par se traduire dans des actes, même s'il semble, pendant un court temps, rester enfoui. C'est ce qui est rapporté dans les Actes des Apôtres : après que le gouverneur eut entendu un long discours de Paul sur la doctrine divine, il fut rempli de crainte, puis la passion de l'argent l'envahit de nouveau et, affirme l'Esprit qui parle dans les Écritures, il dit à Paul : « *Quand j'en aurai l'occasion, je te ferai*

125, 19 Cf. Matth. 23, 25 || 20 Cf. Matth. 7, 15 || 21 Matth. 23, 27 || **126,** 16 Cf. Act. 24, 25

[126] χρ[ήμα]τα παρ' αὐτοῦ λαβεῖν. Τοι|οῦτόν τι καὶ ὁ ἀλάστωρ Κάιν [πάσχ]ει · μετ[ὰ γ]ὰρ τὸ ἐντρα|[19]πῆναι ὀλίγον ἐνίσχων
20 τρέφει [τ]ὸν φθόν[ον ἐν] τῇ διανοίᾳ | καί φησιν πρὸς τὸν ἀδελφὸν με[τ]ὰ δόλο[υ · « *Δι]έλθωμεν εἰς* |[21] *τὸ πεδίον* » · καὶ διελθὼν οὐκ ἀφῆκ[εν] τὸν θυ[μό]ν, ἀλλ' ἐπιθέ|μενος ἀναιρεῖ τὸν ἀδελφόν. [Τι]νὲς καὶ ταῦτα ζητεῖν |[23] θέλοντές φασιν · Τίνι ἀμυντηρ[ίῳ] χρησάμενος ἀνεῖλεν | τὸν Ἄβελ ;
25 Οὐδὲν δέ τοι τὸ ἄπ[ορ]ον · καὶ γάρ, εἰ καὶ μὴ σιδή|[25]ρῳ, ἀλλὰ γοῦν ἢ λίθῳ ἢ ξύλῳ τοῦ[το] οἷόν τε ἦν γενέσθαι, | ὃ καὶ ἡ βίβλος τῆς διαθήκης ᾐν[ίξ]ατο. Σφαγὴν δὲ ὅμως |[27] ἡ γραφὴ τὴν ὁπωσδήποτε γινομ[έ]νην ἀναίρεσιν εἶναί φη|σιν, ὡς δηλοῦται ἐν τῇ ἐπιστολῇ τῇ Ἰωάννου · « *Καθὼς*
127 *Κάιν* |[1] *ἔσφαξεν τὸν ἀδελφὸν αὐτοῦ, ὅτ[ι τ]ὰ ἔργα αὐτοῦ*
(VIII,15) *πονηρὰ ἦν,* | *τὰ δὲ τοῦ ἀδελφοῦ αὐτοῦ δίκαια* ».

Τ[ὸ] δὲ « *ἀνέστη Κάιν ἐπὶ Ἄβελ* » |[3] καὶ τὴν ἐπίθεσιν ἅμα καὶ τὴν ἑκ[ού]σιον ὁρμὴν δηλοῖ.

Ταῦτα | μὲν οὖν ὁ τῆς ἱστορίας περιέχει λόγο[ς] · ἐπειδὴ
5 δὲ τρόπον ὑπο|[5]κριτὴν ἐφάσκομεν εἶναι τὸν Κά[ι]ν κατὰ τὸν τῆς ἀναγω|γῆς λόγον, τοιαῦτα ἂν εἴη καὶ [τὰ] νῦν. *Ἀδελφός* ἐστι τοῦ |[7] φαινομένου ἔξω ἀνθρώπου [ὁ *κ]ρυπτ[ὸς]* καὶ ἐν διανοίᾳ ἄνθρωπος · ἀμ|φοτέρων γὰρ τὸν σπουδ[αῖο]ν ἐπι[μ]έλεσθαι προσήκει, καὶ ὀρ|[9]θά τε λογιζόμενον καὶ
10 σ[τολι]σμὸν [ο]ἰκεῖον τοῖς τρόποις ἐπιδει|κνύμενον, ὅπερ καὶ ὁ ψαλ[μ]ῳδὸς [π]αιδεύων ἐν πρώτῳ ψαλ|[11]μῷ φησιν · « *Μακάριος ἀνὴ[ρ ὃ]ς οὐκ ἐ[π]ορεύθη ἐν βουλῇ ἀσεβῶν* », | καὶ μετ' ὀλίγα · « *ὃ τὸν καρπὸ[ν] αὐτοῦ δώσει ἐν καιρῷ αὐτοῦ καὶ τὸ* |[13] *φύλλον αὐτοῦ οὐκ ἀπορρυ[ήσε]ται* », *καρπὸν* μὲν λέγων τὴν | ἀπὸ διαθέσεως ἐνάρετο[ν πρ]ᾶξιν,
15 *φύλλον* δὲ <τ>ὸ ἔξωθεν |[15] κατάστημα, ὃ ἐν σχήμα[τι κα]ὶ στολισμῷ καὶ μειδιασμῷ | ὀδόντων διαφ[αίν]εται. [Ἐπὰ]ν

126, 19 εν⟦ε⟧ι'σχων ‖ 21 π⟦αι⟧'ε'διον ‖ **127,** 4 'ουν' ‖ 9 οικ'ε'ιον ‖ 12 μεθολιγα ‖ 13 απορ'ρ'υ[...]ται ‖ 15 μιδιασμω

126, 20 Gen. 4, 8 ‖ 28 I Jn 3, 12 ‖ **127,** 2 Gen. 4, 8 ‖ 7 Cf. I Pierre 3, 4 ‖ 11 Ps. 1, 1 ‖ 12 Ps. 1, 3

venir », en attendant aussi que Paul lui donne de l'argent. Il se passe quelque chose de semblable chez l'exécrable Caïn. Après que Dieu l'a fait rentrer en lui-même, il se contient un peu, puis il nourrit de nouveau la jalousie dans son cœur et dit à son frère avec ruse : « *Allons dans la plaine* »; et en y allant, au lieu d'abandonner sa colère, il se jette sur son frère et le tue. Il y a des gens qui veulent discuter aussi ce passage et qui demandent : De quelle arme s'est-il servi pour tuer Abel ? Mais il n'y a là vraiment aucune difficulté car, même si ce n'est pas avec le fer, cela pouvait se faire soit avec une pierre soit avec un bâton, comme le *Livre du Testament* l'a donné à entendre[1]. En tout cas, de quelque façon qu'il ait eu lieu, ce meurtre est appelé par l'Écriture un *égorgement*, comme on le voit dans **127** l'Épître de Jean : « *De même que Caïn* / *a égorgé son frère, parce que ses œuvres étaient perverses et que celles de son frère étaient justes.* »

Les mots : « *Caïn se leva contre Abel* » indiquent qu'il l'a attaqué et que son élan a été volontaire.

Voilà ce que renferme le sens historique; mais puisque nous disons que Caïn, selon le sens anagogique, est la conduite hypocrite, il doit en être de même dans le passage présent. Le *frère* de l'homme extérieur qui apparaît aux regards, c'est l'homme caché qui est dans la pensée. Il faut que l'homme zélé prenne soin de l'un et de l'autre; qu'il raisonne droit et qu'il porte un vêtement conforme à ses mœurs, comme le psalmiste l'enseigne dans le psaume 1 : « *Heureux l'homme qui n'a pas marché dans le dessein des impies* », puis, un peu plus loin : « *qui donnera son fruit en son temps et dont les feuilles ne tomberont pas* »; il appelle *fruit* l'action vertueuse qui provient des dispositions intimes, et *feuille* l'état extérieur qui se manifeste par l'attitude, l'habit et le sourire. Lorsque l'hypocrite

126, 1. Cf. Introduction, p. 28.

[127] οὖν ὁ ὑποκριτὴς ταῦτα σπου|[17]δάζῃ, τοῦ λογ[ισμοῦ] δὲ αὐτ[οῦ] διεστραμμένου τυγχάνον|τος, τὸν *ἀδελφ[ὸν σ]φάττ[ει]*, ἀσύμφωνον τὴν διάνοιαν τοῖς |[19] ἔξωθεν ἔχων.

20 *[Π]εδιὰς* δ[ὲ] τούτῳ ἡ κατὰ τῶν ἀπατωμέ|νων μηχανή, εἰ[ς] ἣν χωρῶ[ν] τῇ κατ' ἐκείνων ἀπάτῃ ἑαυτὸν |[21] πρότερον εἰς ἁμαρτίαν ἄγε[ι]. Τοιοῦτοι δὲ καὶ οἱ σοφισταὶ τυγ|χάνουσιν, *πεδιάδι* τῇ λέξε[ι] χρώμενοι, δι' ἧς εἰς ἀσέβειαν |[23] περιάγουσιν τοὺς ἑαυτῶ[ν *ἀ]δελφούς*.

| **IV, 9. Καὶ εἶπεν Κύριος ὁ Θεὸς πρὸς Κάιν · [Πο]ῦ ἐστιν**
25 **Ἄβελ ὁ ἀδελφός σου ; |[25] Ὁ δὲ εἶπεν · Οὐ γιγνώσκω · μ[ὴ] φύλαξ τοῦ ἀδελφοῦ μού εἰμι | ἐγώ ;**

Ὁ φιλάνθρωπος Θεὸς καὶ τ[οὺ]ς πάντῃ ἀλλοτριωθέντας
128 αὐτοῦ |[1] διὰ πολλὴν ἀγαθότητα πάλιν ἐπισκέπτεται καὶ διὰ
(VIII,16) τῆς | ἐπισκέψεως εἰς αἴσθησιν διεγείρει, ὅπερ καὶ νῦν ἐπὶ τοῦ |[3] Κάιν ποιεῖ, πρῶτον μὲν ἐνιεὶς αὐτῷ τοὺς ἀπὸ τῆς συνειδήσε|ως λόγους, ἔπειτα καὶ δ[ι]ὰ τοῦ εἰπεῖν « *Ἄβελ*
5 *ὁ ἀδελφὸς* » ὥσπερ |[5] βαρύνει αὐτὸν τῇ προσηγορίᾳ τῆς φύσεως καὶ ἄγει εἰς συ|ναίσθησιν τοῦ μιάσμα[το]ς. Μέγεθος παρίσταται τοῦ τολμή|[7]ματος, ὅτι καὶ ἀπέκτει[ν]εν κ[αὶ] *ἀδελφὸν* καὶ *δίκαιον* ἀδελ|φόν, ὃν δι' ἐπικουρίαν καὶ [β]οήθε[ιαν] ὁ Θεὸς πεποίηκεν, ἀνελών. |[9] Τοῦτο γὰρ τὸ λόγιόν
10 φησιν · « *Εἰς πά[ντ]α καιρὸν φίλος ὑπαρχέτω | σοι, ἀδελφοὶ δὲ ἐν ἀνάγκ[α]ις χρή[σι]μοι ἔστωσαν · τούτου γὰρ |[11] χάριν γεννῶνται* ». Τὴν γ[ὰ]ρ αἰτί[αν] τῆς τῶν ἀδελφῶν ὑποστά|σεως ταύτην ὁ λόγος ὑπο[σ]ημαίν[ει]. Ἑνωτικὴ γὰρ ὑπάρχουσα |[13] ἡ θεία διοίκησις διὰ πάντων τοῦ[το π]οιεῖ. Ἀμέλει καὶ ἐν τῷ νόμῳ | ἀρκούσης τῆς ἀδελφικῆς δια-
15 θέ[σ]εω[ς] καὶ τῶν σφόδρα ἐγγὺς εἰς ἕνω|[15]σιν, τούτους μὲν οὐ συγχωρεῖ γ[άμ]ῳ συνάπτεσθαι, ἄλλας δὲ | παρὰ τὰς ἀδελφὰς καὶ τὰς πλη[σίον] ἐπιτρέ[π]ει, ἵνα διὰ τούτων

127, 19 πεδιὰς : [..]ιδιας ‖ 20 χωρ⟦α⟧`ώ΄ν P³ ‖ εκ`ε΄ινων ‖ 23 τους⟦δ⟧ ‖ **128,** 12 ⟦ε⟧`αι΄νοτικη ‖ 14 εγ`γ΄υς

128, 7 Cf. Matth. 23, 35 ‖ 9 Prov. 17, 17 ‖ 14 Cf. Lév. 18, 11-12 etc.

s'emploie à ces soins, mais que sa raison est tournée dans une autre direction, il *égorge* son *frère* en ne mettant pas sa pensée en accord avec ses dehors.

Le procédé qu'il emploie contre ceux qu'il trompe est une *plaine*, et quand il s'y rend en les trompant c'est lui-même d'abord qu'il conduit au péché. Tels sont les sophistes; ils se servent d'un langage de *plain pied* pour mener leurs *frères* à l'impiété.

IV, 9. **Et le Seigneur Dieu dit à Caïn : Où est Abel ton frère ? Il répondit : Je ne sais pas ; suis-je le gardien de mon frère ?**

Le Dieu indulgent inspecte à nouveau, dans sa grande bonté, ceux-là mêmes qui se sont rendus tout à fait **128** étrangers à lui, / et, par cette inspection il les éveille à la sensation[1], comme il le fait présentement pour Caïn, en mettant d'abord en lui la voix de la conscience, puis, en disant « *Abel ton frère* », il pèse en quelque sorte sur lui par ce mot rappelant les liens de nature, pour l'amener à prendre conscience de son ignominie. Il lui montre la grandeur de son crime : il est allé jusqu'à tuer un *frère* et un *juste*, en supprimant le frère que Dieu lui avait donné pour aide et secours, comme le dit la parole : « *Puisses-tu avoir en toute occasion un ami et la présence de frères, utiles dans les difficultés : ils sont nés pour cela* », car telle est la raison que la Parole donne de l'existence des frères. Étant unifiante, la Providence divine ne cesse de faire cela. Ainsi même dans la loi, elle considère que l'affection entre frères ou entre parents très proches suffit à les unir, et en conséquence elle ne permet pas qu'ils se marient entre eux, mais elle ordonne qu'on prenne d'autres épouses que les sœurs ou les proches parentes pour qu'on obtienne

128, 1. Cf. p. 83, note 1.

[128] |[17] ἐπισυνάγηται καὶ ἀπὸ ἄλλων ϛ[...]η καὶ δι[ά]θεσις, ἅπερ ἐπάτη|σεν Κάιν.

Ἰδεῖν γὰρ αὐτοῦ καὶ τ[ὴν ὑ]πόκρισ[ιν ἔ]στιν λέγοντος |[19] μετὰ ἀπονοίας · « *Οὐ γινώσκω · μὴ φύ[λα]ξ τοῦ*
20 *ἀ[δελφ]οῦ μού εἰμι ἐγώ ;* » | Διὰ μὲν γὰρ το<ῦ> « *Οὐκ οἶδα* » τὸ θρασὺ δ[εί]κνυτ[αι, ὅ]τι ᾠήθη Θεὸν |[21] λανθάνειν, διὰ <δὲ> τοῦ « *Μὴ φύλαξ ;* » τὸ ἀδιάθετον [κα]ὶ ἀνήμερον καὶ | διὰ τοῦτο ἀδιανόητον δηλοῦτα[ι · *φ]ύλακα* γὰρ αὐτὸν τοῦ *ἀδελφοῦ* |[23] ἔπρεπεν εἶναι.

129 |[1] **IV, 10-12. Καὶ εἶπεν ὁ Θεός · Τί ἐποίησας ; Φωνὴ αἵματος**
(IX, 1) **τοῦ ἀδελφοῦ σου | βοᾷ πρὸς μὲ ἐκ τῆς γῆς. Καὶ νῦν ἐπικατάρατος σὺ ἀπὸ |[3] τῆς γῆς, ἣ ἔχανεν τὸ στόμα αὐτῆς δέξασθαι τὸ αἷμα | τοῦ ἀδελφοῦ σου ἐκ τῆς χειρός σου, ὅτι ἐργᾷ τὴν**
5 **γῆν καὶ οὐ |[5] προσθήσει τὴν ἰσχὺν αὐτῆς δοῦναί σοί · στένων καὶ τρέμων | ἔσῃ ἐπὶ τῆς γῆς.**

|[7] Καὶ ἀναισχυνοῦντα διδάσκει ὁ φιλάνθρωπος, καὶ οἰόμενον λανθά|νειν Θεὸν παιδεύει ὡς [το]ῦτο ἀδύνατον · « *Φωνή* » φησιν |[9] « *αἵματος τοῦ ἀδελφοῦ σου [β]οᾷ πρὸς*
10 *μὲ ἐκ τῆς γῆς* », μὴ νό|μιζε τὸν ἀκοίμητον ὀφ[θα]λμὸν τῆς προνοίας διαπεφευ|[11]γέναι τὸ μίασμα. *Φωνὴ[ν]* δὲ αἵματος τὴν φανέρωσιν | λέγει ὡς καὶ ἑτέρωθι · « *Ἰδοὺ ὁ μισθὸς τῶν ἐργατῶν τῶν* |[13] *ἀμησάντων τὰς χώρα[ς] ὑμῶν ὁ ἀπεστερημένος ἀ|φ' ὑμῶν κράζει* ». Καὶ οὕτω[ς] γ[ὰ]ρ
15 ἐκληπτέον, δυνατὸν δὲ |[15] καὶ τὸ *αἷμα* ἀντὶ τῆς ψυ[χῆς] ἐνταῦθα εἰρῆσθαι. Λέγοι | δ' ἄν τις ὅτι διὰ τοῦ<το> *αἵματος* ἐμνήσθη, ὅτι τὸ σῶμα ἔ|[17]κρυψεν.

Ἐκχύ[σεως] δὲ μνημονεύει καὶ ὡς *ἡ γῆ ἔχανεν* | *τὸ στόμα α[ὐτῆς] δέξασθαι τὸ αἷμα* καὶ ἀδελφοῦ συνε|[19]χῶς,
20 ἵνα μεγ[εθύ]νων [τὸ] πραχθὲν καταιδέσῃ τὸν ὠ|μόθυμον.

128, 17 επ⟦ε⟧ισυναγηται ‖ **129,** 3 ⟦ε⟧'αι'μα P[2] ‖ 6 γης+blanc jusqu'à la fin de la ligne ‖ 7 αν⟦ε⟧'αι'σχ'υν'ουντα ‖ 13 αμησαντων (η refait sur ει) ‖ 16 τοῦτο Procope : του P ‖ ὅτι$_2$ Procope : οτε P ‖ 17 εκχυ[..]'ω.'

128, 19 Gen. 4, 9 ‖ **129,** 8 Gen. 4, 10 ‖ 12 Jac. 5, 4 ‖ 17 Gen. 4, 11

ainsi, d'autres femmes qu'elles, un surplus de [ ] et de tendresse. Voilà ce que Caïn a foulé aux pieds.

On peut voir son hypocrisie quand il répond avec emportement : « *Je ne sais pas ; suis-je, moi, le gardien de mon frère ?* » Dans « *Je ne sais pas* » apparaît son outrecuidance, car il croyait échapper au regard de Dieu ; et « *Suis-je le gardien ?* » montre qu'il n'a pas de cœur, qu'il est un sauvage et qu'à cause de cela il ne réfléchit pas, car il convenait qu'il soit *le gardien de* son *frère*.

129 IV, 10-12. **Et Dieu dit : Qu'as-tu fait ? La voix du sang de ton frère crie vers moi depuis la terre. Et maintenant tu es maudit de la terre qui a ouvert sa bouche pour recevoir de ta main le sang de ton frère, parce que tu cultiveras la terre et qu'elle ne te donnera plus sa fécondité ; tu seras gémissant et tremblant sur la terre.**

Le Dieu indulgent instruit même celui qui ne rougit pas de ses fautes et il apprend à celui qui croit échapper à son regard que cela est impossible : « *La voix du sang de ton frère*, dit-il, *crie jusqu'à moi depuis la terre* » ; ne crois pas que ton crime ait échappé à l'œil de ma providence qui ne dort pas. Par *voix du sang*, il désigne la manifestation du sang, comme dans cette autre parole : « *Voici que le salaire dû aux ouvriers qui ont moissonné vos champs et dont vous les avez frustrés, crie.* » On peut entendre, en effet, le texte de cette manière, mais il est possible aussi que le mot *sang* soit mis ici pour l'âme. On pourrait dire d'autre part que, si le texte ne mentionne que le *sang*, c'est parce que Caïn avait caché le corps d'Abel.

Le texte mentionne coup sur coup que le sang a été répandu, que *la terre a ouvert sa bouche pour recevoir le sang*, et que c'était le sang d'un *frère*, pour mettre en relief le crime commis et faire honte au cruel meurtrier.

129, 11-14 Proc. 241 A 10-14 || 14-20 Proc. 241 B 4-8

[129] Ἐπ[άγ]ει δὲ αὐτ[ῷ] καὶ ἀρὰς εἰκότως τοσοῦτον |[21] ἐργασαμένῳ [λ]έγω<ν> · « *Καὶ ν[ῦν] ἐπικατάρατος σὺ ἀπὸ τῆς γῆς,* | *ὅτι ἐργᾷ τὴν [γ]ῆν καὶ οὐ πρ[ο]σθήσει τὴν ἰσχὺν αὐτῆς δοῦ*|[23]*ναί σοι.* » Πολλάκ[ι]ς γὰρ διὰ τὰς τῶν ἀνθρώπων ἁμαρτίας ἡ τῆς γῆς | ἔνδεια συμβαίνει τοὺς καρπ̣οὺς οὐκ
25 ἀποδιδούσης κατὰ |[25] τὸ εἰρημένον · « *[Π]ενθήσει ἡ γῆ διὰ τοὺς κατοικοῦντας* | *ἐν̣ αὐτῇ.* » Δέδο[τ]αι γὰρ αὐτῇ ἐπὶ τῷ ἐκφέρειν καρποὺς |[27] τοῖς ἀδιάστρο[φ]ον μὲν τηροῦσι τὸν λογισμόν, φιλανθρω|πίᾳ δὲ Θεοῦ κ[αὶ] τοῖς σφαλλομένοις

130 (IX, 2) παρέχει τὰ ἀναγ|[1]καῖα, προστάγματι πάλιν αὐτοῦ τῶν ἀπ' αὐτῆς ἐκλειπόν[των] | καρπῶν, ἵν' ἐπιστροφὴ γένηται.

Εἴη δὲ πρὸς ἀναγωγήν, ἑ|[3]πομένων ἡμῶν τοῖς πρώτοις, αἰτιώμενος τὸν ὑποκρι|τὴν ὁ Θεός, ὅτι τὴν ζωτικὴν δύναμιν
5 τῆς ψυχῆς διαστρέ|[5]φει, *ἀδελφὸν* οὖσαν τοῦ ἔξω ἀνθρώπου, ὡς εἴρηται. Διὸ καὶ *ἐπι*|*κατάρατος* ἔσται, μηκέτι παρέχουσα καρπούς, ἀλλὰ τὴν ἐν|[7]τρέχειαν ἐπὶ χρησίμῳ παραπολλύουσα, ἵν' ἐκ τούτου <εἰς> τὴν τῆς | ἀρετῆς ἀρχὴν καταβάληται · [χρ]ήσιμον γὰρ καὶ τὸ διαστρα|[9]φῆναι πονηρίαν, τῶν
10 ἀπ' αὐτῆ[ς ..]τελῶν μὴ ἐπιτυγχανομέ|νων, ἵνα *κόπος* ἐγγενόμε[νος] ἔρωτα τῆς ἀρετῆς ἐμ|[11]ποιήσῃ κατὰ τὸ εἰρημένον · « *Ἐκοπίασεν Αἴγυπτος, καὶ ἐμ*|*πορία Αἰθιόπων καὶ οἱ Σαβαεὶμ ἄνδρες ὑψηλοὶ ἐπὶ σὲ* |[13] *διαβήσονται* ».

« *Στένων* » δὲ « *κα[ὶ] τρ[έ]μων ἐπὶ τῆς γῆς* » ἔσται, | οὕτω κρινόμενος, ἀεὶ ὑπὸ τοῦ συνειδότος ἐλεγχόμενος.

15 |[15] **IV, 13-14. [Καὶ] εἶπεν Κάιν πρὸς Κύριον τὸν Θεόν · Μείζων ἡ α[ἰ]τία μου τοῦ ἀφεθῆ|ναί με · εἰ ἐκβάλλεις με σήμερον ἀπὸ προσώπου τῆς γῆς καὶ** |[17] **ἀπὸ τοῦ προσώπου**

129, 20 καὶ ἀρὰς : καιρος P και`α´ρας P² ‖ 24 ενδ`ε´ια P² ‖ καρ̣πους⟦ς⟧ ‖ 26 εκφαιρειν ‖ 27-28 φιλανθρωπ̣ιας ‖ **130,** 1 εκλιπον[...] ‖ 10 κοπ⟦α⟧`ο´ς ‖ ενγενομε[...] ‖ 10-11 ενποιηση ‖ 11-12 ενπορια ‖ 12 σε⟦ν⟧ ‖ 15 μ`ε´ιζ⟦ο⟧`ω´ν

129, 21 Gen. 4, 11-12 ‖ 25 Os. 4, 3 ‖ **130,** 11 Is. 45, 14 ‖ 13 Gen. 4, 14

130, 1. Cf. p. 127, 7 s.

Il lui inflige aussi des malédictions, et à bon droit après un si grand crime : « *Et maintenant tu seras maudit par la terre, parce que tu cultiveras la terre et qu'elle ne te donnera plus sa fécondité.* » Il arrive en effet souvent qu'en raison des péchés des hommes la terre devienne indigente et ne donne pas de fruits, selon cette parole : « *La terre sera dans le deuil à cause de ceux qui l'habitent.* » Elle a été donnée en effet pour porter des fruits pour ceux qui gardent leur raison sans la pervertir, et, par l'indulgence de Dieu, elle fournit le nécessaire même à ceux qui **130** commettent des fautes, / mais, à l'inverse, les fruits peuvent manquer sur ordre de Dieu, pour que les hommes se convertissent.

Quant au sens anagogique, si nous suivons les premières explications, Dieu reproche sans doute à l'hypocrite de pervertir la puissance vitale de l'âme, laquelle est le *frère* de l'homme extérieur, comme il a été dit[1]; c'est pourquoi elle sera *maudite*, ne fournissant plus de fruits, perdant même fort utilement son habileté pour le mal, pour qu'elle se trouve ainsi amenée au début de la vertu. Il est utile, en effet, de se détourner du vice avant qu'il ne soit arrivé à sa pleine réalisation, pour que la *lassitude* du vice vienne faire naître l'amour de la vertu[2], selon la parole : « *L'Égypte a éprouvé la lassitude; alors la richesse des Éthiopiens et les Sabéens géants viendront à toi.* »

Il sera gémissant et tremblant sur la terre; ce sera son jugement : il sera toujours réprouvé par sa conscience.

IV, 13-14. **Et Caïn dit au Seigneur Dieu : Mon crime est trop grand pour que tu me laisses. Si tu me chasses aujourd'hui de la face de la terre, je serai caché de ta**

130, 2. La lassitude du vice ramène au bien : l'idée est développée par ORIGÈNE, *In Exod.* X, 27 (*Philocalie*, XXVIII, éd. Robinson, p. 246, 12-23 ; ou *PG* 12, 269 C 11 à D 5) ; cf. M. HARL, « La mort salutaire du Pharaon selon Origène », dans *Studi in onore di Alberto Pincherle*, Rome 1967, p. 260-268.

[130] **σου κρυβήσομαι · καὶ ἔ[σομαι σ]τένων καὶ τρέ|μων ἐπὶ τῆς γῆς, καὶ ἔσται, πᾶς ὁ εὑρίσκ[ων] με ἀποκτενεῖ με ·**

|[19] Ἔγκειται καὶ τοῖς ἀλλοτριοῦσιν ἑ[α]υτοὺς το[ῦ] Θεοῦ
20 λόγος, καθ' ὃν | περὶ Θεοῦ αὐτοῦ ὡς φιλανθρώπου καὶ ἀγαθοῦ [ἀν]αλαμβάνουσιν · |[21] καὶ οὐχ οἷόν τε ἐκκεκόφθαι ταύτην ἁπλ̣αν[ὴ]ν τὴν ἔννοιαν, | κἂν διὰ βάθος κακίας δυσαρεστῶνται π[ο]λλάκις. Αὐτίκα |[23] γοῦν εἰς ἀνάγκην περιστάντες οἱ πάν[τως] Θεοῦ ἀμνήμο|νες ἐπὶ λιτὰς καὶ
25 ἱκεσίας καταφεύγ[ου]σιν, ὅπερ καὶ ἐπὶ |[25] τοῦ Κάιν θεωρεῖται. Ὡς γὰρ ἐπιλήσμων [Θεοῦ] ἐπὶ τὸν τοῦ ἀ|δελφοῦ φόνον
131 ὁρμήσας καὶ μετὰ θράσους [ὑ]ποκριν̣άμενος |[1] αὐτῷ ἐρωτή-
(IX, 3) σαντι · « *Ποῦ Ἄβελ ὁ ἀδελφός* σου ; », ἅτε δὲ μήπω | πλείστης ἐν ἀνθρώποις διαστροφῆς ὑπαρχούσης, γνοὺς ἐκ τῶν |[3] τοῦ Θεοῦ λόγων, ὧν διὰ τοῦ ἐλέγχου ἔμαθεν τῶν ἐν τῷ συ|νειδότι γεγενημένων, ὡς ἀναπόδραστός ἐστιν ὁ
5 τοῦ |[5] Θεοῦ ὀφθαλμός, δέεται αὐτοῦ μὴ εἰς παντὴ ἀλλοτρίω|σιν αὐτοῦ τοῦτον περιστῆσαι, ἐξ οὗ στένειν τε καὶ τρέ|[7]μειν συμβήσεται καὶ ὑπὸ παντὸς τοῦ εὑρίσκοντος αὐτὸν | προσδοκᾶν ἀναίρεσιν. Ὁ γὰρ πεπεισμένος ὡς ἡ σκεπα|[9]στικὴ
10 δύναμις τοῦ Θεοῦ ἀπ' αὐτοῦ ἀπέστη πάντα τὰ | ἄλλα φοβερὰ λογίζεται ḳαὶ ἐπ' οὐδενὶ τῶν ὑφ' ἑαυ|[11]τοῦ πραττομένων θαρρεῖ.

Καὶ ταῦτα μὲν ἡμῖν εἴ|ρηται εἰς τὴν ὅλην περίνοιαν τῆς τοῦ Κάιν ἀποκρί|[13]σεως · ἴδωμεν δὲ καὶ τὴν ὑποσυγκεχυμένην αὐτοῦ | ἀπόκρισιν, ἅτε φαύλου καὶ οὐ μετέχοντος
15 θεία[ς] |[15] χάριτος. « *Μείζων* » φησὶν « *ἐστιν ἡ αἰτία μου τοῦ ἀφε|θῆναί με* », ὅπερ εἴη δηλοῦν κατὰ πρώτην διάνοιαν ὅτι μεῖζον |[17] ἔσται μου τὸ κ[ακό]ν, μὴ ἐπεξερχομένου σου, ὦ Θεέ, | τῇ κατ' ἐμο[ῦ ἀ]δικίᾳ · ἔτι γὰρ ὑπὸ κηδεμονίαν ὑπάρ|[19]χοντός ἐστ[ι τ]ὸ μὴ ἀπ̣αγορεύεσθαι. Τοῦτ' αὐτὸ
20 ἐν τῷ | προφήτῃ ἐπὶ τῶν ἀξίων καταφρονήσεως καὶ *εἰς*

131, 2 πλιστης ‖ γ⟦ε⟧νους ‖ 3 ⟦α⟧`ε'μαθεν P² ‖ 5 παντη (η refait sur ει par P²) ‖ 8 πεπισμενος ‖ 10 φο`βε'ρα P² ‖ 15 μιζων ‖ 16 πρωτην ⁒ οτι et dans la marge διανοιαν P² ‖ μιζον ‖ 17 ω`⟦ο⟧' ‖ 18 κηδαιμονιαν

face ; je serai gémissant et tremblant sur la terre, et voici que tout homme qui me trouvera me tuera.

Même chez ceux qui se rendent étrangers à Dieu, sa parole se fait entendre, qui leur apprend que Dieu est indulgent et bon, et il ne leur est pas possible de chasser cette idée qu'ont tous les hommes alors même qu'elle leur déplaît souvent à cause de l'abîme de leur péché. Le fait est que, lorsque ceux qui ont complètement oublié Dieu se trouvent dans la nécessité, ils recourent à des prières et des supplications. C'est ce qu'on voit chez Caïn : bien que par oubli de Dieu il ait tué volontairement son frère et qu'il ait eu l'outrecuidance de répondre hypocritement

131 à Dieu, / qui lui demandait : « *Où est Abel ton frère?* » néanmoins, comme la perversion n'était pas encore à son comble chez les hommes, et qu'il savait par les paroles de Dieu exprimées dans les reproches de sa conscience qu'on n'échappe pas à l'œil de Dieu, il lui demande de ne pas se désintéresser tout à fait de lui, sans quoi il aurait à gémir et trembler et devrait s'attendre à être tué par quiconque le rencontrerait. Celui, en effet, qui est convaincu que la puissance divine de surveillance s'est éloignée de lui, considère toutes les autres choses comme effrayantes et manque de confiance dans tout ce qu'il fait.

Nous avons dit cela pour bien faire comprendre la subtilité de la réponse de Caïn, mais voyons aussi le trouble qui apparaît dans sa réponse, car elle est celle d'un méchant qui n'a pas part à la grâce de Dieu : « *Mon crime est trop grand*, dit-il, *pour que tu me laisses.* » Cela peut vouloir dire, dans un premier sens : Mon mal sera trop grand si tu ne châties pas, ô Dieu, mon injustice. En effet, tant qu'on est l'objet d'une sollicitude, on n'est pas renié. C'est ce que Dieu dit chez le prophète à propos de

131, 1 Gen. 4, 9 ‖ 15 Gen. 4, 13

131, 16-19 Proc. 244 B 1-3

[131] ἀ|[21]*δόκιμον νοῦν παραδοθέντων* λέγεται πρὸς τοῦ Θεοῦ· | « *Οὐ μὴ ἐπισκήψομαι ἐπὶ τὰς θυγατέρας αὐτῶν, ὅταν* |[23] *πορνεύωσιν, καὶ ἐπὶ τὰς νύμφας αὐτῶν, ὅταν μοιχεύ|ωσιν.* »
25 Ὅτε μὲν γὰρ ἁμαρτάνοντας ἐπιστρέψαι οἵους |[25] τε ὄντας παιδεῦσαι βούλεται, φησίν· « *Ἐπισκέψομαι* | *ἐν ῥάβδῳ*
132 *τὰς ἀνομίας αὐτῶν καὶ ἐν μάστιξιν τὰς ἁμαρτίας* |[1] *αὐτῶν,*
(IX, 4) *τὸ δὲ ἔλεός μου οὐ μὴ ἀποστήσω ἀπ' αὐτῶν.* »

Ὅ τι δὲ νῦν | φησιν, τοῦτ' ἔστιν ὅτι μείζων μου ἡ μέμψις ἔσται, σοῦ, |[3] Κύριε, μὴ ἐπεξίοντος, ὡς εἴρηται· ὡς δὲ ἐσφαλμένος καὶ | διαστροφὴν παθῶν οἴεται ὅτι *τῆς γῆς*
5 *ἐκβεβλημένος* |[5] *καὶ τοῦ προσώπου τοῦ Θεοῦ* ἐκβληθήσεται. Κατὰ δὲ ἑτέραν | διάνοιαν εἴη ἂν λέγων ταῦτα, ὅτι μεῖζόν μοι ἔσται κακόν, εἰ πα|[7]ραμένοιμι ἐν τῇ γῇ, σοῦ, ὦ Θεέ, μὴ ἀπολλύοντός με εἰς | ἀνυπαρξίαν· *εἰ γὰρ ἐκβάλλοις με ἀπὸ τῆς γῆς, καὶ ἀπὸ τοῦ προ*|[9]*σώπου σου κρυβήσομαι*
10 μηκέτι ὑπάρχων, ὅπερ εὐκτὸν αὐτῷ | ὑπῆρχεν, ἐπειδὴ δὲ οὐκ ἐκβάλλεις με ἀπὸ τῆς γῆς — τοῦτο γὰρ |[11] προσυπακούειν δεῖ —, *ἔσομαι στένων ἐν αὐτῇ καὶ τρέμων, παν|[τ]ὸς τοῦ εὑρίσκοντός με ἀποκτενο<ῦ>ντος.* Ὅτι δὲ οἱ πολλοί, |[13] ἐ[πειδὰ]ν γιγνώσκωσιν ἑαυτοῖς ἀμετρίαν σφαλμάτων, ἔχον|[τές] πως ἔννοιαν ὡς μετελεύσεται αὐτὸς
15 ὁ Θεός, αἱρετὸν |[15] [ἡγ]οῦνται τὸ μὴ εἶναι, ἀναισθησίαν παθῶν τοῦ ὑπάρχειν | προτιμῶντε<ς>, εἴη ἂν σαφὲς ἐκ τοῦ εἰρημ[ένου] ὑπὸ τοῦ προ|[17]φήτου περὶ τῶν προδότων Ἰησοῦ· « *Θελήσουσ[ιν ε]ἰ ἐγενήθησαν* | *πυρίκαυστοι.* »

Καὶ ἑτέρως δ' ἂν ἐπιβάλοι λέγον[τ]ος αὐτοῦ· |[19] « *Εἰ ἐκβάλλεις με* », « *σήμερον* » δ' αἰτοῦντος *τόπον μετανοίας,*
20 | ἵν' ὑπερτεθῇ τὸ νῦν, « *σήμερον* » εἰρημένον. Ἐβούλετο δὲ |[21] καὶ τέλει τῷ καλουμένῳ « ἰδίῳ » πρὸς τοῦ Θεοῦ

131, 26 μαστι`γ´ξιν P² ‖ **132,** 1 δὲ² : `δε´ ‖ 2 οτ⟦ε⟧ι ‖ μιζ⟦ο⟧`ω´ν ‖ 16 προστιμωντε ‖ 18 περικαυστοι ‖ 19 εἰ : η ‖ 20 ἵν' : ειν

131, 20 Cf. Rom. 1, 28 ‖ 22 Os. 4, 14 ‖ 25 Ps. 88, 33-34 ‖ **132,** 8 Cf. Gen. 4, 14 ‖ 11 Cf. Gen. 4, 14 ‖ 17 Is. 9, 4 ‖ 19 Gen. 4, 14 ‖ Sag. 12, 10

gens méprisables livrés à une mentalité abjecte : « *Je ne surveillerai plus leurs filles quand elles se prostitueront, ni leurs fiancées quand elles commettront l'adultère.* » Car, lorsqu'il veut convertir des pécheurs qu'on peut encore éduquer, il déclare au contraire : « *Je surveillerai avec la* 132 *verge leurs iniquités et avec le fouet leurs péchés,* / *mais je ne leur refuserai pas ma miséricorde.* »

Ce que Caïn dit maintenant c'est donc ceci : Mon remords sera trop grand si ce n'est pas toi, Seigneur, qui me punis, comme on vient de l'expliquer; et, parce qu'il a commis une faute et qu'il souffre de perversion, il croit que s'il est chassé de la terre, il le sera aussi de la face de Dieu. Mais dans un autre sens, Caïn peut vouloir dire ceci : ' Mon malheur sera trop grand pour moi si je reste sur terre, si toi, ô Dieu, tu ne me fais pas périr jusqu'à me priver de l'existence; *car, si tu me chasses de la terre*, je serai caché aussi de ta face, puisque je n'existerai plus ', et c'est précisément cela qu'il souhaitait, ' mais, puisque tu ne me chasses pas de la terre ' — il faut sous-entendre cette proposition —, ' je serai sur elle gémissant *et tremblant, car quiconque me trouvera me tuera* '. La plupart des gens, quand ils s'aperçoivent de l'immensité de leurs fautes et qu'ils ont si peu que ce soit l'idée que Dieu lui-même leur en demandera compte, trouvent le néant préférable, parce qu'ils estiment que ne pas sentir la souffrance vaut encore mieux qu'exister; c'est ce qui ressort clairement de cette parole du prophète concernant ceux qui ont trahi Jésus : « *Ils souhaiteront avoir été dévorés par le feu.* »

Dans un autre sens encore, quand il dit : « *Si tu me chasses* », et qu'il demande « *aujourd'hui* » comme *délai de pénitence*, il peut insister pour avoir un sursis dans l'immédiat, « aujourd'hui » voulant dire dans l'immédiat; et il désirait, en outre, que sa fin « particulière » comme on

[132] περιπεσεῖν, ἵνα | μὴ παντὶ τῷ εὑρίσκοντι εἰς ἀναίρεσιν ὑποκείμενος ᾖ.

|[23] Ἐρωτήσειεν ἂν τίνα δήποτε ἐδεδίει ὁ Κάιν εὑ|ρήσοντα
25 αὐτὸν καὶ ἀποκτενοῦντα, μηδενὸς ὅλως |[25] πλὴν αὐτοῦ καὶ τῶν τοκέων ὑπάρχοντος · π[ρὸ]ς ὃν εἴποι τις | ὅτι πρῶτον μὲν ἔννοιαν ἔχων ὡς διαδοχῆς ἐσομένης |[27] ἀνθρώπων, ἐφοβεῖτο μὴ ὡς τοσοῦτον μίασμα ἐργασάμενος ὑπὸ | τῶν ἐσομένων ἀναιρεθῇ ὡς βδελυκτός, τοῦ τοσούτου ἄγους
133 ἐ|[1]πὶ καὶ τῶν γεννησομένων διαβαίνοντος, ἔπειτα δέ, εἰ καὶ
(IX, 5) | μὴ τοῦτο, θείας δυνάμεις ἐτόπαζεν ἐκδίκους ἔσεσθαι τῆς |[3] ἀνοσιουργίας, ἃς εἰκὸς αὐτὸν καὶ ἑορακέναι μήπω τῆς κα|κίας κεχυμένης.

Τὰ δὲ πρὸς ἀναγωγήν ↑

5 |[5] **IV, 15. Καὶ εἶπεν αὐτῷ Κύριος ὁ Θεός · Οὐχ οὕτως · πᾶς ὁ ἀποκτείνας Κάιν ἑ|πτὰ ἐκδικούμενα παραλύσει. Καὶ ἔθετο Κύριος ὁ Θεὸς σημεῖον |[7] τῷ Κάιν τοῦ μὴ ἀνελεῖν αὐτὸν παντὰ τὸν εὑρίσκοντα αὐτόν.**

| Ἐπὶ μείζονα κόλασιν ἢ κατὰ τὴν ὑπόνοιαν τοῦ Κάιν τὴν ὅτι |[9] πᾶς ὁ εὑρίσκων αὐτὸν ἀποκτενεῖ αὐτὸν φυλάττων,
10 τὸν τοῦ | ἰδίου ἀδελφοῦ φονέα γεγενημένον, φησὶν ὁ Θεός · « *Οὐχ οὕ*|[11]*τως* » · ἔστιν οὐχ αὕτη σο[υ] ἁρμόνιος ἡ δίκη τοῦ πλημμελή|ματος τὸ ὑπὸ ὁτουοῦν ἀναιρεθῆναι. Οὗτος γὰρ *ἑπτὰ* |[13] *ἐκδικούμενα παραλύσειε*, ὅπερ δηλοῖ τὴν τελείαν τι|μωρίαν. Πολλάκις γὰρ ὁ ἑπτὰ ἀριθμὸς ἐν τῇ
15 γραφῇ ἀντὶ |[15] τελειότητος παρείλημπται · τοῦτο δηλοῦται ὑπὸ τοῦ [λε]|γομένου · « *Ἑπτὰ ὀφθαλμοί εἰσιν ἐπιϐλέποντες ἐπὶ π[ᾶ]*|[17]*σαν τὴν γῆν* » · οὐ γὰρ δὴ σῶμά ἐστιν ὁ Θεός, ἵνα καὶ ὑπὸ τὸν | ἑπτὰ ἀριθμὸν οἱ ὀφθαλμοὶ αὐτοῦ τυγχά-

132, 22 ⟦π⟧εις ‖ 23 εδε⟦ι⟧διει ‖ 25 υπαρχοντων ‖ 28 ⟦ε⟧βδε⟦ν⟧`λ'υκτος ‖ **133,** 3 ανοσιουργιας P² : ανοσιοκαιγιας P ‖ 4 αναγωγην ↑ (sic) ‖ 5 αποκτινας ‖ 12 `ο'τουουν ‖ 13 τελιαν ‖ 14 `ο' ‖ 15 τελ`ε'ιοτητος P² ‖ 16 επτα+επτα

133, 16 Zach. 4, 10

l'appelle, lui vienne de la main de Dieu, pour n'être pas exposé à être tué par quiconque le rencontrerait.

Mais par qui donc, demandera-t-on, Caïn craignait-il d'être rencontré et tué, puisqu'il n'existait absolument personne d'autre que lui-même et ses parents ? On peut répondre, d'abord, qu'ayant l'idée d'une succession future des hommes, il craignait, après avoir commis une telle abomination, d'être tué comme un être répugnant par ceux **133** qui viendraient plus tard, car un aussi grand crime / passerait à la postérité ; ensuite que, même si cela ne se produisait pas, il conjecturait que ce sacrilège serait vengé par les Puissances divines, qui, naturellement, l'avaient vu, parce que le mal ne s'était pas encore répandu.

Quant au sens anagogique, ↑ [1]

IV, 15. **Et le Seigneur lui dit : il n'en sera pas ainsi ; tout homme qui tuera Caïn paralysera sept vengés. Et le Seigneur Dieu mit un signe sur Caïn pour que tout homme qui le rencontrerait ne le tue pas.**

Parce que Caïn était le meurtrier de son frère, Dieu le réserve pour un châtiment encore plus grand que Caïn ne le supposait quand il croyait que quiconque le rencontrerait le tuerait, et il lui dit : « *Il n'en sera pas ainsi* » ; ce ne serait pas un châtiment proportionné à ton crime que d'être tué par le premier venu. Celui-ci, en effet, *paralyserait sept vengés* : ce qui indique une punition parfaite. Car le chiffre *sept* est pris souvent dans l'Écriture pour signifier la perfection. On le voit par cette parole : « *Il y a sept yeux qui inspectent la terre entière.* » Dieu n'est certes pas un corps pour que ses yeux soient au nombre de *sept*, mais il

133, 11-15 Proc. 245 C 2-6

133, 1. Cf. Introduction, p. 19.

[**133**] νωσιν, ἀλλὰ |[19] δῆλον ὡς τὴ[ν ἐ]φοπτικὴν αὐτοῦ δύναμιν
20 πληρεστά|την καὶ μεγ[άλη]ν εἶναι διδάσκει.

Ἄλλοι δὲ εἶπον ὅτι, |[21] ὥσπερ ὁ τοῦ [Σ]ωτῆρος ἄνθρωπος ἔσχεν ἑπτὰ πνεύματα ἐπανα|παυσόμενα, « *[π]νεῦμα σοφίας καὶ συνέσεως, πνεῦμα βουλῆς καὶ ἰσχύ|[23]ος, πνεῦμα γνώσεως καὶ εὐσεβείας, πνεῦμα φόβου Θεοῦ* », οὕτως | ἕκαστος
25 ἄνθρωπος, πρὸ τῆς ἁμαρτίας ἀνὴρ τέλειος ὤν, εἰς ὃν |[25] καὶ καταντῆσαι ἡμᾶς ὁ ἀπόστολος διδάσκων φησίν · | « *ἄχρι καταντήσωμεν πάντες εἰς ἄνδρα τέλειον, εἰς* |[27] *μέτρον ἡλικίας τοῦ πληρώματος τοῦ Χριστοῦ* », ἔχων ταῦτα
134 |[1] ἐπανα<πα>υσόμενα, εἰ ἁμαρτήσοι, παραλύσει αὐτά, περὶ
(IX, 6) ὧν | ἐκδίκησις γενέσθαι ὤφειλεν πληρεστάτη καὶ κατάλ-|[3]ληλος.

Σημειωτέον δὲ ὅτι τὸ « *πᾶς ὁ ἀποκτείνας Κάιν* » | ἢ
5 ἀντὶ κλητικῆς εἴρηται, ἀντὶ τοῦ ' ὦ Κάιν, πᾶς ὁ ἀποκτεί|[5]νας ', ἢ ἄλλοις περὶ αὐτοῦ, ἵν' ᾖ ' πᾶς ὁ τὸν Κάιν ἀποκτείνας ', | οὓς δυνάμεις τινάς τις ὁ λέγων οὐκ ἂν ἁμάρτοι. Ταῖς δ' αὐ|[7]ταῖς ταύταις « *σημεῖον* » δέδωκεν « *τοῦ μὴ ἀνελεῖν αὐτόν* », | ὅπερ ἂν εἴη αὐτοῦ τοῦ Θεοῦ τὸ πρόσταγμα · οὐ γάρ τι τῶν τοιού|[9]των κριμάτων χωρὶς συγχωρήσεως γίνεται. ***

— *huit lignes en blanc* —

10 | *Σημεῖον ἔθετο* τὴν μετὰ τὰ πταίσματα ῥο[πὴν τ]ῆς με|[11]τανοίας, καθ' ἣν οὐκ εὐχείρωτος ἔσται πρ[ὸς ἀν]αίρεσιν. | Μέγα μὲν γὰρ ἀγαθὸν τὸ μὴ πταῖσαι · τὸ δὲ μ[ε]τὰ τὰ πταίσ|[13]ματα ἐν μεταγνώσει γενέσθαι δεύτερος ἂ[ν] εἴη λιμήν, | ὅπερ οἰκονομῶν ὁ Θεὸς <διὰ> διδασκαλίας διεγείρει
15 πρὸς τὸ |[15] μὴ ὑποπεσεῖν τῷ ἀπατεῶνι. Τοιαύτην τὴν διάνοιαν ὑ|ποβάλλει τὸ ἐν ψαλμοῖς λεγόμενον · « *Ἐσημειώθη ἐφ' ἡμᾶς* |[17] *τὸ φῶς τοῦ προσώπου σου, Κύριε* », ὅπερ

133, 19 δυναμ⟦ε⟧ιν ‖ 24 τελιος ‖ 25 ὁ : ο⟦ς⟧ ‖ φησιν+une ligne en blanc ‖ 26 τελιον ‖ **134,** 2 εκδικησ⟦ε⟧ις ‖ ωφιλεν ‖ 3 αποκτ`ε´ινας $P^2$ ‖ 4-5 αποκτινας ‖ 5 αποκτινας ‖ 9 συνχωρησεως ‖ γινεται+huit lignes en blanc ‖ 10 πτεσματα ‖ 11 ε`υ´χειρωτος P^2 ‖ 12-13 π`τ´αισματα ‖ 14 διδασκαλειας ‖ 15 απαταιωνι

veut évidemment nous apprendre par là que sa puissance de surveillance est universelle et pénétrante.

D'autres auteurs ont affirmé que, de même que l'humanité du Sauveur avait sept esprits qui devaient reposer sur elle, « *l'esprit de sagesse et d'intelligence, l'esprit de conseil et de force, l'esprit de science et de piété, l'esprit de crainte de Dieu* », il en allait de même pour tout homme. Avant le péché, en effet, celui-ci est un *homme parfait*, comme l'Apôtre nous apprend que nous parviendrons à l'être : « *Jusqu'à ce que nous parvenions tous à l'état d'homme* **134** *parfait, à la mesure de la stature plénière du Christ* », / et il est destiné à avoir ces sept esprits reposant sur lui, s'il pèche, il les *paralysera* et, en conséquence, ils devront être *vengés* d'une manière complète et appropriée.

Il est à remarquer que la phrase : « *Tout homme qui tuera Caïn* » peut être, soit au vocatif, pour dire : ' O Caïn, tout homme qui tuera ', soit adressée à d'autres personnes au sujet de Caïn, pour signifier tout meurtrier de Caïn; et l'on ne se trompera pas en précisant que ces autres personnes sont des Puissances. C'est à elles aussi qu'il est fait *signe de ne pas le tuer*, *signe* qui ne peut être autre chose qu'un ordre de Dieu; car aucune punition de ce genre n'a lieu sans sa permission. ***

— huit lignes en blanc —

Le *signe* que Dieu a *mis*, c'est l'inclination à faire pénitence après le péché, grâce à quoi cet homme ne sera pas une proie facile à tuer. C'est un grand bien, certes, que de ne pas faillir; mais, après qu'on a failli, le repentir est comme un second port que Dieu a ménagé pour nous apprendre à ne pas tomber au pouvoir du Trompeur. Telle est la pensée que nous suggère cette parole des Psaumes : « *La lumière de ta face, Seigneur, a été mise comme un signe sur nous* », et l'on ne se trompera pas en disant

133, 22 Is. 11, 2-3 || 26 Éphés. 4, 13 || **134,** 16 Ps. 4, 7

[134] *προσώπου φῶς* τὸν Υἱὸν ἢ τὰς | θείας ἔννοιας λέγων οἰκείως ἐρεῖς. Οὕτω γὰρ ἂν καὶ τὸ *φυγεῖν* |[19] *ἀπὸ προσώπου τόξου*
135 γενήσεται, τοῦ προσώπου τοῦ Θεοῦ ἐν ἡ|[1]μῖν, ὡς εἴρηται,
(IX, 7) ὑπάρχοντος · καὶ τὸ ἑξῆς δὲ ἐπιφερόμενον | βεβαιοῖ · « *Ὅπως ἂν ῥυσθῶσιν οἱ ἀγαπητοί σου* ». Φιλανθρωπί|[3]ᾳ οὖν καὶ ἀγαθότητι ὁ Θεὸς καὶ τοῖς μεγάλα σφαλλομένοις | *τόπον μετανοίας* δίδωσιν, ἵνα πάλιν ἀνάλη<μ>ψις τῆς
5 |[5] ἀρετῆς γένηται.

IV, 16. Ἐξῆλθεν οὖν Κάιν ἀπὸ προσώπου τοῦ Θεοῦ | καὶ ᾤκησεν ἐν γῇ Ναΐν κατέναντι Ἐδέμ.

|[7] Τὸ *ἐξελθεῖν τὸν Κάιν ἀπὸ προσώπου τοῦ Θεοῦ* οὐ τοπικῶς ἐκ|λαμβάνοντές φαμεν ὅτι πᾶς ἁμαρτάνων ἔξω Θεοῦ γίνε|[9]ται, ἐπεὶ καὶ τὸ *εἰσελθεῖν* πρὸς τὸν Θεὸν οὕτω
10 νοοῦμεν, λέ|γοντος τοῦ ψαλμοῦ · « *Εἰ[σ]έλθατε ἐνώπιον αὐτοῦ ἐν ἀγαλ*|[11]*λιάσει* » · *εἰσέρχεται* δέ τις *ἐνώπιον* Θεοῦ τὰ ἔξω πάντα κατα|λιπών, ἁμαρτήματά τε καὶ τὰ αἰσθητὰ πράγματα, καὶ ἄλλος |[13] τοῦ κόσμου γινόμενος, ἵν' οὕτως τῆς περὶ Θεοῦ γνώσεως μέ|τοχος γένηται.

15 Λέγεται οὖν ἐνταῦθα · « *Ἐξῆλθεν Κάιν ἀπ[ὸ]* |[15] *προσώπου Θεοῦ* », καὶ οὐ λέγομεν ὅτι τόπος τίς ἐστιν, ἐν ᾧ | ὁ Θεὸς ὑπάρχει, ἐν ᾧ Κάιν ὑπάρχων ἐξῆλθεν · ἀπερίγραφ[ος] |[17] γὰρ ὁ Θεὸς καὶ τόποις οὐχ ὑποκείμενος, εἰ καὶ ναὸς ὕστε|ρον γέγο[νεν], συμβολικῆς λατρείας ὑπάρχων διδασκαλία.

|[19] *Ἐξῆλθεν* οὖ[ν] Κάιν, ἀνάξιον ἑαυτὸν καταστήσας
20 *τοῦ προ*|*σώπου τοῦ Θεοῦ*, ἀνεννόητος λοιπὸν αὐτοῦ γεγενη-

134, 18 οικ`ε'ιως P² ‖ **135,** 2-3 φιλανθρωπια⟦ν⟧ ‖ 9 επ`ε'ι P² ‖ 10 ει[.]ελθατ⟦αι⟧`ε' ‖ 18 λατριας ‖ διδασκαλεια ‖ 19 `ε'αυτον P²

134, 18 Ps. 59, 6 ‖ **135,** 2 Ps. 59, 7 ‖ 4 Hébr. 12, 17 ‖ 10 Ps. 99, 2 ‖ 14 Gen. 4, 16

135, 7-12 Proc. 252 D 5-9 ‖ 19-20 Proc. 252 D 10 - 253 A 2

134, 1. Didyme propose deux interprétations de la « lumière de la face ». La première, qui l'identifie au Fils, est dérivée de l'explica-

que cette *lumière de la face* est le Fils ou les idées divines[1], car c'est dans le même sens qu'on « *fuit loin de la face de* **135** *l'arc* », sauf que la *face de Dieu* est en nous, / comme on l'a dit ; la suite, du reste, confirme cette interprétation : « *afin que tes bien-aimés soient délivrés* ». Dieu donne donc, par indulgence et bonté, même à ceux qui ont commis de grandes fautes, un *délai* de *pénitence* pour qu'il y ait un retour à la vertu.

IV, 16. **Caïn sortit donc loin de la face de Dieu, et il habita au pays de Naïn en face d'Edem.**

Nous ne comprenons pas que Caïn est sorti *loin de la face de Dieu* dans un sens local[1], mais nous disons que tout pécheur se met en dehors de Dieu; car c'est dans le même sens que nous entendons l'expression *entrer vers Dieu*, quand le psaume dit : « *Entrez en sa présence avec allégresse* »; on *entrera en présence de Dieu* en laissant tout ce qui est en dehors de lui, le péché et les choses sensibles, en devenant autre que le monde pour participer à la connaissance de ce qu'est Dieu.

Il est donc dit dans le passage présent : « *Caïn sortit loin de la face de Dieu* », et nous ne prétendons pas qu'il y ait un lieu où Dieu est, où Caïn était et d'où il est sorti; car Dieu n'est pas circonscriptible ni soumis à l'espace, bien qu'on lui ait fait plus tard un temple, lequel était en réalité un moyen d'enseigner une liturgie symbolique.

Caïn *sortit* donc, parce qu'il s'était rendu indigne de la *face de Dieu* : c'est-à-dire que, désormais, il n'eut plus la

tion qui a été donnée ci-dessus p. 58 et qui vient d'Origène ; la seconde, qui l'assimile aux « idées divines », provient de PHILON, *De poster*. 8. Pour ce dernier, en effet, émigrer loin de la face du Seigneur signifie perdre la représentation de Dieu (τὴν Θεοῦ φαντασίαν). Didyme préfère cependant parler d'idées au pluriel (ἐννοίας) en pensant aux « idées communes » parmi lesquelles il y a l'idée de Dieu ; cf. p. 85, n. 1.

135, 1. Cf. PHILON, *De poster*. 1-7.

[135] μένος. |[21] Περὶ τῶν τοιούτων εἴρηται · « *Οὐκ ἔστιν ὁ Θεὸς ἐνώπιον αὐ|τοῦ* », καὶ περὶ τῶν υἱῶν Ἡλὶ λέγεται · « *Υἱοὶ Ἡλὶ οὐκ εἰδότες* |[23] *τὸν Κύριον* » · καὶ γὰρ εἰ προσεκαρτέρουν τῷ ναῷ, ἀλλὰ τῇ δια|θέσει καὶ τοῖς ἔργοις ἔξω ἐτύγχανον αὐτοῦ.

25 Ὅτι δὲ Κάιν |[25] οὕτως *ἐξῆλθεν*, τὸ ἐπιφερόμενον παρίστησιν · « *Καὶ ᾤκησεν* » | γάρ φησιν « *ἐν γῇ Ναῒν κατέναντι Ἐδέμ* ». ʽ Σάλος ʼ γὰρ ἡ *Ναῒν* |[27] ἑρμηνεύεται · ποῦ γὰρ

136 (IX, 8) ἔδει τὸν ἀποστάντα τῆς εἰρηνικῆς |[1] ἀρετῆς οἰκεῖν ἢ ἐν τῇ ʽ σάλῳ ʼ, ἀστάτῳ πράγματι καὶ ἀβεβαί|ῳ, ὅπερ ἐστὶν ἡ κακία ; Εὖ δὲ καὶ τὸ *κατέναντι* · ἐναντία γὰρ |[3] τῇ ἀρετῇ ἡ κακία.

Μεμνήμεθα τοίνυν ὡς, ὅτε διελαμβάνο|μεν περὶ τῆς
5 ἐκβολῆς τοῦ Ἀδάμ, ἐσημειωσάμεθα ὅτι *ἐκβέ*|[5]*βληκεν* αὐτὸν οὐκ ἀφ᾽ ἑαυτοῦ ἐξελθόντα, ἀλλὰ ἔτι ἔχοντα | ἔναυσμα πόθου τῆς διατριβῆς *τοῦ παρ‹α›δείσου τῆς τρυφῆς* · |[7] διὸ καὶ *κατέναντι* τούτων αὐτὸν *κατῴκισεν*, οἷον αὐτὸς | καὶ τὴν οἴκησιν οἰκονομήσας. Τοῖς γὰρ μὴ μεγάλα ἁμαρ|[9]τάνουσιν,
10 ἐπεὶ οὐ πόρρω ἡ ἀρετὴ ἐνυπάρχει, δίδοταί τις πρόφα|σις ταχεῖαν τὴν ὑποστροφὴν ὑποδεικνύουσα, πρὸς Θεοῦ δι|[11]δομένη, ὅπερ ἐπὶ τοῦ Κάιν οὐκ εἴρηται. Οὔτε γὰρ *κατῴκισται* | οὐδὲ *ἐκβέβληται*, προθύμῳ πόθῳ πρὸς τὸ κακὸν ἀπολισθήσας · |[13] διόπερ καὶ ʽ σάλον ʼ οἰκεῖ, ἀδιαστάτως ταραττόμενος, ἐπεὶ | [τ]οῦτο ἐπόθησεν, τοῦ ἐναρέτου βεβαίου
15 ὑπάρχοντος, διὰ |[15] [τὸ στ]άσιν ἔχειν ἰσχυράν, ὡς καὶ *μετὰ Θεοῦ στῆναι δύνασθαι* | [κα]τὰ τὸ εἰρημένον · « *Σὺ δὲ αὐτοῦ στῆθι μετ᾽ ἐμοῦ* », καὶ ὑπὸ τοῦ |[17] [Σ]ωτῆρος περὶ τῶν θανάτου μὴ γευομένων · « *Εἰσί τινες τῶν ὧδε*

135, 22 ηλει₁ ‖ ηλει₂ ‖ 27 τη᾽ς᾽ ‖ **136,** 4 εσημιωσαμεθα ‖ 9 επ᾽ε᾽ι ‖ ᾽ου᾽ ‖ 16 στηθει

135, 21 Ps. 9, 25 ‖ 22 I Sam. 2, 12 ‖ 25 Gen. 4, 16 ‖ **136,** 4.5.6 Cf. Gen. 3, 24 ‖ 16 Deut. 5, 31 ‖ 17 Mc 9, 1

135, 25 - **136,** 13 Proc. 253 A 2-15

pensée de Dieu. C'est des gens de cette sorte qu'il est écrit : « *Dieu n'est pas devant lui* »; et il est dit encore au sujet des fils d'Héli : « *Les fils d'Héli qui ne connaissaient pas le Seigneur* » : car, même s'ils venaient fidèlement au temple, par leurs dispositions intimes et par leurs œuvres, ils restaient dehors.

Que Caïn soit *sorti* de cette façon, la suite le montre : « *Et il habita dans le pays de Naïn en face d'Edem.* » Naïn se traduit par ' agitation[2] '. Où fallait-il, en effet, qu'habite **136** celui qui avait abandonné la vertu paisible, / sinon dans l'' agitation ', dans cette chose instable et inconsistante qu'est le vice ? Et « en face » est très juste; car le vice est l'opposé de la vertu.

Nous nous rappelons[1] qu'en dissertant sur Adam chassé du paradis, nous avons remarqué que Dieu l'a *chassé*, parce qu'il n'était pas *sorti* de sa propre initiative, mais qu'il avait encore une étincelle de désir de vivre dans le *Paradis de délices*. C'est pourquoi Dieu l'a *fait habiter en face*, comme en lui ménageant lui-même une habitation; car, à ceux qui n'ont pas de grands péchés, comme la vertu n'est pas loin d'eux, Dieu donne l'occasion et la suggestion de vite y retourner. Cela n'est pas dit pour Caïn : Dieu ne l'a pas *fait habiter* ni *chassé*, mais c'est un désir volontaire qui l'a fait s'éloigner et glisser dans le mal[2]. C'est bien pourquoi il habite ' Agitation ', étant dans un trouble continuel, parce qu'il a désiré cela. Le vertueux, au contraire, est stable, parce qu'il a une assise solide au point de pouvoir *se tenir avec Dieu*, selon cette parole : « *Toi, tiens-toi ici avec moi*[3] », et, pour parler de ceux qui ne *goûteraient pas la mort*, le Sauveur dit : « *Il y en a*

135, 2. Même étymologie dans PHILON, *De poster*. 22, mais cette étymologie convient à l'orthographe *Naid* employée par Philon et non pas *Naïn* employé par Didyme.

136, 1. Cf. p. 112.

136, 2. Cf. PHILON, *De poster*. 10.

136, 3. Même citation chez PHILON, *De poster*. 30.

[136] | *ἑστηκότων* », οἵτινες ἦσαν οἱ γνώριμοι αὐτοῦ. Ἀ[λ]λὰ καὶ Παῦ|[19]λος προτρέπων μὴ περιφέρεσθαι παντὶ ἀνα[ξί]ῳ
20 διδασκαλί|ας γράφει · « *Στήκετε οὖν καὶ μὴ πάλιν ζυγῷ δουλείας ἐνέ*|[21]*χεσθε* » · καὶ ὁ ψαλμῳδὸς δὲ εὐχαριστητικῶς φησιν · « *Ἔστη*|*σας ἐπὶ πέτραν τοὺς πόδας μου* » · περὶ δὲ τῶν φαύλων ὡς |[23] ἀεὶ ἐπιτριβομένων ἐν κακοῖς εἴρηται · « *Οὐ μὴ στῇ* » ὁ σάλος | τῶν ποδῶν αὐτῶν. Μέγα γὰρ
25 ἁμάρτημα ἀεὶ ἐν τῷ κακῷ |[25] κινεῖσθαι, ὅπερ μὴ βουλόμενος ἐν τῇ Σιὼν εἶναί φησιν | ὁ λόγος · « *Στῆσον σεαυτὴν Σιών* » · ὅπερ ἔχων ὁ μακάριος Δαυίδ, |[27] ἵνα μὴ αὐτοῦ ἐκπέσῃ, ἔψαλλεν · « *Καὶ χεὶρ ἁμαρτωλῶν μὴ σα*|*λεύσαι με* », ὅ ἐστιν · πράξεις ἁμαρτωλοῦ, τοῦ διαβόλου, μὴ
137 ἀποστή|σῃ με ἀπὸ ἀρετῆς.

(IX, 9) **| IV, 17. Καὶ ἔγνω Κάιν τὴν γυναῖκα αὐτοῦ, καὶ συλλαβοῦσα ἔτεκεν τὸν |[3] Ἐνώχ. Καὶ ἦν οἰκοδομῶν πόλιν, καὶ ἐπωνόμασεν τὴν πό|λιν ἐπὶ τῷ ὀνόματι τοῦ υἱοῦ αὐτοῦ Ἐνώχ.**

5 |[5] Ζητοῦσί τινες πόθεν ἔσχεν γυναῖκα ὁ Κάιν, οὐκ ὄντων ἄλλων | ἢ τοῦ Ἀδὰμ καὶ τῆς Εὔας, ἐξ οὗ οἱ κακοῦργοι ἀδελφογα|[7]μίαν εἰσάγουσιν. Ἔδει δ' αὐτοὺς ἐννοεῖν ὡς οὐκ ἐκ τούτου | ἀδελφογαμία εἰσάγεται. Εἰ μὲν γάρ, ἀλλῶν οὐσῶν, ἐκέχρη|[9]το τῇ ἀδελφῇ, πιθανὸς ἦν ὁ λόγος · εἰ δέ,
10 μηδένος ὑπάρχον|τος, πρὸς σύστασιν τῆς διαδοχῆς τοῦτο γέγονεν, ποῦ χώ|[11]ραν ἔχει ἀδελφογαμία, <οὐχ> οἵου τε ὄντος ἑτέρωθεν δέξασθαι | πρὸς συζυγίαν ; Φέρεται καὶ λόγος παρὰ τοῖς Στωϊκοῖς ζητού|[13]μενος ὡς, εἰ συμβαίη ἐκπύρωσιν γενέσθαι τοῦ κόσμου καὶ | ὑπὲρ τοῦ ζώπυρον
15 παραμεῖναι τὸ τοῦ ἀνθρωπείου γένους μό|[15]νος σοφὸς μείνοι

136, 19-20 διδασκαλειας ‖ 20 δουλιας ‖ 20-21 ενεχεσθαι ‖ 25 κεινεισθαι ‖ σειων ‖ 26 σειων ‖ **137,** 9 πειθανος ‖ 14 τὸ : το⟦υ⟧ ‖ ανθρωπιου

136, 20 Gal. 5, 1 ‖ 21 Ps. 39, 3 ‖ 23 Job 8, 15 ‖ 26 Jér. 38, 21 ‖ 27 Ps. 35, 12

137, 1. PHILON, *De poster.* 33, pose cette question, mais il y

certains parmi ceux qui se tiennent ici » : c'est-à-dire parmi ses disciples. De même, Paul, pour encourager à ne pas revenir à ce qui ne mérite pas d'être enseigné, écrit : « *Tenez-vous donc ferme et ne vous laissez pas mettre de nouveau sous le joug de l'esclavage.* » Et le psalmiste dit avec reconnaissance : « *Tu as fait tenir mes pieds fermes sur un roc* »; mais, pour les méchants, parce qu'ils s'épuisent dans le mal, il est écrit : « qu'elle ne s'arrête pas » l'agitation de leurs pieds; car c'est un grand péché que de toujours remuer dans le mal. Ne voulant pas cela dans Sion, la Parole dit : « *Arrête-toi et tiens-toi ferme, Sion* »; et le bienheureux David, qui avait cette stabilité, demandait de ne pas la perdre, en chantant : « *Que la main des pécheurs ne m'ébranle pas* », c'est-à-dire : Que les actions **137** du pécheur, le diable, ne m'éloignent pas / de la vertu.

IV, 17. **Et Caïn connut sa femme ; elle conçut et elle enfanta Énoch. Et il bâtit une ville et il lui donna le nom de son fils, Énoch.**

Il y a des gens qui se demandent où Caïn a trouvé une femme, quand il n'y avait personne d'autre qu'Adam et Ève; d'où les pervers concluent à un inceste avec une sœur[1]. Mais ils auraient dû penser que cela ne suppose pas un inceste; car s'il y avait eu d'autres femmes et que Caïn eût pris néanmoins sa sœur, alors, oui, leur conclusion serait valable; mais comme il n'y avait personne d'autre, s'il a fait cela pour assurer la descendance, où y a-t-il place pour un inceste puisqu'il ne lui était pas possible de prendre une femme ailleurs pour s'unir à elle ? On se pose traditionnellement aussi, chez les Stoïciens, le problème suivant : supposons qu'il arrive un embrasement du monde et qu'il ne subsiste qu'une étincelle du genre humain,

donne une réponse différente ; le verset, selon lui, doit s'entendre allégoriquement : la femme qu'épouse Caïn est « l'opinion impie » opposée à la connaissance de la vérité.

[137] μετὰ θυγατρὸς ἐπιστάμενος ὅτι διακοσ|μηθήσεται πάλιν κόσμος, δι' ὃ καὶ χρεία διαδοχῆς, εἰ |[17] καθηκόντως χρήσηται τῇ θυγατρί · καὶ φαίνεται αὐτοῖς ὁ | λόγος οὐκ ἀνοίκειος τῷ μὴ εἶναι ἄλλην. Τοῦτο φαίνεται |[19] καὶ περὶ τῶν θυγατέρων
20 τοῦ Λὼτ γεγενημένον, ὃ οἱ φιλαί|τιοι μὲν αἰτιάσονται, τῶν δὲ συνετῶν οὐδείς. Μὴ γὰρ οἰ|[21]όμεναι ἄλλον ἄνδρα εἶναι διὰ τὴν γεγενημένην καῦσιν | τῶν πόλεων ἐκείνων, ἀλλὰ καὶ προσλαβοῦσαι ὡς κόραι ὅτι |[23] πᾶσα ἡ γῆ τοιαῦτα ὑπέστη ἐμπρησθεῖσα, λέγουσι γοῦν · | « *Ἰδοὺ ὁ πατὴρ*
25 *ἡμῶν γεγήρακεν καὶ οὐκ ἔστιν ὃς εἰσελεύ|*[25]*σεται πρὸς ἡμᾶς, καθὼς καθήκει πάσῃ τῇ γῇ, δεῦτε καὶ | ποτίσωμεν τὸν πατέρα ἑαυτῶν οἶνον* » · καὶ ὅτι οὐκ ἐμπα|[27]θῶς τοῦτο πεποιήκασιν, ἀλλὰ ζώπυρον ὑπολιποῦσαι, | συνελθοῦσα ἡ
138 (IX, 10) μία προετρέψατο καὶ τὴν ἄλλην τοῦτο |[1] ποιῆσαι, ὅπερ οὐκ ἂν ἐποίει τάχεως, εἰ πάθει ἐδούλευεν, ἀλλὰ | τῷ αὐτῷ τρόπῳ ὡς ἡ πρώτη ᾠκονόμησεν καὶ ἡ δευτέρα |[3] πεποίηκεν διαδοχῆς ἕνεκεν πλείονος. Οὐκ ἐγκλητέος | οὖν ἐν αὐτοῖς
5 ὁ Κάιν, εἰ καὶ ἐν πολλοῖς διεσφαλῇ. Σημειω|[5]τέον ὡς οὐκ εἶπεν · *Ἔγνω Κάιν* τὴν ἀδελφήν, ἀλλὰ *τὴν* | *γυναῖκα αὐτοῦ* · αὕτη γὰρ ἡ προσηγορία τῆς διαδοχῆς οἰ|[7]κεία.

Ζητήσειεν ἄν τις πῶς, πέντε που ὀνομασθέν|των ἀνθρώπων, τῶν γονέων τοῦ Κάιν καὶ αὐτοῦ καὶ τῆς γυ|[9]ναικός, *πόλιν*
10 *οἰκοδομεῖν* λέγεται, πρᾶγμα πολυπλη|θείας δεομένου · ὁ δὲ

137, 18 ανοικιος ‖ 26-27 ενπαθως ‖ 28 προετρ⟦α⟧`ε´ψατο ‖ **138,** 6-7 οικια

137, 24 Gen. 19, 31-32 ‖ **138,** 5 Gen. 4, 17

138, 1. Car elle aurait été jalouse.

138, 2. Tout ce passage sur les filles de Loth vient d'ORIGÈNE, car on en retrouve la substance dans son homélie V sur la Genèse (V, 4), y compris la remarque que les filles de Loth étaient de toutes jeunes filles qui ignoraient que toute la terre n'avait pas brûlé. Origène fait aussi allusion dans le même passage à la doctrine stoïcienne de l'embrasement du monde ; ce qui laisse penser que la référence aux

un sage avec sa fille; ce sage, qui sait que le monde va être organisé de nouveau et qu'il faut une descendance humaine, a-t-il le droit de prendre sa fille ? Il leur paraît que ce serait normal, étant donné qu'il n'y aurait pas d'autre femme. C'est ce qui semble s'être produit aussi pour les filles de Loth, et il se trouve des ergoteurs pour les en blâmer mais personne d'intelligent. Elles croyaient en effet qu'il n'y avait pas d'autre homme, à cause de l'incendie des villes de la région; elles supposaient même, n'étant que des jeunes filles, que la terre entière avait subi le même sort et avait été brûlée; elles se dirent donc : « *Voici que notre père est vieux et il n'y a personne pour s'approcher de nous comme il est d'usage sur toute la terre. Viens, faisons boire du vin à notre père.* » Et la preuve qu'elles n'ont pas fait cela sous l'emprise de la passion, mais pour laisser une étincelle du genre humain, c'est que la première, lorsqu'elle eut couché avec son père, engagea **138** l'autre / à en faire autant, ce qu'elle n'aurait sans doute pas fait aussi vite si elle avait été esclave des passions[1]; mais, de la même manière que la première avait usé d'une dispense, la seconde le fit aussi pour que la descendance soit plus nombreuse[2]. Il ne faut donc pas blâmer Caïn en cela, même s'il a commis beaucoup d'autres fautes. On remarquera que le texte ne dit pas : ' Caïn connut sa sœur ', mais *sa femme*; telle est en effet l'appellation qui convient dans le cas d'une descendance.

Mais, demandera-t-on, le texte n'a guère nommé que cinq personnes : les parents de Caïn, Caïn lui-même et sa femme : comment peut-il dire qu'*ils construisent une ville*, entreprise qui réclame beaucoup de monde ? D'ailleurs,

Stoïciens qui se trouve juste avant dans notre texte vient aussi de son commentaire sur la Genèse. — PHILON donnait de l'épisode des filles de Loth une explication uniquement allégorique selon laquelle les deux filles représentaient les deux sortes d'ignorance : *De ebr.* 165-166.

[138] τοῦτο ζητῶν καὶ τὴν αἰτίαν |[11] ἀπαιτήσει διὰ τί *πόλιν* ἐποίουν, ἑνὸς ἄντρου ἢ καὶ | οἰκηματίου σφόδρα μίκρου ἀρκοῦντος πρὸς οἴκησιν · |[13] πρὸς ἃ ***

— le reste de la page en blanc —

139 (IX, 11) |[1] **IV, 18. Ἐγγεννήθη δὲ τῷ Ἑνὼχ Γαϊδάδ, καὶ Γαϊδὰδ ἐγέννησεν | τὸν Μαουιά, καὶ Μαουιὰ ἐγέννησεν τὸν Μαθουσαήλ, καὶ |[3] Μαθουσαὴλ ἐγέννησεν τὸν Λάμεχ.**

| Τὴν γενεὰν τοῦ Κάιν διηγεῖται, ἥτις ἕως ἑβδόμης γενε|[5]ᾶς φθάσασα τοῦ κατακλυσμοῦ ἐπιγενομένου ἀπώ|λετο · ἡ δὲ ἀπὸ τοῦ Ἀδὰμ διαδοχὴ ἀπὸ Σήθ, οὗ ἀνέστη|[7]σεν ὁ Θεός, καταγομένη εἰς ἔτι νῦν φυλάττεται · | ἀπὸ γὰρ αὐτῆς ἦν ὁ τοῦ Νῶε οἶκος καὶ οἱ διασωθέντες |[9] μετ' αὐτοῦ ἐν τῇ κιβωτῷ.

Εἰ δέ τις καὶ ἀναγαγεῖν ταῦ|τα βούλεται, ἀπὸ τῆς ἑρμηνείας τῶν ὀνομάτων δεχό|[11]μενος τῆς ἀναγωγῆς τὴν ἀρχὴν μετὰ τοῦ μὴ ψυ|χρολογεῖν τοῦτο ποιείτω. Εἴρηται δὲ καὶ Φίλωνι |[13] εἰς ταῦτα, ἅπερ ὁ φιλόκαλος ἐπισκεψάμενος τὴν | δεοῦσαν δεχέσθω ὠφέλειαν.

|[15] **IV, 19-22. Καὶ ἔλαβεν ἑαυτῷ Λάμεχ δύο γυναῖκας · ὄνομα τῇ μι[ᾷ] | Ἀδὰδ καὶ ὄνομα τῇ δευτέρᾳ Σελλά. Καὶ ἔτεκε⟨ν⟩ Ἀδὰδ |[17] τὸν Ἰωβέλ · [ο]ὗτος ἦν ὁ πατὴρ οἰκούντων ἐν σκηναῖς | κτηνοτρόφων. Καὶ ὄνομα τῷ ἀδελφῷ αὐτοῦ Ἰουβάλ · |[19] οὗτος ἦν ὁ καταδείξας ψαλτήριον καὶ κιθάραν. | Σελλὰ δὲ ἔτεκεν καὶ αὐτὴ τὸν Θόβελ, καὶ ἦν σφυροκό|[21]πος χαλκεὺς χαλκοῦ καὶ σιδήρου · ἀδελφὴ δὲ Θόβελ | Νοεμά.**

|[23] Τὸ παλαιὸν οὐκ ἐδοκεῖ παράνομον εἶναι οὐδὲ | τοῖς σπουδαίοις δύο γυναῖκας ἔχειν · τῆς δια|[25]δοχῆς γὰρ καὶ

138, 11 πολειν ‖ 13 προς α+fin de la page en blanc ‖ **139,** 2 μαθουσ⟦απα⟧\`ᾳῃλ̣' ‖ 5 φθασασ⟦ασ⟧εν ‖ 7 ἔτι : ε⟦σ⟧τιν ‖ 14 ωφελιαν ‖ 16 ἀδὰδ$_1$ : αδ\`δ'α P² ‖ 17 τ⟦ω⟧\`ον' P² ‖ 18 ὄνομα τῷ : ονομα-τ⟦ος⟧\`ω' P² ‖ 20 \`τον' P² ‖ 23 παλα⟦ζ⟧\`ι̣'ον

138, 12-13 Proc. 253 C 4-5

dira le même objecteur, pourquoi auraient-ils fait une *ville* quand il leur suffisait d'une seule caverne ou même d'une toute petite cabane pour habiter[3] ? On répondra ***

— le reste de la page en blanc —

139 IV, 18. **Énoch engendra Gaïdad, Gaïdad engendra Maouïa, Maouïa engendra Mathousaël et Mathousaël engendra Lamech.**

L'Écriture décrit la descendance de Caïn, qui s'étendit jusqu'à la septième génération puis périt quand survint le déluge, tandis que la descendance issue d'Adam par Seth, qui fut suscité par Dieu, s'est conservée jusqu'à maintenant; car c'est d'elle que venaient la famille de Noé et ceux qui furent sauvés avec lui dans l'arche.

Si on veut donner un sens anagogique à ce passage, qu'on prenne l'étymologie des noms pour se donner le point de départ de l'anagogie et qu'on ne le fasse pas sèchement. Philon aussi traite de cela[1]; le lettré en retirera après examen le profit qui convient.

IV, 19-22. **Et Lamech prit pour lui deux femmes ; l'une s'appelait Adad et l'autre Sella. Adad enfanta Jobel ; il fut le père des engraisseurs de bétail qui habitent sous des tentes. Son frère s'appelait Joubal ; il fut l'inventeur du psaltérion et de la cithare. Sella, de son côté, enfanta Thobel, et il fut un forgeron travaillant l'airain et le fer ; la sœur de Thobel était Noéma.**

Autrefois, il ne semblait pas illégitime, même aux hommes vertueux, d'avoir deux femmes, car c'était le

138, 3. Même question chez PHILON, *De poster.* 49-50, mais il parle de trois personnes ; Didyme en compte cinq.

139, 1. Dans PHILON, *De poster.* 66-75. Philon explique le sens des noms dans cet ouvrage.

[139] τοῦ πλήθους τῶν ἀνθρώπων καιρὸς ἦν. Ὁ Λάμεχ οὖν | δύο γυναῖκας ἔχων ἐξ ἀμφοτέρων ἐποίησεν υἱούς, οἳ καὶ
140 |[1] ἀρχηγοὶ τεχνῶν γεγένηνται, ὁ μὲν *κτηνοτρόφων* | ἀρχηγὸς
(IX, 12) γεγενημένος, ὃς ἀδελφὸν Ἰουβὰλ εἶχε̣ν̣ *κ̣ατα*|[3]*δείξαντα ψαλτήριον καὶ κιθάραν*, ἐκ δὲ τῆς ἑτέρας ὁ Θό|βελ, ὅστις
5 *σφυροκόπος* ἤρξατο εἶναι *χαλκοῦ καὶ σιδήρου*, |[5] οὗ καὶ ἀδελφὴν ὀνομάζει. Παρίστησιν μὲν οὖν διὰ τῶν | ἐκτεθέντων ἡ θεία παίδευσις ὡς προαιρετικὰ ζῷα οἱ |[7] ἄνθρωποι τυγχάνουσιν, μετέχοντες ἐπιστημῶν · οὐ γὰρ ὥσ|περ τὰ ἄλογα μόνῃ αἰσθήσει συνζῶσιν, ἀλλ' ἤδη καὶ τοῦ |[9] λογιστικοῦ
10 ἡ ἀρετὴ δείκνυται διὰ τοῦ καὶ τεχνῶν εὑρε|τὰς γεγενῆσθαι.

Τὰ μὲν οὖν πρὸς τὸ ῥητὸν οὕτως ἔχει · |[11] εἴη δὲ τὰ τῆς ἀναγωγῆς ταῦτα. Ὁ *κτηνοτρόφος* ἕτε|ρός ἐστι τοῦ *ποιμένος* · ὁ μὲν γὰρ σὺν ἐπιστήμῃ νέμει, |[13] [ὁ] δὲ *κτηνοτρόφος* οὔ. Ἄβελ ὁ δίκαιος *ποιμὴν* ἐτύγχανεν, | [τὰς] ἀλόγους ἑαυτοῦ
15 δυνάμεις ἐπιθυμητικὴν ὀρεκτι|[15][κὴ]ν θυμικὴν ἄγων κατὰ λόγον τὸν ὀρθόν · ὁ δὲ *κτηνοτρό*|*[φο]ς* ἀμοιρῶν ἐπιστήμης, ἡδονικός τις ὤν, [μ]όνων ἐστὶ |[17] [τ]ῶν αἰσθήσεων, οὐ κρατῶν ἀλλὰ κρατούμενος ὑπ' αὐτῶν. | Καὶ ὡς ἐπὶ παραδείγματος σαφὲς ἂν εἴη τὸ λεγόμενον |[19] τοῦτον τρόπον.
20 Ὁ ἰατρὸς ἄλλως χρῆται τῇ ἀφῇ ἢ ὁ πρὸς | ἡδονὴν ὁρῶν · οὗτος οὖν *κτηνοτρόφος* τρόπον τινά ἐστι̣ν̣, |[21] ὁ δὲ ἰατρὸς *ποιμήν* · λόγῳ γὰρ χρῆται τῇ αἰσθήσει. Οὕτω καὶ | περὶ ὀσφρήσεως καὶ τῶν ἄλλων αἰσθήσεων ὁ λόγῳ αὐ|[23]ταῖς χρώμενος ἄριστος. Ἄρχει γὰρ ὁ λογισμὸς τῆς αἰσθήσε̣ω̣ς, | ἐπὰν δὲ ὁ λογισμὸς κατακρατηθῇ, κατὰ τὰ πάθη λοιπὸν
25 |[25] δέχεται τὰς προσηγορίας ὁ ἄνθρωπος, ὡς μὲν διὰ τὸν θυμὸν | λέων καλεῖσθαι, διὰ δὲ τὸ πανοῦργον ἀλώπηξ, διὰ
141 δὲ τ[ὸ] |[1] γεῶδες ὄφις, οὕτως ὡς καί τινας διὰ τὸ ἡδονικὸν
(IX, 13) καλεῖσθαι | ἵππος · « *Ἵπποι* » γάρ φησιν « *θηλυμανεῖς*

140, 9 αρ⟦αι⟧'ε'τη ‖ 12 ποιμ⟦ε⟧'αι'νος P² ‖ 14-15 ορεκτει[..]ν ‖ 17 ⟦ο⟧'αλ'λα P² ‖ 26 καλ'ε'ισθαι ‖ **141,** 1 καλ'ε'ισθαι

141, 2 Jér. 5, 8

140, 11-17 Proc. 253 D 8-12

moment pour les hommes d'avoir une descendance et de se multiplier. Lamech, ayant donc deux femmes, eut de **140** l'une et de l'autre des fils / qui furent au point de départ des métiers : l'un fut l'ancêtre des *engraisseurs de bétail* et il eut pour frère Joubal qui *inventa le psaltérion et la cithare*; de la seconde femme naquit Thobel qui fut le premier *forgeron d'airain et de fer*, et le nom de sa sœur est indiqué. Par cet exposé, l'enseignement divin nous représente les hommes comme des vivants capables de choisir parce qu'ils ont part aux sciences; car ils ne vivent pas seulement de la sensation comme les bêtes, mais ils ont aussi la faculté de raisonner, et cette supériorité est déjà indiquée par le fait qu'ils ont inventé des techniques.

Voilà pour la lettre; quant au sens anagogique, il doit être celui-ci. L'*engraisseur de bétail* est autre chose que le *pasteur* : celui-ci conduit avec science, l'autre non[1]. Abel le juste était *pasteur* parce qu'il menait ses puissances animales, la concupiscible, l'impulsive et l'irascible, selon la droite raison. L'*engraisseur de bétail*, étranger à la science parce qu'il est homme de plaisirs, appartient seulement aux sensations : au lieu de les dominer, il est dominé par elles[2]. Ce que je dis là peut être éclairé par l'exemple que voici. Le médecin use du toucher autrement que l'homme qui ne vise que son plaisir; celui-ci est donc en quelque sorte l'*engraisseur de bétail*, tandis que le médecin est un *pasteur* car il use des sensations avec raison. De même pour l'odorat et les autres sens : celui qui en use avec raison est le meilleur. Car le raisonnement commande au sens. Mais quand le raisonnement se laisse dominer, l'homme reçoit alors un nom qui correspond à sa passion : **141** coléreux, il est appelé *lion*; fourbe : *renard*; / terre à terre : *serpent*, de même que d'autres, à cause de leur amour des plaisirs, sont appelés *chevaux* : « *Vous êtes*

140, 1. Cf. PHILON, *De agric.* 56-61.
140, 2. Cf. PHILON, *De poster.* 98.

[141] *ἐγενήθητε* », καὶ ἄλλους |[3] ἀνθρώπους καλεῖσθαι διὰ τὸ
ὅλους τῶν αἰσθήσεων ὄντας μηδὲν θεῖ|ον ἀπογεννᾶν ἡμιό-
5 νους · « *Μὴ γίγνεσθε* » γάρ φησιν « *ὡς* |[5] *ἵππος καὶ*
ἡμίονος, οἷς οὐκ ἔστιν σύνεσις. »

Ὁ μὲν οὖν *κτηνοτρόφος* τοι|οῦτος, φαῦλος τις ὑπάρχων,
οὐκ οἶκον οἰκῶν, ἀλλὰ *σκηνάς*, πρᾶγ|[7]μα ἀβέβαιον, οὐκ
ἐκείνους μιμούμενος τοὺς διὰ προκοπὴν σκη|νοῦντας,
ἵν' ἀπὸ τούτου καὶ εἰς τὸν εἶκον εἰσελθῶσιν, οἳ καὶ λέγου|[9]σιν
ὡς ἐν τῷ ψαλμῷ · « *Ὡς ἀγαπητὰ τὰ σκηνώματά σου,*
10 *Κύριε τῶν* | *δυνάμεων · ἐπιποθεῖ καὶ [ἐ]κλείπει ἡ ψυχή*
μου εἰς τὰς αὐλὰς |[11] *τοῦ Κυρίου* » · ἀπὸ γὰρ σκηνῶν ὁ
προκόπτων αὐλῶν ἐπιθυμεῖ ψάλλων · | « *Διελεύσομαι ἐν*
τόπῳ σκηνῆς θαυμαστῆς ἕως τοῦ οἴκου τοῦ Θεοῦ. »

|[13] Ὁ δ' ἕτερος ἀδελφός ἐστιν « *ὁ καταδείξας ψαλτήριον*
καὶ κιθ[άραν] », | ἐν δίκῃ ἀδελφὸς αὐτοῦ τυγχάνων ·
15 γειτνίασιν γὰρ ἔχει πρὸς [τὴν] |[15] τῶν ἡδέων ἀπόλαυσιν
καὶ ἡ διὰ μουσικῆς ἀπατὴν ἐνεργ[ουμέ]|νῃ ταῖς ἀκοαῖς ·
« *Οὐαὶ* » γὰρ « *οἱ ἐγειρόμενοι τὸ πρωῒ καὶ τὸ σίκε[ρα*
διώ]|[17]*κοντες καὶ μένοντες τὸ ὀψέ · ὁ γὰρ οἶνος αὐτοὺς*
συγκαύσει · μ[ετὰ] | *γὰρ κιθάρας καὶ ψαλτηρίου τὸν οἶνον*
πίνουσιν, τὰ δὲ ἔργα τοῦ |[19] *Κυρίου οὐκ ἐμβλέπουσιν.* »
20 Ὁ δὲ ἐκ τῆς ἑτέρας τεχνιτεύει σκεύη | πολέμια διὰ
χαλκοῦ καὶ σιδήρου, τοῦ μὲν *χαλκοῦ* τὴν φωνὴν |[21] σημαί-
νοντος, ὡς καὶ Παῦλος γράφει · « *Γέγονα χαλκὸς ἠχῶν* » ·
ὁ | δ' αὐτὸς καὶ *σιδήρου* ἐργατής ἐστιν, σοφιστής τις ὢν
καὶ διὰ |[23] δῆθεν δυνατῶν πιθανοτήτων ἀπατῶν.

| **IV, 23-24. Εἶπεν δὲ Λάμεχ ταῖς ἑαυτοῦ γυναιξὶν Ἀδὰ καὶ**
25 **Σελλά · |[25] Ἀκούσατέ μου τῆς φωνῆς γυναῖκες Λάμεχ,**
ἐνωτίσασθέ μου | τοὺς λόγους · ὅτι ἄνδρα ἀπέκτεινα εἰς

141, 2 εγε⟦ν⟧νηθητε ‖ 4 γιγνεσθαι ‖ 10 δυναμενων ‖ επ⟦ε⟧ιποθει ‖ [.]κλιπει ‖ 12 δι`ε´λευσομαι ‖ 14 γιτνιασιν ‖ 16 ουαι (α refait sur ο par P²) ‖ 17 `ο´ ‖ συνκαυσει ‖ 19 ⟦αι⟧`ε´τερας ‖ 23 δυνατων (υ refait sur ι) ‖ 24 γυναιγυναιξειν ‖ 25 ενωτισασθαι

141, 4 Ps. 31, 9 ‖ 9 Ps. 83, 2-3 ‖ 12 Ps. 41, 5 ‖ 16 Is. 5, 11-12 ‖ 21 1 Cor. 13, 1

devenus des chevaux en rut»; et parce que d'autres encore, tout adonnés aux sens, ne peuvent rien engendrer de divin, on les appelle *mulets* : «*Ne devenez pas comme le cheval et le mulet qui n'ont pas d'intelligence.* »

Tel est donc l'engraisseur de bétail; étant mauvais homme, il n'habite pas une maison mais des *tentes*, choses instables; il n'imite pas ceux qui n'habitent sous la tente qu'en raison du progrès, que pour en sortir et entrer dans une maison, et qui disent dans le psaume : «*Combien tes tentes me sont chères, Seigneur des Puissances; mon âme défaille du désir d'entrer dans les parvis du Seigneur*»; car, à partir des tentes, celui qui progresse désire les *parvis* et chante : «*Je traverserai le lieu d'une tente admirable jusqu'à la maison de mon Dieu.* »

L'autre frère est celui qui *inventa le psaltérion et la cithare*, et il est à juste titre le frère du précédent, car la jouissance qui trompe les oreilles par la musique est voisine de celle des plaisirs; il est écrit en effet : «*Malheur à ceux qui se lèvent matin et courent après la boisson en attendant le soir, car le vin les consumera. Ils boivent du vin au son de la cithare et du psaltérion, mais ils ne regardent pas les œuvres du Seigneur.* »

Celui qui est né de l'autre femme fabrique des armes de guerre[1] avec de *l'airain et du fer*, L'*airain* signifie la voix, ainsi que Paul l'écrit : «*Je suis devenu un airain qui résonne*»; le même travaille aussi le *fer* : il s'agit d'un sophiste qui trompe par des vraisemblances qu'il dit puissantes.

IV, 23-24. **Et Lamech dit à ses femmes Ada et Sella : Entendez ma voix ; femmes de Lamech, prêtez l'oreille à mes paroles : j'ai tué un homme, c'est une blessure**

141, 6-16.19-20 Proc. 256 A 1-13

141, 1. Cf. PHILON, *De poster.* 117.

[141] **τραῦμα ἐμοί, καὶ νεα|[27]νίσκον εἰς μώλωπά μοι · ὅτι ἑπτάκις ἐκδεδίκηται ἐκ Κάιν, ἐκ | δ[ὲ] Λάμεχ ἑβδομηκοντάκις ἑπτά.**

|[29] Τὸ *ἐνωτίζεσθαι* παρὰ τῇ θείᾳ παιδεύσει νομίζω μόνη

142 φέρεσθαι, |[1] διαφέρει δὲ τοῦ ἀκοῦσαι, ὅτε σὺν αὐτῷ συνάπ-

(IX, 14) τεται, ὅτι τὸ | μὲν *ἐνωτίζεσθαι* τὴν ἐκ τοῦ σύνεγγυς ἀκοήν, τὸ δὲ ἀκοῦ|[3]σαι τὸ ὁπωσοῦν ἀκοῦσαι, καὶ εἰ μὴ ἐγγὺς ὁ λόγος ἐστίν. Καὶ ἐν | τῷ Ἠσαΐᾳ δὲ τὸ « *Ἄκουε, οὐρανέ,*

5 *καὶ ἐνωτίζου, γῆ, ὅτι Κύριος ἐλά|[5]λησεν* » οὐκ ἐκ παραλλήλου ἐστὶν λεγόμενον, ὃ καὶ τὸ « *Ἐνω|τίζου, οὐρανέ, καὶ λαλήσω* » — ἀντὶ γὰρ τοῦ « *Πρόσεχε* » τὸ « *Ἐνωτί|[7]ζου* » ἄλλοι λέγουσιν ἑρμηνευταί — « *καὶ ἀκουέτω γῆ ῥήματα ἐκ | στόματός μου* ». |[9] Καί φασιν τοιαύτην εἶναι τὴν παρα-

10 τήρησιν · ὅτε ὁ νόμος | πρὸς τοῦ Θεοῦ ἐδίδοτο, ἐπεὶ πλ[η]σίον ἐτύγχανον τῶν οὐρα|[11]νίων ἔργων, διὰ τοῦτο ὁ οὐρανὸς *ἐνωτίζεσθαι* παραγγέλ|λεται, ὅτε δὲ ἀπέστησαν τῆς ἐναρέτου πολιτείας, ὡς |[13] ἐγγὺς γενέσθαι τῆς γῆς, τ[ό]τε λοιπὸν εἴρηται · « *Ἄκουε,* | *[οὐρα]νέ* » — πόρρω γὰρ

15 αὐτῶν ἐτύγχανεν — « *καὶ ἐνωτίζου, γῆ* » — πλη|[15][σίον γ]ὰρ αὕτη διὰ τῶν ἐπιτηδευμάτων ὑπῆρχεν.

| [...] ὁ Λάμεχ οὖν <οὐκ> ἐκ παραλλήλου εἶπεν τὸ « *Ἀκούσατε* » καὶ « *Ἐ|[17][νω]τίσασθε* », ἀλλὰ γοῦν οὐκ ἀκαίρως τὴν διαφορὰ[ν] αὐτῶν | κειμένην ἐν τῇ γραφῇ παρετηρησάμεθα · τί δέ ἐστιν |[19] ὃ λέγει, μαθῶμεν ·

20 « *Ἀκούσατέ μου τῆς φωνῆς, γυναῖκες | Λάμεχ · ἐνωτίσασθέ μου τοὺς λόγους.* » Καὶ τὴν φωνὴν οὖν |[21] καὶ τοὺς λόγους

141, 29 φαιρεσθαι ‖ **142,** 1 δειαφερει ‖ 3 οπ⟦α⟧`ω´σουν P² ‖ 4 ησ`α´ια ‖ 6 προσ⟦δ⟧εχε ‖ 8 μου+blanc (fin de la ligne) ‖ 11 εργ⟦ο⟧`ω´ν P² ‖ 11-12 παραγγελε`ι´ται ‖ 14-15 π`λ´η[.... ‖ 15 αυτη⟦ς⟧ ‖ υπηρχεν+blanc (5 lettres) ‖ 16 [οὕτ]ῳ ὁ λάμεχ ? ‖ 16-17 ε[..]τισασθαι ‖ 17 ακ⟦ε⟧`αι´ρως ‖ 20 ενωτισασθαι

142, 4 Is. 1, 2 ‖ 5 Deut. 32, 1 ‖ 7 Deut. 32, 1 ‖ 19 Gen. 4, 23

141, 29 - **142,** 3 Proc. 256 B 6-10 ‖ **142,** 21-24 Proc. 256 B 10-14

pour moi, et un jeune homme, c'est une meurtrissure pour moi ; Caïn a été vengé sept fois, mais Lamech le sera soixante-dix-sept fois sept fois.

Je crois que l'expression *prêter l'oreille* ne se trouve **142** que dans l'enseignement divin; / elle diffère du verbe « entendre », lorsqu'elle lui est jointe, en ceci que *prêter l'oreille* indique qu'on entend quelqu'un de proche, et ' entendre ', qu'on entend de n'importe quelle manière, même si celui qui parle n'est pas près[1]. Dans le verset d'Isaïe : « *Entends, ciel, et prête l'oreille, terre, parce que le Seigneur a parlé* », les deux mots ne sont pas synonymes, de même que dans : « *Prête l'oreille, ciel, et je parlerai, que la terre entende la parole de ma bouche.* » D'autres traducteurs disent en effet que : *Tends l'oreille* est mis pour ' Écoute[2] '. A leur avis, la distinction recherchée est la suivante : quand Dieu donnait la loi, comme ceux à qui il s'adressait étaient proches des œuvres célestes, le *ciel* était averti de *prêter l'oreille*; mais après qu'ils eurent abandonné la conduite vertueuse et qu'ils furent devenus proches de la terre, il est dit : « *Entends, ciel* » — car le ciel était loin d'eux — « *et prête l'oreille, terre* » — car la terre était proche d'eux par leurs occupations.

Lamech n'a donc pas employé « *Entendez* » et « *Prêtez l'oreille* » par synonymie, mais nous venons d'observer que que la différence entre les deux est indiquée fort opportunément dans l'Écriture. Mais apprenons ce qu'il dit : « *Entendez ma voix, femmes de Lamech ; prêtez l'oreille à mes paroles.* » Quelqu'un soutiendra peut-être que la *voix* et

142, 1. ORIGÈNE, *Hom. in Jer.* XII, 7, 13-22, voit aussi une différence entre les deux verbes « écoutez » et « tendez l'oreille », mais l'explique d'une façon un peu autre : « entendre » s'emploie pour les passages qui contiennent un sens secret, et « tendre l'oreille » pour ceux qui sont directement intelligibles.

142, 2. Au lieu de πρόσεχε (Septante), ces autres traducteurs avaient adopté ἐνωτίζου. Il s'agit d'Aquila, de Symmaque ou de Théodotion, cités souvent par Origène.

[142] ἐκ παραλλήλου τις ἂν λέγοι · ὁ δὲ καὶ ἐπὶ τού|των ἀκρίβειαν ζητῶν λέγοι ἂν ὅτι ἐπὶ μὲν τῆς φωνῆς τὸ |[23] « *Ἀκούσατε* », ἐπὶ δὲ τῶν λόγων τὸ ἀκριβέστερον, ὅπερ ἐστὶν | τὸ *ἐνωτί-*
25 *ζεσθαι*, ἔταξεν. Εἰς ταύτην τὴν διαφορὰν ὁρῶν |[25] τις λέγοι ὅτι Ἰωάννης « *φωνὴ βοῶντος* » ἐτύγχανεν, ἐκλαμ|βάνων τὴν μὲν πρόχειρον λέξιν τῶν γραφῶν *φωνήν*, τὸν |[27] δὲ μυστικὸν νοῦν *λόγον*.

« *Ὅτι ἄνδρα ἀπέκτεινα εἰς τραῦμα* | *ἐμοὶ καὶ νεανίσκον*
143 *εἰς μώλωπά μοι.* » Λέγε<ται> ἐν τῇ βίβλῳ τῆς |[1] διαθήκης
(IX, 15) ὑπὸ τοῦ Λάμεχ τὸν Κάιν ἀνῃρῆσθαι ἀκουσίως · τοῖχον | γάρ τινα οἰκοδομῶν προσανέτρεψεν αὐτόν, ὅπιθεν ὄντος |[3] τοῦ Κάιν, ὃς καὶ ἀνῃρέθη ἀκουσίως. Τῷ μὲν οὖν ἀνῃρῆσθαι, φη|σίν, « *εἰς τραῦμα ἐμοὶ* » γέγονεν, τῷ δὲ μὴ ἑκὼν « *εἰς μώλωπά μοι* ». ***

— *treize lignes en blanc* —

5 |[5] **IV, 25. Ἔγνω δὲ Ἀδὰμ Εὔαν τήν γυναῖκα αὐτοῦ, καὶ συλλαβοῦσα ἔτε|κεν υἱόν καὶ ἐπωνόμασεν τὸ ὄνομα αὐτοῦ Σὴθ λέγουσα · Ἐξα|[7]νέστησεν γάρ μοι ὁ Θεὸς σπέρμα ἕτερον ἀντὶ Ἄβελ, ὃν ἀπέκτει|νεν Κάιν.**

|[9] Πρότερον διαστέλλοντες τὰ σημαινόμενα τοῦ « *ἔγνω* »
10 τὸ ἐγνω|κέναι Ἀδὰμ τὴν Εὔαν γυναῖκα αὐτοῦ οὐ τὸ ἐπίστασθαι ἐλέγο|[11]μεν, ἀλλὰ τὸ σ̣υ̣νεληλυθέναι, ὅπερ καὶ νῦν σημαίνει. Ἥτις « *συλ|λαβοῦσα ἔτεκεν υἱόν* », ὃν « *καὶ ἐπωνόμασεν Σὴθ λέγουσα· Ἀ|[13]νέστησεν γάρ μοι ὁ Θεὸς σπέρμα ἀντὶ Ἄβελ, ὃν ἀπέ|[κ]τεινεν Κάιν* ». Οἱ τῆς
15 Οὐαλεντίνου αἱρέσεως φύσεις διαφόρους εἰσ|[15][άγο]ντες ὡς

142, 23 ακουσατ⟦αι⟧`ε' ‖ 28 μωλωπα⟦ν̣⟧ ‖ **143,** 4 μοι + treize lignes en blanc ‖ 7-8 εξανεστησ⟦α⟧`ε'ν ‖ 13-14 απε[.]τινεν

142, 25 Matth. 3, 3 ‖ 27 Gen. 4, 23 ‖ **143,** 12 Gen. 4, 25

143, 1. Cf. plus haut p. 117.

143, 2. Doctrine souvent combattue par Origène, qui l'attribue

les *paroles* sont synonymes; mais si l'on cherche l'exactitude, jusque sur ces mots, on peut répondre que Lamech a assigné le verbe « *Entendez* » à la *voix* et qu'il a réservé aux *paroles* l'expression plus précise de ' *prêter l'oreille* '. En ayant cette différence devant les yeux, on pourrait dire que Jean était « *la voix de celui qui crie* », en entendant par *voix* la lettre manifeste des Écritures et par *parole* son sens mystique.

« *Parce que j'ai tué un homme, c'est une blessure pour moi, et un jeune homme, c'est une meurtrissure pour moi.* »

143 Il est dit dans le *Livre | du Testament* que Caïn a été tué involontairement par Lamech : Lamech qui était en train de bâtir un mur; il renversa ce mur alors que, derrière, se trouvait Caïn qui fut ainsi tué involontairement. Parce qu'il a été tué, dit Lamech, c'est une *blessure pour moi*, mais, parce que je ne l'ai pas fait exprès, c'est « *une meurtrissure* » ***

— *treize lignes en blanc* —

IV, 25. **Et Adam connut Ève, sa femme : ayant conçu, elle enfanta un autre fils et elle lui donna le nom de Seth, en disant : Dieu m'a suscité une autre semence à la place d'Abel que Caïn a tué.**

En distinguant plus haut les sens du verbe « *connut* », nous disions que la phrase *Adam connut sa femme* ne signifie pas qu'il savait sa femme, mais qu'il a couché avec elle. C'est le sens que nous avons ici[1]. Et sa femme, *ayant conçu, enfanta un fils auquel elle donna le nom de Seth, en disant : Dieu m'a suscité une semence à la place d'Abel que Caïn a tué.* Les hérétiques valentiniens, qui répandent l'idée qu'il existe des natures différentes[2], disent que l'une

tantôt à Valentin, tantôt à Basilide, tantôt à Marcion : *De princ.* II, 9, 5 (*GCS* 22, p. 168, 15) ; *In Rom.* II, 10 (*PG* 14, 894 B) ; IV, 12 (1002 A) ; VIII, 11 (1191 B).

144 τὴν μὲν αὐτῶν ἀνεπίδεκτον ἀρετῆς εἶναι, ἥντινα |[1] καὶ
(IX, 16) χοϊκὴν καλοῦσιν, τὴν δὲ ἀνεπίδεκτον κακίας, ἣν δὴ καὶ
| πνευματικὴν ὀνομάζουσιν, τρίτην λέγοντες εἶναι τὴν
ψυχικήν, ἥ|[3]τις μεμιγμένη τις παρ' αὐτοῖς νομίζεται · καὶ
τῆς μὲν ἀνεπι|δέκτου ἀρετῆς σημεῖον τὸν Κάιν λαμβάνουσιν,
5 τῆς δὲ πνευματικῆς |[5] τὸν Ἄβελ, τὴν λοιπὴν ἐπὶ τὸν Σὴθ
ἀναφέροντες. Οὐ τοῦ πα|ρόντος δὲ καιροῦ τὴν δυσσεβῆ
ταύτην διελέγξαι αἵρεσιν, ἵνα |[7] μὴ ὁ λόγος μηκύνηται ·
σ[..]νομεθα δὲ καὶ τὸν λόγον τῆς Εὔ|ας ὥσπερ μαρτυρίαν
εἶναι τοῦ τρόπου τοῦ Σήθ. Ἀντὶ γὰρ σπου|[9]δαίου τοῦ
10 Ἄβελ οὗτος ἑρμηνευόμενος ʽ ποτισμός ʼ · ζωτικῆς | δὲ
χορηγείας τοῦτο σύμβο[λο]ν · ἔδει γὰρ τὸν ʽ ἀναφέροντα ʼ
|[11] — τοῦτον γὰρ Ἄβελ ἑρμηνεύ[ε]ται — ποτισμὸν ἔχειν
ἀδελφόν, | ἵνα πρῶτός τις ὢν καὶ τελειότερος ἐκεῖνος ἱερέως
δίκην | [13] ἀναφέρῃ τῷ Θεῷ τὰς πνευματικὰς θυσίας, ὁ δὲ
Σὴθ δευτερεῖα ἄγων | προσφέρῃ διὰ ποτισμοῦ καὶ διδασκαλίας
15 τοὺς παιδευομέ|[15][ν]ους τῷ Θεῷ, ὃς ἀντὶ Κάιν ὑπάρχει
αὐθεκάστου τινὸς ὄντος | [κα]ὶ ἐφ' ἑαυτῷ βαλλομένου ·
κτῆσις γὰρ ἑρμηνεύεται Κάιν.

| **IV, 26. [Κ]αὶ τῷ Σὴθ ἐγένετο υἱός, ἐπωνόμασεν δὲ τὸ ὄνομα αὐτοῦ | Ἐνώς · οὗτος ἤλπισεν ἐπικαλεῖσθαι τὸ ὄνομα Κυρίου τοῦ |[19] Θεοῦ.**

20 | Οἱ ἐξ ἁγίου ἅγιοι πολλάκις καὶ τὴν κατὰ σάρκα γένεσιν
ἐξ ἐ|[21]κείνων ἀπέχουσι καὶ τὴν κατὰ ψυχήν, ὅνπερ τρόπον
Ἀβρα|ὰμ τοῦ Ἰσαὰκ πατὴρ γέγονεν καὶ Ἰσαὰκ τοῦ Ἰακὼβ
καὶ Ἰακὼβ |[23] τοῦ Ἰωσήφ · οὗτοι γὰρ ἅμα τε τῇ ἀνθρωπίνῃ
διαδοχῇ ἐξ αὐτῶν | ὑπάρχουσιν καὶ μιμηταὶ τῆς ἀρετῆς
25 αὐτῶν κατέστησαν. |[25] Ὁ δὲ Ἠσαὺ κατὰ σάρκα μόνην

143, 15 ʽτηνʼ ‖ **144,** 2 πνικη`ν' ‖ ονομα⟦σ⟧`ζ'ουσιν ‖ 10 τον⟦ον⟧ ‖ 12 τελιοτερος ‖ 13 δευτερια ‖ 14 διδασκαλειας ‖ 20 αγιου (υ refait sur ι par P²) ‖ 22 ϊσ`α'ακ₁ ‖ ϊακω`β'₁ ‖ 25 ησαυ (α refait sur ο par P²) ϊσ`α'ακ

144 n'est pas susceptible de vertu : / ils l'appellent « choïque »; qu'une autre n'est pas susceptible de vice : ils la nomment, évidemment, « pneumatique »; et que la troisième est la « psychique », qui est, à leur avis, un certain mélange des deux. Caïn est pour eux le symbole de celle qui n'admet pas la vertu; Abel, le symbole de la « pneumatique »; et ils rapportent la dernière à Seth. Mais ce n'est pas le moment de réfuter cette hérésie impie, pour ne pas allonger notre discours. Observons plutôt que la parole d'Ève est comme un témoignage rendu à la conduite de Seth. A la place du zélé Abel, vient en effet celui dont le nom signifie l'action de ' donner à boire '; cela symbolise l'action de donner quelque chose qui fait vivre. Il fallait en effet que celui qui ' offre ' — c'est le sens du mot Abel — ait pour frère celui qui ' donne à boire ', afin que, l'un étant premier, d'une certaine manière, et plus parfait, offre, à titre de prêtre, les sacrifices spirituels à Dieu, et que Seth, qui tient le second rang, présente à Dieu les hommes qu'il a instruits en leur ' donnant à boire ' la doctrine[1]; il vient à la place de Caïn qui était un égoïste centré sur lui-même : Caïn se traduit en effet par ' possession '.

IV, 26. **Et Seth eut un fils et il le nomma Énos. Celui-ci a espéré être appelé du nom du Seigneur Dieu.**

Il arrive souvent que des saints nés d'un saint tiennent de lui à la fois la naissance selon la chair et celle selon l'âme. C'est de cette manière qu'Abraham fut le père d'Isaac, Isaac celui de Jacob et Jacob celui de Joseph; car les seconds, en même temps qu'ils furent les descendants des premiers selon la génération humaine, se firent les imitateurs de leur vertu. Ésaü, lui, a été le fils d'Isaac

144, 1. Cf. PHILON, *De poster.* 170. — Didyme veut souligner l'importance du didascale qui enseigne, à côté du prêtre qui offre le sacrifice.

[144] γέγονεν τοῦ Ἰσαάκ, ἀλλοτριού|μενος αὐτοῦ διὰ γνωμήν· φαῦλος γὰρ ἐτύγχανεν. Ὁ Σὴθ οὖν |[27] ἀντὶ τοῦ *δικαίου* τεχθεὶς γεννᾷ τὸν Ἐνὼς δίκαιος δίκαιον, ὃς | ἀντὶ τοῦ κυρίου ὀνόματος ἄνθρωπος καλεῖται, τῆς τοιαύτης προση-

145 γορίας, |[1] τῆς ψυχῆς αὐτοῦ τὴν ἀρετὴν δηλούσης, σῳζούσης (X, 1) τὸ « *κατ' εἰκόνα* » | καὶ τὴν τοῦ ὄντως ὄντ[ο]ς ἀνθρώπου κατάστασιν· Ἐνὼς γὰρ παρ' Ἑβραί|[3]οις ἄνθρωπός ἐστιν.

Ἀμέλει γοῦν καὶ τὸ ἴδιον τοῦ ἀνθρώπου προσάπτει αὐτῷ· | « Οὗτός » φησιν « *ἤλπισεν ἐπικαλεῖσθαι τὸ ὄνομα* 5 *Κυρίου* »· προσήκουσα δὲ |[5] αὕτη ἀνθρώπῳ ἐναρέτῳ πρᾶξις· *ἐλπὶς* δὲ ἡ τῷ ὄντι αὕτη ἐστὶν τὸ | ὁμοιωθῆναι τῷ Θεῷ κατὰ τὸ δυνατόν· *ἐλπίζειν* δὲ *ἐπικαλεῖσθαι* τὸ |[7] *ὄνομα Κυρίου τοῦ Θεοῦ* ἅμα καὶ ὑπὸ ἐξουσίαν καὶ ὑπὸ τὴν διδασκαλίαν | τὴν θείαν ἐστὶν ἑαυτὸν ὑποτά[τ]τοντος.

145, 4 προηκουσα ‖ 5 πραξεις ‖ 6 ελπιζων ‖ 7 εξουσια⟦ς⟧ν ‖ διδασκαλειαν

145, 1 Gen. 1, 27 ‖ 4 Gen. 4, 26

145, 1. Expression empruntée à PLATON, *Théétète*, 166, 6 ; *Rép*. X, 613 B.

seulement selon la chair, car il lui était étranger par la pensée; c'était en effet un méchant. Seth, donc, enfanté pour remplacer un *juste*, engendra Énos : juste, il engendra un juste; et ce dernier, au lieu d'avoir un nom propre, s'appelle ' homme ', une telle dénomination montrait **145** la / vertu de son âme, qui conservait la qualité d'être « à l'image » et l'état de l'homme véritable : Énos signifie en effet, chez les Hébreux, ' homme '.

De fait, l'Écriture lui attribue aussi ce qui est le propre de l'homme : « *Il a espéré*, dit-elle, *être appelé du nom du Seigneur* »; or c'est là une action qui convient à l'homme vertueux. La véritable espérance c'est vouloir ressembler à Dieu autant que possible[1]; et espérer *être appelé du nom du Seigneur Dieu* suppose un homme qui se soumet tout ensemble à l'autorité et à la doctrine divines[2].

145, 2. Il semble que Didyme rapporte la puissance au titre de « Seigneur » et l'enseignement au titre de « Dieu », sous l'influence de PHILON, *De sobr.* 55. Chez Philon, le second titre évoquait en réalité le bienfaiteur, mais pour Didyme, comme pour Origène, le bienfait par excellence c'est l'enseignement. Didyme avait donné plus haut (p. 34) une interprétation différente.

TABLE DES MATIÈRES

Tables et Index à la fin du tome II.

SOURCES CHRÉTIENNES

LISTE COMPLÈTE DE TOUS LES VOLUMES PARUS

N. B. — L'ordre suivant est celui de la date de parution (nº 1 en 1942) et il n'est pas tenu compte ici du classement en séries : grecque, latine, byzantine, orientale, textes monastiques d'Occident ; et série annexe : textes para-chrétiens.

Sauf indication contraire, chaque volume comporte le texte original, grec ou latin, souvent avec un apparat critique inédit.

La mention *bis* indique une seconde édition. Quand cette seconde édition ne diffère de la première que par de menues corrections et des *Addenda et Corrigenda* ajoutés en appendice, la date est accompagnée de la mention « réimpression avec supplément ».

1. Grégoire de Nysse : **Vie de Moïse.** J. Daniélou (3e édition) (1968).

2 bis. Clément d'Alexandrie : **Protreptique.** C. Mondésert, A. Plassart (réimpression de la 2e éd., 1976).

3 bis. Athénagore : **Supplique au sujet des chrétiens.** *En préparation.*

4 bis. Nicolas Cabasilas : **Explication de la divine Liturgie.** S. Salaville, R. Bornert, J. Gouillard, P. Périchon (1967).

5. Diadoque de Photicé : **Œuvres spirituelles.** É. des Places (réimpr. de la 2e éd., avec suppl., 1966).

6 bis. Grégoire de Nysse : **La création de l'homme.** *En préparation.*

7 bis. Origène : **Homélies sur la Genèse.** H. de Lubac, L. Doutreleau (1976).

8. Nicétas Stéthatos : **Le paradis spirituel.** M. Chalendard. *Remplacé par le nº 81.*

9 bis. Maxime le Confesseur : **Centuries sur la charité.** *En préparation.*

10. Ignace d'Antioche : **Lettres — Lettres et Martyre de** Polycarpe de Smyrne. P.-Th. Camelot (4e édition) (1969).

11 bis. Hippolyte de Rome : **La Tradition apostolique.** B. Botte (1968).

12 bis. Jean Moschus : **Le Pré spirituel.** *En préparation.*

13. Jean Chrysostome : **Lettres à Olympias.** A.-M. Malingrey. Trad. seule (1947).

13 bis. 2e édition avec le texte grec et la **Vie anonyme d'Olympias** (1968).

14. Hippolyte de Rome : **Commentaire sur Daniel.** G. Bardy, M. Lefèvre. Trad. seule (1947).
2e édition avec le texte grec. *En préparation.*

15 bis. Athanase d'Alexandrie : **Lettres à Sérapion.** J. Lebon. *En préparation.*

16 bis. Origène : **Homélies sur l'Exode.** H. de Lubac, J. Fortier. *En préparation.*

17. Basile de Césarée : **Sur le Saint-Esprit.** B. Pruche. Trad. seule (1947).

17 bis. 2e édition avec le texte grec (1968).

18 bis. Athanase d'Alexandrie : **Discours contre les païens.** *Sous presse.*

19 bis. Hilaire de Poitiers : **Traité des Mystères.** P. Brisson (réimpression, avec supplément, 1967).

20. Théophile d'Antioche : **Trois livres à Autolycus.** G. Bardy, J. Sender. Trad. seule (1948).
2e édition avec le texte grec. *En préparation.*

21. Éthérie : **Journal de voyage.** H. Pétré (réimpression, 1975).

22 bis. Léon le Grand : **Sermons,** t. I. J. Leclercq, R. Dolle (1964).

23. Clément d'Alexandrie : **Extraits de Théodote** (réimpression, 1970).

24 bis. Ptolémée : **Lettre à Flora.** G. Quispel (1966).

25 bis. Ambroise de Milan : **Des Sacrements. Des Mystères. Explication du Symbole.** B. Botte (1961).

26 bis. Basile de Césarée : **Homélies sur l'Hexaéméron.** S. Giet (réimpr. avec suppl., 1968).

27 bis. **Homélies Pascales,** t. I. P. Nautin. *En préparation.*

28 bis. Jean Chrysostome : **Sur l'incompréhensibilité de Dieu.** J. Daniélou, A.-M. Malingrey, R. Flacelière (1970).

29 bis. Origène : **Homélies sur les Nombres.** A. Méhat. *En préparation.*

30 bis. Clément d'Alexandrie : **Stromate I.** *En préparation.*

31. Eusèbe de Césarée : **Histoire ecclésiastique,** t. I. G. Bardy (réimpression, 1965).

32 bis. Grégoire le Grand : **Morales sur Job,** t. I Livres I-II. R. Gillet, A. de Gaudemaris (1975).

33 bis. **A Diognète.** H. I. Marrou (réimpr. avec suppl., 1965).

34. Irénée de Lyon : **Contre les hérésies,** livre III. F. Sagnard. *Remplacé par les nos 210 et 211.*

35 bis. Tertullien : **Traité du baptême.** F. Refoulé. *En préparation.*

36 bis. **Homélies Pascales,** t. II. P. Nautin. *En préparation.*

37 bis. Origène : **Homélies sur le Cantique.** O. Rousseau (1966).

38 bis. Clément d'Alexandrie : **Stromate II.** *En préparation.*

39 bis. Lactance : **De la mort des persécuteurs.** 2 vol. *En préparation.*

40. Théodoret de Cyr : **Correspondance,** t. I. Y. Azéma (1955).

41. Eusèbe de Césarée : **Histoire ecclésiastique,** t. II. G. Bardy (réimpression, 1965).

42. Jean Cassien : **Conférences,** t. I. E. Pichery (réimpression, 1966).

43. Jérôme : **Sur Jonas.** P. Antin (1956).

44. Philoxène de Mabboug : **Homélies.** E. Lemoine. Trad. seule (1956).

45. Ambroise de Milan : **Sur S. Luc,** t. I. G. Tissot (réimpr. avec suppl., 1971).

46. Tertullien : **De la prescription contre les hérétiques.** P. de Labriolle et F. Refoulé (1957).

47. Philon d'Alexandrie : **La migration d'Abraham.** R. Cadiou (1957).

48. **Homélies Pascales,** t. III. F. Floëri et P. Nautin (1957).

49 bis. Léon le Grand : **Sermons,** t. II. R. Dolle (1969).

50 bis. Jean Chrysostome : **Huit Catéchèses baptismales inédites.** A. Wenger (réimpr. avec suppl., 1970).

51 bis. Syméon le Nouveau Théologien : **Chapitres théologiques, gnostiques et pratiques.** J. Darrouzès. *En préparation.*

52 bis. Ambroise de Milan : **Sur S. Luc,** t. II. G. Tissot (réimpr. avec suppl., 1976).

53 bis. Hermas : **Le Pasteur.** R. Joly (réimpr. avec suppl., 1968).

54. Jean Cassien : **Conférences,** t. II. E. Pichery (réimpression, 1966).

55. Eusèbe de Césarée : **Histoire ecclésiastique,** t. III. G. Bardy (réimpression, 1967).

56. Athanase d'Alexandrie : **Deux apologies.** J. Szymusiak (1958).

57. Théodoret de Cyr : **Thérapeutique des maladies helléniques.** 2 volumes. P. Canivet (1958).

58 bis. Denys l'Aréopagite : **La hiérarchie céleste.** G. Heil, R. Roques, M. de Gandillac (réimpr. avec suppl., 1970).

59. **Trois antiques rituels du baptême.** A. Salles. Trad. seule. *Epuisé.*

60. Aelred de Rievaulx : **Quand Jésus eut douze ans.** A. Hoste, J. Dubois (1958).

61 bis. Guillaume de Saint-Thierry : **Traité de la contemplation de Dieu.** J. Hourlier (1968).

62. Irénée de Lyon : **Démonstration de la prédication apostolique.** L. Froidevaux. Nouvelle trad. sur l'arménien. Trad. seule (réimpr. 1971).

63. Richard de Saint-Victor : **La Trinité.** G. Salet (1959).

64. Jean Cassien : **Conférences**, t. III. E. Pichery (réimpr., 1971).
65. Gélase Ier : **Lettre contre les Lupercales et dix-huit messes du sacramentaire léonien.** G. Pomarès (1960).
66. Adam de Perseigne : **Lettres**, t. I. J. Bouvet (1960).
67. Origène : **Entretien avec Héraclide.** J. Scherer (1960).
68. Marius Victorinus : **Traités théologiques sur la Trinité.** P. Henry, P. Hadot. Tome I. Introd., texte critique, traduction (1960).
69. **Id.** — Tome II. Commentaire et tables (1960).
70. Clément d'Alexandrie : **Le Pédagogue**, t. I. H. I. Marrou, M. Harl (1960).
71. Origène : **Homélies sur Josué.** A. Jaubert (1960).
72. Amédée de Lausanne : **Huit homélies mariales.** G. Bavaud, J. Deshusses, A. Dumas (1960).
73 bis. Eusèbe de Césarée : **Histoire ecclésiastique**, t. IV. Introd. générale de G. Bardy et tables de P. Périchon (réimpr. avec suppl., 1971).
74 bis. Léon le Grand : **Sermons**, t. III. R. Dolle (1976).
75. S. Augustin : **Commentaire de la 1re Épître de S. Jean.** P. Agaësse (réimpression, 1966).
76. Aelred de Rievaulx : **La vie de recluse.** Ch. Dumont (1961).
77. Defensor de Ligugé : **Le livre d'étincelles**, t. I. H. Rochais (1961).
78. Grégoire de Narek : **Le livre de Prières.** I. Kéchichian. Trad. seule (1961).
79. Jean Chrysostome : **Sur la Providence de Dieu.** A.-M. Malingrey (1961).
80. Jean Damascène : **Homélies sur la Nativité et la Dormition.** P. Voulet (1961).
81. Nicétas Stéthatos : **Opuscules et lettres.** J. Darrouzès (1961).
82. Guillaume de Saint-Thierry : **Exposé sur le Cantique des Cantiques.** J.-M. Déchanet (1962).
83. Didyme l'Aveugle : **Sur Zacharie.** Texte inédit. L. Doutreleau. Tome I. Introduction et livre I (1962).
84. **Id.** — Tome II. Livres II et III (1962).
85. **Id.** — Tome III. Livres IV et V, Index (1962).
86. Defensor de Ligugé : **Le livre d'étincelles**, t. II. H. Rochais (1962).
87. Origène : **Homélies sur S. Luc.** H. Crouzel, F. Fournier, P. Périchon (1962).
88. **Lettres des premiers Chartreux**, tome I : S. Bruno, Guigues, S. Anthelme. Par un Chartreux (1962).
89. **Lettre d'Aristée à Philocrate.** A. Pelletier (1962).
90. **Vie de sainte Mélanie.** D. Gorce (1962).
91. Anselme de Cantorbéry : **Pourquoi Dieu s'est fait homme.** R. Roques (1963).
92. Dorothée de Gaza : **Œuvres spirituelles.** L. Regnault, J. de Préville (1963).
93. Baudouin de Ford : **Le sacrement de l'autel.** J. Morson, É. de Solms, J. Leclercq. Tome I (1963).
94. **Id.** — Tome II (1963).
95. Méthode d'Olympe : **Le banquet.** H. Musurillo, V.-H. Debidour (1963).
96. Syméon le Nouveau Théologien : **Catéchèses.** B. Krivochéine, J. Paramelle. Tome I. Introduction et Catéchèses 1-5 (1963).
97. Cyrille d'Alexandrie : **Deux dialogues christologiques.** G. M. de Durand (1964).
98. Théodoret de Cyr : **Correspondance**, t. II. Y. Azéma (1964).
99. Romanos le Mélode : **Hymnes.** J. Grosdidier de Matons. Tome I. Introduction et Hymnes I-VIII (1964).
100. Irénée de Lyon : **Contre les hérésies**, livre IV. A. Rousseau, B. Hemmerdinger, Ch. Mercier, L. Doutreleau. 2 vol. (1965).
101. Quodvultdeus : **Livre des promesses et des prédictions de Dieu.** R. Braun. Tome I (1964).

102. **Id. — Tome II (1964).**
103. JEAN CHRYSOSTOME : **Lettre d'exil.** A.-M. Malingrey (1964).
104. SYMÉON LE NOUVEAU THÉOLOGIEN : **Catéchèses.** B. Krivochéine, J. Paramelle. Tome II. Catéchèses 6-22 (1964).
105. **La Règle du Maître.** A. de Vogüé. Tome I. Introduction et chap. 1-10 (1964).
106. **Id.** — Tome II. Chap. 11-95 (1964).
107. **Id.** — Tome III. Concordance et Index orthographique. J.-M. Clément, J. Neufville, D. Demeslay (1965).
108. CLÉMENT D'ALEXANDRIE : **Le Pédagogue,** tome II. Cl. Mondésert, H. I. Marrou (1965).
109. JEAN CASSIEN : **Institutions cénobitiques.** J.-C. Guy (1965).
110. ROMANOS LE MÉLODE : **Hymnes.** J. Grosdidier de Matons. Tome II. Hymnes IX-XX (1965).
111. THÉODORET DE CYR : **Correspondance,** t. III. Y. Azéma (1965).
112. CONSTANCE DE LYON : **Vie de S. Germain d'Auxerre.** R. Borius (1965).
113. SYMÉON LE NOUVEAU THÉOLOGIEN : **Catéchèses.** B. Krivochéine, J. Paramelle. Tome III. Catéchèses 23-34, Actions de grâces 1-2 (1965).
114. ROMANOS LE MÉLODE : **Hymnes.** J. Grosdidier de Matons. Tome III. Hymnes XXI-XXXI (1965).
115. MANUEL II PALÉOLOGUE : **Entretien avec un musulman.** A. Th. Khoury (1966).
116. AUGUSTIN D'HIPPONE : **Sermons pour la Pâque.** S. Poque (1966).
117. JEAN CHRYSOSTOME : **A Théodore.** J. Dumortier (1966).
118 ANSELME DE HAVELBERG : **Dialogues,** livre I. G. Salet (1966).
119. GRÉGOIRE DE NYSSE : **Traité de la Virginité.** M. Aubineau (1966).
120. ORIGÈNE : **Commentaire sur S. Jean.** C. Blanc. Tome I. Livres I-V (1966).
121. ÉPHREM DE NISIBE : **Commentaire de l'Évangile concordant ou Diatessaron.** L. Leloir. Trad. seule (1966).
122. SYMÉON LE NOUVEAU THÉOLOGIEN : **Traités théologiques et éthiques.** J. Darrouzès. Tome I. Théol. 1-3, Éth. 1-3 (1966).
123. MÉLITON DE SARDES : **Sur la Pâque (et fragments).** O. Perler (1966).
124. **Expositio totius mundi et gentium.** J. Rougé (1966).
125. JEAN CHRYSOSTOME : **La Virginité.** H. Musurillo, B. Grillet (1966).
126. CYRILLE DE JÉRUSALEM : **Catéchèses mystagogiques.** A. Piédagnel, P. Paris (1966).
127. GERTRUDE D'HELFTA : **Œuvres spirituelles.** Tome I. **Les Exercices.** J. Hourlier, A. Schmitt (1967).
128. ROMANOS LE MÉLODE : **Hymnes.** J. Grosdidier de Matons. Tome IV. Hymnes XXXII-XLV (1967).
129. SYMÉON LE NOUVEAU THÉOLOGIEN : **Traités théologiques et éthiques.** J. Darrouzès. Tome II. Éth. 4-15 (1967).
130. ISAAC DE L'ÉTOILE : **Sermons.** A. Hoste. G. Salet. Tome I. Introduction et Sermons 1-17 (1967).
131. RUPERT DE DEUTZ : **Les œuvres du Saint-Esprit.** J. Gribomont, É. de Solms. Tome I. Livres I et II (1967).
132. ORIGÈNE : **Contre Celse.** M. Borret. Tome I. Livres I et II (1967).
133. SULPICE SÉVÈRE : **Vie de S. Martin.** J. Fontaine. Tome I. Introduction, texte et traduction (1967).
134. **Id.** — Tome II. Commentaire (1968).
135. **Id.** — Tome III. Commentaire (suite), Index (1969).
136. ORIGÈNE : **Contre Celse.** M. Borret. Tome II. Livres III et IV (1968).
137. ÉPHREM DE NISIBE : **Hymnes sur le Paradis.** F. Graffin, R. Lavenant. Trad. seule (1968).
138. JEAN CHRYSOSTOME : **A une jeune veuve. Sur le mariage unique.** B. Grillet, G. H. Ettlinger (1968).
139. GERTRUDE D'HELFTA : **Œuvres spirituelles.** Tome II. **Le Héraut. Livres I** et II. P. Doyère (1968).

140. Rufin d'Aquilée : **Les bénédictions des Patriarches.** M. Simonetti, H. Rochais, P. Antin (1968).

141. Cosmas Indicopleustès : **Topographie chrétienne.** Tome I. Introduction et livres I-IV. W. Wolska-Conus (1968).

142. **Vie des Pères du Jura.** F. Martine (1968).

143. Gertrude d'Helfta : **Œuvres spirituelles.** Tome III. **Le Héraut.** Livre III. P. Doyère (1968).

144. **Apocalypse syriaque de Baruch.** Tome I. Introduction et traduction. P. Bogaert (1969).

145. **Id.** — Tome II. Commentaire et tables (1969).

146. **Deux homélies anoméennes pour l'octave de Pâques.** J. Liébaert (1969).

147. Origène : **Contre Celse.** M. Borret. Tome III. Livres V et VI (1969).

148. Grégoire le Thaumaturge : **Remerciement à Origène. — La lettre d'Origène à Grégoire.** H. Crouzel (1969).

149. Grégoire de Nazianze : **La passion du Christ.** A. Tuilier (1969).

150. Origène : **Contre Celse.** M. Borret. Tome IV. Livres VII et VIII (1969).

151. Jean Scot : **Homélie sur le Prologue de Jean.** É. Jeauneau (1969).

152. Irénée de Lyon : **Contre les hérésies,** livre V. A. Rousseau, L. Doutreleau, C. Mercier. Tome I. Introduction, notes justificatives et tables (1969).

153. **Id.** — Tome II. Texte et traduction (1969).

154. Chromace d'Aquilée : **Sermons.** Tome I. Sermons 1-17. A. J. Lemarié (1969).

155. Hugues de Saint-Victor : **Six opuscules spirituels.** R. Baron (1969).

156. Syméon le Nouveau Théologien : **Hymnes.** J. Koder, J. Paramelle. Tome I. Hymnes I-XV (1969).

157. Origène : **Commentaire sur S. Jean.** C. Blanc. Tome II. Livres VI et X (1970).

158. Clément d'Alexandrie : **Le Pédagogue.** Livre III. Cl. Mondésert, H. I. Marrou et Ch. Matray (1970).

159. Cosmas Indicopleustès : **Topographie chrétienne.** Tome II. Livre V. W. Wolska-Conus (1970).

160. Basile de Césarée : **Sur l'origine de l'homme.** A. Smets et M. Van Esbroeck (1970).

161. **Quatorze homélies du IXe siècle d'un auteur inconnu de l'Italie du Nord.** P. Mercier (1970).

162. Origène : **Commentaire sur l'Évangile selon Matthieu.** Tome I. Livres X et XI. R. Girod (1970).

163. Guigues II le Chartreux : **Lettre sur la vie contemplative (ou Échelle des Moines). Douze méditations.** E. Colledge, J. Walsh (1970).

164. Chromace d'Aquilée : **Sermons.** Tome II. Sermons 18-41. J. Lemarié (1971).

165. Rupert de Deutz : **Les œuvres du Saint-Esprit.** Tome II. Livres III et IV. J. Gribomont, É. de Solms (1970).

166. Guerric d'Igny : **Sermons.** Tome I. J. Morson, H. Costello, P. Deseille (1970).

167. Clément de Rome : **Épître aux Corinthiens.** A. Jaubert (1971).

168. Richard Rolle : **Le chant d'amour (Melos amoris).** F. Vandenbroucke et les Moniales de Wisques. Tome I (1971).

169. **Id.** — Tome II (1971).

170. Évagre le Pontique : **Traité pratique.** A. et C. Guillaumont. Tome I. Introduction (1971).

171. **Id.** — Tome II. Texte, traduction, commentaire et tables (1971).

172. **Épître de Barnabé.** R.A. Kraft, P. Prigent (1971).

173. Tertullien : **La toilette des femmes.** M. Turcan (1971).

174. Syméon le Nouveau Théologien : **Hymnes.** J. Koder, L. Neyrand. Tome II. Hymnes XVI-XL (1971).

175. CÉSAIRE D'ARLES : **Sermons au peuple.** Tome I. Sermons 1-20. M.-J. Delage (1971).
176. SALVIEN DE MARSEILLE : **Œuvres.** Tome I. G. Lagarrigue (1971).
177. CALLINICOS : **Vie d'Hypatios.** G.J.M. Bartelink (1971).
178. GRÉGOIRE DE NYSSE : **Vie de sainte Macrine.** P. Maraval (1971).
179. AMBROISE DE MILAN : **La Pénitence.** R. Gryson (1971).
180. JEAN SCOT : **Commentaire sur l'évangile de Jean.** É. Jeauneau (1972).
181. **La Règle de S. Benoît.** Tome I. Introduction et Chapitres I-VII. A. de Vogüé et J. Neufville (1972).
182. **Id.** — Tome II. Chapitres VIII-LXXIII, Tables et concordance. A. de Vogüé et J. Neufville (1972).
183. **Id.** — Tome III. Étude de la tradition manuscrite. J. Neufville (1972).
184. **Id.** — Tome IV. Commentaire (Parties I-III). A. de Vogüé (1971).
185. **Id.** — Tome V. Commentaire (Parties IV-VI). A. de Vogüé (1971).
186. **Id.** — Tome VI. Commentaire (Parties VII-IX), Index. A. de Vogüé (1971).
187. HÉSYCHIUS DE JÉRUSALEM, BASILE DE SÉLEUCIE, JEAN DE BÉRYTE, PSEUDO-CHRYSOSTOME, LÉONCE DE CONSTANTINOPLE : **Homélies pascales.** M. Aubineau (1972).
188. JEAN CHRYSOSTOME : **Sur la vaine gloire et l'éducation des enfants.** A.-M. Malingrey (1972).
189. **La chaîne palestinienne sur le psaume 118.** Tome I. Introduction, texte critique et traduction. M. Harl (1972).
190. **Id.** — Tome II. Catalogue des fragments, Notes et Index. M. Harl (1972).
191. PIERRE DAMIEN : **Lettre sur la toute-puissance divine.** A. Cantin (1972).
192. JULIEN DE VÉZELAY : **Sermons.** Tome I. Introduction et Sermons 1-16. D. Vorreux (1972).
193. **Id.** — Tome II. Sermons 17-27, Index. D. Vorreux (1972).
194. **Actes de la Conférence de Carthage en 411.** Tome I. Introduction. S. Lancel (1972).
195. **Id.** — Tome II. Texte et traduction de la Capitulation et des Actes de la première séance. S. Lancel (1972).
196. SYMÉON LE NOUVEAU THÉOLOGIEN : **Hymnes.** J. Koder, J. Paramelle, L. Neyrand. Tome III. Hymnes XLI-LVIII, Index (1973).
197. COSMAS INDICOPLEUSTÈS : **Topographie chrétienne,** t. III. Livres VI-XII, Index. W. Wolska-Conus (1973).
198. **Livre** (cathare) **des deux principes.** Ch. Thouzellier (1973).
199. ATHANASE D'ALEXANDRIE : **Sur l'incarnation du Verbe.** C. Kannengiesser (1973).
200. LÉON LE GRAND : **Sermons,** tome IV. Sermons 65-98, Éloge de S. Léon, Index. R. Dolle (1973).
201. **Évangile de Pierre.** M.-G. Mara (1973).
202. GUERRIC D'IGNY : **Sermons.** Tome II. J. Morson, H. Costello, P. Deseille (1973).
203. NERSÈS ŠNORHALI : **Jésus, Fils unique du Père.** I. Kéchichian. Trad. seule (1973).
204. LACTANCE : **Institutions divines,** livre V. Tome I. Introd., texte et trad. P. Monat (1973).
205. **Id.** — Tome II. Commentaire et index. P. Monat (1973).
206. EUSÈBE DE CÉSARÉE : **Préparation évangélique,** livre I. J. Sirinelli, É. des Places (1974).
207. ISAAC DE L'ÉTOILE : **Sermons.** A. Hoste, G. Salet, G. Raciti. Tome II. Sermons 18-39 (1974).
208. GRÉGOIRE DE NAZIANZE : **Lettres théologiques.** P. Gallay (1974).
209. PAULIN DE PELLA : **Poème d'action de grâces et Prière.** C. Moussy (1974).
210. IRÉNÉE DE LYON : **Contre les hérésies,** livre III. A. Rousseau, L. Doutreleau. Tome I. Introduction, notes justificatives et tables (1974).
211. **Id.** — Tome II. Texte et traduction (1974).
212. GRÉGOIRE LE GRAND : **Morales sur Job.** Livres XI-XIV. A. Bocognano (1974).

213. LACTANCE : **L'ouvrage du Dieu créateur.** Tome I. Introduction, texte critique et traduction. M. Perrin (1974).

214. **Id.** — Tome II. Commentaire et index. M. Perrin (1974).

215. EUSÈBE DE CÉSARÉE : **Préparation évangélique,** livre VII. G. Schroeder, É. des Places (1975).

216. TERTULLIEN : **La chair du Christ.** Tome I. Introduction, texte critique et traduction. J. P. Mahé (1975).

217. **Id. — Tome II. Commentaire et Index. J. P. Mahé (1975).**

218. HYDACE : **Chronique.** Tome I. Introduction, texte critique et traduction. A. Tranoy (1975).

219. **Id.** — Tome II. Commentaire et index. A. Tranoy (1975).

220. SALVIEN DE MARSEILLE : **Œuvres,** t. II. G. Lagarrigue (1975).

221. GRÉGOIRE LE GRAND : **Morales sur Job.** Livres XV-XVI. A. Bocognano (1975).

222. ORIGÈNE : **Commentaire sur S. Jean.** Tome III. Livre XIII. C. Blanc (1975).

223. GUILLAUME DE SAINT-THIERRY : **Lettre aux Frères du Mont-Dieu (Lettre d'or).** J. Déchanet (1975).

224. **Actes de la Conférence de Carthage en 411.** Tome III. Texte et traduction des Actes de la 2e et de la 3e séance. S. Lancel (1975).

225. DHUODA : **Manuel pour mon fils.** P. Riché (1975).

226. ORIGÈNE : **Philocalie 21-27 (Sur le libre arbitre).** É. Junod (1976).

227. ORIGÈNE : **Contre Celse.** M. Borret. Tome V. Introduction et index (1976).

228. EUSÈBE DE CÉSARÉE : **Préparation évangélique.** Livres II-III. É. des Places (1976).

229. PSEUDO-PHILON : **Les Antiquités Bibliques.** D. J. Harrington, C. Perrot, P. Bogaert, J. Cazeaux. Tome I. Introduction critique, texte et traduction (1976).

230. **Id.** — Tome II. Introduction littéraire, commentaire et index (1976).

231. CYRILLE D'ALEXANDRIE : **Dialogues sur la Trinité.** Tome I. Dial. I et II. G. M. de Durand (1976).

232. ORIGÈNE : **Homélies sur Jérémie.** P. Nautin et P. Husson. Tome I. Introduction et homélies I-XI.

233. DIDYME L'AVEUGLE : **Sur la Genèse,** t. I. P. Nautin et L. Doutreleau.

Hors série :

Directives pour la préparation des manuscrits (de « Sources Chrétiennes »). A demander au Secrétariat de « Sources Chrétiennes », 29, rue du Plat, 69002 Lyon.

SOUS PRESSE

CYRILLE D'ALEXANDRIE : **Dialogues sur la Trinité.** Tomes II et III. G. M. de Durand.

ORIGÈNE : **Homélies sur Jérémie,** t. II. P. Nautin et P. Husson.

DIDYME L'AVEUGLE : **Sur la Genèse,** t. II. P. Nautin et L. Doutreleau.

Rituel cathare. Ch. Thouzellier.

THÉODORET DE CYR : **Histoire philotée** et **Sur la charité** (2 vol.). P. Canivet et A. Leroy-Molinghen.

AMBROISE DE MILAN : **Apologie pour David.** P. Hadot et M. Cordier.

HILAIRE D'ARLES : **Vie de S. Honorat.** M.-D. Valentin.

PIERRE DE CELLE : **L'école du cloître.** G. de Martel.

Hors série :

La Règle de S. Benoît. VII. Commentaire doctrinal et spirituel. A. de Vogüé.

SOURCES CHRÉTIENNES

(1-233)

Actes de la Conférence de Carthage : *194, 195, 224.*

Adam de Perseigne.
Lettres, I : *66.*

Aelred de Rievaulx.
Quand Jésus eut douze ans : *60.*
La vie de recluse : *76.*

Ambroise de Milan.
Des sacrements : *25.*
Des mystères : *25.*
Explication du Symbole : *25.*
La Pénitence : *179.*
Sur saint Luc, I-VI : *45.*
— VII-X : *52.*

Amédée de Lausanne.
Huit homélies mariales : *72.*

Anselme de Cantorbéry.
Pourquoi Dieu s'est fait homme : *91.*

Anselme de Havelberg.
Dialogues, I : *118.*

Apocalypse de Baruch : *144* et *145.*

Aristée (lettre d') : *89.*

Athanase d'Alexandrie.
Deux apologies : *56.*
Discours contre les païens : *18.*
Lettres à Sérapion : *15.*
Sur l'Incarnation du Verbe : *199.*

Athénagore.
Supplique au sujet des chrétiens : *3.*

Augustin.
Commentaire de la première Épître de saint Jean : *75.*
Sermons pour la Pâque : *116.*

Barnabé (Épître de) : *172.*

Basile de Césarée.
Homélies sur l'Hexaéméron : *26.*
Sur l'origine de l'homme : *160.*
Traité du Saint-Esprit : *17.*

Basile de Séleucie.
Homélie pascale : *187.*

Baudouin de Ford.
Le sacrement de l'autel : *93* et *94.*

Benoît (Règle de S.) : *181-186.*

Callinicos.
Vie d'Hypatios : *177.*

Cassien, *voir* Jean Cassien.

Césaire d'Arles.
Sermons au peuple, 1-20 : *175.*

La Chaîne palestinienne sur le psaume 118 : *189* et *190.*

Chartreux.
Lettres des premiers Chartreux, I : *88.*

Chromace d'Aquilée.
Sermons : *154* et *164.*

Clément d'Alexandrie.
Le Pédagogue, I : *70.*
— II : *108.*
— III : *158.*
Protreptique : *2.*
Stromate I : *30.*
Stromate II : *38.*
Extraits de Théodote : *23.*

Clément de Rome.
Épître aux Corinthiens : *167.*

Constance de Lyon.
Vie de S. Germain d'Auxerre : *112.*

Cosmas Indicopleustès.
Topographie chrétienne, I-IV : *141.*
— V : *159.*
— VI-XII : *197.*

Cyrille d'Alexandrie.
Deux dialogues christologiques : *97.*
Dialogues sur la Trinité, I : *231.*

Cyrille de Jérusalem.
Catéchèses mystagogiques : *126.*

Defensor de Ligugé.
Livre d'étincelles, 1-32 : *77.*
— 33-81 : *86.*

Denys l'Aréopagite.
La hiérarchie céleste : *58.*

Dhuoda.
Manuel pour mon fils : *225.*

Diadoque de Photicé.
Œuvres spirituelles : *5.*

Didyme l'Aveugle.
Sur la Genèse, I : *233.*
Sur Zacharie, I : *83.*
— II-III : *84.*
— IV-V : *85.*

A Diognète : *33.*

Dorothée de Gaza.
Œuvres spirituelles : *92.*

Éphrem de Nisibe.
Commentaire de l'Évangile concordant ou Diatessaron : *121.*
Hymnes sur le Paradis : *137.*

Éthérie.
Journal de voyage : *21.*

Eusèbe de Césarée.
Histoire ecclésiastique, I-IV : *31.*
— V-VII : *41.*
— VIII-X : *55.*
— Introduction et Index : *73.*
Préparation évangélique, I : *206.*
— II-III : *228.*
— VII : *215.*

Évagre le Pontique.
Traité pratique : *170* et *171.*

Également aux Éditions du Cerf :

LES ŒUVRES DE PHILON D'ALEXANDRIE

publiées sous la direction de

R. ARNALDEZ, C. MONDÉSERT, J. POUILLOUX.

Texte grec et traduction française.

1. **Introduction générale. De opificio mundi.** R. Arnaldez (1961).
2. **Legum allegoriae.** C. Mondésert (1962).
3. **De cherubim.** J. Gorez (1963).
4. **De sacrificiis Abelis et Caini.** A. Méasson (1966).
5. **Quod deterius potiori insidiari soleat.** I. Feuer (1965).
6. **De posteritate Caini.** R. Arnaldez (1972).

7-8. **De gigantibus. Quod Deus sit immutabilis.** A. Mosès (1963).

9. **De agricultura.** J. Pouilloux (1961).
10. **De plantatione.** J. Pouilloux (1963).

11-12. **De ebrietate. De sobrietate.** J. Gorez (1962).

13. **De confusione linguarum.** J.-G. Kahn (1963).
14. **De migratione Abrahami.** J. Cazeaux (1965).
15. **Quis rerum divinarum heres sit.** M. Harl (1966).
16. **De congressu eruditionis gratia.** M. Alexandre (1967).
17. **De fuga et inventione.** E. Starobinski-Safran (1970).
18. **De mutatione nominum.** R. Arnaldez (1964).
19. **De somniis.** P. Savinel (1962).
20. **De Abrahamo.** J. Gorez (1966).
21. **De Iosepho.** J. Laporte (1964).
22. **De vita Mosis.** R. Arnaldez, C. Mondésert, J. Pouilloux, P. Savinel (1967).
23. **De Decalogo.** V. Nikiprowetzky (1965).
24. **De specialibus legibus.** Livres I-II. S. Daniel (1975).
25. **De specialibus legibus.** Livres III-IV. A. Mosès (1970).
26. **De virtutibus.** R. Arnaldez, A.-M. Vérilhac, M.-R. Servel et P. Delobre (1962).
27. **De praemiis et poenis. De exsecrationibus.** A. Beckaert (1961).
28. **Quod omnis probus liber sit.** M. Petit (1974).
29. **De vita contemplativa.** F. Daumas et P. Miquel (1964).
30. **De aeternitate mundi.** R. Arnaldez et J. Pouilloux (1969).
31. **In Flaccum.** A. Pelletier (1967).
32. **Legatio ad Caium.** A. Pelletier (1972).
33. **Quaestiones in Genesim et in Exodum. Fragments grecs.** F. Petit (sous presse).
34. **Quaestiones in Genesim et in Exodum. Traduction de la version arménienne** (en préparation).
35. **De Providentia,** I-II. M. Hadas-Lebel (1973).

IMPRIMERIE A. BONTEMPS.
LIMOGES (FRANCE)

Éditeur : 6730 — Imprimeur : 1610
Dépôt légal : 4e trimestre 1976